PRESS-VIDHI
(Press Law)

[*Category* : Journalism & Law]

by

Dr. Nand Kishore Trikha

ISBN : 978-93-87643-05-5

अष्टम संस्करण : 2018 ई०

[8th Edition : 2018]

Publisher	*प्रकाशक*
VISHWAVIDYALAYA PRAKASHAN	**विश्वविद्यालय प्रकाशन**
Post Box No. 1149, Vishalakshi Building,	पोस्ट बॉक्स नं० 1149, विशालाक्षी भवन,
Chowk, Varanasi - 221001	चौक, वाराणसी-221 001
[U.P. INDIA]	[उत्तर प्रदेश, भारत]

Phone & Fax : (0542) 2413741, 2413082

E-mail : vvpbooks@gmail.com • sales@vvpbooks.com

Website : www.vvpbooks.com

मुद्रक

वाराणसी एलेक्ट्रॉनिक कलर प्रिण्टर्स प्रा० लि०

चौक, वाराणसी-221 001

प्रेस-विधि

[पत्रकारिता और समाचारपत्र-उद्योग से सम्बद्ध कानून]

केन्द्रीय न्याय एवं विधि मन्त्रालय द्वारा पुरस्कृत

लेखक

प्रो० (डॉ०) नन्दकिशोर त्रिखा

बी०एस-सी०, एम०ए०, पी-एच०डी०

विश्वविद्यालय प्रकाशन, वाराणसी

प्रेस-विधि

प्रेस सम्बन्धी कानून

पर

हिन्दी में उत्कृष्ट ग्रन्थ के रूप में मान्य

तथा

केन्द्रीय न्याय एवं विधि मन्त्रालय द्वारा

पुरस्कृत

पत्रकारिता एवं जनसंचार के विद्यार्थियों, विश्वविद्यालयों के सम्बद्ध विभागों, पत्रकारों और पुस्तकालयों हेतु 'प्रेस विधि' में कतिपय आवश्यक संशोधन–परिवर्धन की अत्यन्त आवश्यकता थी। अतः प्रस्तुत नवीन संस्करण में लेखक ने कई अध्यायों में कुछ अति आवश्यक संशोधन किये हैं, साथ ही 'सूचना का अधिकार अधिनियम' के विषय में विस्तार से लिख दिया है, जिसे एक नये परिशिष्ट (ग्यारहवें) के रूप में जोड़ दिया गया है। अध्ययन की सुविधा हेतु अध्यायों व परिशिष्टों के क्रम व क्रमांक में भी सुधार किया गया है। आशा है यह नवीन संस्करण अध्येताओं के लिए पहले से अधिक उपयोगी और ज्ञानवर्धक सिद्ध होगा।

—प्रकाशक

डॉ० नन्दकिशोर त्रिखा

डॉ० नन्दकिशोर त्रिखा, बी०एस–सी०, एम०ए०, पी–एच०डी० का भारत के वरिष्ठ पत्रकारों में विशिष्ट स्थान है। वे सम्पादक, संवाददाता, स्तम्भकार, लेखक, ग्रन्थकार और पत्रकारिता के वरिष्ठ प्रोफेसर रहे हैं और इन कार्यों में अब भी सतत क्रियाशील हैं।

वे कुछ समय पूर्व तक देश के प्रथम पत्रकारिता विश्वविद्यालय—माखनलाल चतुर्वेदी राष्ट्रीय पत्रकारिता विश्वविद्यालय, भोपाल में पत्रकारिता संकाय के अध्यक्ष रहे। डॉ० त्रिखा उन कुछ गिने–चुने पत्रकारों में हैं जो सक्रिय पत्रकारिता के साथ–साथ उसके शिक्षण–प्रशिक्षण तथा उसके साहित्य सृजन के लिए भी विख्यात हैं।

डॉ० त्रिखा के राजनीतिक, संसदीय और अन्तर्राष्ट्रीय समाचार–संकलन के अलावा सामयिक और संवैधानिक विषयों पर पैने समीक्षात्मक लेखों से पत्रकार और पाठक सुपरिचित हैं। वे तीन दशक से सर्वप्रमुख दैनिक 'नवभारत टाइम्स' के दिल्ली में विशेष संवाददाता, राजनयिक प्रतिनिधि, वरिष्ठ सहायक सम्पादक और लखनऊ में सम्पादक रहे। 'नवभारत टाइम्स' से सम्बद्ध होने से पहले वे नेपाल में और देश के विभिन्न भागों में संवादसमिति, 'हिन्दुस्थान समाचार' के संवाददाता, उपसम्पादक, विशेष संवाददाता, ब्यूरो प्रमुख तथा शाखा सम्पादक के पदों पर रहे।

उन्होंने 'टाइम्स' (लन्दन) के संचालक संगठन 'थामसन फाउण्डेशन' की अध्ययनवृत्ति अर्जित कर इंग्लैण्ड में पत्रकारिता के उच्च पाठ्यक्रम में डिप्लोमा प्राप्त किया।

पत्रकारिता पर उनकी पहली पुस्तक—'समाचार संकलन और लेखन' को तत्काल सम्मान मिला, जब उसे उत्तर प्रदेश साहित्य पुरस्कार दिया गया। यह 'रिपोर्टिंग' पर प्रथम हिन्दी पुस्तक थी। इसका दूसरा संस्करण प्रकाशित हो चुका है। इसी प्रकार प्रस्तुत पुस्तक के पहले संस्करण को केन्द्रीय न्याय और विधि मंत्रालय का पुरस्कार मिला। यह भी प्रेस कानून पर हिन्दी में पहली विस्तृत पुस्तक है। उनकी अंग्रेजी पुस्तक 'प्रेस काउंसिल' प्रेस के आत्मविनिमयन तंत्र पर एकमात्र विशद् ग्रन्थ

है। ये सभी पुस्तकें कई विश्वविद्यालयों के पत्रकारिता पाठ्यक्रमों में लगी हुई हैं। संसद के उच्च सदन पर उनकी अंग्रेजी पुस्तक 'सेकेण्ड चेम्बर ऑफ इण्डियन पार्लियामेण्ट' अपने विषय की मानक कृति है।

प्रोफेसर त्रिखा ने माखनलाल चतुर्वेदी राष्ट्रीय पत्रकारिता विश्वविद्यालय के तत्वावधान में 'भेंटवार्ता और प्रेस कांफ्रेंस' नामक नई पुस्तक का प्रणयन किया है। इसके साथ ही उन्होंने विश्वविद्यालय द्वारा पत्रकारिता के विभिन्न विषयों पर प्रकाशित एक ग्रन्थमाला का सम्पादन किया है।

डॉ० त्रिखा पत्रकारों और पत्रकारिता से सम्बद्ध अनेक संगठनों, निकायों और समितियों में सक्रिय रहे हैं। वे छह वर्ष तक भारतीय प्रेस परिषद के सदस्य रहे। १९८२–८५ में श्रमजीवी पत्रकारों के और १९८८–९१ में सम्पादकों के प्रतिनिधि के रूप में। उसके पूर्व वे केन्द्रीय प्रेस प्रत्यायन (एक्रेडिटेशन) समिति के सदस्य और लोकसभाध्यक्ष द्वारा नियुक्त प्रेस दीर्घा समिति के सचिव रहे। वे नेशनल यूनियन ऑफ जर्नलिस्ट्स के महासचिव और उपाध्यक्ष, इण्डियन फेडरेशन ऑफ वर्किंग जर्नलिस्ट की फेडरल एक्जीक्यूटिव काउंसिल के सदस्य तथा राजधानी दिल्ली में विशेष संवाददाताओं के संगठन 'प्रेस एसोसिएशन' के संयुक्त सचिव रह चुके हैं। वे कई महत्वपूर्ण अन्य परिषदों व अकादमियों से सम्बद्ध रहे हैं।

प्रो० त्रिखा ने देश–विदेश का व्यापक भ्रमण और अध्ययन किया है तथा ज्वलन्त घटनाक्रमों का पाठकों के लिए संकलन, विवेचन और विश्लेषण किया है।

उन्हें कई पुरस्कारों और सम्मानों से अलंकृत किया गया है। उत्तर प्रदेश हिन्दी संस्थान ने उन्हें हिन्दी के माध्यम से पत्रकारिता के क्षेत्र में दीर्घकालीन विशिष्ट योगदान के लिए वर्ष १९९७ के 'पत्रकारिता भूषण' सम्मान और पचास हजार रुपये की राशि से समादृत किया। उससे पूर्व राजधानी दिल्ली की हिन्दी अकादमी ने उन्हें हिन्दी पत्रकारिता के क्षेत्र में उत्कृष्ट सेवा और उल्लेखनीय योगदान के लिए वर्ष १९९५–९६ का 'साहित्यकार सम्मान' तथा इक्कीस हजार रुपये की राशि प्रदान की।

२००० में उन्हें राष्ट्रपति श्री के०पी० नारायण के कर–कमलों से केन्द्रीय हिन्दी संस्थान द्वारा 'गणेश शंकर विद्यार्थी सम्मान' से समादृत किया गया और इकतीस हजार रुपयों की राशि दी गई। २००३ में तत्कालीन प्रधानमंत्री श्री अटलबिहारी वाजपेयी ने उन्हें नचिकेता प्रतिष्ठान की ओर से 'पण्डित दीनदयाल उपाध्याय सम्मान' से नवाज़ा और इक्यावन हजार रुपये प्रदान किए।

प्रो० त्रिखा को २००९ में पुन : 'गणेश शंकर विद्यार्थी सम्मान' और एक लाख एक रुपये की राीश प्रदान की गई। यह सम्मान माखनलाल चतुर्वेदी राष्ट्रीय पत्रकारिता एवं संचार विश्वविद्यालय द्वारा दिया गया। इस प्रकार वे पहले ऐसे पत्रकार और विद्वान हैं जिन्हें देश में विद्यार्थी जी की स्मृति में स्थापित दोनों प्रतिष्ठित सम्मानों से अलंकृत किए जाने का श्रेय प्राप्त है।

■

अनुक्रमणिका

प्राक्कथन

भारत के संविधान के अन्तर्गत देश के प्रत्येक नागरिक को 'वाक् और अभिव्यक्ति' की स्वतंत्रता का मौलिक अधिकार प्राप्त है। इसी से प्रेस की स्वतंत्रता की प्रत्याभूति भी निःसृत होती है। लेकिन संविधान जहाँ यह स्वतंत्रता प्रदान करता है वहीं इस पर निर्बन्धन लगाने का अधिकार राज्य को देता है। और, राज्य ने अनेक कानून बनाकर कई निर्बन्धन लगा दिए हैं।

किन्तु, निर्बन्धन मनमाने नहीं हो सकते हैं। वे न युक्तिहीन, न आत्यन्तिक होने चाहिए। उनका संविधान-सम्मत और विधिमान्य होना तो अनिवार्य है ही, यह भी देखा जाना चाहिए कि वे ऐसे न हों जिससे प्रेस की स्वतंत्रता में निहित लोकहित अनावश्यक रूप से प्रभावित हो। एक जीवन्त लोकतंत्र के लिए जनमत के सुशिक्षित और जागरूक होने की आवश्यकता को देखते हुए वांछनीय है कि अभिव्यक्ति के प्रवाह को परिसीमित करने के नकारात्मक कानूनों के बजाय सूचनाओं का अधिक मुक्त प्रवाह सुनिश्चित करनेवाली सकारात्मक विधि विकसित की जाए। कई लोकतांत्रिक देशों ने सूचना के जनाधिकार की संधारण को अधिनियम बनाकर मूर्त रूप दिया है। कोई कारण नहीं कि विश्व का सबसे बड़ा लोकतंत्र भारत भी इस दिशा में कदम न बढ़ाए।

ऐसी सकारात्मक नई विधि के सर्जन के साथ-साथ विद्यमान विधि में ऐसे अनेक उपबन्धों को संशोधित करने की आवश्यकता है जो पत्रकारों और समाचारपत्र जगत् द्वारा उतनी ओजस्विता से कार्य करने में अवरोधक है जिसकी अपेक्षा उनसे की जाती है। शासकीय गुप्त बात अधिनियम, न्यायालय अवमान अधिनियम, अपरिभाषित संसदीय विशेषाधिकार, मानहानि जैसे कई क्षेत्रों में सुधार की पर्याप्त गुंजाइश है।

विश्व भर में आज की पत्रकारिता का स्वरूप 'कहाँ', 'कब', 'कौन', 'क्या' की अपेक्षा 'क्यों' और 'कैसे' की जिज्ञासा को शांत करने तथा अपने लोकदायित्व को निभाने की अन्तःप्रेरणा के (और दुर्भाग्य से, कभी-कभी सनसनी की खोज के) फलस्वरूप बदल रहा है। इससे अन्वेषणात्मक पत्रकारिता की विधा ने निखार पाया है। यह विधा कठिन, श्रमसाध्य और जोखिमभरी है। जोखिम का कारण जहाँ रहस्य के आवरण के नीचे दबे पड़े तथ्यों के प्रकट होने से प्रभावित व्यक्तियों, सरकारों और सरकारी गैर-सरकारी संगठनों का कोप होता है वहाँ पत्रकारों को उनके कार्यों से सम्बद्ध कानूनों का समुचित ज्ञान न होना भी है। कानूनों की जानकारी रहने पर पत्रकार जहाँ इनके शिकंजे से बच सकता है वहाँ वह इन्हीं का लाभ उठाकर अपना कार्य अधिक प्रभावी ढंग से कर सकता है।

यह देखा गया है कि सम्पादक और संवाददाता कानून की जानकारी के अभाव के कारण ऐसे प्रतिबन्धों और निर्बन्धनों को मौन स्वीकार कर लेते हैं जो कार्यपालिका में कतिपय तत्त्व उन्हें दबाने या निष्प्रभावी बनाने के लिए लगाने की चेष्टा करते हैं। दूसरी ओर पत्रकारिता के उच्च व्यावसायिक स्तर को बनाए रखने के अनुकूल

मर्यादाओं का पता न रहने के कारण उनसे कई बार अनजाने में व्यावसायिक आचार का उल्लंघन हो जाता है ।

अतः आज के हर पत्रकार और प्रेस-उद्योग के संचालकों एवं प्रबन्धकों को अपने व्यवसाय से सम्बद्ध विधि के बारे में पर्याप्त मात्रा में जानना चाहिए । परन्तु, कठिनाई यह है कि इस विषय पर उपयुक्त पुस्तकों का आवश्यक सृजन अभी नहीं हुआ है । हिन्दी और अन्य भारतीय भाषाओं में तो इनका नितान्त अभाव है ।

प्रस्तुत पुस्तक हिन्दी में ऐसी प्रथम कृति है जिसमें उन सभी संवैधानिक और विधिक संधारणाओं, मान्यताओं, अधिनियमों और उनकी व्याख्याओं को एक स्थान पर और एकीकृत रूप में लिपिबद्ध किया गया है जो प्रेस पर लागू होती हैं । यह एक क्लिष्ट तकनीकी विषय है लेकिन इसका प्रस्तुतिकरण इस तरह से करने का प्रयास किया गया है कि यह बोझिल न हो और सामान्य पाठक भी इसे समझ सकें, क्योंकि प्रेस से उनका अपना लोकतांत्रिक हित जुड़ा है । यह उल्लेखनीय है कि एकमात्र प्रेस से सम्बद्ध कानून गिने-चुने ही हैं । अधिसंख्य अधिनियम और कानूनी उपबन्ध ऐसे हैं जो प्रेस समेत सब पर लागू होते हैं । इनसे हर नागरिक के वाक् और अभिव्यक्ति, तथा वृत्ति की स्वतंत्रता के अधिकार प्रभावित होते हैं । इसलिए उसके लिए भी इन्हें जानना उपयोगी है ।

इस बात का ध्यान रखा गया है कि यथाशक्य मानक विधि शब्दावली का प्रयोग किया जाए किन्तु जहाँ उसके शब्दों को कठिन या कम प्रचलित पाया गया है, अथवा सही भाव-प्रेषण के लिए आवश्यक समझा गया है, वहाँ कोष्ठकों में अंग्रेजी के पर्यायवाचक शब्द दे दिए गए हैं ।

पुस्तक को प्रेस से सम्बद्ध व्यक्तियों, प्रशिक्षणार्थियों और आम पाठकों के साथ-साथ वकीलों, न्यायाधिकारियों, टीकाकारों और अनुसंधानकर्ताओं के लिए भी न्यायिक निर्णयों के आवश्यक संदर्भ देकर उपयोगी बनाने का यत्न किया गया है । सम्बद्ध अधिनियमों को तत्काल देख पाने के लिए मुख्य अधिनियमों के नौ परिशिष्ट शामिल किए गए हैं । इनमें उन धाराओं-उपधाराओं को छोड़ दिया गया है जो बहुत संगत या महत्त्वपूर्ण नहीं हैं । संवैधानिक उपबन्धों और प्रमुख कानूनों का विवेचन भिन्न-भिन्न अध्यायों में किया गया है । शेष अधिनियमों को एक अध्याय में समेटना उचित समझा गया है । विभिन्न कानूनों में सुधार के सुझावों को यथास्थिति सम्मिलित किया गया है ।

यद्यपि गत तीन-चार दशकों में देश में पत्रकारिता का काफी विस्तार और विश्वविद्यालयों तथा अन्य संस्थानों में पत्रकारिता-प्रशिक्षण की सुविधाओं का विकास हुआ है, आज भी पत्रकारिता की विभिन्न विधाओं पर पुस्तकों का भारी अभाव है । भारतीय भाषाओं में पत्रकारिता की पुस्तकें तो बहुत ही सीमित हैं ।

प्रस्तुत पुस्तक यदि इस कमी को कुछ पाट सकी तो लेखक अपने इस प्रयास को 'रिपोर्टिंग' पर अपनी पुस्तक 'समाचार, संकलन और लेखन' से भी द्विगुणित पुरस्कृत मानेगा ।

रामनवमी, सं० २०४३ **डॉ० नन्दकिशोर त्रिखा**
शुक्रवार, १८ अप्रैल १९८६
नई दिल्ली

JUDGE, SUPREME COURT OF INDIA

भूमिका

पत्र का प्रकाशन आधुनिक जीवन की नयी विधा है। विश्व में पत्रकारिता बहुत प्रभावकारी शक्ति बन चुकी है। वर्तमान युग में उसे चतुर्थ शक्ति के रूप में मान्यता प्राप्त है। इसका मुख्य कर्तव्य है जन-जीवन का प्रशिक्षण और नेतृत्व। विद्यालयों, महाविद्यालयों तथा विश्वविद्यालयों में नवयुवकों का ही प्रशिक्षण होता है। परन्तु पत्र समस्त जनता का शिक्षक है। इसलिए पत्रकार अथवा सम्पादक को प्राध्यापक से भी अधिक प्रबुद्ध और शुद्ध होने की आवश्यकता है। उसे ज्ञान और क्रिया दोनों में निष्णात होना चाहिए। तभी वह जनता का गुरुत्व और नेतृत्व कर सकता है। पत्रकार समाज का बहुत बड़ा सेवक है और साथ ही प्रहरी भी। जितनी क्षमता उसके हाथ में है उतनी किसी और में नहीं है।

पत्रकार यह कार्य प्रेस के माध्यम से करता है। स्वाधीनता के पहले राष्ट्र अपना आत्मसम्मान खो चुका था, उसकी आत्मा मूर्च्छित हो चुकी थी। उस समय जन-जागरण में जितना योगदान पत्रकारों का रहा है उतना अन्य किसी माध्यम का नहीं रहा। स्वतंत्रता-संग्राम के दिनों में पत्रकारों का मिशन देश की स्वतंत्रता प्राप्त करना था, उसके लिए देशभर में जागरण करना था। लेकिन स्वतंत्रता के बाद सामाजिक और आर्थिक स्थिति में परिवर्तन करना है। स्वतंत्रता के बाद स्वार्थपरता का उदय हुआ है। राष्ट्र-प्रेम की जिस भावना का उदय होना चाहिए, वह नहीं हुआ। पत्रकार को देश की नाड़ी की गति, युग के स्पंदन को पहचानना है और राष्ट्र के नव-निर्माण में योगदान करना है। राष्ट्र के हृदय में विश्वास और आस्था पैदा करना है, अनास्था पैदा करने का समय नहीं है।

यह तभी सम्भव हो सकता है जब प्रेस को स्वतंत्रता प्राप्त हो। प्रेस की स्वतंत्रता वास्तव में पत्रकार, सम्पादक और लेखक की स्वतंत्रता है। पत्रकार देश का प्रहरी कैसे बन सकता है जब उसे अपने को अभिव्यक्त करने की स्वतन्त्रता न हो! बिना प्रेस की स्वतन्त्रता के पत्रकार या लेखक समाज

का दर्पण या प्रहरी नहीं बन सकता । इसलिए आवश्यक है कि प्रेस को उचित स्वतन्त्रता प्राप्त हो । इसके बिना पत्रकार अपने दायित्व का पूर्णरूपेण निर्वाह नहीं कर सकता ।

लेकिन, कोई भी अधिकार एकांतिक नहीं हो सकता । प्रेस की स्वतन्त्रता भी इस नियम के अनुसार एकांतिक नहीं हो सकती । संविधान में प्रेस की स्वतंत्रता के सम्बन्ध में कोई अलग से अनुच्छेद नहीं है, लेकिन यह निर्विवाद है कि यह अधिकार संविधान के अध्याय ३ के अनुच्छेद १९ से निःसृत होता है । उसमें व्यक्ति को वाक् और अभिव्यक्ति का मौलिक अधिकार प्राप्त है । जहाँ संविधान ने यह अधिकार दिया है वहीं पर इस अधिकार पर उचित और युक्तियुक्त निर्बन्धन भी लगाने का अधिकार राज्य को दिया है। इसके बिना यह स्वतन्त्रता उच्छृङ्खलता में परिवर्तित हो जाती है ।

प्रेस विधायिका या कार्यपालिका अथवा न्यायपालिका की आलोचना करता रहता है और समाज व देश को यह बतलाता रहता है कि वे अपने अधिकार और कर्तव्य का समुचित पालन कर रहे हैं अथवा नहीं । लेकिन ऐसा करने के पहले पत्रकारों को स्वयं अपनी सीमा का भान होना चाहिए । यदि उन्हें अपने अधिकार और सीमा का सम्यक् ज्ञान नहीं है तो कठिनाई में पड़ सकते हैं और पड़ते रहते हैं । कभी-कभी न्यायपालिका की मानहानि का आरोप लग जाता है और कभी-कभी विधायिका अपने विशेषाधिकार के हनन का आरोप लगाती है ।

डॉ० नन्दकिशोरजी त्रिखा ने 'प्रेस-विधि' नामक पुस्तक लिखी है जिसकी पांडुलिपि पढ़ने का सुयोग मुझे मिला । इन्होंने इस पुस्तक में उन सभी आवश्यक विधियों का संकलन किया है जिनका प्रेस से सम्बन्ध है । इस पुस्तक में वे एक साथ सुलभ हो जाती हैं । ऐसी पुस्तक का सर्वथा अभाव था ।

आशा है, यह पुस्तक एक बड़े अभाव की पूर्ति करेगी । इसकी भाषा सरल और सुबोध है । न्यायालय के निर्णयों का भी हवाला इस पुस्तक में दिया गया है जिससे इसकी उपयोगिता और बढ़ गई है । विश्वास है कि यह पुस्तक प्रेस से सम्बद्ध सभी व्यक्तियों को एवं विद्यार्थियों को और अनुसंधानकर्ताओं के अलावा जनसाधारण के लिए भी उपयोगी सिद्ध होगी ।

८, मोतीलाल नेहरू मार्ग
नई दिल्ली

रामवृक्ष मिश्र
न्यायमूर्ति
भारत का उच्चतम न्यायालय

पुरोवाक्

इस पुस्तक के दूसरे संस्करण के प्रकाशन के बाद से प्रेस कानून के अध्ययन के प्रति चेतना और रुचि में त्वरित विस्तार हुआ है। प्रकाशक श्री पुरुषोत्तमदास मोदी द्वारा शीघ्र ही तृतीय संस्करण का प्रकाशन करने की आवश्यकता का अनुभव किया जाना इसका एक प्रमाण है। इसके लिए नए और पुराने पत्रकार, पत्रकारिता और जनसंचार के अध्येयता व प्रशिक्षु, विधिवेत्ता और अधिवक्ता, शिक्षक और अन्य बुद्धिजीवी साधुवाद के पात्र हैं।

द्वितीय संस्करण के परवर्ती काल में संचार के क्षेत्र में विचारों और तकनीक का और विकास हुआ है। व्यक्ति के जीवन के हर पहलू को संचार-क्रान्ति प्रभावित कर रही है। जहाँ सूचनाओं का विस्फोट हो रहा है वहाँ सूचनाओं तक पहुँच की समस्या भी रेखांकित हुई है। नागरिक के सम्पूर्ण जीवन और उसकी तमाम गतिविधियों में राज्य और गैर सरकारी अभिकरणों द्वारा उत्तरोत्तर अधिक अतिक्रमण किया जा रहा है। वह इसके प्रतिकूल परिणामों से बचते हुए अपने और समाज के हित में सही, समुचित व स्वतंत्र फैसले कर सके, इसके लिए जरूरी है कि उसे प्रभावित करने वाली सब सूचनाओं तक उसकी पहुँच हो। अर्थात्, उसे सूचना पाने का सकारात्मक कानूनी अधिकार दिया जाए।

इस विचार को विगत कुछ वर्षों में भारत में भी व्यापक लोक-समर्थन प्राप्त हुआ है और इस अधिकार को पाने की ललक लोगों में पैदा हुई है। इस विषय में पत्रकारों और अन्य प्रबुद्ध वर्गों में ऊपर से तो माँगें उठी ही हैं, कुछ स्थानों पर ग्रामीण स्तर तक दबाव पैदा किया गया है। फलतः सूचनाधिकार अथवा सूचना स्वातंत्र्य के नाम से कानून बनाने के प्रयास आरम्भ हुए हैं।

इन प्रयासों के महत्व को देखते हुए हमने पुस्तक के इस संस्करण में सूचनाधिकार की अवधारणा, इसकी आवश्यकता, इसके बारे में अब तक की स्थिति, हाल में किए गए प्रयासों, विचार-विमर्श के बाद प्रस्तुत मसौदा-विधेयकों के प्रावधानों और अन्य देशों में इस क्षेत्र में हुई प्रगति पर एक नया अध्याय जोड़ा है। भारतीय प्रेस परिषद ने पत्रकारों, अधिवक्ताओं, पूर्व न्यायाधीशों, राजनीतिज्ञों और अन्य बुद्धिजीवियों के साथ विचार-विनिमय करके विधेयक का जो प्रारूप केन्द्रीय सरकार को प्रेषित किया है, उसे परिशिष्ट में प्रकाशित किया जा रहा है।

इस प्रकार तृतीय संस्करण को प्रेस विधि के क्षेत्र में नवीनतम जानकारी से संवर्द्धित किया गया है। हमें विश्वास है कि सुधी पाठक इस अभिवृद्धि का स्वागत

करेंगे तथा इस संस्करण को और अधिक उपयोगी पायेंगे। मैं प्रकाशक श्री मोदी को प्रकाशन के माध्यम तथा समर्पण के भाव से पत्रकारिता के ज्ञान-भण्डार में श्रीवृद्धि करने के लिए विशेष रूप से धन्यवाद देना चाहूँगा।

प्रो० (डॉ०) नन्दकिशोर त्रिखा

अन्नपूर्णा जयन्ती
मार्गशीर्ष पूर्णिमा, सं० २०५४
रविवार, १४ दिसम्बर, १९९७
प्रेस एन्क्लेव, नई दिल्ली

प्रेस

विधि

❑

डॉ० नन्दकिशोर त्रिखा

अध्याय १

भारतीय संविधान और प्रेस

संविधान में प्रेस का स्थान और स्थिति

भारत के संविधान में जिन स्वतन्त्रताओं की मूल अधिकारों के रूप में प्रत्याभूति (गारण्टी) दी गई है उनमें बोलने और विचार व्यक्त करने के अधिकार को उच्च स्थान प्रदान किया गया है। संविधान के १६वें अनुच्छेद में उल्लिखित छह (सम्पत्ति के अधिकार को हटाने से पूर्व सात) स्वतन्त्रताओं में सर्वप्रथम 'वाक् स्वातंत्र्य और अभिव्यक्ति स्वातंत्र्य' का उल्लेख है।

और, एक लोकतांत्रिक स्वाधीन देश के संविधान में ऐसा होना उचित और स्वाभाविक ही नहीं वरन् आवश्यक भी है। वास्तव में बोलकर, लिखकर या अन्य तरीकों से, जैसे, अभिनय, चित्रकारी आदि, से विचार अभिव्यक्त करने की स्वतन्त्रता सब स्वतन्त्रताओं का मूलाधार है। इसके न रहने से अन्य समस्त स्वतन्त्रताओं का लोप हो सकता है। यह स्वतन्त्रता अक्षुण्ण रहे तो अन्य स्वतन्त्रताएँ पुनः प्रकट हो सकती हैं।

लोकतन्त्र में हर नागरिक को न केवल अपनी इच्छा की सरकार चुनने का अधिकार होता है अपितु वह अभिव्यक्ति के माध्यम से देश की राजनीतिक, सामाजिक, आर्थिक आदि सब प्रकार की नीतियों को प्रभावित करने का अवसर पाता है। इसके माध्यम से वह लोकतांत्रिक रीति से राष्ट्रजीवन में भाग लेता है। लोकतन्त्र में हर व्यक्ति को अपने विचारों से दूसरों को प्रभावित करने और दूसरों के विचार जानने का अधिकार होता है ताकि समस्त बातों को जान और समझकर वह अपने प्रतिनिधियों का निर्वाचन करे तथा निर्वाचित प्रतिनिधियों व शासन की कमियों, कुनीतियों, कदाचार आदि के विरुद्ध अपनी आवाज उठा सके। स्वतन्त्र समाज में अन्तिम भलाई सच्चाई को जानने में निहित होती है और सच्चाई का पता विचारों के मुक्त आदान–प्रदान के बिना नहीं लगाया जा सकता है। अभिव्यक्ति की स्वतन्त्रता नागरिकों के लिए ही नहीं बल्कि स्वयं सरकार और राज्य के स्थायित्व के लिए भी आवश्यक है। अमेरिका के उच्चतम न्यायालय के न्यायाधीश बेंडायस ने अपने एक फैसले में कहा था—"सुरक्षा का मार्ग यह है कि लोगों को अपनी कथित शिकायतों और उन्हें दूर करने के प्रस्तावित उपायों पर बहस का अवसर रहे।"

हमारे संविधान में 'वाक् और अभिव्यक्ति की स्वतन्त्रता' को सर्वोपरि स्थान तो दिया गया है किन्तु इसमें अभिव्यक्ति के महत्त्वपूर्ण साधन प्रेस की स्वतन्त्रता

का अभिव्यक्त उल्लेख नहीं है। पर, प्रेस की आजादी का सीधा और स्पष्ट उल्लेख न होने के बावजूद इसमें कभी दो राय नहीं रही कि प्रेस की स्वतन्त्रता अभिव्यक्ति की स्वतन्त्रता में अन्तर्निहित है। इसलिए, यह देश के नागरिकों का एक संविधान-प्रदत्त बुनियादी अधिकार है जिसे राज्य छीन नहीं सकता है।

उच्चतम न्यायालय ने संविधान लागू होने के कुछ समय उपरान्त ही रमेश थापड़ बनाम मद्रास राज्य (१९५० एस० सी० आर० ५९४) और बृजभूषण बनाम दिल्ली राज्य (१९५० एस० सी० आर० ६०५) के मामलों में यह निर्धारित कर दिया था कि संविधान के अनुच्छेद १९ (१) (क) में लिखित अभिव्यक्ति की स्वतन्त्रता में प्रेस की स्वतन्त्रता भी शामिल है। न्यायालय ने स्पष्ट कर दिया था कि इस बात से कोई फर्क नहीं पड़ता है कि जहाँ अमरीकी संविधान में 'वाक् और प्रेस की स्वतन्त्रता' का उल्लेख किया गया है वहाँ हमारे संविधान में 'वाक् और अभिव्यक्ति की स्वतन्त्रता' का उल्लेख है। देश का सर्वोच्च न्यायालय अपने इस निर्णय पर बाद के हर मामले में अडिग रहा है। इसलिए, कानूनी और संवैधानिक स्थिति यह है कि प्रेस की स्वतन्त्रता निःसन्देह देश के नागरिकों का एक मौलिक अधिकार है। फिर भी, प्रेस के अन्दर और बाहर से समय-समय पर यह स्वर उठता रहा है कि प्रेस की स्वतन्त्रता का अभिव्यक्त उल्लेख संविधान में किया जाए ताकि इस सम्बन्ध में कभी भी कोई शंका पैदा न की जा सके तथा प्रेस की महत्ता अप्रत्यक्ष नहीं प्रत्यक्ष रूप में देश की सर्वोच्च विधि में मान्य की जाए। इससे कोई भी भावी निरंकुश सरकार संविधान को बदले बिना प्रेस की स्वतन्त्रता को समाप्त नहीं कर सकेगी।

दोनों में से किसी प्रेस आयोग ने उच्चतम न्यायालय के निर्णयों के प्रकाश में यह सिफारिश करने की आवश्यकता नहीं समझी कि प्रेस की स्वतन्त्रता का स्पष्ट उल्लेख करने के लिए संविधान में संशोधन किया जाए। फिर भी, द्वितीय प्रेस आयोग ने सिफारिश की है कि प्रेस के सन्दर्भ में नागरिक की परिभाषा में उन कम्पनियों को भी सम्मिलित किया जाए जो समाचारपत्र-उद्योग चला रही हैं। इस संस्तुति को अभी तक कार्यान्वित नहीं किया गया है। वैसे भी इसके बारे में दो मत हैं। भारतीय प्रेस परिषद् ने भी आयोग की इस सिफारिश का समर्थन नहीं किया है।

यह उल्लेखनीय है कि वाक् और अभिव्यक्ति की स्वतन्त्रता (जिसमें प्रेस की स्वतन्त्रता शामिल है) एक मौलिक अधिकार के रूप में केवल भारतीय नागरिक को सुलभ है, विदेशियों को नहीं। संविधान निर्माताओं ने अनुच्छेद १९ में प्रदत्त स्वतन्त्रताओं के अधिकारों और अनुच्छेद १४ (कानून के समक्ष समता का अधिकार) और अनुच्छेद २१ (प्राण और दैहिक स्वाधीनता का अधिकार) आदि के अधिकारों में इस दृष्टि से जान-बूझकर अन्तर किया है। केवल देश का नागरिक ही उसके राजनीतिक, सामाजिक और आर्थिक जीवन में भाग लेने और लोकनीतियों को मताधिकार से अथवा अन्य लोकतान्त्रिक प्रक्रियाओं से प्रभावित करने का दावा बुनियादी अधिकार के रूप में कर सकता है, गैर-नागरिक नहीं।

गैर-नागरिक को मानवाधिकार के रूप में यह प्रत्याभूति उपलब्ध है कि कानून के समक्ष उससे भेदभाव नहीं किया जाएगा और बराबरी की कानूनी सुरक्षा प्रदान की जाएगी तथा विधि द्वारा निर्धारित प्रक्रिया का पालन किए बिना उसे प्राण और दैहिक स्वाधीनता से वंचित नहीं किया जाएगा ।

प्रेस की स्वतन्त्रता का कानूनी अभिप्राय

अभिव्यक्ति के संवैधानिक अधिकार की जो व्याख्या उच्चतम न्यायालय ने विभिन्न मामलों में की है और जो अन्यथा मान्य है उसके अनुसार प्रेस की स्वतन्त्रता से अभिप्राय यह है कि हर नागरिक, उन निर्बन्धनों को छोड़कर जिनकी अनुमति संविधान देता है, निम्नलिखित अधिकारों का प्रयोग करने को स्वतन्त्र है—

—समाचारों और विचारों का मुद्रण और प्रकाशन ।

—मुद्रित सामग्री का लोगों में प्रसारण ।

—सार्वजनिक मामलों पर खुली बहस ।

—लोकसेवकों, सरकार और सार्वजनिक प्राधिकरणों के कार्यों की समीक्षा और आलोचना ।

—सरकार के एकाधिकारी नियंत्रण से मुक्त रहकर विभिन्न और परस्पर विरोधी सूत्रों से तथा स्पर्द्धा के आधार पर तथ्य व सूचनाएँ एकत्रित करना ।

—प्रकाशन सामग्री का चयन, पत्र के प्रसार और मूल्य निर्धारण जैसी गतिविधियाँ और कार्य सरकारी निर्देशन से मुक्त रहकर अपनी योजना के अनुसार करना ।

—पत्रकारों सहित सब कर्मचारियों का किसी बाहरी निर्देशन या नियंत्रण के बिना चयन करना ।

—ऐसे किसी भी विशेष कर से मुक्ति जिसके परिणामस्वरूप पत्र की प्रसार संख्या सीमित होती हो ।

—सरकारी विज्ञापनों समेत किसी विज्ञापन को छापने से इनकार करना ।

—प्रेस की स्वतन्त्रता में पुस्तिकाएँ (पैम्फलेट), पत्रक (लीफलेट) और सूचना व विचारों के संवाहक हर प्रकार के प्रकाशन शामिल हैं ।

किन्तु,

—औद्योगिक सम्बन्धों, कर्मचारियों की सेवा-शर्तों, वेतनमान, काम के घण्टों, ग्रेच्युटी, भविष्यनिधि (प्राविडेण्ट फण्ड) आदि की अदायगी, एकाधिकार और प्रतिबन्धात्मक व्यापारिक प्रवृत्तियों को रोकने के कानूनों आदि जैसे सामान्य कानूनों से प्रेस को उन्मुक्ति प्राप्त नहीं है यदि ये कानून उसके प्रति भेदभाव-मूलक न हों ।

—वह सभी कर भी प्रेस पर लगाए जा सकते हैं जो औरों पर लगते हैं । किन्तु, ऐसा कोई कर नहीं लगाया जा सकता है जिसका उद्देश्य या परिणाम

उस पर इतना बोझ डालता हो कि नये पत्र प्रारम्भ न किए जा सकें या चालू पत्रों को जीवित रखने के लिए सरकार की सहायता लेने को बाध्य होना पड़े ।

—प्रेस किसी आपराधिक कानून से किसी विशेष उन्मुक्ति का अथवा उसके विरुद्ध रक्षा का दावा नहीं कर सकता है बशर्ते इस कानून का उपयोग उसे दबाने, नियंत्रित करने या उसके प्रकाशन अथवा प्रसारण के अधिकार को कम करने के उद्देश्य से न किया जाए ।

युक्तियुक्त निर्बन्धन लगाए जा सकते हैं

किसी भी स्वतन्त्रता की तरह प्रेस की स्वतन्त्रता भी आत्यन्तिक नहीं है । स्वतन्त्रता का अर्थ स्वच्छन्दता नहीं हो सकता है । यदि प्रेस की स्वतन्त्रता का प्रयोग इस तरह से किया जाए कि उससे समाज के अन्य व्यापक हितों को असह्य आघात पहुँचता हो तो इस स्वतन्त्रता पर कुछ निर्बन्धन लगाए जा सकते हैं । किन्तु निर्बन्धन न तो मनमाने तौर पर और न ही आवश्यकता से अधिक परिमाण में लागू किए जा सकते हैं ।

वास्तव में स्वतन्त्रता के बारे में एक द्वैध और विडम्बनापूर्ण स्थिति है । यदि अभिव्यक्ति की स्वतन्त्रता पर पूरा प्रतिषेध लगाने का अधिकार सरकार को दे दिया जाए तो वह अपनी मामूली-सी आलोचना का मुँह भी बन्द कर सकती है । इससे जनतन्त्र और उत्तरदायी शासन का सिद्धान्त नष्ट हो जाएगा तथा देश में अधिनायकवाद का संकट पैदा हो सकता है । इसके विपरीत अगर राज्य में किसी भी प्रकार का निर्बन्धन लगाने की शक्ति नहीं होगी तो स्वतन्त्रता का ऐसा स्वच्छन्दतापूर्ण उपयोग किया जा सकता है जिससे स्वयं राज्य के नष्ट हो जाने का खतरा पैदा हो जाए, राष्ट्र की सुरक्षा और सार्वजनिक व्यवस्था भंग हो जाए, अनैतिकता, अराजकता, अशान्ति आदि फैल जाए । जहाँ अभिव्यक्ति की स्वतन्त्रता आवश्यक है वहाँ यह देखना भी जरूरी है कि समाज और राष्ट्र के नाजुक हितों को अनावश्यक आघात न पहुँचे । इसलिए, इन दोनों में युक्तियुक्त सन्तुलन रखना आवश्यक है ताकि स्वतन्त्रता पर अनावश्यक और एक अनुचित निर्बन्धन भी न लगे और न ही स्वतन्त्रता का ऐसा उपयोग किया जा सके जिनसे समाज और राष्ट्र के व्यापक हितों को चोट लगे ।

चूँकि प्रेस की स्वतन्त्रता और उस पर अत्यन्त आवश्यक निर्बन्धन दोनों ही समाज और राष्ट्र के हित में हैं इसलिए हर मामले में दोनों को तराजू में तौलकर यह देखना होगा कि किसका पलड़ा भारी है । यह काम किसी निष्पक्ष प्राधिकरण द्वारा ही किया जाना चाहिए । ऐसा प्राधिकरण न तो निर्बन्धन लगानेवाली सरकार खुद हो सकती है, न ही स्वयं प्रेस । अतः यह काम न्यायपालिका को सौंपा गया है । न्यायालय को यह अधिकार है कि वह हर मामले में, और हर बार विचार करके फैसला करे कि अमुक निर्बन्धन उचित है या नहीं ।

किसी निर्बन्धन को वैध ठहराए जाने की पहली शर्त यह है कि वह युक्तियुक्त हो, क्योंकि संविधान के अनुच्छेद १९ (२) के अनुसार मौलिक स्वतन्त्रताओं पर

केवल युक्तियुक्त निर्बन्धन ही लगाए जा सकते हैं । युक्तियुक्तता की परिभाषा संविधान में नहीं दी गई है । क्या युक्तियुक्त है और क्या नहीं, इसका निर्णय स्पष्टतः न्यायालय पर छोड़ दिया गया है ।

युक्तियुक्तता की कसौटी

उच्चतम न्यायालय ने युक्तियुक्तता की जो कसौटी निर्धारित की है, वह यह है—जिस अधिकार के अतिक्रमण की बात कही गई हो उसका प्रकार, लगाए गए निर्बन्धन का मूल उद्देश्य, उसके द्वारा जिस बुराई को दूर करना वांछित हो उसका विस्तार और आत्यन्तिकता, लगाई गई रोक का अनुपात, और समकालीन परिस्थितियाँ—इन सबको ध्यान में रखकर निर्णय किया जाना चाहिए । (मद्रास राज्य बनाम वी० जी० राव, ए० आई० आर० १९५२, एस० सी० १९६) । वैसे न्यायालय ने स्पष्ट किया है कि युक्तियुक्तता के परीक्षण का कोई ऐसा संक्षिप्त मानक या व्यापक स्वरूप निर्धारित नहीं किया जा सकता है जो समस्त परिस्थितियों में उपयुक्त हो । हर मामले में इसे अलग से लागू करने की आवश्यकता होगी । निर्बन्धन ऐसा विनियमन नहीं होना चाहिए जो सम्बद्ध मूल अधिकार को ही समाप्त कर दे ।

युक्तियुक्तता न केवल सारवान् होनी चाहिए बल्कि निर्बन्धन लगाने की प्रक्रिया भी युक्तियुक्त होनी चाहिए । उदाहरणार्थ, उच्चतम न्यायालय ने पंजाब विशेष शक्तियाँ (प्रेस) अधिनियम, १९५६ की धारा ३ (१) को इस आधार पर रद्द कर दिया था कि उससे कुछ समाचारपत्रों के पंजाब में प्रवेश पर जो रोक लगाई गयी थी उसकी अधिकाधिक अवधि निर्धारित नहीं की गई थी । उसने इस धारा को सारवान न होने के कारण तो अवैध करार दिया ही इसके साथ ही इसे इसलिए भी अवैध घोषित किया कि इसमें रोक से प्रभावित पत्रों को शिकायत करने का कोई प्रावधान नहीं रखा गया था । इस प्रकार उच्चतम न्यायालय ने प्रक्रिया के युक्तियुक्त न होने के आधार पर भी इस धारा को रद्द कर दिया । इसके विपरीत उसने धारा २ (१) को वैध करार दिया क्योंकि उसमें कुछ प्रकार के समाचारों को छापने पर रोक के राज्य सरकार के आदेश के खिलाफ सुनवाई का प्रावधान किया गया था । पर, इतना काफी नहीं है कि सम्बद्ध कानून या नियम में सुनवाई का प्रावधान रखा जाय बल्कि प्रभावित व्यक्ति को सुनवाई का प्रभावी और वास्तविक अवसर सुलभ किया जाना चाहिए ।

दूसरी शर्त यह है कि लगाए गये निर्बन्धनों का संविधान के अनुच्छेद १९ (२) में उल्लिखित उद्देश्यों में से उस उद्देश्य से घनिष्ठ या निकट का सम्बन्ध होना चाहिए जिसके लिए निर्बन्धन लगाए जा रहे हों । उदाहरणार्थ डॉ० राममनोहर लोहिया (ए० आई० आर० १९६०, एस० सी० ६३३) के मामले में उच्चतम न्यायालय ने उत्तर प्रदेश विशेष शक्तियाँ अधिनियम, १९३२ की धारा तीन को अभिव्यक्ति के मौलिक अधिकार पर असंवैधानिक निर्बन्धन लगाए जाने के आधार पर रद्द कर दिया था । राज्य सरकार ने इस कानून का इस्तेमाल करके डॉ०

लोहिया को इस अभियोग में बन्दी बनाया था कि उन्होंने किसानों को नहरी पानी पर लगाये गये कर न चुकाने के लिए उकसाया था । राज्य सरकार ने सार्वजनिक व्यवस्था भंग होने के खतरे के आधार पर यह कार्रवाई की थी ।

उच्चतम न्यायालय ने कहा कि इस कानून की धारा तीन के अधीन पूर्णतः निर्दोष भाषण को भी अपराध बना दिया गया है । सरकार की यह आलोचना कि अमुक कर अनुचित है या उसकी दरें ऊँची हैं जनतांत्रिक प्रणाली में अपराध नहीं कहा जा सकता है । इस प्रकार की आलोचना का 'सार्वजनिक व्यवस्था' से 'निकट' या 'घनिष्ठ' सम्बन्ध नहीं है । (ए० आई० आर० १९६०, एस० सी० ८९६, ८९९)

यह उल्लेखनीय है कि मूल संविधान में जिन विषयों पर कानून बनाकर अभिव्यक्ति की स्वतन्त्रता पर निर्बन्धन लगाये जा सकने का प्रावधान था उनमें भारत की प्रभुता और अखंडता, विदेशी राज्यों के साथ मैत्रीपूर्ण सम्बन्ध, सार्वजनिक व्यवस्था आदि विषयों तथा युक्तियुक्तता का उल्लेख नहीं था । मूल संविधान के अन्तर्गत राज्य की सुरक्षा, लोक व्यवस्था, शिष्टाचार या सदाचार, न्यायालय अवमान व मानहानि के सम्बन्ध में ही निर्बन्धन लगाये जा सकते थे । भारत की प्रभुता और अखण्डता, विदेशी राज्यों के साथ मैत्रीपूर्ण सम्बन्ध, सार्वजनिक व्यवस्था या अपराध उद्दीपन के विषयों के साथ-साथ युक्तियुक्तता का उल्लेख संविधान में बाद में किये गये संशोधनों से सम्मिलित किया गया । भारत की प्रभुता और अखण्डता का विषय १६वें संविधान संशोधन से और शेष विषय पहले संशोधन से अनुच्छेद १९ (२) में शामिल किये गये ।

अब उन विषयों के अर्थ और उनके सम्बन्ध में कानूनी व्याख्याओं व स्थिति पर संक्षिप्त विचार करना उपयुक्त होगा जिनके सम्बन्ध में संविधान में राज्य को युक्तियुक्त निर्बन्धन लगाने की शक्ति प्रदान की गयी है ।

१. भारत की प्रभुता और अखण्डता

जैसा कि पहले कहा गया है इस विषय को १९६३ में संविधान (सोलहवें) संशोधन से अनुच्छेद १९ (२) में शामिल किया गया था । इसका उद्देश्य अलगाववादी प्रवृत्तियों और भारत के किसी भाग को देश से अलग करने की मांग करने या उसके लिए कार्य करनेवाले संगठनों से निपटना था । ऐसा महसूस किया गया था कि इनकी गतिविधियों को भारत की सुरक्षा के प्रावधान के अन्तर्गत नियंत्रित या प्रतिषिद्ध नहीं किया जा सकता है । इसलिए इस नये विषय को संविधान में शामिल किया गया ।

संसद ने १९६१ में आपराधिक विधि (संशोधन) अधिनियम बनाकर ऐसी किसी प्रकार की बात को जिससे भारत की अखण्डता को इस तरह से चुनौती दी जाय कि उसकी सुरक्षा ही खतरे में पड़ जाय, दण्डनीय अपराध बना दिया था । इस उद्देश्य से कि इस कानून को अनुच्छेद १९ (१) (क) के अधीन अदालत में

चुनौती न दी जा सके, भारत की प्रभुता और अखण्डता की रक्षा के लिए निर्बन्धन का प्रावधान संविधान में किया गया ।

२. राज्य की सुरक्षा

राज्य की सुरक्षा से अभिप्राय यह है कि राज्य को बाहरी और आन्तरिक दोनों ही प्रकार के संकटों से अपनी रक्षा करने का अधिकार है । इसके अन्तर्गत राज्य हिंसा या ताकत से उसे उलटने के प्रचार पर युक्तियुक्त रोक लगा सकता है । लेकिन, अमेरिका में वहाँ की उच्चतम अदालत ने यह स्पष्ट सीमा बना दी है कि जब तक राष्ट्रीय सुरक्षा के हित का पलड़ा बहुत भारी न हो तब तक विचारों की अभिव्यक्ति पर प्रकाशन-पूर्व रोक नहीं लगायी जा सकती है । भारत में शासकीय गुप्त बात कानून, आपराधिक विधि (संशोधन) अधिनियम, भारत सुरक्षा नियम और भारत सुरक्षा अधिनियम, नागरिक सुरक्षा कानून, राजद्रोह सम्बन्धी भारतीय दण्ड संहिता का प्रावधान राज्य की सुरक्षा सम्बन्धी निर्बन्धन में आते हैं ।

३. विदेशी राज्यों के साथ मैत्रीपूर्ण सम्बन्ध

इसके अन्तर्गत उन देशों के उच्चाधिकारियों के विरुद्ध अपमानजनक प्रचार करने, विदेशी फौजों में भारतीयों को भरती होने, ऐसे देशों से लड़ाई का प्रचार करने जिनके भारत के साथ शांतिपूर्ण सम्बन्ध हों, और भारत द्वारा किसी देश के राज्याध्यक्ष या शासनाध्यक्ष को मान्यता दिये जाने के बाद वहाँ के किसी अन्य व्यक्ति के पक्ष में यह प्रचार करने कि इस पद का दावेदार वह है जैसे मामलों में युक्तियुक्त निर्बन्धन लगाने का अधिकार राज्य को है ।

४. सार्वजनिक व्यवस्था

सार्वजनिक व्यवस्था से अभिप्राय सार्वजनिक सुरक्षा और प्रशांति से है । सार्वजनिक सुरक्षा में आन्तरिक गड़बड़ी पैदा करना, आवश्यक वस्तुओं और सेवाओं की पूर्ति और वितरण में बाधा उत्पन्न करना, पुलिस को अपने कर्तव्य करने के विरुद्ध उकसाना, सामुदायिक जीवन के लिए आवश्यक सेवाओं में रत लोकसेवकों को अपना कार्य न करने को कहना, अनुशासन भंग करना आदि शामिल है ।

सार्वजनिक प्रशांति की कोई स्पष्ट व्याख्या भारतीय दण्ड संहिता में नहीं की गयी है फिर भी विभिन्न कानूनों से स्पष्ट है कि इसमें गैर-कानूनी रूप से एकत्र होने, दंगे करने, विभिन्न वर्गों के बीच वैमनस्य का भाव संवर्द्धित करने और हंगामा मचाने के अपराध आते हैं । किन्तु यह बात स्पष्ट कर दी गई है कि सार्वजनिक व्यवस्था, कानून और व्यवस्था की सामान्य अवधारणा से भिन्न है । यह आवश्यक नहीं है कि जो गतिविधि कानून और व्यवस्था को प्रभावित करती है वह सार्वजनिक व्यवस्था को भी प्रभावित करेगी । इसी तरह सार्वजनिक व्यवस्था और राज्य की सुरक्षा की अवधारणाएँ भी भिन्न हैं । जो गतिविधि सार्वजनिक व्यवस्था को प्रभावित करती है वह राज्य की सुरक्षा को भी प्रभावित करेगी, यह आवश्यक नहीं है । उच्चतम न्यायालय ने मधु लिमये बनाम जिलाधीश (ए० आई० आर० १९७१,

एस० सी० २४८६) के मामले में सार्वजनिक व्यवस्था की व्याख्या इस प्रकार की थी—सार्वजनिक अव्यवस्था सार्वजनिक शांति में गड़बड़ी का एक गम्भीर रूप है जो सार्वजनिक जीवन की आम धारा को प्रभावित करता है । किन्तु, यह जरूरी नहीं है कि कोई भी कार्य जो सिर्फ दूसरों की सुरक्षा को प्रभावित करता है वह सार्वजनिक व्यवस्था को भी भंग करता ही हो ।

भारतीय दण्ड संहिता की धाराएँ १५३ क, २९५ क, २९८, ५०५, भारतीय तार अधिनियम और भारतीय डाकघर अधिनियम, पुलिस (अप्रीति प्रेरणा) अधिनियम, औषधि और चमत्कारी उपचार (आक्षेपणीय विज्ञापन) अधिनियम, कस्टम अधिनियम, अपराध प्रक्रिया संहिता की धारा ९५ जिसके अन्तर्गत राज्य सरकारों को ऐसे प्रकाशनों की सभी प्रतियाँ जब्त करने का अधिकार है जिनमें भारतीय दण्ड संहिता की धाराओं १२४ क, १५३ क, १५३ ख, २९२, २९३ और २९५ क में जिन बातों को अपराध घोषित किया गया है वे प्रकाशित की गयी हों, और राज्य सरकारों द्वारा सुरक्षा और सार्वजनिक रक्षा के सम्बन्ध में बनाये गये विभिन्न कानून सार्वजनिक सुरक्षा के विषय के दायरे में आते हैं ।

५. शिष्टाचार या सदाचार

अश्लीलता, अशोभनीयता और समाज द्वारा सामान्यतः अंगीकृत नैतिक आचरण के नियमों को भंग करनेवाली गतिविधियाँ इसके अन्तर्गत आती हैं । इनसे सम्बद्ध अपराधों की सुनवाई बन्द अदालतों में हो सकती है और अदालतें सुनवाई के दौरान पत्रकारों को अदालत में उपस्थित रहने से रोक सकती हैं । भारतीय दण्ड संहिता की धारा २९२ और युवा व्यक्ति (हानिकारक) प्रकाशन अधिनियम शिष्टाचार या सदाचार सम्बन्धी निर्बन्धन के अन्तर्गत आते हैं ।

उच्चतम न्यायालय ने रणजीत डी० उदेशी बनाम महाराष्ट्र राज्य (ए० आई० आर० १९६५, एस० सी० ८८१) के मामले में यह अभिनिर्धारित किया था कि जिस साहित्य की प्रकृति उन लोगों को दुराचारी या भ्रष्ट बनाने की हो कि जिनके चित्त ऐसे भावों की बहक में आ सकते हैं और जिनके हाथों में ऐसा साहित्य पड़ सकता हो वह अश्लील साहित्य कहा जा सकता है और इस अर्थ में अश्लीलता को दण्डनीय बनानेवाला कानून निश्चय ही संविधान के अनुच्छेद १९ (२) के अधीन शिष्टाचार और सदाचार के हित में बनाया गया कानून है ।

६. न्यायालय अवमान

ऐसी अभिव्यक्ति जिससे न्यायालयों को अपना कर्तव्य निभाने में बाधा उत्पन्न हो या जिससे न्यायाधीशों की निन्दा की जाय तथा आम लोगों में न्यायाधीश या न्याय व्यवस्था के प्रति अश्रद्धा उत्पन्न हो, उसे इस विषय के अन्तर्गत निषिद्ध किया जा सकता है । ऐसा निर्बन्धन युक्तियुक्त माना जायगा । न्यायाधीशों की निष्पक्षता और ईमानदारी के प्रति जनविश्वास वास्तव में लोकतन्त्र को बनाये रखने का आवश्यक आधार है । इसलिए न्यायालय को इस प्रकार का संरक्षण मिलना समाज

के अपने हित में है । अतः यह आवश्यक है कि न्यायालयों का अनुचित अवमान न हो और इस उद्देश्य से किया गया कोई कार्य या बनाया गया कोई कानून अभिव्यक्ति की स्वतंत्रता के नागरिक अधिकार के प्रतिकूल नहीं माना जाता है ।

किन्तु, इसका अर्थ यह नहीं है कि लोग या प्रेस न्यायालयों के निर्णयों की आलोचना नहीं कर सकते या उनकी कार्यविधि का वैज्ञानिक अथवा तार्किक विश्लेषण करने का अधिकार उन्हें नहीं है । उच्चतम न्यायालय ने ई० एम० एस० नम्बूदिरीपाद बनाम टी० नारायण नम्बियार (ए० आई० आर० १९७०, एस० सी० २०१५) के मामले में स्पष्ट कर दिया था कि न्यायालयों के निर्णयों की कड़ी-से-कड़ी आलोचना करना भी दण्डनीय नहीं माना जायगा किन्तु इस बात का ध्यान अवश्य रखा जाय कि किसी न्यायाधीश पर या न्याय-व्यवस्था पर जान-बूझकर अनुचित या झूठे निर्णय देने का आरोप न लगाया जाय । न्यायालय ने पाया कि श्री नम्बूदिरीपाद ने जो उस समय केरल के मुख्यमन्त्री थे, न्यायाधीशों पर जान-बूझकर पक्षपातपूर्ण न्याय देने का आरोप लगाया था जो संविधान द्वारा संरक्षित अभिव्यक्ति की सीमा से बाहर है । इसलिए, केरल के उच्च न्यायालय द्वारा उन्हें दण्ड देना उचित ही था ।

वास्तव में प्रेस के संदर्भ में न्यायालय के अवमान का प्रश्न समाज के दो मूल्यवान् हितों के टकराव का सवाल है । एक ओर यह समाज के हित में है कि अभिव्यक्ति की स्वतन्त्रता रहे और प्रेस न्याय व्यवस्था, न्याय प्रक्रिया और न्यायालयों के सम्बन्ध में स्वतन्त्र रूप से लिख सके तथा न्यायपालिका के सम्बन्ध में सभी आवश्यक जानकारी जनता को दे । दूसरी ओर जनहित इसमें भी निहित है कि सभी पक्षों को निष्पक्ष, निर्भीकतापूर्वक और न्यायपूर्ण सुनवाई का अवसर मिले । इसमें न तो मुकदमे लड़नेवालों के मार्ग में प्रेस के कारण कोई बाधा खड़ी हो और न ही अदालतें किसी प्रकार की बाधा महसूस करें । यह भी आवश्यक है कि न्यायालय की प्रतिष्ठा किसी प्रकार से कम न हो और उसकी निष्पक्षता में लोक विश्वास कायम रहे । न्यायालय के अवमान को रोकने और उसकी प्रतिष्ठा अक्षुण्ण रखने के लिए जो भी कानून बनाया जाए अथवा कार्रवाई की जाए उसमें दोनों हितों में संतुलन रखना आवश्यक होगा । एक युक्तियुक्त संतुलन होने पर ही ऐसा कोई कार्य वैध माना जाएगा, अन्यथा नहीं ।

७. मानहानि

व्यक्ति की प्रतिष्ठा या नेकनामी उसकी अमूल्य सम्पत्ति होती है । इसलिए, इसकी रक्षा को सर्वोच्च कानूनी अर्थात् संवैधानिक संरक्षण दिया गया है । हर व्यक्ति दूसरों की नजरों में सम्मानित बना रहने का अधिकारी है । इस अधिकार का हरण अभिव्यक्ति की स्वतन्त्रता के नाम पर अनुचित रूप से नहीं किया जा सकता है । इसीलिए मानहानि के सन्दर्भ में प्रेस की स्वतन्त्रता के कड़े मानदण्ड निर्धारित किये गये हैं हालाँकि सार्वजनिक हित में और अभिव्यक्ति की स्वतन्त्रता को यथासंभव बनाये रखने के उद्देश्य से भारतीय दण्ड संहिता की सम्बद्ध धारा

में कई अपवाद रखे गये हैं । प्रेस द्वारा किसी के प्रति मानहानिकारक बातें लिखने पर प्रेस का दायित्व दोनों ही प्रकार का होता है—सिविल और आपराधिक । सिविल मुकदमे में दोषी ठहराये जाने पर मानहानि करनेवालों को भारी मुआवजा देना पड़ सकता है । आपराधिक मुकदमे में फैसला खिलाफ जाने पर कारावास भुगतना पड़ सकता है ।

८. अपराध-उद्दीपन

इसके अन्तर्गत राज्य ऐसी अभिव्यक्ति को निर्बन्धित करनेवाले कानून बना सकता है जिसमें किसी कानून के अन्तर्गत घोषित अपराध करने के लिए लोगों को उकसाया जाता हो । उदाहरणार्थ, पुलिस कानून के अन्तर्गत पुलिसकर्मियों का यह कर्तव्य है कि वे अपना निर्धारित कार्य करें । यदि कोई उन्हें यह काम न करने को उकसाता है तो वह इसके लिए दण्डित किया जा सकता है । अगर यह कार्य अभिव्यक्ति की स्वतन्त्रता का सहारा लेकर किया जाता है तो राज्य युक्तियुक्त कानून और कार्रवाई से इसे रोक सकता है । किन्तु, उच्चतम न्यायालय ने यह स्पष्ट तौर से निर्धारित कर दिया है कि जिस अपराध के उद्दीपन को रोकने के लिए कानून बनाया जाता है अथवा कार्रवाई की जाती है वह सम्बद्ध कानून में पहले से विद्यमान होना चाहिए । अगर कोई कार्य जैसे लगान अदा न करना कानून में अपराध नहीं है तो लगान न देने के लिए लोगों को उकसाना अपराध नहीं माना जा सकता है । इसलिए ऐसे कार्य को रोकने के लिए अभिव्यक्ति की स्वतन्त्रता पर कोई निर्बन्धन अपराध-उद्दीपन के अपवाद के सहारे नहीं लगाया जा सकता है । दूसरी बात यह है कि जिस अपराध के विरुद्ध कानून बनाया जाता है वह स्पष्ट और सुनिश्चित होना चाहिए, अस्पष्ट नहीं । तीसरी बात यह है कि जिस प्रकाशन को रोकने के लिए निर्बन्धन लगाया जाता है उसमें अपराध-उद्दीपन की मौजूदा प्रवृत्ति होना चाहिए तभी निर्बन्धन को वैध और संवैधानिक करार दिया जा सकता है । किसी पुरानी घटना या ऐतिहासिक प्रकरण में हुई हिंसा आदि की प्रशंसा करने या हिंसा के उस कार्य से सहमति व्यक्त करनेवाले साहित्य पर इस अपवाद के अन्तर्गत रोक लगाना युक्तियुक्त नहीं माना जायेगा ।

प्रेस : व्यवसाय के रूप में

जैसा कि पहले कहा गया है, हमारे संविधान में जहाँ अनुच्छेद १९ (१) (क) में देश के सब नागरिकों के लिए 'वाक् और अभिव्यक्ति' की स्वतन्त्रता घोषित की गई है वहाँ १९ (२) में यह उपबन्ध है कि भारत की प्रभुता और अखण्डता, राज्य की सुरक्षा, विदेशी राज्यों से मैत्रीपूर्ण सम्बन्ध, सार्वजनिक व्यवस्था, शिष्टाचार या सदाचार के हित में, न्यायालय के अवमान, मानहानि या अपराध उद्दीपन के सम्बन्ध में राज्य कानून के द्वारा युक्तियुक्त निर्बन्धन लगा सकता है । किन्तु, प्रेस के सम्बन्ध में एक निर्बन्धन और भी है ।

क्योंकि प्रेस का एक रूप उसका एक व्यवसाय या व्यापार होना भी है इसलिए अनुच्छेद १९ (६) में निर्बन्धन का जो उपबन्ध किया गया है वह भी प्रेस के सम्बन्ध में संगत है । १९ (६) में वृत्ति, उपजीविका, व्यापार या कारबार करने के मूल अधिकार अनुच्छेद १९ (१) (छ) पर आम जनता के हित में निर्बन्धन लगाने की शक्ति राज्य को दी गई है । इसमें कहा गया है कि इस मूल अधिकार के कारण किसी वृत्ति, उपजीविका, व्यापार या कारबार करने के लिए आवश्यक वृत्तिक या शिल्पिक अर्हताएँ विधि द्वारा स्थापित करने के मार्ग में कोई रुकावट नहीं आएगी । इस प्रकार, राज्य द्वारा किसी व्यापार, कारबार, उद्योग या सेवा चलाए जाने, तथा इस व्यापार, कारबार, उद्योग या सेवा से नागरिकों का पूर्णतः या आंशिक अपवर्जन (बाहर) करने के मार्ग में भी अनुच्छेद १९ (१) के उपखण्ड (छ) द्वारा किसी प्रकार की रुकावट प्रस्तुत नहीं होगी ।

उच्चतम न्यायालय ने सकाल पेपर्स बनाम भारत सरकार (ए० आई० आर० १९६२ एस० सी० ३०५, ३१३) के मामले में यह सिद्धान्त स्थापित किया है कि राज्य को नागरिक के कारबार या उद्योग के मौलिक अधिकार पर एकाधिकार या अनुचित स्पर्धा को रोकने के लिए निर्बन्धन लगाने का अधिकार है । फिर भी, राज्य को यह अधिकार नहीं है कि इस उद्देश्य की पूर्ति के लिए वह नागरिक की अभिव्यक्ति की स्वतन्त्रता या किसी अन्य स्वतन्त्रता को कम करे । सिर्फ उन उद्देश्यों की पूर्ति के लिए या उन्हीं प्रयोजनों से निर्बन्धन लगाए जा सकते हैं जिनका उल्लेख अनुच्छेद १९ के खण्ड (२) में किया गया है । इससे स्पष्ट है कि यदि व्यापारिक स्वतन्त्रता पर लगाया गया निर्बन्धन अभिव्यक्ति की स्वतन्त्रता पर चोट करता है तो वह असंवैधानिक होगा । (ए० आई० आर० १९६२ एस० सी० ३०५, ३१३)

न्यायिक निर्णयों से यह सुस्थापित हो चुका है कि केवल उन्हीं विषयों के सम्बन्ध में प्रेस पर निर्बन्धन लगाए जा सकते हैं जिनका साफ-साफ उल्लेख अनुच्छेद १९ (२) में है; इनसे बाहर या अधिक किसी सम्बन्ध में नहीं । न्यायालय को सबसे पहले यह देखना होता है कि लगाए गए निर्बन्धनों का सम्बन्ध इन विषयों से है या नहीं । यदि है तो क्या निर्बन्धन युक्तियुक्त हैं ?

उच्चतम न्यायालय ने यह भी स्थापित किया है कि यद्यपि विज्ञापन अभिव्यक्ति का एक प्रकार है तथापि अगर विज्ञापन का वास्तविक स्वरूप व्यापारिक हो तो वह अभिव्यक्ति की स्वतन्त्रता की कल्पना में नहीं बैठता । इसी आधार पर उसने हमदर्द दवाखाना बनाम भारत संघ (ए० आई० आर० १९६०, एस० सी० ५५४) के मामले में औषधि और चमत्कारी उपचार (आक्षेपणीय विज्ञापन) अधिनियम, १९५४ को वैध करार दिया था । इस अधिनियम से ऐसे विज्ञापन को दण्डनीय अपराध बना दिया गया था जिसका उद्देश्य लोगों को कुछ रोगों का इलाज खुद कर लेने का सुझाव देना हो । उच्चतम न्यायालय का मत था

कि ऐसे मामले में अनुच्छेद १९ के खण्ड दो पर विचार करने की ही कोई आवश्यकता नहीं है ।

कुछ महत्त्वपूर्ण सिद्धान्त

उच्चतम न्यायालय द्वारा विभिन्न मामलों में अभिनिर्धारित निम्नलिखित सिद्धान्त महत्त्वपूर्ण ही नहीं हैं बल्कि कानून का स्वरूप रखते हैं—

—प्रेस की स्वतन्त्रता इस धारणा पर अवलम्बित है कि विभिन्न और परस्पर-विरोधी स्रोतों से सूचनाओं का यथासम्भव सर्वव्यापक प्रसार जन-कल्याण में आवश्यक है । ···प्रेस की स्वतन्त्रता की प्रत्याभूति का प्रयोजन सार्वजनिक प्राधिकरणों (सरकार आदि) को जनता के दिमाग का अविभावक बनने से रोकना है । ···इस स्वतन्त्रता में सम्पादकीय विभाग में नियुक्तियों पर किसी तरह की रोक से स्वतन्त्रता भी शामिल है । (एक्सप्रेस न्यूजपेपर्स बनाम भारत संघ, ए० आई० आर० १९५८, एस० सी० ५७८)

—अभिव्यक्ति की स्वतन्त्रता में प्रेस की स्वतन्त्रता निहित है और इस बात से कोई अन्तर नहीं पड़ता कि संयुक्त राज्य अमेरिका के संविधान की तरह भारत के संविधान में प्रेस का उल्लेख अभिव्यक्त रूप से अनुच्छेद १९ (१) (क) में नहीं किया गया है । (ब्रजभूषण बनाम दिल्ली राज्य, ए० आई० आर० १९६० एस० सी० ५५४)

—विज्ञापन निश्चय ही अभिव्यक्ति का एक प्रकार है । लेकिन, अगर इसका प्रयोग व्यापार और विक्रय बढ़ाने के लिए किया जाता है तो वह संविधान के अनुच्छेद १९ (१) (क) के अर्थ में 'अभिव्यक्ति' नहीं है क्योंकि इसका उद्देश्य सामाजिक, राजनीतिक, आर्थिक या साहित्यिक अथवा मानव-विचारों को आगे बढ़ाने सम्बन्धी विचारों का प्रचार करना नहीं होता । (हमदर्द दवाखाना बनाम भारत संघ, ए० आई० आर० १९६०, एस० सी० ५५४)

—कर्मचारियों के वेतन या सेवाशर्तें सुधारने या शेयरधारकों को लाभांश दिये जाने जैसे उन विषयों के सम्बन्ध में प्रेस का विनियमन (रेगुलेशन) किया जा सकता है जिनका अभिव्यक्ति से कोई विशेष प्रयोजन नहीं होता है । (उपर्युक्त मामला)

—किन्तु, अगर प्रेस उद्योग के विनियमन का समाचार-पत्रों के प्रसार पर या उनके माध्यम से की जानेवाली अभिव्यक्ति के प्रकार या मात्रा पर प्रतिकूल प्रभाव पड़ता हो तो अभिव्यक्ति की स्वतन्त्रता के प्रश्न को असंगत नहीं माना जाएगा । एकाधिकार या अनुचित स्पर्धा को रोकने के उद्देश्य से राज्य को नागरिक के उद्योग या कारबार चलाने के मूल अधिकार पर निर्बन्धन लगाने का अधिकार है । परन्तु उसे यह अधिकार नहीं है कि ऐसा करते समय वह नागरिक की अभिव्यक्ति की स्वतन्त्रता को कम करे । (सकाल पेपर्स बनाम भारत संघ, ए० आई० आर० १९६२, एस० सी० ३०५)

—समाचार-पत्रों को अपनी इच्छानुसार पृष्ठ छापने और पत्रों का प्रसार करने की स्वतन्त्रता अभिव्यक्ति की स्वतन्त्रता का अविभाज्य अंग है। (उपर्युक्त मामला)

—न्यायालय इस विषय में हस्तक्षेप नहीं कर सकता कि कितना अखबारी कागज बाहर से मँगाया जाए और इसे किस तरह से वितरित किया जाए क्योंकि यह शासन की नीति का प्रश्न है। लेकिन, शासन ऐसे निर्बन्धन नहीं लगा सकता है जिससे यह तय करने का प्रयत्न किया गया हो कि कौन से अखबार अपनी प्रसार संख्या बढ़ा सकेंगे तथा कौन से अपनी पृष्ठ संख्या में वृद्धि कर सकेंगे तथा कौन से नहीं कर सकेंगे। समाचार-पत्रों को अपनी प्रसार संख्या कम करने या बढ़ाने की स्वतन्त्रता होनी चाहिए। पत्र की प्रसार संख्या और पृष्ठ संख्या को देखकर उसके लिए अखबारी कागज की मात्रा निर्धारित की जा सकती है। पर, मात्रा निर्धारित कर देने के बाद पत्रों को अपनी पृष्ठ संख्या और प्रसार संख्या में तालमेल बिठाने की आजादी होनी चाहिए। (बेनेट कोलमैन एण्ड कम्पनी बनाम भारत संघ, ए० आई० आर० १९७३, एस० सी० १०६)

—प्रेस की स्वतन्त्रता के अधिकार में बिना किसी पूर्व निर्बन्धन के स्वतन्त्र प्रचार और प्रसार (सरक्युलेशन) का अधिकार शामिल है। प्रसार की स्वतन्त्रता प्रेस की स्वतन्त्रता के प्रभावी उपयोग के लिए आवश्यक है। प्रसार के बिना प्रकाशन मूल्यहीन है। (एक्सप्रेस न्यूजपेपर्स लिमिटेड बनाम भारत संघ, ए० आई० आर० १९६०, एस० सी० ५५४)

—हमारी जनतांत्रिक राज्यव्यवस्था की मूल धारणा यह है कि जनता की सहमति सरकार का आधार होगी। सहमति का अर्थ सिर्फ यह नहीं है कि सहमति स्वतन्त्र हो बल्कि वह विभिन्न और परस्पर-विरोधी सूत्रों से सूचना के यथासम्भव व्यापक प्रसारण पर आधारित हो। (हिम्मतलाल बनाम पुलिस आयुक्त, अहमदाबाद, ए० आई० आर० १९७३, एस० सी० ८७)

—हमारे संविधान-निर्माताओं ने महसूस किया था कि वाक् और प्रेस की स्वतन्त्रता समस्त जनतांत्रिक संगठनों की आधारशिला है क्योंकि खुले राजनीतिक वाद-विवाद के बिना जनशिक्षण, जो कि जनता के शासन की प्रक्रियाओं के समुचित कार्यकरण के लिए अत्यन्त आवश्यक है, सम्भव नहीं है। (रमेश थापड़ बनाम मद्रास राज्य, ए० आई० आर० १९५०, एस० सी० ८९६)

—किसी महत्वपूर्ण सामाजिक विषय पर किसी पत्र या उसके संवाददाताओं को अपने विचार व्यक्त करने से रोकना निश्चय ही प्रेस की स्वतन्त्रता का गम्भीर अतिक्रमण होगा। किन्तु, बाध्यकारी और आपात परिस्थितियों में वाक् और अभिव्यक्ति के सामाजिक हित की आवश्यकताओं को सार्वजनिक व्यवस्था के सामाजिक हितों की युक्तियुक्त अधीनता की जरूरत पड़ सकती है।

—यदि किसी सीमावर्ती राज्य में चल रहा आन्दोलन गम्भीर साम्प्रदायिक रूप लेने लगे तथा सार्वजनिक व्यवस्था और शान्ति भंग करे तो एक सीमित

कालावधि के लिए ऐसे निर्बन्धन लगाने अयुक्तियुक्त नहीं, वैध होंगे, अगर उनके खिलाफ याचिका दायर करने का प्रावधान रखा गया हो । लेकिन, इन रक्षा उपायों (सीमित अवधि और याचिका दायर करने का अधिकार) के बगैर लगाए गये निर्बन्धन अवैध होंगे । (वीरेन्द्र बनाम पंजाब राज्य, ए० आई० आर० १९५७, एस० सी० ८९६)

—प्रेस की स्वतन्त्रता को सार्वजनिक हित में न्यून नहीं किया जा सकता है । यदि न्यून करनेवाले कानून को चुनौती दी जाए तो उसका जवाब यह नहीं हो सकता है कि ऐसा अनुच्छेद १९ की धाराओं (३) से (६) के अन्तर्गत किया गया है । १९ (१) (क) के अन्तर्गत दी गई वाक् और अभिव्यक्ति की स्वतन्त्रता पर केवल वही निर्बन्धन लगाए जा सकते हैं जिनकी अनुमति उपधारा (२) देती है, और किसी धारा के अधीन नहीं । (सकाल पेपर्स बनाम भारत संघ, ए० आई० आर० १९६२, एस० सी० ३०५)

—युक्तियुक्त निर्बन्धन ऐसे नहीं हो सकते जिनसे वही लुप्त हो जाए जिसे विनियमित करने के लिए निर्बन्धन लगाए जाते हैं । युक्तियुक्तता की परीक्षा इसी कसौटी पर की जाएगी । (बेनेट कोलमैन एण्ड कम्पनी, ए० आई० आर० १९७३, एस० सी० १०६)

■

अध्याय २

प्रेस और पुस्तक रजिस्ट्रीकरण अधिनियम, १८६७

प्रेस और पुस्तक रजिस्ट्रीकरण अधिनियम, १८६७ भारत में मुद्रण और प्रकाशन के सम्बन्ध में मौजूदा प्रेस-कानूनों में से सबसे पुराना कानून है । यह समय-समय पर किये गये कुछ संशोधनों के साथ आज भी बड़े परिमाण में मूल रूप में विद्यमान है ।

कोई भी समाचारपत्र या पुस्तक इसके प्रावधानों का पालन किये बिना मुद्रित या प्रकाशित नहीं की जा सकती है । इसके अन्तर्गत यह अनिवार्य है कि समाचारपत्र प्रकाशित करने से पहले क्षेत्रीय जिलाधीश, प्रेसीडेंसी मजिस्ट्रेट या सबडिविजन मजिस्ट्रेट के समक्ष घोषणा-पत्र प्रस्तुत किया जाय । इनमें से किसी सम्बद्ध अधिकारी द्वारा अधिप्रमाणित (ऑथेंटिकेटेड) किये जाने के बगैर पत्र आरम्भ नहीं किया जा सकता है और यदि प्रकाशन इस कानून के अनुसार नहीं किया जाय तो घोषणा-पत्र को रद्द करके पत्र को बन्द किया जा सकता है ।

किन्तु ऐसे प्रावधानों के बावजूद न्यायिक निर्णयों से यह स्पष्ट है कि इस कानून का प्रयोग प्रेस को सरकारी नियंत्रण में करने के उद्देश्य से नहीं किया जा सकता है । इस विधि का उद्देश्य समाचारपत्रों के बारे में सूचना प्राप्त करना है ताकि उनके सम्बन्ध में एक व्यवस्था बनी रहे ।

भारत में समाचारपत्र प्रकाशित करने का पूरा अधिकार प्रत्येक नागरिक को है । इसके लिए उसे लायसेंस लेने की आवश्यकता नहीं है । अत घोषणापत्र को अधिप्रमाणित कराकर ही पत्र प्रकाशित करने के प्रावधान को सरकार से पूर्व अनुमति लेकर ही प्रकाशन करने के अर्थ में नहीं लिया जा सकता है । न्यायालय ने यह अभिनिर्धारित किया है कि घोषणापत्र को अधिप्रमाणित करना मजिस्ट्रेट का प्रशासनिक कर्तव्य है, न्यायिक नहीं । अगर घोषणा पत्र नियमानुसार प्रस्तुत किया जाय और उसके कानून में आवश्यक पूरी जानकारी हो तो मजिस्ट्रेट उसे अधिप्रमाणित करने से इनकार नहीं कर सकता है ।

इस प्रकार मजिस्ट्रेट या सरकार बाहरी कारणों, जैसे सम्पादक, प्रकाशक या मुद्रक के वाद, विचार या आचरण को नापसन्द करने, प्रस्तावित पत्र द्वारा सरकार का विरोध या पीत-पत्रकारिता करने की आशंका आदि से पत्र को जन्म लेने से नहीं रोक सकते हैं ।

यदि घोषणापत्र में दी गयी जानकारी गलत हो या उसमें तथ्यों को छिपाया गया हो, अथवा कानून के प्रावधानों का उल्लंघन करते हुए पत्र प्रकाशित किया

जाय तो मजिस्ट्रेट घोषणा-पत्र को निरस्त कर सकता है । किन्तु ऐसा एकतरफा या मनमाने तौर पर नहीं किया जा सकता है । कोई कार्रवाई करने से पूर्व पत्र के प्रकाशक और मुद्रक को उचित नोटिस और पर्याप्त सुनवाई का अवसर दिया जाना अनिवार्य है । मजिस्ट्रेट को अपने निर्णय के कारण भी देने होते हैं ।

यदि मजिस्ट्रेट किसी घोषणापत्र को अधिप्रमाणित करने से इनकार करता है अथवा प्रकाशित हो रहे पत्र के घोषणा-पत्र को निरस्त करता है तो उसकी कार्रवाई के विरुद्ध अपील का प्रावधान इस अधिनियम में है । अपील की सुनवाई प्रेस और रजिस्ट्रीकरण अपीलेट बोर्ड करता है । बोर्ड का एक अध्यक्ष और एक सदस्य होता है । मूल कानून के अधीन इनकी नियुक्ति करने का अधिकार केन्द्रीय सरकार को था । लेकिन प्रेस परिषद् विधेयक, १९७८ के अन्तर्गत यह अधिकार प्रेस परिषद् को दे दिया गया है । परिषद् का अध्यक्ष इस बोर्ड का भी अध्यक्ष होता है और परिषद् का ही कोई अन्य सदस्य बोर्ड का दूसरा सदस्य । इस प्रकार अपील न्यायाधिकरण को सरकार से पूर्णतः अलग (इंस्यूलेट) कर दिया गया है । प्रेस और रजिस्ट्रीकरण अधिनियम के अधीन बोर्ड का निर्णय अन्तिम होता है । इसका अर्थ यह है कि उसे किसी अदालत में चुनौती नहीं दी जा सकती है, केवल संविधान के ३२वें अनुच्छेद के अन्तर्गत उच्चतम न्यायालय में और २२६वें अनुच्छेद के अधीन उच्च न्यायालयों में रिट याचिका दायर की जा सकती है और किसी रूप में नहीं ।

संपादक, मुद्रक, प्रकाशक, समाचारपत्र, पुस्तक आदि की परिभाषाएँ प्रेस और रजिस्ट्रीकरण कानून में ही अधिकृत रूप से की गई है । इस कानून के माध्यम से पुस्तकों तथा पत्रों के पंजीकरण और 'भारत में समाचारपत्रों के पंजीयक' के पद, दायित्वों और अधिकारों की व्यवस्था भी की गई है ।

प्रेस और पुस्तक रजिस्ट्रीकरण अधिनियम, १८६७ अपने वर्तमान रूप में पाँच भागों में विभाजित है । प्रथम भाग परिचयात्मक है जिसमें विभिन्न पदनामों की परिभाषाएँ दी गई हैं । द्वितीय भाग में छापेखानों और समाचारपत्रों के सम्बन्ध में उपबन्ध हैं । तृतीय भाग में कानून के उल्लंघन पर दिये जानेवाले दंड का उल्लेख है । चौथा भाग पुस्तकों के और पाँचवाँ समाचारपत्रों के पंजीकरण की व्यवस्था से सम्बद्ध है ।

सम्पादक

इस कानून के अन्तर्गत की गई परिभाषा के अनुसार सम्पादक वह व्यक्ति है जो पत्र में प्रकाशित सारी सामग्री के चयन को नियंत्रित करता है । इसी परिभाषा के कानूनी आधार पर 'हिन्दुस्तान टाइम्स' लिमिटेड बनाम भारतीय प्रेस परिषद् के मामले (परिषद् में उठे वर्गीजप्रकरण के सिलसिले में) में दिल्ली उच्च न्यायालय ने और नाज अंसारी बनाम दैनिक 'उल्जमीयत' के मामले में प्रेस परिषद् ने इसी परिभाषा के आधार पर निर्णय दिये थे कि चूँकि पत्र में छपनेवाली सामग्री का नियन्त्रण सम्पादक के अधीन होता है इसलिए यह निर्णय करने का काम केवल

सम्पादक का है कि क्या प्रकाशित हो और क्या नहीं । इसमें किसी अन्य अभिकरण, चाहे वह मालिक ही क्यों न हो, का हस्तक्षेप प्रेस की स्वतन्त्रता का न्यूनन है ।

धारा ५ (१) के अधीन यह आवश्यक है कि पत्र की हर प्रति पर सम्पादक का नाम छापा जाए । जिस व्यक्ति का नाम सम्पादक के रूप में छपता है, उसके पत्र में छपी किसी भी आपत्तिजनक सामग्री के लिए कानून में उसे धारा ७ के अन्तर्गत जिम्मेदार माना जाता है । फौजदारी कानून की धारा १२४ (अ) के अधीन राजद्रोह, धारा २९२ के अधीन अश्लील सामग्री के प्रकाशन और धाराओं ४९९ व ५०० के अधीन मानहानि आदि के अभियोगों में उस व्यक्ति पर मुकदमा चलाया जा सकता है जिसका नाम सम्पादक के रूप में छपता है । लेकिन, अगर यह सिद्ध किया जा सके कि पत्र में प्रकाशित होनेवाली सामग्री के चयन पर नियन्त्रण उसका नहीं, किसी और का था, तो यह उसके बचाव का आधार बन सकता है । उदाहरणार्थ, यदि पत्र में मुख्य सम्पादक और सम्पादक दोनों के नाम छपे हों और यह सिद्ध कर दिया जाय कि पत्र के हर भाग में प्रकाशित पूर्ण सामग्री पर मुख्य सम्पादक का नहीं, सम्पादक का नियन्त्रण था तो उसे नहीं सम्पादक को जिम्मेदार ठहराया जाएगा (कोया बनाम मुथुकोया, ए० आई० आर० १९७९, एस० सी० १५४) । पर सामान्यतः यह मानकर चला जाएगा कि जिस व्यक्ति का नाम सम्पादक के रूप में प्रकाशित होता है वही छपी समस्त सामग्री के लिए उत्तरदायी है । जिस व्यक्ति का नाम सम्पादक के रूप में नहीं छपता उसे अदालत के समक्ष जिम्मेदार नहीं ठहराया जा सकता है, अर्थात् मुकदमा सहायक सम्पादक, समाचार सम्पादक, मुख्य उपसम्पादक, उप-सम्पादक या सम्पादकीय विभाग के अन्य कर्मियों पर नहीं चलाया जा सकता है ।

मुद्रक और प्रकाशक

प्रेस और पुस्तक रजिस्ट्रीकरण अधिनियम धारा ३ के अन्तर्गत यह अनिवार्य है कि प्रत्येक पुस्तक और समाचारपत्र पर उसके मुद्रक का नाम और मुद्रण का स्थान, (और इन्हें प्रकाशित किया जाय तो) प्रकाशक का नाम, प्रकाशन का स्थान साफ-साफ छापा जाय ।

इसका उद्देश्य लोगों को यह सूचित करना है कि पुस्तक या पत्र में प्रकाशित सामग्री के मुद्रण या प्रकाशन के लिए कौन जिम्मेदार है । किसी आपत्तिजनक सामग्री का मुद्रण या प्रकाशन होने पर इन्हीं लोगों पर मुकदमा चलाया जा सकता है । जैसे, मानहानि के मामले में सम्पादक के अलावा मुद्रक और प्रकाशक पर भी कार्रवाई की जा सकती है ।

प्रकाशक वह व्यक्ति है जो पुस्तक या समाचारपत्र को छपवाता है और इसे बिक्री के लिए प्रस्तुत करता है । पुस्तक का लेखक और पत्र का सम्पादक स्वयं प्रकाशक भी हो सकता है । मुद्रण में साइक्लोस्टाइलिंग और लिथो पर छपाई भी शामिल मानी जाती है ।

पुस्तक

इस कानून के अन्तर्गत पुस्तक का अलग से छपित हर जिल्द या जिल्द का भाग या संभाग, पम्फलेट और अलग से छपी स्वरलिपि, चार्ट, नक्शे या प्लान का प्रत्येक शीट पुस्तक समझा जाता है ।

इसका अर्थ यह है कि पुस्तक के अलग से छपे प्रत्येक हिस्से पर मुद्रक का नाम लिखा रहना चाहिए । एक पन्ने (शीट) को पुस्तक नहीं माना जा सकता । इसलिए ऐसे पन्नों पर यह कानून लागू नहीं हो सकता है ।

समाचारपत्र

कोई भी नियतकालिक छपित कृति जिसमें सार्वजनिक खबरें और ऐसी खबरों पर टिप्पणियाँ हों, समाचारपत्र की परिभाषा में आता है । इसका अर्थ यह है कि समाचारपत्र कहलाने के लिए किसी कृति को छपित होना चाहिए, वह नियत अवधि में छपनी चाहिए, उसमें ऐसे समाचार और समाचारों पर टिप्पणियाँ होनी चाहिए जो सार्वजनिक हों अर्थात् इनका सम्बन्ध सार्वजनिक मामलों या सार्वजनिक रुचि की जानकारी से हो । समाचार सामयिक या हाल की घटनाओं से और सूचनाएँ अतीत या भविष्य-सम्बन्धी नई जानकारी देनेवाली होनी चाहिए । पत्रिकाएँ और कानूनी रिपोर्टें भी समाचारपत्रों में शामिल हो सकती हैं । किन्तु, केवल अदालती सूचनाएँ (नोटिस) छापनेवाली कृतियों को समाचारपत्र नहीं कहा जा सकता है ।

जैसे कि पहले बताया गया है प्रेस और रजिस्ट्रीकरण अधिनियम, १८६७ के भाग दो में धारा ३ के अन्तर्गत भारत में छपित हर पुस्तक और पत्र पर मुद्रक का नाम तथा मुद्रण का स्थान, और यदि पुस्तक या पत्र प्रकाशित किया जाता है तो, प्रकाशक का नाम तथा प्रकाशन का स्थान साफ-साफ छापा जाना चाहिए ।

धारा ४ के अन्तर्गत प्रावधान है कि पुस्तकें या पत्र छापने के प्रयोजन से छापाखाना लगानेवाले व्यक्ति को उस जिला, प्रेसीडेंसी या सबडिविजन मजिस्ट्रेट के सामने यह घोषणा करनी होगी कि मेरे पास अमुक स्थान पर मुद्रण के लिए छापाखाना है, जिसके अधिकार क्षेत्र में छापाखाना स्थित हो । स्थान का सही और स्पष्ट विवरण दिया जाना चाहिए ।

जब भी छापेखाने का स्थान बदला जाता है तब नया घोषणा-पत्र दाखिल करना जरूरी होता है । हाँ, यदि स्थान परिवर्तन ६० दिन से कम की अवधि के लिए हो और नया स्थान पहलेवाले मजिस्ट्रेट के इलाके में ही पड़ता हो तो नया घोषणा-पत्र दाखिल करने की जरूरत नहीं होगी बशर्ते स्थान-परिवर्तन की सूचना सम्बद्ध मजिस्ट्रेट को २४ घंटों के भीतर दे दी जाए, और छापाखाना रखनेवाला व्यक्ति वही हो जिसने पहले घोषणा-पत्र प्रस्तुत किया था ।

ऐसे घोषणापत्र को मजिस्ट्रेट द्वारा अधिप्रमाणित किए जाने का कोई प्रावधान छापेखाने रखने के बारे में नहीं है जब कि समाचारपत्रों के प्रकाशन के विषय में यह उपबन्ध धारा ५ में किया गया है । छापेखानों के सिलसिले में घोषणा-पत्र मिलने पर मजिस्ट्रेट का काम उसे प्राप्त करना मात्र है, छापाखाना लगाने की

अनुमति देना या देने से इनकार करना नहीं है । न ही उसे छापेखाने के स्वामित्व की जाँच कराने का कोई अधिकार दिया गया है । यदि एक से अधिक व्यक्ति उसके स्वामित्व का दावा करते हुए अलग-अलग घोषणा-पत्र दाखिल करते हैं तो मजिस्ट्रेट का काम सब घोषणा-पत्रों को अपने कार्यालय में फाइल कर लेना मात्र होगा । यदि मजिस्ट्रेट पाता है कि किसी पक्ष ने गलतबयानी की है तो वह धारा १४ के अधीन सजा की कार्रवाई के लिए शिकायत कर सकता है । गलत घोषणा-पत्र दाखिल करनेवाले को दो हजार रुपये तक का जुर्माना और छह मास तक का कारावास या दोनों ही दण्ड दिए जा सकते हैं ।

यह माना जायगा कि छापेखाने का घोषणा-पत्र दाखिल करनेवाला उसका मालिक या रखवाला अपने छापेखाने में छपित पुस्तकों या समाचारपत्रों में छपी सब बातों से अवगत है । इसलिए इनमें छपी मानहानिकारक या अश्लील सामग्री के लिए वह जिम्मेदार है । परन्तु, वह अदालत के समक्ष यह प्रमाणित करके बच सकता है कि उसने अपने छापेखाने का प्रबन्ध सद्भाव के साथ किसी अन्य व्यक्ति को अस्थायी रूप से सौंप दिया था और यह सामग्री उसकी अनुपस्थिति में और उसके द्वारा प्राधिकृत किये बिना छापी गई थी ।

इस कानून की धारा पाँच समाचारपत्रों के प्रकाशन के सिलसिले में अत्यन्त महत्वपूर्ण है । इसके अन्तर्गत उल्लिखित नियमों का पालन किये बिना भारत में कोई समाचारपत्र प्रकाशित नहीं किया जा सकता है ।

पत्र की हर प्रति पर सम्पादक का नाम अवश्य होना चाहिए । [धारा ५ (१)]

यह आवश्यक है कि पत्र का मुद्रक और प्रकाशक उस जिला, प्रेसीडेंसी या सबडिविजन मजिस्ट्रेट के समक्ष व्यक्तिगत रूप से या अपने अधिकृत अभिकर्ता के जरिये उपस्थित हो और घोषणापत्र की दो मूल प्रतियाँ प्रस्तुत करे और उन पर हस्ताक्षर करे, जिसके क्षेत्राधिकार में पत्र मुद्रित या प्रकाशित किया जानेवाला हो ।

घोषणा-पत्र में यह घोषणा करनी होती है कि मैं अमुक स्थान पर मुद्रित या प्रकाशित अथवा मुद्रित और प्रकाशित किए जानेवाले पत्र का मुद्रक या प्रकाशक अथवा मुद्रक और प्रकाशक हूँ । इसमें स्थान का स्पष्ट विवरण होना चाहिए । [धारा ५ (२)]

घोषणा-पत्र में समाचारपत्र का शीर्षक, भाषा जिसमें पत्र प्रकाशित किया जानेवाला हो, प्रकाशन की आवधिकता तथा अन्य निर्धारित तथ्य देने होते हैं । यदि घोषणा-पत्र प्रस्तुत करनेवाला मुद्रक या प्रकाशक स्वयं पत्र का स्वामी न हो तो स्वामी का नाम भी लिखा जाना चाहिए । साथ ही स्वामी द्वारा जारी अधिकार-पत्र प्रस्तुत किया जाना चाहिए जिसमें घोषणा-पत्र दाखिल करनेवालों को ऐसा करने का अधिकार दिया गया हो । [धारा २ (क) व २ (ख)]

किन्तु, घोषणा-पत्र दाखिल करने मात्र से पत्र का प्रकाशन शुरू नहीं किया जा सकता है । प्रकाशन आरम्भ करने के लिए सम्बद्ध मजिस्ट्रेट द्वारा उसे प्रमाणित

किया जाना अनिवार्य है । जब तक मजिस्ट्रेट सत्यापन नहीं करता तब तक पत्र प्रकाशित करना अवैध होता है ।

घोषणा-पत्र के प्रमाणीकरण के उपरान्त पत्र को एक निश्चित अवधि में शुरू न करने से घोषणापत्र अवैध हो जाता है । इस स्थिति में नया घोषणा-पत्र दाखिल करना अनिवार्य होता है । किसी दैनिक, साप्ताहिक या सप्ताह में एक से अधिक दिन प्रकाशित किये जानेवाले पत्र का प्रकाशन घोषणापत्र के सत्यापन के छह सप्ताह के अन्दर अवश्य आरम्भ किया जाना चाहिए । सप्ताह से अधिक समय के नियतकालिक पत्र का प्रकाशन तीन मास के भीतर आरम्भ किया जाना चाहिए ।

तीन मास की किसी अवधि में किसी दैनिक, सप्ताह में दो या तीन बार प्रकाशित होनेवाले अथवा पाक्षिक पत्र के आधे से कम अंक प्रकाशित किये जाने पर घोषणा-पत्र अप्रभावी हो जाता है । इस हालत में पत्र का प्रकाशन जारी रखने से पहले नया घोषणा-पत्र दाखिल करना जरूरी होता है । मासिक या उससे ज्यादा की नियतकालिकतावाला कोई पत्र बारह मास से अधिक समय तक न निकले तो यही नियम उस पर भी लागू होगा । [धारा ५ (५)]

जब कभी पत्र का स्वामित्व बदलता है तब नया घोषणा-पत्र दाखिल करना आवश्यक होता है । [धारा ५ (२ ङ)]

पत्र का नाम, उसकी भाषा या नियतकालिकता में परिवर्तन किए जाने पर घोषणा-पत्र अप्रभावी हो जाता है । इस स्थिति में पत्र को आगे चलाने से पूर्व नया घोषणा-पत्र दिया जाना अनिवार्य है ।

पत्र के मुद्रण या प्रकाशन का स्थान बदलने पर भी नया घोषणा-पत्र दाखिल किया जाना आवश्यक है । हाँ, यदि स्थान-परिवर्तन तीस दिनों से अधिक के लिए न हो तथा नया स्थान मजिस्ट्रेट के स्थानीय क्षेत्राधिकार में स्थित हो तो नया घोषणा-पत्र प्रस्तुत करने की आवश्यकता नहीं होती बशर्ते परिवर्तन की सूचना मजिस्ट्रेट को चौबीस घण्टे के भीतर दे दी जाए तथा मुद्रक और प्रकाशक वही रहें ।

यदि घोषणा-पत्र दाखिल करनेवाला मुद्रक या प्रकाशक ६० दिन से अधिक की अवधि के लिए विदेश चला जाता है या ६० दिनों से अधिक समय तक अपना दायित्व निभाने में अक्षम हो जाता है तो भी नया घोषणा-पत्र प्रस्तुत करना जरूरी होता है । [धारा ५ (४)]

जिस मजिस्ट्रेट के समक्ष नया घोषणा-पत्र पेश किया जाता है उसके लिए प्रत्येक मौजूदा को घोषणा-पत्र रद्द करना अनिवार्य है । [धारा ५ (७)]

ऐसे किसी व्यक्ति को, जो आमतौर पर भारत में नहीं रहता है या नाबालिग है, घोषणा-पत्र दाखिल करने की अनुमति नहीं दी जा सकती है । न ही ऐसा व्यक्ति किसी पत्र का सम्पादन कर सकता है । [धारा ५ (८)]

घोषणा-पत्र समाचारपत्र के मुद्रक, प्रकाशक और सम्पादक के बारे में कानूनी साक्ष्य होता है । सामान्यतः यह परिकल्पना होती है कि पत्र में जो कुछ प्रकाशित

हुआ, उसकी जानकारी उन लोगों को है जिनके नाम मुद्रक और प्रकाशक के रूप में घोषणा-पत्र में दिए गये हैं। सम्बद्ध व्यक्ति यह सिद्ध करके बच सकता है कि उसने अपने थोड़े समय की अनुपस्थिति के दौरान किसी अन्य व्यक्ति को छापाखाना सौंप दिया था और जो कुछ प्रकाशित हुआ है वह उसके द्वारा प्राधिकृत नहीं था। किन्तु, यदि किसी व्यक्ति की अनुपस्थिति की अवधि ९० दिन से अधिक हो या उसने पत्र में रुचि लेना छोड़ दिया हो किन्तु फिर भी अपना नाम चलते रहने दिया हो तो वह अपनी जिम्मेदारी से नहीं बच सकता है।

यदि किसी नाम का पत्र किसी राज्य में पहले से निकल रहा है तो उसी या उससे मिलते-जुलते नाम से कोई नया पत्र उसी भाषा में और उसी राज्य में प्रकाशित नहीं किया जा सकता है। इसका अर्थ यह है कि किसी भाषा में सारे देश में किसी नाम का एक ही पत्र हो सकता है। इसी तरह किसी राज्य में उसी नाम का दूसरा पत्र नहीं हो सकता, भले ही वह भिन्न भाषा का हो। किन्तु यदि कोई पत्र एक राज्य में एक भाषा में एक नाम से निकल रहा हो तो दूसरी भाषा में और दूसरे राज्य में उसी या उससे मिलते-जुलते नाम का पत्र प्रकाशित किया जा सकता है। उदाहरणार्थ, 'भारतवर्ष' नाम का हिन्दी पत्र सारे देश में केवल एक हो सकता है। किन्तु, उर्दू, अंग्रेजी, बंगला, मराठी आदि अन्य किसी भाषा में इस नाम के पत्र विभिन्न राज्यों में हो सकते हैं। उसी राज्य में जहाँ से हिन्दी 'भारतवर्ष' प्रकाशित हो रहा हो, किसी भी भाषा में 'भारतवर्ष' नाम से अन्य कोई पत्र नहीं छप सकता है। इसका उद्देश्य स्पष्ट है। ऐसा न होने से बड़ी भ्रान्ति और घपला पैदा हो सकता है और समाचारपत्रों के प्रकाशन के सिलसिले में अस्तव्यस्तता उत्पन्न हो जाएगी।

इसे रोकने के लिए मजिस्ट्रेट को घोषणा-पत्र मिलने पर समाचारपत्रों के पंजीयक से यह जानकारी प्राप्त करनी होती है कि उनके राज्य में उस नाम का कोई पत्र पहले से तो नहीं छप रहा, जिसके लिए घोषणा-पत्र दाखिल किया गया है। पंजीयक से यह सूचना मिल जाने पर कि इस नाम से पत्र निकाला जा सकता है क्योंकि उसी भाषा में या उसी राज्य में इस नाम का कोई और पत्र नहीं छप रहा है, मजिस्ट्रेट अधिप्रमाणीकरण की कार्रवाई करता है। (धारा ६)

समाचारपत्रों का पंजीयक सारे देश के समाचारपत्रों की पंजी रखता है। इस पंजी में अगर उसी भाषा में या उसी राज्य में किसी नाम का पत्र पहले से पंजीकृत हो तो पंजीयक मजिस्ट्रेट को सूचित करता है कि यह नाम नया पत्र निकालनेवाले के लिए उपलब्ध नहीं है। इस पर मजिस्ट्रेट घोषणा-पत्र को अधिप्रमाणित करने से इंकार कर देगा। किन्तु, यदि पंजीयक से प्राप्त सूचनानुसार नाम सुलभ हो और घोषणा-पत्र में अन्य बातों के बारे में ठीक और पूरी जानकारी दी गयी हो तो मजिस्ट्रेट उसे अधिप्रमाणित करने से इंकार नहीं कर सकता है। यदि वह इनकार करता है तो उसे इसका कारण लिखित रूप में आवेदक को सूचित करना होगा। मजिस्ट्रेट की इस कार्रवाई के विरुद्ध प्रेस और रजिस्ट्रीकरण अपील बोर्ड में याचिका दी जा सकती है।

यदि एक से अधिक व्यक्ति उस पत्र का स्वामी होने का दावा करते हुए अपने-अपने पक्ष में घोषणा-पत्र को अधिप्रमाणित किये जाने का आवेदन करें तो मजिस्ट्रेट किसी घोषणा-पत्र को तब तक अधिप्रमाणित नहीं करेगा जब तक दीवानी अदालत में स्वामित्व का फैसला न हो जाय ।

मजिस्ट्रेट द्वारा घोषणा-पत्र को अधिप्रमाणित किये जाने पर घोषणा-पत्र की एक मूल प्रति उसके कार्यालय के रिकार्ड में और दूसरी सम्बद्ध राज्य के उच्च न्यायालय या दूसरी प्रधान दीवानी अदालत के रिकार्ड में जमा कर दी जाती है । कोई भी व्यक्ति इनका एक-एक रुपया शुल्क देकर निरीक्षण कर सकता है और दो-दो रुपये देकर इनकी प्रमाणित प्रति ले सकता है । (धारा ६)

किसी दीवानी अथवा आपराधिक कानूनी कार्यवाही में घोषणा-पत्र की अधिप्रमाणित प्रति इस बात का सबूत मानी जाएगी कि जिन लोगों के नाम मुद्रक और प्रकाशक के रूप में इसमें दिये गये हैं वही पत्र के मुद्रक और प्रकाशक हैं । (धारा ७)

किन्तु सम्पादक के बारे में स्थिति भिन्न है । जिस व्यक्ति का नाम सम्पादक के रूप में पत्र में छपता है कानूनी कार्यवाही में उसे सम्पादक माना जायगा भले ही घोषणा-पत्र में सम्पादक का कोई और नाम हो ।

उदाहरण के तौर पर इसका मतलब यह है कि यदि कोई व्यक्ति किसी पत्र के सम्पादक के विरुद्ध मानहानि का मुकदमा करता है तो उसे सबूत के लिए पत्र की उस प्रति को, जिसमें प्रकाशित सामग्री पर आपत्ति की गयी हो और इस व्यक्ति का नाम सम्पादक के रूप में छपा हो, अदालत में पेश करना काफी होगा । किन्तु, मुद्रक और प्रकाशक के सबूत के रूप में उसे घोषणा-पत्र की प्रमाणित प्रति दाखिल करनी चाहिए । वैसे, न्यायाधीश घोषणा-पत्र की प्रति पेश किये जाने पर तभी जोर देते हैं जब प्रतिवादी मुद्रक या प्रकाशक होने से इंकार करते हैं ।

यदि कोई व्यक्ति पत्र का मुद्रक या प्रकाशक नहीं रहता है तो उसे जिला, प्रेसीडेंसी या सबडिविजन मजिस्ट्रेट के समक्ष उपस्थित होकर यह घोषणा करनी और उस पर हस्ताक्षर करने होंगे कि वह अमुक नामवाले पत्र का मुद्रक या प्रकाशक अथवा मुद्रक और प्रकाशन अब नहीं रहा । मजिस्ट्रेट द्वारा इस घोषणा-पत्र को अधिप्रमाणित कर देने पर पहला घोषणा-पत्र रद्द कर दिया जायगा । किसी भी कानूनी कार्यवाही में इस दूसरे घोषणा-पत्र को सबूत माना जायगा, पहलेवाले को नहीं । (धारा ८)

उल्लेखनीय है कि मूल घोषणा किसी अभिकर्ता के जरिये की जा सकती है । लेकिन यह घोषणा सम्बद्ध व्यक्तियों को स्वयं उपस्थित होकर करनी होगी क्योंकि इससे सम्बद्ध धारा में अभिकर्ता का कोई उल्लेख नहीं है ।

अगर किसी व्यक्ति का नाम किसी पत्र की प्रति या प्रतियों पर सम्पादक के तौर पर छपता है और उसका दावा हो कि वह उनका सम्पादक नहीं था तो वह इसकी जानकारी होने के दो सप्ताह के भीतर उपस्थित होकर यह घोषणा कर सकता

है कि उसका नाम गलत छापा गया है । यदि मजिस्ट्रेट को स्वयं जाँच करके या कराकर संतुष्टि हो जाती है कि यह दावा सही है तो वह इसका प्रमाण-पत्र जारी करेगा। यदि मजिस्ट्रेट को यह विश्वास हो जाता है कि इस व्यक्ति को दो सप्ताह के भीतर घोषणा-पत्र दाखिल करने से रोका गया है तो वह इस अवधि में छूट दे सकता है। [धारा ८ (क)]

इस कानून की धाराएँ ८ (ख) और ८ (ग) और धारा ५ व उसकी उपधाराएँ बहुत महत्वपूर्ण हैं ।

धारा ८ (खं) के अन्तर्गत वह मजिस्ट्रेट, जिसे घोषणा-पत्र को अधिप्रमाणित करने का अधिकार है, किसी पत्र के घोषणा-पत्र को रद्द कर सकता है । इस सम्बन्ध में कार्रवाई वह प्रेस पंजीयक के या किसी अन्य व्यक्ति के आवेदन पर या अन्यथा शुरू कर सकता है । किन्तु, घोषणा-पत्र रद्द करने से पहले सम्बद्ध व्यक्ति को प्रस्तावित कार्रवाई के विरुद्ध सुनवाई का अवसर दिया जाना और जाँच करना आवश्यक है । सुनवाई और जाँच के बाद यदि मजिस्ट्रेट चार आधारों पर संतुष्ट हो तो वह घोषणा-पत्र को रद्द करके पत्र का प्रकाशन बन्द कर सकता है । ये आधार हैं—

१. सम्बद्ध समाचारपत्र प्रेस और रजिस्ट्रीकरण अधिनियम, १८६७ या इसके अन्तर्गत नियमों का उल्लेख करके प्रकाशित किया जा रहा है, या

२. सम्बद्ध समाचारपत्र, जिसके बारे में घोषणा की गयी है, का नाम वही है जो उसी भाषा में या उसी राज्य में पहले से प्रकाशित हो रहे पत्र के समान या उससे मिलता-जुलता है, या

३. वह व्यक्ति पत्र का मुद्रक या प्रकाशक नहीं रहा जिसका नाम घोषणा-पत्र में दिया गया था, या

४. घोषणा-पत्र मिथ्या व्यपदेशन (रिप्रसेंटेशन) पर दाखिल किया गया था अथवा उसमें महत्वपूर्ण तथ्यों को छिपाया गया था अथवा वह ऐसी अंशकालिक पत्रिका के सिलसिले में था जो समाचारपत्र की परिभाषा में नहीं आता है ।

अगर मजिस्ट्रेट घोषणा-पत्र को रद्द करता है तो उसे अपने आदेश की एक-एक प्रति घोषणा-पत्र दाखिल और हस्ताक्षरित करनेवाले व्यक्ति को तथा प्रेस पंजीयक को यथाशीघ्र प्रेषित करनी होती है ।

इस उपबन्ध के अनुसार मजिस्ट्रेट का मत व्यक्तिपरक हो सकता है । किन्तु वह इससे प्रभावित होनेवाले व्यक्ति को समुचित सुनवाई का अवसर दिये बिना अर्थात् एकतरफा या मनमाने ढंग से कार्रवाई नहीं कर सकता है । साथ ही उसका निर्णय अन्तिम नहीं होता ।

धारा ८ (ग) के अन्तर्गत प्रेस और रजिस्ट्रेशन अपील बोर्ड में इसके विरुद्ध अपील की जा सकती है । यह बोर्ड अपने फैसले से पहले मजिस्ट्रेट के आदेश के अमल पर रोक लगा सकता है अर्थात् स्थगनादेश जारी कर सकता है या अन्तरिम आदेश दे सकता है । अपील अदालत को वही अधिकार होते हैं जो

मूल अदालत के हों । इसलिए बोर्ड मजिस्ट्रेट द्वारा रद्द घोषणा-पत्र को बहाल कर सकता है । अपील न सिर्फ घोषणा-पत्र रद्द किये जाने के विरूद्ध की जा सकती है, बल्कि मजिस्ट्रेट द्वारा घोषणा-पत्र को अधिप्रमाणित करने से इन्कार किये जाने पर भी हो सकती है । अपील मजिस्ट्रेट का आदेश मिलने के ६० दिनों के अन्दर की जानी चाहिए । परन्तु यदि बोर्ड इस बात पर संतुष्ट हो कि अपीलकर्ता को समय पर अपील दायर करने से रोका गया था तो वह विलम्ब माफ कर सकता है । [धारा ८ (ग) (१)]

अपील प्राप्त होने पर बोर्ड मजिस्ट्रेट से रिकार्ड मँगाकर और जैसे उचित समझे वैसी आगे जाँच करके मजिस्ट्रेट के आदेश की पुष्टि या उसमें संशोधन कर सकता है । अथवा उसे रद्द कर सकता है । [धारा ८ (ग) (२)]

बोर्ड को उपर्युक्त प्रावधान को ध्यान में रखते हुए अपनी कार्य-प्रक्रिया और व्यवहार स्वयं तय करने का अधिकार है । [धारा ८ (ग) (३)]

इस कानून के अन्तर्गत हर मुद्रित और प्रकाशित पुस्तक और समाचारपत्र की कुछ (एक से तीन) प्रतियाँ राज्य सरकार को निर्धारित अवधि के भीतर मुफ्त देनी होती हैं । न देने पर उन्हें दण्डित किया जा सकता है । [धाराएँ ९ से ११ (क)]

दण्ड

इस कानून के प्रावधानों और नियमों का उल्लंघन करके पुस्तक या समाचारपत्र मुद्रित या प्रकाशित करने अथवा छापाखाना चलानेवालों को किसी मजिस्ट्रेट द्वारा दोषी पाये जाने पर दो हजार रुपये तक का जुर्माना और छह मास तक की कैद की सजा हो सकती है । यह जानते हुए भी कि नियमों का पालन नहीं किया गया है, समाचारपत्र को सम्पादित, मुद्रित या प्रकाशित करनेवालों को यह दण्ड दिये जाने के अतिरिक्त उनके पत्र का घोषणा-पत्र भी रद्द किया जा सकता है। मुद्रक या प्रकाशक न रहने पर इस तथ्य की घोषणा न करनेवाले व्यक्ति को मजिस्ट्रेट द्वारा दोषी पाये जाने पर दो सौ रुपये तक का जुर्माना हो सकता है । [धाराएँ १२ से १५ (क)]

पुस्तक या समाचारपत्र की प्रतियाँ राज्य सरकार को या प्रेस पंजीयक को न भेजने पर भी जुर्माना भरना पड़ सकता है जो सामान्यतः पचास रुपये से अधिक नहीं होता । (धाराएँ १६, १६ क, १६ ख और १७)

पुस्तकों का पंजीकरण

इसी अधिनियम के खण्ड पाँच के अन्तर्गत भारत में प्रकाशित प्रत्येक पुस्तक के पंजीकरण का प्रावधान है । इसके अनुसार राज्य सरकार द्वारा निश्चित कार्यालय में और निश्चित अधिकारी द्वारा पुस्तकों का सूची-पत्र रखने की व्यवस्था है । सूची-पत्र में प्रत्येक उस पुस्तक का विवरण होना चाहिए जो प्रकाशक से प्राप्त होती है । इस विवरण को पंजीकृत किया जाता है । हर तिमाही में पंजीकृत विवरण

को राज्य के सरकारी राजपत्र में प्रकाशित किया जाना चाहिए और उसकी एक प्रति केन्द्रीय सरकार को प्रेषित की जानी चाहिए । (धाराएँ १८ और १९)

समाचारपत्रों का पंजीकरण

प्रेस और पुस्तक रजिस्ट्रीकरण अधिनियम, १८६७ का १९५५ में संशोधन करके उसमें समाचारपत्रों के पंजीकरण का उपबन्ध किया गया । इस उद्देश्य से इसमें भाग ५ (क) जोड़ा गया जो वास्तव में एक धारा की १२ उपधाराओं को लिये है ।

इस भाग के अन्तर्गत केन्द्रीय सरकार द्वारा प्रेस पंजीयक (रजिस्ट्रार) की नियुक्ति की व्यवस्था है । पंजीयक का दायित्व है कि वह एक पंजी तैयार करे, जिसमें जहाँ तक व्यावहारिक हो, भारत में प्रकाशित प्रत्येक पत्र के बारे में यह विवरण दर्ज किए जाएँ—

पत्र का नाम; भाषा; कालिकता; सम्पादक, मुद्रक और प्रकाशक का नाम; मुद्रण और प्रकाशन का स्थान; औसत साप्ताहिक पृष्ठ संख्या, वर्ष में प्रकाशन के दिनों की संख्या; मुद्रित, बिक्री और मुफ्त बाँटी गई प्रतियों की औसत संख्याएँ; एक प्रति का खुदरा मूल्य; पत्र-स्वामियों के नाम, पते और स्वामित्व के विषय में अन्य निर्धारित विवरण; और अन्य कोई भी निर्धारित ब्योरा । प्रत्येक समाचारपत्र के प्रकाशक का दायित्व है कि वह प्रेस पंजीयक को एक वार्षिक विवरण दे जिससे इनमें से जिस किसी विषय पर जो विवरण माँगा जाए उसे शामिल किया जाए । इसके अलावा प्रेस पंजीयक द्वारा समय-समय पर पत्र के बारे में उपर्युक्त विषयों में से किसी के सिलसिले में निर्दिष्ट विवरण अपने पत्र में प्रकाशित करना भी प्रकाशक का दायित्व है । (धारा १९ घ)

उपर्युक्त किसी भी विषय पर प्रेस पंजीयक द्वारा समय-समय पर माँगे गये हिसाब-किताब, आँकड़े और अन्य जानकारी उसे देने की जिम्मेदारी भी प्रकाशक पर है । (धारा १९ ङ)

प्रेस पंजीयक मजिस्ट्रेट द्वारा अधिप्रमाणित घोषणा-पत्र की प्रति मिलने पर पत्र के प्रकाशक को पंजीकरण का प्रमाण-पत्र जारी करता है ।

पंजीकरण सम्बन्धी दायित्वों को न करने या जानते-समझते गलत विवरण प्रकाशित करने वाले प्रकाशक को ५०० रुपये तक जुर्माना हो सकता है । (धारा १९ ट)

यह कानून प्रेस पंजीयक को समाचारपत्रों के बारे में सूचनाएँ एकत्र करने के व्यापक अधिकार देता है । वह स्वयं या उसके द्वारा लिखित रूप में प्राधिकृत कोई राज्यपत्रित अधिकारी प्रकाशक के कब्जे में पत्र के सम्बन्ध में पड़े किसी भी संगत रिकार्ड या दस्तावेज को देख सकता है । अगर उसे विश्वास हो कि किसी जगह पर संगत रिकार्ड या दस्तावेज है तो वह वहाँ युक्तियुक्त समय पर प्रवेश कर सकता है या चाहे तो ऐसे कागज-पत्रों की जाँच कर सकता है या उनकी नकल ले सकता है या सूचना पाने के लिए आवश्यक कोई भी सवाल पूछ सकता है । (धारा १९ च)

इस कानून के अन्तर्गत सूचना एकत्र करने का कार्य करनेवाला कोई व्यक्ति यदि जान-बूझकर यह जानकारी किसी को बताता है तो उसे छह मास तक की कैद या एक हजार रुपये तक जुर्माना अथवा दोनों ही दंड दिए जा सकते हैं । प्राप्त जानकारी को वह इस कानून के अधीन कर्तव्य निभाने या भारतीय दंड संहिता के या वह कानून के तहत किसी अपराधी के विरूद्ध मुकदमा चलाने के सिलसिले में ही प्रकट कर सकता है । (धारा १९ ठ)

प्रेस रजिस्ट्रार समाचारपत्रों के विषय में प्राप्त सूचनाओं के आधार पर वार्षिक प्रतिवेदन तैयार करता है । इसमें पत्रों का संक्षिप्त विवरण भी दिया जाता है । इसकी एक प्रति उसे केन्द्रीय सरकार को भेजनी होती है । यद्यपि कानून में ऐसा कुछ नहीं कहा गया है, फिर भी प्रेस पंजीयक का वार्षिक प्रतिवेदन हर साल संसद् के पटल पर रखा जाता है ताकि संसद् उस पर विचार कर सके । (धारा १९ छ)

कोई भी व्यक्ति प्रेस पंजीयक से निर्धारित शुल्क जमा करके और लिखित प्रार्थना-पत्र देकर समाचारपत्रों की पंजी के किसी अंश की नकल प्राप्त कर सकता है । प्रेस पंजीयक यह नकल देने से इनकार नहीं कर सकता है । इस कानून में पंजीयक को इस विषय में कोई विवेकाधिकार नहीं दिया गया है । इसलिए, उसे प्रार्थना-पत्र और शुल्क मिलने की सूचना प्राप्त होने पर निर्दिष्ट भाग की नकल प्रार्थी को, चाहे वह कोई हो, देनी ही होगी । (धारा १९ च)

प्रकीर्ण प्रावधान

राज्य और केन्द्र सरकारों को ऐसे नियम बनाने का अधिकार है जिन्हें वह इस अधिनियम के उद्देश्यों की पूर्ति के लिए आवश्यक या वांछनीय समझें । राज्यों द्वारा बनाये गए नियम केन्द्रीय सरकार के नियमों से बेमेल नहीं होने चाहिए । वैसे नियम बनाने का अधिकार पहले राज्यों को ही था किन्तु १९५५ में अधिनियम में संशोधन करके केन्द्रीय सरकार को भी यह अधिकार दे दिया गया । साथ ही, यह भी उपबन्धित कर दिया जाय कि राज्यों के नियम केन्द्रीय नियमों से असंगत नहीं होने चाहिए । केन्द्रीय सरकार को जिन नियमों को बनाने का अधिकार दिया गया उनका सम्बन्ध मूलतः प्रेस पंजीयक के कार्यों के स्वरूप (फॉर्म) से है । जैसे घोषणा-पत्र में क्या-क्या शामिल होना चाहिए, पत्र की हर प्रति पर उसके मुद्रक, प्रकाशक, स्वामी, सम्पादक, स्थान आदि का विवरण किस तरह छापा जाना चाहिए, मजिस्ट्रेट द्वारा घोषणापत्र को अधिप्रमाणित करने या न करने सम्बन्धी आदेश सम्बद्ध व्यक्ति को और प्रेस पंजीयक के पास किस तरीके से भेजा जाय, पंजीकरण प्रमाण-पत्र किस रूप में जारी किया जाय, प्रेस पंजीयक का वार्षिक प्रतिवेदन किस रूप में और कितने समय के अन्दर तैयार करके केन्द्रीय सरकार को भेजा जाना चाहिए, आदि-आदि । इस कानून के अन्तर्गत बनाए गए नियमों में यह प्रावधान किया जा सकता है कि नियमों के उल्लंघन पर एक सौ रुपये तक जुर्माना किया जा सकेगा ।

राज्य सरकार चाहे तो किसी श्रेणी की पुस्तकों या पत्रों को इस अधिनियम से छूट दे सकती है किन्तु वह इस सम्बन्ध में अधिसूचना केन्द्रीय सरकार से परामर्श किए बिना जारी नहीं कर सकती है ।

सुझाव

दूसरे प्रेस आयोग ने अपने प्रतिवेदन (१६८२) में इस कानून में कई परिवर्तनों की सिफारिशें की हैं । एक सिफारिश में आयोग ने सुझाया है कि 'दैनिक समाचारपत्र', 'समाचार पत्रिका' और 'नियतकालिक पत्रों' को पुनर्परिभाषित किया जाय और प्रेस पंजीयक तीनों प्रकार के पत्रों की अलग-अलग पंजियां रखें । दैनिक पत्र उसे माना जाय जिसमें सार्वजनिक समाचार और ऐसे समाचारों पर टिप्पणियाँ हों और जो सप्ताह में कम-से-कम छह दिन प्रकाशित होता हो तथा 'समाचार पत्रिका' उस नियतकालिक पत्र को कहा जाए जिसमें बड़ी मात्रा में सार्वजनिक समाचार और सार्वजनिक समाचारों पर टिप्पणियाँ हों । उन सब पत्रों को जिनमें बड़ी मात्रा में सार्वजनिक समाचार और सार्वजनिक समाचारों पर टिप्पणियाँ नहीं होतीं 'नियतकालिक' माना जाए ।

इस आयोग की एक अन्य महत्त्वपूर्ण सिफारिश यह है कि मजिस्ट्रेट को इस कानून या इसके अन्तर्गत नियमों का उल्लंघन करनेवालों के घोषणा-पत्र रद्द करने का अधिकार देनेवाली धाराओं ८ ख (१) और १५ (२) को हटा दिया जाए क्योंकि ये बहुत कठोर हैं । धारा ८ (ख) के अन्तर्गत घोषणा-पत्र रद्द करने पर मजिस्ट्रेट को इसके लिखित कारण देने का प्रावधान किया जाए । यदि कोई दैनिक पत्र एक मास तक और दूसरा कोई पत्र अगला अंक निकलने की तिथि से तीन मास तक नहीं निकलता तो ऐसे पत्रों का घोषणा-पत्र रद्द हो जाना चाहिए । हड़ताल, तालाबन्दी, बिजली की कमी जैसे कारणों से यदि पत्र नहीं निकल पाता तो घोषणा-पत्र रद्द नहीं होगा ।

घोषणा-पत्र दाखिल करने के लिए मुद्रक/प्रकाशक को व्यक्तिगत तौर पर या प्राधिकृत अभिकर्ता के जरिये मजिस्ट्रेट के समक्ष उपस्थित होना आवश्यक नहीं होना चाहिए । कानून में संशोधन करके यह व्यवस्था की जाए कि मुद्रक/प्रकाशक/सम्पादक घोषणा-पत्र और इस तथ्य का हलफनामा दाखिल करके कि प्रस्तावित नाम या उससे मिलते-जुलते नाम से कोई और पत्र उसी भाषा में अथवा उसी राज्य से नहीं निकल रहा है, पत्र का प्रकाशन आरम्भ कर सकेगा । मुद्रक/प्रकाशक द्वारा पत्र का प्रस्तावित नाम सुलभ होने का हलफनामा दायर करने के बाद मजिस्ट्रेट द्वारा घोषणा-पत्र को अधिप्रमाणित करने की जरूरत नहीं रह जाएगी । आयोग ने यह सुझाव घोषणा-पत्र को अधिप्रमाणित किए जाने में विलम्ब को दूर करने के उद्देश्य से दिए हैं ।

उसकी यह भी सिफारिश है कि प्रेस पंजीयक के पद पर ऐसे व्यक्तियों को नियुक्त किया जाए जिनकी इस कार्य से सम्बद्ध उपयुक्त पृष्ठभूमि या अनुभव हो । नियुक्ति पाँच वर्ष की अवधि के लिए की जाए ।

प्रेस पंजीयक द्वारा माँगी गई सूचना न देनेवालों पर ५०० रुपये तक का जुर्माना किए जाने का अधिकार देनेवाली धारा १६ (ट) में संशोधन करके जुर्माना करने का सीधा अधिकार प्रेस पंजीयक को दिया जाए । मौजूदा प्रावधान के अन्तर्गत प्रेस पंजीयक को सूचना न मिलने पर उसे मजिस्ट्रेट के समक्ष शिकायत दायर करने का अधिकार है । दंड मजिस्ट्रेट द्वारा मुकदमों की सुनवाई करके दिया जाता है । आयोग के अनुसार उसने यह सिफारिश भी विलम्ब को दूर करने के उद्देश्य से की है ।

आयोग की एक सिफारिश यह भी है कि इस कानून में ऐसा प्रावधान किया जाए जिससे प्रेस पंजीयक विज्ञापन एजेंसियों से समाचारपत्रों की विज्ञापनों से आय के बारे में सूचना प्राप्त कर सके । आयोग ने कुछ और सुझाव भी सिफारिशों के रूप में दिए हैं ।

■

अध्याय ३

शासकीय गुप्त बात अधिनियम, १९२३

इस कानून के मुख्यतः दो भाग हैं । एक, जो जासूसी या गुप्तचरी से सम्बन्ध रखता है । दूसरा, जिसका सम्बन्ध उन बातों के प्रकटीकरण से है जिन्हें सरकार गुप्त मानती है । पहले विषय के सिलसिले में प्रावधान अधिनियम की धारा ३ में और दूसरे के बारे में धारा ५ में किया गया है ।

यह अनुभव किया गया है कि धारा ५ यद्यपि विशेषतया प्रेस के विरुद्ध निर्देशित नहीं है फिर भी इसका सर्वाधिक प्रतिकूल प्रभाव उसी पर पड़ता है । एक मुक्त जनतांत्रिक समाज में जहाँ लोगों को शासन और शासकों के कृत्यों और आचरण की समुचित जानकारी रखने का अधिकार है सरकार को अपना कार्य व्यापार यथासम्भव खुले में करना चाहिए, अर्थात् उसकी जानकारी लोगों को देने में संकोच नहीं करना चाहिए, कम-से-कम इसके मार्ग में कानूनी, प्रक्रियात्मक अथवा अन्य किसी प्रकार के अवरोध खड़े नहीं करने चाहिए ।

न्यायपालिका और विधायिका अपना लगभग सारा कार्य सबकी नजरों के सामने करती हैं । अदालतों में खुली बहस होती है जिसके दौरान पक्ष-विपक्ष के अलावा अन्य कोई भी उपस्थित रह सकते हैं । निर्णय सम्बद्ध पक्षों को सुनवाई का अवसर देकर किया जाता है । संसद् और विधान-मण्डलों में खुली चर्चा होती है । इसे सही रूप में प्रकाशित करने का संवैधानिक अधिकार प्रेस को प्राप्त है । किन्तु कार्यपालिका अधिकतर निर्णय गोपनीयता के पर्दे के पीछे करती है । निर्णय वृत्त जनसामान्य और प्रेस की पहुँच से बाहर होते हैं । किसी को मालूम नहीं होता कि निर्णय न्यायपरक और निष्पक्ष आधार पर लिया गया है या मनमाने और पक्षपात अथवा भेदभावपूर्ण तरीके से । चूँकि विधायिका बहुत व्यस्त हो गयी है वह अधीनस्थ विधायन अर्थात् नियमों का निर्माण कार्यपालिका पर छोड़ देती है । ये नियम गुप्त रूप से बनाये जाते हैं और विधायिका उन्हें अक्सर उसी रूप में स्वीकार कर लेती है जिस रूप में उन्हें उसके सामने प्रस्तुत किया जाता है । आज कार्यपालिका का दखल कानून-व्यवस्था और राजनीतिक विनियमन तक ही सीमित नहीं रहा बल्कि जनजीवन के हर क्षेत्र—आर्थिक, सामाजिक, यहाँ तक कि सांस्कृतिक और व्यक्तिगत क्षेत्र में भी व्याप्त हो गया है, तथा जनकल्याणकारी राज्य के नाम पर शासकों और प्रशासकों के कार्यों व अधिकारों का व्यापक विस्तार हो गया है । ऐसी हालत में यह आवश्यक है कि कार्यपालिका पर से भी गुप्तता का आवरण

उठाया जाय । वह क्या और किस तरह कार्य व निर्णय करती है इसकी समुचित जानकारी लोगों को मिले । इससे कार्यपालिका बेहतर, अधिक न्यायपरक और योग्य निर्णय व कार्य-निष्पादन करेगी । इसीलिए, आज खुली सरकार की आवश्यकता पर जोर दिया जाता है और इसकी माँग की जाती है ।

लेकिन, इसका दूसरा पक्ष यह है कि प्रतिरक्षा, राष्ट्रीय सुरक्षा, अपराधों का पता लगाने और उन्हें रोकने, दूसरे देशों के साथ सम्बन्धों, व्यापारिक रहस्यों, रुपये के मूल्य, लोगों द्वारा अनुचित आर्थिक लाभ उठाने को रोकने आदि, के हित में यह जरूरी है कि ऐसे विषयों में शासकीय गोपनीयता बनी रहे । गोपनीयता के पक्षधर यह भी कहते हैं कि गोपनीयता भंग होने की खबरों से किसी विषय पर निर्णय लेने से पूर्व अधिकारी और मन्त्री खुलकर अपना मत प्रकट नहीं कर सकते । इसे 'कैण्डर थ्योरी' कहते हैं ।

यह सर्वमान्य है कि राष्ट्रीय सुरक्षा, प्रतिरक्षा, विदेश सम्बन्धों जैसे विषयों में आवश्यक गोपनीयता रखने का अधिकार सरकार को हो । परन्तु यह नियम नहीं, अपवाद के रूप में होना चाहिए । दुर्भाग्य से सरकार में गोपनीयता नियम है और खुलापन अपवाद । आवश्यकता इस बात की है कि खुलेपन के बुनियादी दर्शन को अपनाते हुए गोपनीयता और प्रकटीकरण से सेवित होनेवाले हितों के बीच एक स्वस्थ और न्यायसंगत सन्तुलन स्थापित किया जाय । यह कैसे किया जा सकता है इसकी चर्चा करने से पहले अधिनियम की धारा ५ पर विचार किया जाय । धारा पाँच इस प्रकार है—

"५. (१) यदि कोई व्यक्ति, जिसके कब्जे या नियंत्रण में कोई ऐसी गुप्त शासकीय संकेतकी या संकेत शब्द या कोई ऐसा रेखाचित्र, रेखांक, प्रतिमान, चीज, टिप्पण, दस्तावेज या जानकारी है जो किसी प्रतिषिद्ध स्थान से सम्बद्ध या उसमें प्रयुक्त की जाती है या ऐसे स्थान में की किसी चीज से सम्बद्ध है अथवा जिससे शत्रु की प्रत्यक्षतः या परोक्षतः सहायता होनी सम्भाव्य है, या जो ऐसे मामले से सम्बन्धित है जिसके प्रकटन से भारत की प्रभुता और अखण्डता, राज्य की सुरक्षा या विदेशी राज्यों के साथ मैत्रीपूर्ण सम्बन्धों के प्रभावित होने की सम्भाव्यता है या जो इस अधिनियम के उल्लंघन में बनायी या अभिप्राप्त की गयी है अथवा जो उसे सरकार के अधीन पद धारण करनेवाले किसी व्यक्ति द्वारा विश्वासपूर्वक सौंपी गयी है अथवा जिसकी उसे अभिप्राप्ति या जिस तक उसकी पहुँच उसकी उस स्थिति के कारण हुई जो ऐसे व्यक्ति के रूप में है जो सरकार के अधीन पद धारण करता है या कर चुका है या ऐसे व्यक्ति के रूप में है जो सरकार की ओर से की गयी किसी संविदा को धारण करता है या धारण कर चुका है या ऐसे व्यक्ति के रूप में है जो उस किसी व्यक्ति के अधीन नियोजित है या रह चुका है जो ऐसा पद या संविदा धारण करता है या कर चुका है—

(क) उस संकेतकी या संकेत शब्द, रेखाचित्र, रेखांक, प्रतिमान, चीज, टिप्पण, दस्तावेज या जानकारी की संसूचना उस व्यक्ति से, जिसे उससे संसूचित करने को

वह प्राधिकृत है, या किसी न्यायालय से, या उस व्यक्ति से, जिसको राज्य के हितों में, उसे संसूचित करना उसका कर्तव्य है, भिन्न किसी व्यक्ति को जान-बूझकर संसूचित करेगा, या

(ख) अपने कब्जे में की जानकारी का उपयोग किसी विदेशी शक्ति के फायदे के लिए या ऐसी किसी अन्य रीति में करेगा जो राज्य की सुरक्षा पर प्रतिकूल प्रभाव डालनेवाली हो, या

(ग) उस रेखाचित्र, रेखांक, प्रतिमान, चीज, टिप्पण या दस्तावेज को अपने कब्जे या नियंत्रण में प्रतिधृत (रिटेन) रखेगा जब कि उसे उसको प्रतिधारित रखने का अधिकार नहीं है या जब कि उसे प्रतिधारित रखना उसके कर्तव्य के प्रतिकूल है या विधिपूर्ण प्राधिकारी द्वारा उसकी वापसी या व्ययन के सम्बन्ध में दिए गए सब निदेशों का अनुवर्तन करने में जान-बूझकर असफल होगा, या

(घ) उस रेखाचित्र, रेखांक, प्रतिमान, चीज, टिप्पण, दस्तावेज, गुप्त शासकीय संकेतकी या संकेत शब्द या जानकारी की युक्तियुक्त सँभाल करने में असफल होगा या ऐसे आचरण करेगा जिससे उसकी सुरक्षा के लिए संकट उत्पन्न हो जाए,

तो वह इस धारा के अधीन अपराध का दोषी होगा ।

२. यदि कोई व्यक्ति किसी गुप्त शासकीय संकेतकी या संकेत शब्द या किसी रेखाचित्र, रेखांक, प्रतिमान, चीज, टिप्पण, दस्तावेज या जानकारी को स्वेच्छया प्राप्त करेगा जब कि उस समय जब वह उसे प्राप्त करता है वह जानता है या उसके पास यह विश्वास करने का युक्तियुक्त आधार है कि वह संकेतकी, संकेत, शब्द, रेखाचित्र, रेखांक, प्रतिमान, चीज, टिप्पण, दस्तावेज या जानकारी इस अधिनियम के उल्लंघन में संसूचित की गई है तो वह इस अधिनियम के अधीन अपराध का दोषी होगा ।

३. यदि कोई व्यक्ति जिसके कब्जे या नियंत्रण में कोई ऐसा रेखाचित्र, रेखांक, प्रतिमान, चीज, टिप्पण, दस्तावेज या जानकारी है जो युद्ध-सामग्री से सम्बद्ध है उसे प्रत्यक्षतः किसी विदेशी शक्ति को, या किसी ऐसी अन्य रीति में जो राज्य की सुरक्षा या हितों पर प्रतिकूल प्रभाव डालनेवाली हो, संसूचित करेगा तो वह इस धारा के अधीन अपराध का दोषी होगा ।

४. इस धारा के अधीन अपराध का दोषी व्यक्ति कारावास से, जिसकी अवधि तीन वर्ष तक की हो सकेगी, या जुर्माने से, अथवा दोनों से, दंडनीय होगा ।"

यह धारा स्पष्टतः बहुत व्यापक है । इसके अधीन गुप्त मानी गई सूचना देने और लेनेवाले दोनों ही दोषी करार दिए जा सकते हैं । उन्हें तीन वर्ष तक का कारावास हो सकता है । इसके साथ जुर्माना भी किया जा सकता है । यह प्रावधान इस बात को देखते हुए विशेष तौर से कठोर है कि कानून में 'गुप्त बात' (सीक्रेट) की परिभाषा नहीं की गई है । जिसे सरकार 'गुप्त' कहे उसका प्रकटीकरण अपराध बन जाता है । सरकारें ऐसी सूचनाओं को भी 'गुप्त' करार देती हैं जिनके खुल जाने से वे अर्थात् सत्तारूढ़ दल परेशानी में पड़ सकता है भले ही इन सूचनाओं

का प्रतिरक्षा, राष्ट्रीय सुरक्षा, अपराधों की जाँच आदि से कोई सम्बन्ध नहीं होता। इसमें दस्तावेज ही नहीं बल्कि रेखाचित्र (स्केच), रेखांक, संकेत शब्द, गुप्त शासकीय संकेतकी (कोड), प्रतिमान (मॉडल), लेख, टिप्पणी और सूचना शामिल है। इस तरह इसका विस्तार बहुत बड़ा है।

यदि कोई पत्रकार 'गुप्त' जानकारी प्राप्त करता है या उसको अपने पास या नियंत्रण में रखता है तो उसे सजा हो सकती है। इसके साथ ही वह व्यक्ति भी दण्डित हो सकता है जिससे उसे यह सूचना मिली हो। इस धारा की भाषा ऐसी है कि कार्यपालिका राष्ट्रीय सुरक्षा आदि के नाम पर, किसी बात के प्रकटीकरण पर कार्रवाई कर सकती है, भले ही यह प्रकटीकरण जनहित में हो। इतना ही नहीं, इस प्रकटीकरण का प्रतिरक्षा, राष्ट्रीय सुरक्षा आदि पर प्रतिकूल असर न पड़े तो भी 'गुप्त' सूचना प्रकट करनेवाले को दण्डित किया जा सकता है यदि उसने उसे यह जानते हुए या इसका विश्वास होने का युक्तियुक्त आधार रहते कि यह सूचना कानून का उल्लंघन करके दी जा रही है, स्वेच्छा से प्राप्त किया हो।

दो बातों से बचाव होता है। एक, सूचना अगर जान-बूझकर न दी गई हो या स्वेच्छा से न ली गई हो और यह पता न हो या इसका विश्वास करने का युक्तियुक्त आधार न हो कि इससे कानून का उल्लंघन होता है तो सजा नहीं हो सकती है। दो, न्यायालय द्वारा पुनरीक्षण करके कार्यपालिका के आदेशों के मनमानेपन को रोका जा सकता है। यद्यपि कानून में कार्यपालिका को यह अधिकार है कि वह किसी दस्तावेज को 'गुप्त' करार दे सकती है फिर भी अदालत यह तय करती है कि कोई सार्वजनिक दस्तावेज 'गुप्त' है या नहीं। पर यह स्पष्ट नहीं है कि वह यह फैसला कर सकती है या नहीं कि दस्तावेज का सार्वजनिक हित में प्रकट किया जाना उचित है या नहीं क्योंकि अधिनियम में 'सार्वजनिक हित', 'सार्वजनिक कल्याण' जैसी कोई बात नहीं लिखी है।

पर उच्चतम न्यायालय ने जजों (एस० पी० गुप्त बनाम 'भारत' के सम्पादक, ए० आई० आर० १९८२, एस० सी० १०९) के मामले में अपने फैसले में अभिनिर्धारित किया है कि उसे यह तय करने के लिए गुप्त सरकारी दस्तावेजों का निरीक्षण करने का अधिकार है कि उसका प्रकटीकरण सार्वजनिक हित में है या नहीं? यदि इस सिद्धान्त को वह शासकीय गुप्त बात अधिनियम के अधीन मामलों पर लागू करे तो वह किसी पत्रकार के इस तर्क पर विचार कर सकता है कि उसने तथाकथित शासकीय दस्तावेजों को सार्वजनिक हित में प्रकट किया है।

अदालत को निश्चय ही यह अधिकार होना चाहिए क्योंकि कार्यपालिका (और सत्तारूढ़ दल) गलत आचरण के प्रतिफल से बचने के लिए प्रायः गोपनीयता कानून का सहारा लेने का प्रयास करते हैं। यह ठीक है कि प्रतिरक्षा के क्षेत्र में गोपनीयता बनाए रखना विदेशी खतरों से देश को बचाने के लिए जरूरी होता है। पर, प्रतिरक्षा-विभाग या सेनाओं से सम्बद्ध हर काम गोपनीय हो, यह आवश्यक नहीं है। अगर प्रतिरक्षा-सम्बन्धी क्रय-विक्रय में घोटाला या भ्रष्टाचार हो रहा हो या रक्षा-उत्पादन कारखानों से शस्त्रास्त्रों की चोरियाँ हो रही हों या वह अनधिकृत

लोगों के हाथों में जा रहे हों तो इन बातों का प्रकटीकरण गोपनीयता की आड़ लेकर नहीं रोका जाना चाहिए । यदि यह प्रकटीकरण इस तरह किया जाय कि उससे प्रतिरक्षा प्रभावित नहीं हो तो अदालतों से अपेक्षा की जाती है कि वे इसे अपराध नहीं मानेंगी बल्कि सार्वजनिक हित में की गई सेवा करार देंगी ।

जैसा कि पहले कहा गया है आवश्यकता इस बात की है कि गोपनीयता और प्रकटीकरण में निहित सार्वजनिक हितों में ऐसा सन्तुलन रखा जाए जिसमें खुलेपन को नियम और गोपनीयता को अपवाद माना जाए । इसके शासकीय गुप्त बात अधिनियम की धारा ५ में संशोधन करना होगा । विश्व के कुछ देश इस विषय में बहुत आगे बढ़ चुके हैं । अमेरिका में १९६८ में प्रशासनिक प्रक्रिया अधिनियम बनाया गया था जिसमें सरकारी दस्तावेजों का निरीक्षण करने या उनकी प्रतियाँ प्राप्त करने के लिए प्रावधान थे । किन्तु उसमें कार्यपालिका को दस्तावेज को प्रकट करने से बहुत सारी छूट दे दिए जाने के कारण उसे पर्याप्त नहीं पाया गया । इसलिए १९७४ में सूचना स्वातंत्र्य अधिनियम बनाया गया । इसमें सूचना देने का दायित्व शासन पर डाल दिया गया । इस प्रकार गोपनीयता की मूल संधारणा को उलटकर जानकारी रोकने को अपवाद और देने को नियम बना दिया गया । यद्यपि इस कानून के अधीन कुछ निश्चित विषयों पर जानकारी देने से इंकार किया जा सकता है पर कोई भी व्यक्ति इसे जिला अदालत में जाकर चुनौती दे सकता है । जानकारी न देने के औचित्य से अदालत को सन्तुष्ट करने का काम कार्यपालिका का होता है । कार्यपालिका के मनमानेपन के खिलाफ यह एक बड़ा रक्षोपाय है । यह भी अनुभव किया गया है कि इस कानून से प्रशासनिक कार्यकुशलता, युक्तियुक्तता और सावधानी बढ़ी है ।

स्वीडेन में तो उसके संविधान में हर नागरिक को, कुछ विषयों में निर्बन्धनों को छोड़कर, सब सरकारी दस्तावेजों तक पहुँच का अधिकार दिया गया है । उस देश में सभी प्रशासनिक दस्तावेजों को खुला माना जाता है । कार्यपालिका उन्हीं दस्तावेजों को प्रकट करने से इंकार कर सकती है जिन्हें रोकने का अधिकार उसे कानून बनाकर दिया गया हो । (फिनलैंड और जापान में पत्रकारों को अपने सूचना के स्रोतों को प्रकट करने के लिए बाध्य नहीं किया जा सकता है ।) ब्रिटेन में फ्रैंक्स समिति ने वहाँ के शासकीय गुप्त बात अधिनियम की धारा २, जो हमारे अधिनियम की धारा ५ के समान है, को खत्म करके उसके स्थान पर अलग से शासकीय सूचना अधिनियम बनाने की सिफारिश की ।

भारत में आजादी के बाद भी इस औपनिवेशिक कानून में आवश्यक संशोधन नहीं किया गया है । प्रेस-विधि जाँच समिति ने इस पर १९४८ में विचार किया पर कोई परिवर्तन नहीं सुझाया । उसने सरकार से अपेक्षा मात्र की कि वह बहुत आवश्यक होने पर और राज्य तथा जनता के व्यापक हितों में ही इसके प्रावधानों का इस्तेमाल करेगी । पहले प्रेस आयोग (१९५४) ने इस समिति के मत का अनुमोदन किया और किसी संशोधन का सुझाव नहीं दिया । उसने इस विचार से सहमति व्यक्त की कि किसी परिपत्र पर 'गुप्त' या 'गोपनीय'

लिख देने मात्र से इसका प्रकटीकरण कानून का उल्लंघन नहीं माना जाना चाहिए, यदि उसका प्रकाशन लोकहित में हो तथा उसमें राष्ट्रीय आपात और राज्य के हित का सवाल न उठता हो। किन्तु, इसके साथ ही उसने कहा कि इसका प्रशासन बहुत युक्तियुक्त तरीके से होने को देखते हुए हम इसमें कोई संशोधन करने की सिफारिश नहीं करते। भारतीय विधि आयोग ने १९७१ में 'राष्ट्रीय सुरक्षा के विरुद्ध अपराध' विषय पर अपने प्रतिवेदन में शासकीय गुप्त बात अधिनियम की धारा ५ की चर्चा की पर उसने भी कोई संशोधन नहीं सुझाया। उसने यह बात सरकार पर छोड़ दी कि ऐसे छोटे-मोटे प्रकटीकरण के मामलों में जिनसे राज्य के हित प्रभावित नहीं होते, उसे मुकदमा चलाने की स्वीकृति नहीं देनी चाहिए। १९७७ में मंत्रिमण्डलीय सचिवालय, गृह मंत्रालय, वित्त मंत्रालय और रक्षा मंत्रालय के अधिकारियों की एक अध्ययन समिति ने १९२३ के कानून में यथास्थिति रहने देने की सिफारिश की। इसकी रिपोर्ट को राज्य सरकारों ने भी अनुमोदित किया।

किन्तु इस सबके बावजूद देश के पत्रकार इस धारा को वर्तमान रूप में बनाए रखने के विरुद्ध हैं। नेशनल यूनियन ऑफ जर्नलिस्ट्स और एडिटर्स गिल्ड ऑफ इण्डिया ने इसे समाप्त करने तथा सूचना स्वातंत्र्य कानून बनाने की माँग की है।

द्वितीय प्रेस आयोग (१९८२) और भारतीय प्रेस परिषद् ने इन विचारों का समर्थन किया है। दूसरे प्रेस आयोग ने कहा है कि "हमारे मत में (इस) धारा को निरस्त करके इसकी जगह पर राष्ट्रीय सुरक्षा और राज्य के अन्य महत्त्वपूर्ण हितों और राज्य के कार्य-व्यापार की जानकारी के जनता के अधिकार की सर्वोच्च आवश्यकताओं के अनुरूप कोई प्रावधान किए जाएँ। हमारे विचार में धारा ५ को सूचनाओं के उन प्रकारों तक सीमित किया जाना चाहिए जिनकी प्रकटीकरण से रक्षा करना जरूरी है। इससे कार्यपालिका में यह वातावरण बनेगा कि कानून उसकी हर किसी चीज को गोपनीय करार देने की प्रवृत्ति का बचाव नहीं करेगा।" आयोग ने ब्रिटिश सूचना स्वातंत्र्य अधिनियम के भाग दो में किए गए प्रावधानों को नमूने के रूप में अपनाने की सिफारिश की।

प्रेस परिषद् ने भारतीय विधि संस्थान के सहयोग से शासकीय गुप्त बात अधिनियम का विस्तृत अध्ययन किया और धारा ५ में संशोधन के कुछ ठोस सुझाव दिए। मुख्य सुझाव इस प्रकार है—

१. जब तक कि 'शासकीय गुप्त बात' किसी विदेशी शक्ति को प्रेषित नहीं की जाती या उसके काम के लिए इसका इस्तेमाल नहीं किया जाता या इसका प्रयोग इस तरह नहीं किया जाता जिससे राज्य की सुरक्षा को हानि पहुँचे तब तक ऐसा कोई कार्य इस धारा के अधीन अपराध नहीं होगा जिससे मुख्यतः और सारतः सार्वजनिक हित होता हो। इस प्रकार इस सिफारिश में सार्वजनिक हित में किए गए प्रकटीकरण का बचाव किया गया है।

२. निम्नलिखित विषयों से सम्बद्ध बातों को ही गोपनीयता माना जाएगा—

(क) प्रतिरक्षा या राष्ट्र की सुरक्षा;

(ख) विदेशी सम्बन्ध;

(ग) मुद्रा नीति, विदेशी मुद्रा-नीति, आर्थिक योजनाएँ और नीतियाँ, वाणिज्यिक और वित्तीय सूचना, यदि इनके प्रकटीकरण से राष्ट्रहित को नुकसान होता हो या निजी हितों को अनुचित वित्तीय लाभ उठाने के अवसर सुलभ होते हों;

(घ) ऐसी सूचना जो—

(१) अपराध करने में सहायक हो सकती है,

(२) जिससे बन्दियों को भागने में मदद मिले या जो कारावास की सुरक्षा को हानिकर हो, या

(३) जिससे अपराध रोकने या उनका पता लगाने या अपराधियों को पकड़ने या उन पर मुकदमा चलाने में रुकावट पड़ सकती हो ।

(ङ) गैर-सरकारी व्यक्तियों द्वारा सरकार को विश्वास में लेकर दी गई जानकारी, और

(च) व्यापारिक रहस्य ।

(इन सिफ़ारिशों से परिषद् ने गोपनीयता का दायरा सीमित करने का प्रयास किया है ।)

३. भारत के अटार्नी जनरल, प्रेस परिषद् के अध्यक्ष और भारतीय बार परिषद् के अध्यक्ष द्वारा मनोनीत एक व्यक्ति पर आधारित समिति की मंजूरी के बिना इस धारा के अधीन किसी पर मुकदमा नहीं चलाया जाएगा बशर्ते कि आरोप यह न हो कि सम्बद्ध व्यक्ति ने 'शासकीय गुप्त बात' किसी विदेशी शक्ति को प्रेषित की है या इसे उसके लाभ के लिए इस्तेमाल किया या इस तरह से इसका प्रयोग किया है जिससे राज्य की सुरक्षा को हानि पहुँचती है । इस सिफ़ारिश से प्रेस परिषद् ने कार्यपालिका की मनमानी पर रोक लगाने की कोशिश की है ।

प्रेस परिषद् की १९८२ में की गई इन सिफारिशों पर सरकार ने विचार तो किया किन्तु कोई ठोस कार्रवाई नहीं की । कर्नाटक की रामकृष्ण हेगड़े सरकार ने अवश्य कुछ कदम उठाए । उसने अपने कर्नाटक प्रेस स्वातंत्र्य विधेयक, १९८८ में परिषद् के सिफ़ारिशों के आधार पर प्रावधान किए ।

अगले वर्ष राष्ट्रीय मोर्चा ने १९८९ के लोकसभा चुनावों के लिए अपने घोषणापत्र में वायदा किया कि सत्ता में आने पर वह जनता के सूचना के अधिकार को सुनिश्चित करने के लिए संविधान में समुचित संशोधन करेगा और इसी उद्देश्य से शासकीय गुप्त बात अधिनियम को भी समुचित तरीके से संशोधित करेगा । भारतीय जनता पार्टी ने भी अपने घोषणापत्र में ऐसी वचनबद्धताएं प्रकट कीं । कुछ अन्य दलों ने भी इस दिशा में आवश्यक रुचि व्यक्त की ।

राष्ट्रीय मोर्चा सरकार के गठन पर उसके प्रधानमंत्री श्री विश्वनाथ प्रताप सिंह ने ३ दिसम्बर, १९८९ को राष्ट्र के नाम प्रसारित सन्देश में अपने दल के घोषणापत्र

में दिए गए वचन को दोहराया । बाद में इसका विस्तार करते हुए सूचना की स्वतंत्रता अधिनियम बनाने के निश्चय की घोषणा की गई ।

पहली मार्च, १९९० को केन्द्रीय गृहसचिव ने इस क्रम में एक 'प्रारंभिक नोट' जारी किया जिसमें शासकीय गुप्त बात अधिनियम में प्रस्तावित संशोधनों का उल्लेख किया गया । इसके साथ ही इसमें सरकार के कार्य-करण में गोपनीयता कम करने की आवश्यकता पर बल दिया गया । गृह मंत्रालय के अनुरोध पर 'सेंटर फार पालिसी रिसर्च' में एक कार्यशाला का आयोजन किया गया । उधर, विभिन्न केन्द्रीय मंत्रालयों और विभागों के अधिकारियों का एक अध्ययन दल गठित किया गया जिसका काम सरकारी सूचनाओं तक पहुँच के विषय में विभिन्न देशों में किए गए प्रावधानों और कानूनों का अध्ययन करके भारत के लिए उपयुक्त विचार प्रस्तुत करना था ।

इस बीच भारतीय प्रेस परिषद् ने शासकीय गुप्त बात अधिनियम १९२३ में संशोधन और सूचना स्वातंत्र्य कानून की आवश्यकताओं और स्वरूप पर विशद् विचार किया । इस विचार-प्रक्रिया में परिषद् की पिछली सिफारिशों पर भी नये परिप्रेक्ष्य में दृष्टिपात और संशोधन किया गया । इसके अन्त में परिषद् ने १३ जुलाई, १९९० को निम्नलिखित सिफारिशें कीं—

एक, सूचना के अधिकार का उपबन्ध करने के लिए इस समय संविधान में संशोधन करना जरूरी नहीं है, क्योंकि उच्चतम न्यायालय ने इसे अनुच्छेद १९(१) (क) में निहित माना है । लेकिन, अनुच्छेद १९ में जिसे अन्तर्निहित माना गया है उसे सुव्यक्त करने के लिए बाद में कभी इसमें संशोधन किया जा सकता है ।

दो, अनुच्छेद १९(२) में जिन आधारों पर अभिव्यक्ति की स्वतंत्रता पर निर्बन्धन लगाने की इजाजत है उनमें और आधार जोड़ने के लिए भी संविधान में संशोधन करने की आवश्यकता नहीं है ।

तीन, शासकीय गुप्त बात अधिनियम, १९२३ पूर्णतः निरस्त कर दिया जाए । इसे संशोधित करने या इसकी धारा ५ की पुनर्रचना करने से कोई प्रयोजन सिद्ध नहीं होगा । किसी खराब कानून का संशोधन करना बेकार है । शासकीय गोपनीयता के कानून को बनाए रखने का मनोवैज्ञानिक असर यह होगा कि गोपनीयता को सरकारी कामकाज का कायदा समझा जाएगा । इसके विपरीत यदि सूचना की स्वतंत्रता का कानून हो तो उससे यह आभास होगा की सरकार खुली और मुक्त है । इस प्रकार शासकीय गुप्त बात अधिनियम, १९२३ खुली सरकार की अवधारणा के प्रतिकूल है । यह संविधान के अनुच्छेद १९ (१) (क) में दी गयी वाक् और अभिव्यक्ति की गारण्टी की प्रकृति के विरुद्ध भी है ।

चार, 'सूचना की स्वतंत्रता' के नाम से एक नया कानून बनाया जाए । सूचना स्वातंत्र्य के अधिकार पर लगाई जानेवाली सीमाएँ इस कानून में अपवाद या अनुज्ञेय निर्बन्धनों के रूप में हों । (अर्थात, सूचना देना नियम और उस पर युक्तियुक्त रोक लगाना अपवाद हो ।)

पाँच, गुप्तचरी सम्बन्धी प्रावधान, जो शासकीय गुप्त बात अधिनियम की धारा ३, ४ आदि में है, बदली हुई परिस्थितियों के अनुकूल आवश्यक फेरबदल के बाद अलग कानून में रखे जाएं। 'प्रतिषिद्ध स्थान' की प्रचलित परिभाषा अत्यन्त विस्तृत और सर्वग्राही है। अतः यह जरूरी है कि इस परिभाषा के दायरे को कम करके इसे पुनर्रचित किया जाए तथा इसके आकार को नपातुला रखा जाए।

छह, प्रस्तावित सूचना स्वातंत्र्य अधिनियम में लगाई जानेवाली सीमाएं विनिर्दिष्ट की जा सकती हैं। जहाँ तक संभव हो गोपनीयता की सीमाएं शासकीय गुप्त बात अधिनियम, १९२३ की पुनरीक्षित धाराओं की योजना और रूपरेखा के अनुसार होनी चाहिए।

सात, यदि सरकार सूचना स्वातंत्र्य अधिनियम तत्काल नहीं लाने का निश्चय करे और प्राथमिकता के आधार पर वर्तमान अधिनियम में संशोधन करना चाहे तो उसकी धारा ५, १३ (३) के स्थान पर नए प्रारूपों की सिफारिश की जाती है। उस स्थिति में भी विद्यमान अधिनियम को निरस्त करके उसकी जगह सारवान रूप से ऐसा नया शासकीय गुप्त बात अधिनियम बनाना ही अधिक उपयुक्त होगा जिसमें लोकतांत्रिक भावना का समावेश हो। यह राष्ट्रीय सुरक्षा की आवश्यकताओं के अनुरूप होते हुए वाक् और अभिव्यक्ति की स्वतंत्रता के अधिकार पर संविधान के अनुच्छेद १९ (२) द्वारा अनुज्ञेय निर्बन्धनों को न्यूनतम करेगा और इस प्रकार राष्ट्रपति द्वारा संसद में २० दिसम्बर, १९८९ को किए गए अभिभाषण में खुली सरकार के वायदे को पूरा करने में सहायक होगा। नया अधिनियम सिविल और राजनीतिक अधिकारों सम्बन्धी संयुक्त राष्ट्रसंघ की अन्तरर्राष्ट्रीय प्रसंविदा (जिसका भारत ने १९७८ में अनुसमर्थन किया था) पर अमल करने की भारत की प्रतिबद्धता को पूरा करने की दिशा में भी सहायक होगा जिसमें जानकारी को चाहने, प्राप्त करने और प्रदान करने के मूलभूत मानव अधिकार को मान्यता दी गई है।

आठ, कानून बनाने की कार्रवाई की पूर्व-पीठिका के रूप में सरकार कार्यपालिका कार्रवाइयों से सरकारी सूचनाओं तक लोगों की पहुँच बढ़ाने और आसान बनाने के लिए बहुत कुछ कर सकती है, इसलिए सूचना स्वातंत्र्य अधिनियम के विधायी प्रस्ताव तैयार होने तक उसे, यदि खुली सरकार के उद्देश्य पूर्ण करने हैं तो, निम्नलिखित कार्य करने चाहिए—

(क) लोकहित के सभी मुद्दों पर वह अपने फैसलों, नीतियों और दृष्टिकोणों की सूचना स्वयमेव तत्परता से और नियमित रूप से प्रसारित करे,

(ख) एक ऐसी व्यापक सूचना प्रसार नीति तैयार करे और प्रकाशित करे जिसमें जनता की आवश्यकताओं और हितों के अनुरूप उन्हें जानकारी का प्रसार करने और व्यवस्थित रूप से उपलब्ध कराने के लिए मंत्रालयों और विभागों को मार्गदर्शक सिद्धान्त, अनुदेश और प्रक्रियाएं शामिल की गई हों,

(ग) विभागीय अनुदेशों के मैनुअलों, कार्यालय प्रक्रिया के मैनुअलों, आचरण के नियमों, आदि समेत विभिन्न आदेशों द्वारा दस्तावेजों के वर्गीकरण के लिए जो

प्रक्रियाएं और अनुदेश आदि जारी किए गये हैं, उनके पुनरीक्षण के लिए तत्काल कार्यपालिक आदेश जारी करे । ऐसा पुनरीक्षण हर वर्ष किया जाए । दस्तावेजों का वर्गीकरण तभी किया जाना चाहिए जब वह राज्य की सुरक्षा तथा उसके अन्य महत्वपूर्ण हितों के लिए अत्यन्त आवश्यक हो । इसके लिए भी वर्गीकरण के आधारों के तर्कसंगत कारण दर्शाए जाएं । इससे भी ज्यादा यह वांछनीय है कि दस्तावेजों को वर्गीकरण से मुक्त करने की उदार नीति अपनाई जाए ।

नौ, यदि कार्यपालिक कार्रवाइयों से यह समुचित रूप से न किया जा सके तो सरकार ऐसा विधायी उपबन्ध करने पर विचार कर सकती है (जो सामान्यतः सूचना स्वातंत्र्य अधिनियम का भाग हो) जिसमें अपेक्षित किया जाए कि दस्तावेजों के वर्गीकरण की नीति, जिसमें उसकी प्रक्रिया, अनुदेश, नियम या सिद्धान्त भी सम्मिलित हैं, प्रकाशित की जाएगी । उसे संसद में पेश किया जाएगा तथा उन प्रक्रियाओं, अनुदेशों, नियमों और सिद्धान्तों का प्रतिवर्ष पुनरीक्षण किया जाएगा । यह पुनरीक्षण सरकारी विभागों और अभिकरणों द्वारा संसद में प्रस्तुत की जाने वाली वार्षिक प्रशासनिक रिपोर्टों का अपरिहार्य भाग होगा ।

दस, अभिलेखागारों में रखी जानकारी को किस्तों में, यथा पांच-पांच वर्षों पर, प्रकट करने का सरकने वाला (स्लाइडिंग) नियम या आदेश (जो कानूनी या प्रशासनिक हो सकता है) बनाया जाए ताकि इस संवेदनशील जानकारियों को अहानिकर समझने और जारी किए जाने के लिए पूरे ३० वर्ष बीतने की प्रतीक्षा न करनी पड़े ।

हम समझते हैं कि उपर्युक्त विभिन्न सिफारिशों और विचारों पर गंभीरता से विचार करके शासकीय गुप्त बात अधिनियम में शीघ्र ऐसे संशोधन किए जाने चाहिए जिससे यह कानून पत्रकारिता, विशेषकर अन्वेषणात्मक पत्रकारिता पर, एक अनुचित अवरोध न बना रहे । इस कानून के अधीन भले ही बहुत कम मुकदमे चलाए गए हों पर इसका कानून की पुस्तिका में रहना मात्र प्रेस के स्वतन्त्र कामकाज में एक बड़ा अवरोध है । पत्रकार इसके उल्लंघन के डर से बहुत सी ऐसी सूचनाएँ भी प्रकट नहीं करते जिनका उद्‌घाटन लोक हित में होता है । फ्रैंक्स समिति ने कहा कि ब्रिटिश शासकीय गुप्त बात अधिनियम की धारा २ (भारतीय अधिनियम की धारा ५) को अदालतों में कभी-कभार ही इस्तेमाल किया जाता है पर इसके डर से लोगों के कामकाज और व्यवहार पर गहरा असर होते देखा जाता है ।

■

अध्याय ४

मानहानि

अवधारणा

व्यक्ति की नेकनामी या प्रतिष्ठा उसकी बहुमूल्य सम्पत्ति है । इसकी रक्षा करना उसका प्राकृतिक अधिकार है । इस सम्पत्ति को क्षति पहुँचानेवाला दण्ड का पात्र है और क्षति-पूर्ति के लिए उत्तरदायी है । नेकनामी ईंट-गाड़े से बनी सम्पत्ति मात्र नहीं है । यह व्यक्ति की इससे कहीं अधिक मूल्यवान् सम्पदा है । स्थूल सम्पत्ति एक बार नष्ट होने पर फिर बन सकती है किन्तु एक बार गिरी प्रतिष्ठा आसानी से फिर स्थापित नहीं हो पाती ।

इस तरह की संधारणा से मानहानि के विरुद्ध कानूनी प्रावधानों की उत्पत्ति हुई है । मान गिरने से मनुष्य पर होनेवाले भौतिक, मानसिक और भावात्मक परिणामों की गंभीरता को देखते हुए मानहानिकारक कृत्य को सिविल और आपराधिक दोनों ही प्रकार का अपराध बनाया गया है तथा इसके दोषी व्यक्तियों के लिए दण्ड के रूप में क्षति-पूर्ति और कारावास दोनों का प्रावधान किया गया है । संविधान के अनुच्छेद १९ (२) में मानहानि को उन विषयों में शामिल किया गया है जिन पर युक्तियुक्त निर्बन्धन लगाए जा सकते हैं । मानहानि-सम्बन्धी कानून में दो हितों का टकराव होता है—अपनी नेकनामी में व्यक्ति का हित और मुक्त रूप से सूचनाएँ दिए जाने में समाज का हित । एक मत यह है कि अभिव्यक्ति की स्वतंत्रता के हित में कानून में मानहानि का कोई प्रावधान नहीं होना चाहिए । पर इसे पूर्णतः स्वीकार नहीं किया गया है ।

अन्तर

सिविल और आपराधिक मानहानि में मुख्य अन्तर मानहानि करने के इरादों के सम्बन्ध में है । मानहानि की सिविल कार्यवाही में दोष-सिद्धि के लिए इरादा सिद्ध करना अनिवार्य नहीं होता । यदि प्रतिवादी के कृत्य से वादी की प्रतिष्ठा को क्षति पहुँची हो तो वादी क्षति-पूर्ति का हकदार करार दिया जा सकता है भले ही प्रतिवादी ने मानहानिकारक कृत्य इरादे से न किया हो । हाँ, इरादे के बगैर की गई मानहानि के लिए अदालतें नरम रुख अपनाकर क्षति-पूर्ति की राशि कम रखती हैं । कुछ सशर्त विशेषाधिकारों को छोड़कर अन्य मामलों में सिविल कार्यवाही के परिणामों से इस आधार पर नहीं बचा जा सकता कि आपत्तिजनक कृत्य

सद्‌भावपूर्वक किया गया था । अगर कथन सत्य हो तो सत्य सिद्ध करना बचाव के लिए काफी है ।

आपराधिक कार्यवाही में दोष-सिद्धि के लिए यह साबित किया जाना जरूरी होता है कि प्रतिवादी का इरादा वादी की मानहानि करने का था या उसने यह जानते हुए अथवा ऐसा विश्वास करने का कारण रखते हुए कि उसके कृत्य से वादी की मानहानि होगी मानहानिकारक कृत्य किया है । मानहानि की आपराधिक कार्यवाही में बचाव के लिए कथन की सत्यता के साथ-साथ उसके लोक-कल्याण में होना सिद्ध किया जाना आवश्यक है ।

मानहानि की कानूनी परिभाषा

सिविल मानहानि संहिताबद्ध नहीं है । लेकिन आपराधिक कानून में इसे संहिताबद्ध किया गया है । इसका विस्तृत प्रावधान भारतीय दण्ड संहिता की धारा ४९९ में है ।

इस धारा के अन्तर्गत मानहानि की परिभाषा तथा चार स्पष्टीकरण और दस अपवाद दिए गए हैं । इनकी व्याख्या से पहले इस पूरी धारा पर दृष्टिपात करना उचित होगा । धारा ४९९ इस प्रकार है—

४९९—जो कोई बोले गए या पढ़े जाने के लिए आशयित शब्दों द्वारा या संकेतों द्वारा या दृश्य रूपणों द्वारा किसी व्यक्ति के बारे में कोई लांछन इस आशय से लगाता या प्रकाशित करता है कि ऐसे लांछन से ऐसे व्यक्ति की ख्याति की अपहानि की जाए या यह जानते हुए या विश्वास करने का कारण रखते हुए लगाता या प्रकाशित करता है कि ऐसे लांछन से ऐसे व्यक्ति की ख्याति की अपहानि होगी, एतस्मिन् पश्चात अपवादित दशाओं के सिवाए उसके बारे में कहा जाता है कि वह उस व्यक्ति की मानहानि करता है ।

स्पष्टीकरण १. किसी मृत व्यक्ति को कोई लांछन लगाना मानहानि की कोटि में आ सकेगा यदि वह लांछन उस व्यक्ति की ख्याति की, यदि वह जीवित होता, अपहानि करता, और उसके परिवार या अन्य निकट सम्बन्धियों की भावनाओं को उपहत करने के लिए आशयित हो ।

स्पष्टीकरण २. किसी कंपनी या संगम या व्यक्तियों के समूह के सम्बन्ध में उसकी वैसी हैसियत में कोई लांछन लगाना मानहानि की कोटि में आ सकेगा ।

स्पष्टीकरण ३. अनुकल्प के रूप में या व्यंग्योक्ति के रूप में अभिव्यक्त लांछन मानहानि की कोटि में आ सकेगा ।

स्पष्टीकरण ४. कोई लांछन किसी व्यक्ति की ख्याति की अपहानि करनेवाला नहीं कहा जाता जब तक कि वह लांछन दूसरों की दृष्टि में प्रत्यक्षतः या अप्रत्यक्षतः उस व्यक्ति के सदाचारिक या बौद्धिक स्वरूप को हेय न करे या उस व्यक्ति की जाति के या उसकी आजीविका के सम्बन्ध में उसके शील को हेय न करे या उस व्यक्ति की साख को नीचे न गिराए या यह विश्वास न कराए कि उस व्यक्ति का

शरीर घृणोत्पादक दशा में है या ऐसी दशा में है जो साधारण रूप से निकृष्ट समझी जाती है।

दृष्टान्त

(क) क, यह विश्वास कराने के आशय से कि य ने ख की घड़ी अवश्य चुराई है, कहता है, "य एक ईमानदार व्यक्ति है, उसने ख की घड़ी कभी नहीं चुराई है ।" जब तक कि यह अपवादों में से किसी के अन्तर्गत न आता हो यह मानहानि है ।

(ख) क से पूछा जाता है कि ख की घड़ी किसने चुराई है । क यह विश्वास कराने के आशय से कि य ने ख की घड़ी चुराई है, य की ओर संकेत करता है । जब तक कि यह अपवादों में से किसी के अन्तर्गत न आता हो, यह मानहानि है ।

(ग) क यह विश्वास कराने के आशय से कि य ने ख की घड़ी चुराई है, य का एक चित्र खींचता है जिसमें वह ख की घड़ी लेकर भाग रहा है । जब तक कि यह अपवादों में से किसी के अन्तर्गत न आता हो, यह मानहानि है ।

पहला अपवाद—किसी ऐसी बात का लांछन लगाना, जो किसी व्यक्ति के सम्बन्ध में सत्य हो, मानहानि नहीं है, यदि यह लोक-कल्याण के लिए हो कि यह लांछन लगाया जाए या प्रकाशित किया जाए । वह लोक-कल्याण के लिए है या नहीं यह तथ्य का प्रश्न है ।

दूसरा अपवाद—उसके लोक-कृत्यों के निर्वहन में लोक-सेवक के आचरण के विषय में या उसके शील के विषय में, जहाँ तक उसका शील उस आचरण से प्रकट होता हो, न कि उससे आगे, कोई राय, चाहे वह कुछ भी हो, सद्भावपूर्वक अभिव्यक्त करना मानहानि नहीं है ।

तीसरा अपवाद—किसी लोक-प्रश्न के सम्बन्ध में किसी व्यक्ति के आचरण के विषय में, और उसके शील के विषय में, जहाँ तक कि उसका शील उस आचरण से प्रकट होता हो, न कि उससे आगे, कोई राय, चाहे वह कुछ भी हो, सद्भावपूर्वक अभिव्यक्त करना मानहानि नहीं है ।

दृष्टान्त

किसी लोक-प्रश्न पर सरकार को अर्जी देने में, किसी लोक-प्रश्न के लिए सभा बुलाने के अपेक्षण पर हस्ताक्षर करने में ऐसी सभा का सभापतित्व करने में या उसमें हाजिर होने में, किसी ऐसी समिति का गठन करने में या उसमें सम्मिलित होने में, जो लोक-समर्थन आमन्त्रित करती है, किसी ऐसे पद के किसी विशिष्ट अभ्यर्थी के लिए मत देने में या उसके पक्ष में प्रचार करने में, जिसके कर्तव्यों के दक्षतापूर्ण निर्वहन से लोक हितबद्ध है, य आचरण के विषय में क द्वारा कोई राय, चाहे वह कुछ भी हो, सद्भावपूर्वक अभिव्यक्त करना मानहानि नहीं है ।

चौथा अपवाद—किसी न्यायालय की कार्यवाहियों की या किन्हीं ऐसी कार्यवाहियों के परिणाम की सारतः सही रिपोर्ट को प्रकाशित करना मानहानि नहीं है ।

स्पष्टीकरण—कोई जस्टिस आफ दि पीस या अन्य आफिसर, जो किसी न्यायालय में विचारण से पूर्व की प्रारम्भिक जाँच खुले न्यायालय में कर रहा हो, उपर्युक्त धारा के अर्थ के अन्तर्गत न्यायालय है ।

पाँचवाँ अपवाद—किसी ऐसे मामले के गुणागुण के विषय में, चाहे वह सिविल हो या दाण्डिक, जो किसी न्यायालय द्वारा विनिश्चित हो चुका हो, या किसी ऐसे मामले के पक्षकार, साक्षी या अभिकर्ता के रूप में किसी व्यक्ति के आचरण के विषय में या ऐसे व्यक्ति के शील के विषय में, जहाँ तक कि उसका शील उस आचरण से प्रकट होता हो, न कि उससे आगे, कोई राय, चाहे वह कुछ भी हो, सद्भावपूर्वक अभिव्यक्त करना मानहानि नहीं है ।

दृष्टान्त

(क) क कहता है कि—"मैं समझता हूँ कि उस विचारण में य का साक्ष्य ऐसा परस्पर विरोधी है कि वह अवश्य ही मूर्ख या बेईमान होना चाहिए ।" यदि क ऐसा सद्भावपूर्वक कहता है तो वह इस अपवाद के अन्तर्गत आ जाता है, क्योंकि जो राय वह य के शील के सम्बन्ध में अभिव्यक्त करता है, वह ऐसी है जैसी कि साक्षी के रूप में य के आचरण से, न कि उसके आगे, प्रकट होती है ।

(ख) किन्तु यदि क कहता है कि—"जो कुछ य ने उस विचारण में दृढ़तापूर्वक कहा है, मैं उस पर विश्वास नहीं करता क्योंकि मैं जानता हूँ कि वह सत्यवादिता से रहित व्यक्ति है", जो क इस अपवाद के अन्तर्गत नहीं आता है, क्योंकि वह राय जो वह य के शील के सम्बन्ध में अभिव्यक्त करता है, ऐसी राय है, जो साक्षी के रूप में य के आचरण पर आधारित नहीं है ।

छठा अपवाद—किसी ऐसी कृति के गुणागुण के विषय में, जिसको उसके कर्ता ने लोक के निर्णय के लिए रखा हो, या उसके कर्ता के शील के विषय में, जहाँ तक कि उसका शील ऐसी कृति में प्रकट होता हो, न कि उसके आगे, कोई राय सद्भावपूर्वक अभिव्यक्त करना मानहानि नहीं है ।

स्पष्टीकरण—कोई कृति लोक के निर्णय के लिए अभिव्यक्त रूप से या कर्ता की ओर से किए गए ऐसे कार्यों द्वारा, जिनसे लोक के निर्णय के लिए ऐसा रखा जाना विवक्षित हो, रखी जा सकती है ।

दृष्टान्त

(क) जो व्यक्ति पुस्तक प्रकाशित करता है, वह उस पुस्तक को लोक के निर्णय के लिए रखता है ।

(ख) वह व्यक्ति, जो लोक के समक्ष भाषण देता है, उस भाषण को लोक के निर्णय के लिए रखता है ।

(ग) वह अभिनेता या गायक, जो किसी लोक रंग-मंच पर आता है, अपने अभिनय या गायन को लोक के निर्णय के लिए रखता है ।

(घ) क, य द्वारा प्रकाशित एक पुस्तक के सम्बन्ध में कहता है, "य कि पुस्तक मूर्खतापूर्ण है, य अवश्य कोई दुर्बल पुरुष होना चाहिए । य कि पुस्तक अशिष्टतापूर्ण है, य अवश्य ही अपवित्र विचारों का व्यक्ति होना चाहिए ।" यदि क ऐसा सद्भावपूर्वक कहता है, तो वह इस अपवाद के अन्तर्गत आता है, क्योंकि वह राय जो वह, य के विषय में अभिव्यक्त करता है, य के शील से वहीं तक, न कि उससे आगे, सम्बन्ध रखती है जहाँ तक कि य का शील उसकी पुस्तक से प्रकट होता है ।

(ङ) किन्तु यदि क कहता है, "मुझे इस बात का आश्चर्य नहीं है कि य की पुस्तक मूर्खतापूर्ण तथा अशिष्टतापूर्ण है क्योंकि वह एक दुर्बल और लम्पट व्यक्ति है ।" क इस अपवाद के अन्तर्गत नहीं आता क्योंकि वह राय, जो कि वह य के शील के विषय में अभिव्यक्त करता है, ऐसी राय है जो य की पुस्तक पर आधारित नहीं है ।

सातवाँ अपवाद—किसी ऐसे व्यक्ति द्वारा, जो किसी अन्य व्यक्ति के ऊपर कोई ऐसा प्राधिकार रखता हो, जो या तो विधि द्वारा प्रदत्त हो या उस अन्य व्यक्ति के साथ की गई किसी विधिपूर्ण संविदा से उद्भूत हो, ऐसे विषयों में, जिनसे कि ऐसा विधिपूर्ण प्राधिकार सम्बन्धित हो, उस अन्य व्यक्ति के आचरण की सद्भावपूर्वक की गई कोई परिनिन्दा मानहानि नहीं है ।

दृष्टान्त

किसी साक्षी के आचरण की या न्यायालय के किसी आफिसर के आचरण की सद्भावपूर्वक परिनिन्दा करनेवाला कोई न्यायाधीश, उन व्यक्तियों की, जो उसके आदेशों के अधीन है, सद्भावपूर्वक परिनिन्दा करनेवाला कोई विभागाध्यक्ष, अन्य शिशुओं की उपस्थिति में किसी शिशु की सद्भावपूर्वक परिनिन्दा करनेवाला पिता या माता, अन्य विद्यार्थियों की उपस्थिति में किसी विद्यार्थी की सद्भावपूर्वक परिनिन्दा करनेवाला शिक्षक, जिसे विद्यार्थी के माता-पिता से प्राधिकार प्राप्त है, सेवा में शिथिलता के लिए सेवक की सद्भावपूर्वक परिनिन्दा करनेवाला स्वामी, अपने बैंक के रोकड़िये की, ऐसे रोकड़िये के रूप में, ऐसे रोकड़िये के आचरण के लिए, सद्भावपूर्वक परिनिन्दा करनेवाला कोई बैंकर इस अपवाद के अन्तर्गत आते हैं ।

आठवाँ अपवाद—किसी व्यक्ति के विरूद्ध कोई अभियोग ऐसे व्यक्तियों में से किसी व्यक्ति के समक्ष सद्भावपूर्वक लगाना, जो उस व्यक्ति के ऊपर अभियोग की विषयवस्तु के सम्बन्ध में विधिपूर्ण प्राधिकार रखते हों, मानहानि नहीं है ।

दृष्टान्त

यदि क एक मजिस्ट्रेट के समक्ष य पर सद्भावपूर्वक अभियोग लगाता है, यदि क एक सेवक य के आचरण के सम्बन्ध में य के मालिक से सद्भावपूर्वक

शिकायत करता है, यदि क एक शिशु य के सम्बन्ध में य के पिता से सद्भावपूर्वक शिकायत करता है, तो क इस अपवाद के अन्तर्गत आता है ।

नवाँ अपवाद—किसी अन्य के शील पर लांछन लगाना मानहानि नहीं है परन्तु यह तब जब कि उसे लगानेवाले व्यक्ति के या किसी अन्य व्यक्ति के हित की संरक्षा के लिए, या लोक-कल्याण के लिए, वह लांछन सद्भावपूर्वक लगाया गया हो ।

दृष्टान्त

(क) क एक दुकानदार है । वह ख से, जो उसके कारबार का प्रबन्ध करता है, कहता है, "य को कुछ मत बेचना जब तक कि वह तुम्हें नकद धन न दे दे, क्योंकि उसकी ईमानदारी के बारे में मेरी राय अच्छी नहीं है ।" यदि उसने य पर लांछन अपने हितों की संरक्षा के लिए सद्भावपूर्वक लगाया है, तो क इस अपवाद के अन्तर्गत आता है ।

(ख) क, एक मजिस्ट्रेट अपने वरिष्ठ आफिसर को रिपोर्ट देते हुए, य के शील पर लांछन लगाता है । यहाँ, यदि वह लांछन सद्भावपूर्वक और लोक-कल्याण के लिए लगाया गया है, तो क इस अपवाद के अन्तर्गत आता है ।

दसवाँ अपवाद— एक व्यक्ति को दूसरे व्यक्ति के विरुद्ध सद्भावपूर्वक सावधान करना मानहानि नहीं है, परन्तु यह तब जब कि ऐसी सावधानी उस व्यक्ति की भलाई के लिए, जिसे वह दी गई हो, या किसी ऐसे व्यक्ति की भलाई के लिए, जिससे वह व्यक्ति हितबद्ध हो, या लोक-कल्याण के लिए आशयित हो ।

५००. जो कोई किसी अन्य व्यक्ति की मानहानि करेगा, वह सादा कारावास से, जिसकी अवधि दो वर्ष तक की हो सकेगी, या जुर्माने से, या दोनों से, दण्डित किया जायगा ।

५०१. जो कोई किसी बात को यह जानते हुए या विश्वास करने का अच्छा कारण रखते हुए कि ऐसी बात किसी व्यक्ति के लिए मानहानिकारक है, मुद्रित करेगा या उत्कीर्ण करेगा, वह सादा कारावास से, जिसकी अवधि दो वर्ष तक हो सकेगी, या जुर्माने से, या दोनों से, दण्डित किया जाएगा ।

५०२. जो कोई किसी मुद्रित या उत्कीर्ण पदार्थ को, जिसमें मानहानिकारक विषय अन्तर्विष्ट है, यह जानते हुए कि उसमें ऐसा विषय अन्तर्विष्ट है, बेचेगा या बेचने की प्रस्थापना करेगा, वह सादा कारावास से, जिसकी अवधि दो वर्ष तक की हो सकेगी, या जुर्माने से, या दोनों से दण्डित किया जायगा ।

इस तरह यदि कोई पत्र किसी व्यक्ति या व्यक्तियों के समूह की प्रतिष्ठा को क्षति पहुँचाने के इरादे से या यह समझते हुए कि इससे उनकी प्रतिष्ठा को क्षति पहुँचेगी, कोई लांछन प्रकाशित करता है, वह उस व्यक्ति या व्यक्तियों के समूह की मानहानि करता है, यद्यपि इस प्रकाशन पर उपर्युक्त अपवाद लागू नहीं होते ।

यहाँ प्रकाशन का अर्थ बड़े पैमाने पर प्रकाशन और प्रसार से नहीं है । लांछनवाले पत्र की एक प्रति का भी तीसरे व्यक्ति के पास चला जाना या भेजा

जाना कानूनी दृष्टि से उसका प्रकाशन है । यह जरूरी नहीं है कि पत्र जिसे भेजा गया हो उसने लांछन को पढ़ा ही हो । यह सिद्ध हो जाना काफी है कि लांछन पढ़े जाने के इरादे से लगाया गया था । किन्तु, मानहानिकारक सामग्री यदि केवल उस व्यक्ति को भेजी गयी हो जिस पर लांछन लगाया गया है तो इसे मानहानि होना नहीं माना जाता है ।

मानहानि के लिए पत्र का प्रकाशक, मुद्रक और सम्पादक जिम्मेदार माना जाता है । सामान्यतः पत्र का स्वामी जिम्मेदार नहीं ठहराया जाता । लेकिन यह सिद्ध कर दिये जाने पर कि लांछन के प्रकाशन में उसका भी हाथ है तो उसे भी जिम्मेदार माना जाता है । सम्पादक उस स्थिति से बच सकता है यदि वह यह सिद्ध कर दे कि प्रकाशित की गयी सामग्री पर उसका कोई नियंत्रण नहीं था । किन्तु, सामान्यतः प्रकाशक, मुद्रक और सम्पादक तीनों मानहानि के लिए जिम्मेदार माने जाते हैं ।

जैसा कि पहले कहा गया है आपराधिक मानहानि के मामले में यह सिद्ध करना आवश्यक है कि लांछन लगाने का आशय प्रभावित व्यक्ति की नेकनामी को नुकसान पहुँचाना था या यह जानते हुए भी लांछन प्रकाशित किया गया कि इससे ऐसा होगा । यदि प्रतिष्ठा गिराने का इरादा या उसके गिरने की सम्भावना का ज्ञान होना सिद्ध हो जाय तो दोषसिद्धि के लिए यह साबित करना आवश्यक नहीं है कि इससे वादी की प्रतिष्ठा को सचमुच क्षति पहुँची है । यह कहना कोई बचाव नहीं पेश करता कि जिस पर लांछन लगाया गया है उसकी प्रतिष्ठा इतनी ऊँची है कि इस लांछन से वह कम नहीं होती । न ही यही तर्क कोई बचाव है कि लांछन लगानेवाला खुद बदनाम आदमी है इसलिए उसके द्वारा लगाये गये लांछन का किसी की प्रतिष्ठा पर कोई असर नहीं पड़ता है ।

यदि कोई मानहानिकारक बात किसी पत्र में छपी हो और कोई अन्य पत्र उसका प्रकाशन करे तो यह पत्र इस आधार पर दोषमुक्त नहीं हो जाता कि उसने इसे दूसरे पत्र से लेकर छापा है । यह भी जरूरी नहीं है कि पहले पत्र को दोषसिद्ध किया जाए, तभी दूसरे पत्र को भी दोषी माना जा सकता है, या दोनों को सजा दी जाए । हर पुनर्प्रकाशन को प्रकाशन माना जाता है । मानहानिकारक प्रकाशन की हर प्रति की बिक्री कानून की दृष्टि में अलग प्रकाशन और नया अपराध समझा जाता है ।

अपवाद

अब अपवादों पर विचार किया जाए जिनके आधार पर समाचारपत्र, पत्रकार, प्रकाशक, मुद्रक और मालिक मानहानि के मामलों में बच सकते हैं । अर्थात् इन अपवादों के अन्तर्गत सुलभ विशेषाधिकारों के दायरे में रहकर लिखने पर उन्हें मानहानि के अपराध में दण्डित नहीं किया जा सकता है । इन अपवादों के अन्तर्गत विभिन्न परिस्थितियों में सचाई, लोक-कल्याण और सद्भाव से लगाए गए आरोप

मानहानि के दण्ड के दायरे में नहीं आते । अतः इन्हें सिद्ध करके दण्ड से बचा जा सकता है ।

पहले अपवाद के अधीन यदि यह सिद्ध कर दिया जाए कि किसी व्यक्ति पर लगाया गया आरोप सच्चा था और उसका लगाया जाना लोक-कल्याण में था तो दण्ड नहीं दिया जा सकता है । यह अपवाद इस बात की अनुमति देता है कि यदि किसी व्यक्ति के आपत्तिजनक आचरण या कार्य को लोक-कल्याण में लोगों के समक्ष प्रकट किया जाना चाहिए और प्रकाशित आरोप सच्चे हों तो इसे उसकी मानहानि करना नहीं माना जाए । यह अपवाद पत्रकारों के लिए सही आरोप प्रकाशित करने की काफी गुंजाइश पैदा करता है बशर्ते कि वह लोककल्याणार्थ प्रकाशित किये जाएँ ।

किसी लोकसेवक जैसे, मंत्री, महापौर, जिलाधीश, पुलिस-अधिकारी आदि के सार्वजनिक कार्य के सिलसिले में उसके आचरण या चरित्र पर, जहाँ तक वह इस आचरण से प्रकट होता है, सद्भावपूर्वक कोई भी मत व्यक्त किया जा सकता है । ऐसा करना दूसरे अपवाद के अधीन मानहानि के दोष से मुक्त है । उदाहरणार्थ, यदि सद्भावपूर्वक यह लिखा जाता है कि चूँकि अमुक अधिकारी लोगों की शिकायतें सुनने का समय निर्धारित करने के बावजूद उस समय उपलब्ध नहीं होता या शिकायत करनेवालों से दुर्व्यवहार करता है अथवा दफ्तर में नशे में धुत् होकर आता है और उल्टी-सीधी बातें बोलता है, इसलिए वह सार्वजनिक पद पर रहने योग्य नहीं है तो यह मताभिव्यक्ति दूसरे अपवाद के अधीन मानहानिकारक नहीं कही जाएगी ।

तीसरा अपवाद भी इसी प्रकार का है । पर वह उन सब व्यक्तियों के आचरण या चरित्र पर मत व्यक्त करने की अनुमति देता है जो लोकसेवक भले ही न हो पर जिनका आचरण सार्वजनिक प्रश्नों से सम्बन्ध रखता है ।

ये दोनों अपवाद लोकसेवकों के सार्वजनिक आचरण पर और सार्वजनिक प्रश्नों पर किसी 'उचित टिप्पणी' करने के अधिकार को मान्यता देते हैं । अतः 'उचित टिप्पणी' मानहानि के मामलों में एक बचाव है यदि वह सद्भावपूर्वक की गई हो । भारतीय दण्ड विधान की धारा ५२ के अनुसार सम्यक् सावधानी और ध्यान से किया गया कार्य या विश्वास सद्भाव से किया गया कार्य या विश्वास है । तात्पर्य यह है कि यदि लिखने से पहले तथ्यों की जाँच करने में जरूरी सावधानी और ध्यान बरता गया है तो तथ्य सही न निकले तो भी उनका प्रकाशन सद्भावपूर्वक किया गया समझा जाएगा ।

इन अपवादों का सहारा मत की अभिव्यक्ति के लिए लिया जा सकता है, तथ्यों के बारे में नहीं । तथ्यों का सही उल्लेख होना चाहिए, फिर उन पर सद्भावपूर्वक कोई भी टिप्पणी की जा सकती है ।

दोनों अपवादों में सार्वजनिक हित निहित है । सार्वजनिक हित यह है कि लोगों को पता रहना चाहिए कि मंत्रियों, अधिकारियों, राजनीतिज्ञों, अन्य सार्वजनिक

व्यक्तियों या ऐसे किसी भी व्यक्ति का, जिसका सार्वजनिक प्रश्नों से सम्बन्ध है, सार्वजनिक आचरण कैसा है और इस आचरण में उनका चरित्र कैसा प्रकट होता है ।

चौथा और पाँचवाँ अपवाद न्यायालयों की कार्यवाही की रिपोर्टिंग और उनके निर्णयों, मामलों के गुण-दोषों, उनसे सम्बद्ध पक्षों, गवाहों या एजेंटों के इनके सिलसिले में आचरण और चरित्र पर सद्भावपूर्वक टिप्पणी को उन्मुक्ति प्रदान करते हैं, क्योंकि लोगों को अदालतों के फैसलों और उनके महत्त्व तथा मामलों से सम्बद्ध व्यक्तियों के आचरण के बारे में जानकारी दिया जाना लोकहित में है ।

लेकिन न्यायालय की रिपोर्टिंग के सिलसिले में उन्मुक्ति का दावा करने के लिए जरूरी है कि प्रकाशित समाचार, न्यायालय की कार्यवाही या निर्णय की साररूप में सही रिपोर्ट हो । इसका अक्षरशः प्रकाशित किया जाना आवश्यक नहीं है । किन्तु, अगर रिपोर्ट कार्यवाही की सही तसवीर पेश नहीं करती या उसमें टिप्पणियाँ मिश्रित कर दी गयी हैं, तो इस अपवाद को अपने बचाव के लिए न्यायालय में नहीं उठाया जा सकता है ।

यह उल्लेखनीय है कि पाँचवाँ अपवाद न्यायालय द्वारा किसी मामले का निर्णय करने के पश्चात् उसके सिलसिले में सद्भावपूर्वक मत व्यक्त करने पर लागू होता है । निर्णय घोषित किए जाने से पूर्व की गई टिप्पणियों के लिए इस अपवाद को बचाव के रूप में इस्तेमाल नहीं किया जा सकता है । वास्तव में सुनवाई के दौरान मामले के गुण-दोषों या उससे सम्बद्ध लोगों के आचरण पर टिप्पणी करना न्यायालय का अवमान करार दिया जा सकता है ।

छठा अपवाद प्रकाशित पुस्तकों, समाचारपत्रों, पत्रिकाओं, सार्वजनिक रूप से प्रस्तुत नाटकों, नृत्य या संगीत के बारे में आचरण की टिप्पणियों के सिलसिले में लागू होता है । यदि इनकी या लेखक की, इनके सम्बन्धों में, सद्भावपूर्वक आलोचना की गयी है या आरोप लगाए जाते हैं तो यह अपवाद टिप्पणी प्रकाशित करनेवालों की रक्षा करता है ।

यदि कोई अधिकारी या अन्य व्यक्ति अपने कानूनी अथवा अनुबन्धात्मक अधिकारों के अधीन किसी अधीनस्थ व्यक्ति की परिनिन्दा करता है तो वह सातवें अपवाद के कारण उस व्यक्ति की मानहानि के लिए दोषी नहीं ठहराया जा सकता है जिसकी परिनिन्दा वह करता है । यह अपवाद पत्रों और पत्रकारों पर लागू नहीं होता है ।

आठवाँ अपवाद किसी के विरुद्ध ऐसे व्यक्ति के समक्ष सद्भावपूर्वक आरोप लगाए जाने की रक्षा करता है जिस पर इस व्यक्ति का कानूनी प्राधिकार हो । जैसे, किसी कानून के अधीन किसी पर मजिस्ट्रेट के समक्ष आरोप लगाना, थानेदार के खिलाफ पुलिस-अधीक्षक के समक्ष आरोप लगाना, मंत्रियों के विरुद्ध प्रधानमन्त्री को आरोप-पत्र देना, मालिक से नौकर की शिकायत करना । इस अपवाद के आधार पर बचाव पाने के लिए जरूरी है कि लांछन सद्भावपूर्वक और विद्वेषभावरहित

होकर लगाया गया हो और जिस व्यक्ति के समक्ष किसी व्यक्ति पर आरोप लगाया गया हो उसे इस व्यक्ति पर कानूनी प्राधिकार हो अर्थात् उसे मामले पर विचार करने और उसमें समुचित कार्यवाही करने का अधिकार हो ।

यदि कोई व्यक्ति अपने हितों की रक्षा में किसी अन्य व्यक्ति पर लांछन लगाता है, बशर्ते ऐसा सद्भावपूर्वक किया गया हो, तो नवें अपवाद के अधीन इसे उस व्यक्ति की मानहानि नहीं माना जाएगा, जिस पर लांछन लगाया जाता है । यह अपवाद अपने या किसी अन्य व्यक्ति के हित की रक्षा के लिए या लोकहित में सद्भावपूर्वक लांछन लगाए जाने पर, लांछन लगानेवाले को उन्मुक्ति प्रदान करता है । यह उल्लेखनीय है कि यह कार्य सद्भावपूर्वक किया गया हो तभी इस अपवाद को बचाव के रूप में प्रयुक्त किया जा सकता है । किन्तु, लांछन लगानेवाले का हित काल्पनिक नहीं, वास्तविक और न्यायसंगत होना चाहिए । जिस व्यक्ति से अपने हित की रक्षा में आरोप लगाया जाता है उसका हित भी इस आरोप से जुड़ा होना चाहिए ।

किसी व्यक्ति के भले के इरादे से किसी अन्य व्यक्ति के बारे में सावधान करना दसवें प्रतिवाद के अधीन मानहानि करना नहीं माना जाएगा । इसी तरह अगर कोई व्यक्ति किसी अन्य व्यक्ति में रुचि रखता है तो उस व्यक्ति की भलाई के इरादे से पहले व्यक्ति को किसी तीसरे व्यक्ति के बारे में सावधान करना तीसरे व्यक्ति की मानहानि नहीं समझी जाएगी । लोक-भलाई के इरादे से किसी को किसी के प्रति आगाह करना भी मानहानि करना नहीं है । किन्तु सब मामलों में यह कार्य सद्भावपूर्वक किया जाना चाहिए तभी इस अपवाद का लाभ उठाया जा सकता है ।

अपमान और मानहानि

अपमान व्यक्ति के आत्मसम्मान या गरिमा को चोट पहुँचाता है । अपमान के कारण यदि शांति भंग नहीं होती तो वह कोई कानूनी अपराध नहीं है । मानहानि से व्यक्ति की प्रतिष्ठा दूसरों की नजरों में गिरती है । यदि लोग किसी की बड़ी इज़्ज़त करते हैं, उसे बहुत सच्चा तथा नेक इन्सान समझते हैं और किसी आरोप का प्रकाशन होने पर वे उसकी ईमानदारी और नेकचलनी पर संदेह करने लगते हैं तथा उसके निकट आने के बजाय दूर होने लगते हैं, तो ऐसे आरोप से उस व्यक्ति की मानहानि होती है । यह सिविल और आपराधिक दोनों प्रकार का अपराध है जिसका परिणाम अपमानकारक प्रकाशन करनेवालों को भुगतना पड़ता है ।

पूर्ण उन्मुक्ति और सशर्त उन्मुक्ति

कुछ संस्थाओं और राज्य-कार्यों के सम्बन्ध में कथनों का प्रकाशन मानहानिकारक होते हुए भी कार्यवाही के भय के बगैर किया जा सकता है । इसे पूर्ण उन्मुक्ति कहा जाता है । जैसे (१) संसद् और विधानमण्डलों में सदस्यों द्वारा

कही गयी मानहानिकारक बातों के लिए उन पर अदालती कार्यवाही नहीं की जा सकती है । (२) न्यायालयों में न्यायाधीशों या मजिस्ट्रेटों, वकीलों, पक्षकारों और गवाहों के कथनों पर कार्यवाही नहीं की जा सकती है, भले ही वे दुर्भावनापूर्वक कहे गये हों । (३) एक सरकारी अधिकारी द्वारा दूसरे सरकारी अधिकारी को भेजे संदेशों में कही गयी बातों के लिए भी कार्यवाही नहीं की जा सकती है ।

समाचारपत्रों द्वारा संसद् या विधानमण्डलों की कार्यवाही की साररूप में सही रिपोर्ट प्रकाशित करना सशर्त उन्मुक्ति का उदाहरण है । पत्रों को इन सदनों में कही गयी मानहानिकारक बातों को प्रकाशित करने पर किसी प्रकार की न्यायिक कार्यवाही से मुक्त रखा गया है । लेकिन इस शर्त पर कि ये बातें साररूप में सही तौर से छापी जायँ । यदि रिपोर्ट के साथ-साथ टिप्पणी भी मिश्रित हो तो संसद् या विधानमण्डल के ऐसे समाचारों के लिए पत्रों को उन्मुक्ति प्राप्त नहीं रहती । इसी प्रकार न्यायिक कार्य की उचित रिपोर्ट तथा वैध सार्वजनिक सभाओं की उचित और सही रिपोर्ट बशर्ते कि प्रकाशित बातों का सार्वजनिक सम्बन्ध हो; किसी कानूनी, नैतिक या सामाजिक कर्तव्य के निर्वहन में या किसी हित की रक्षा में कही गयी मानहानिकारक बातें भी सशर्त उन्मुक्ति में आती हैं ।

वादी कौन, प्रतिवादी कौन ?

मानहानि का वाद कथित मानहानिकारक प्रकाशन से प्रभावित व्यक्ति स्वयं चला सकता है । यदि इससे किसी कम्पनी की सम्पत्ति या व्यापार को क्षति होती हो तो उसे भी मानहानि का दावा करने का अधिकार है । राष्ट्रपति, उपराष्ट्रपति, राज्यपालों, केन्द्रशासित प्रदेशों के प्रशासकों, केन्द्र, राज्यों और केन्द्रशासित प्रदेशों के मंत्रियों और लोकसेवकों की मानहानि के वाद सरकारी अभियोजक, सम्बद्ध सरकारों की अनुमति से, चला सकता है, यदि अपराध किये जाने के समय ये व्यक्ति उन पदों पर हों और अपराध पद से सम्बद्ध कार्यों के सिलसिले में हो । इन्हें निजी तौर पर वाद चलाने का भी हक है ।

यह जरूरी नहीं है कि किसी व्यक्ति का नाम लेकर या उसकी स्पष्ट पहचान करते हुए लिखी गई बातों पर ही कार्यवाही की जाए । यदि वादी यह साबित कर दे कि यद्यपि उसके नाम का स्पष्ट उल्लेख नहीं किया गया फिर भी उसी के बारे में लांछन लगाया गया है तो कार्यवाही की सुनवाई से इन्कार नहीं किया जा सकता है ।

वाद कथित मानहानिकारक बातें लिखने या लिखने के लिए सामग्री उपलब्ध करनेवाले पत्रकार, संपादक, मुद्रक, प्रकाशक और मालिक (व्यक्ति या कम्पनी) पर चलाया जा सकता है । संपादक, मुद्रक, प्रकाशक और मालिक पत्र के प्रकाशन में मानहानिकारक सामग्री के लिए अलग-अलग और सामूहिक रूप से जिम्मेदार माने जाते हैं । इसलिए एक सामग्री के लिए इन सब पर दावा किया जा सकता है । पर क्षति-पूर्ति की एक से ज्यादा डिग्री प्राप्त नहीं की जा सकती है ।

समय-सीमा

धारा ४९९ के अधीन मानहानि का मामला मानहानिकारक अपराध घटने के तीन वर्ष के अन्दर दाखिल किया जाना चाहिए अन्यथा इसे विचारार्थ स्वीकार नहीं किया जाएगा । राष्ट्रपति, उपराष्ट्रपति, राज्यपालों, केन्द्रशासित प्रदेशों के प्रशासकों, केन्द्र, राज्यों और केन्द्रशासित प्रदेशों के मंत्रियों तथा केन्द्र और राज्यों के लोकसेवकों की मानहानि के वाद कृत्य के छह मास के अन्दर दाखिल किए जाने चाहिए ।

सुनवाई कहाँ होती है ?

मानहानि का वाद प्रथम श्रेणी के मजिस्ट्रेट के समक्ष दाखिल किया जाना चाहिए । किन्तु राज्य के प्रमुख पदों पर आसीन व्यक्तियों और लोक-सेवकों की मानहानि के सरकारी तौर पर दायर वाद सेशन न्यायालय में दाखिल किए जाने चाहिए । मजिस्ट्रेट के निर्णय के खिलाफ अपील सेशन न्यायालय या उच्च न्यायालय में से किसी एक में की जा सकती है ।

दण्ड और क्षति-पूर्ति

मानहानि के आपराधिक मामले में दोषसिद्ध व्यक्तियों को दो वर्ष के साधारण कारावास या जुर्माने या दोनों दण्ड दिए जा सकते हैं । न्यायालय प्रतिवादी को मुकदमे का खर्च भी देने को कह सकता है । वसूल किए जानेवाले जुर्माने में से कोई निर्दिष्ट राशि उस व्यक्ति को दिए जाने का आदेश भी न्यायालय दे सकता है जिसकी मानहानि हुई हो । पत्रकारों को औरों की अपेक्षा अधिक दण्ड दिया जा सकता है क्योंकि पत्रों में छपी बातें उनकी प्रसार-संख्या के अनुसार बहुत लोगों तक पहुँचती हैं । यदि पत्र वाद के खत्म होने से पर्याप्त पहले भूल सुधार ले तो नरम रुख अपनाया जाता है ।

मानहानि के सिविल मामलों में क्षति-पूर्ति की मात्रा मजिस्ट्रेट या न्यायाधीश द्वारा किए गए क्षति के मूल्यांकन पर निर्भर करती है । फिर भी, यदि वह व्यक्ति, जिसकी मानहानि हुई हो, समाज में उच्च स्थान रखता हो तो भारी जुर्माना किया जा सकता है । मानहानि के दोषी समाचारपत्रों पर उनकी उच्च प्रसार-संख्या के अनुसार ऊँचे जुर्माने किए जाते हैं । कम प्रसार-संख्यावालों पर प्रायः कम जुर्माने होते हैं ।

कुछ बातें सिद्ध करने पर दोषी को कम सजा होती है । जैसे, यदि यह सिद्ध कर दिया जाए कि प्रतिवादी की मानहानि के लिए वादी द्वारा पैदा की गई उत्तेजना जिम्मेदार है, या यह साबित किया जाए कि वादी की प्रतिष्ठा तो किसी अन्य व्यक्ति द्वारा किए गए प्रकाशन से पहले ही गिर चुकी थी; प्रतिवादी ने उसका पुनर्प्रकाशन मात्र किया है; अथवा यह प्रमाणित किया जाए कि पत्र की पहुँच बहुत थोड़े लोगों तक सीमित है । इसके विपरीत अगर वादी सिद्ध कर दे कि उसकी मानहानि

करनेवाली सामग्री पत्र की प्रसार-संख्या बढ़ाने के इरादे से प्रकाशित की गई है तो प्रतिवादी पत्र पर इतना जुर्माना किया जाता है कि वह औरों के लिए भय पैदा करे। पर यदि यह इरादा सिद्ध नहीं हो पाता, भले ही अपमानकारक सामग्री के प्रकाशन के वाद प्रसार-संख्या काफी बढ़ी हो, तो बहुत ऊँचे दण्ड की अपेक्षा नहीं की जा सकती है। किन्तु पत्र द्वारा दुर्भावना से अपमानजनक प्रकाशन करना या किसी का बार-बार अपमान करना उसके दोष को बढ़ाकर उसे ज्यादा बड़े जुर्माने का देनदार बना देता है। यदि प्रतिवादी खेद प्रकट कर दे या माफी माँग ले तो उस पर भारी जुर्माना नहीं किया जाता, अक्सर मामूली जुर्माना करके छोड़ दिया जाता है।

उल्लेखनीय है कि 'कथित', 'ज्ञात हुआ है', 'कहा जाता है', 'बताया जाता है' आदि लिख देने मात्र से मानहानि के दोष से पूर्णतः बचा नहीं जा सकता है, भले ही इससे सजा या जुर्माना कुछ कम हो जाए।

सुधार के सुझाव

द्वितीय प्रेस-आयोग ने मानहानि के प्रश्न पर विस्तृत विचार करके सिफारिश की है कि इंग्लैंड के मानहानि अधिनियम, १९५२ की कुछ धाराओं को भारत में अपनाया जाए। आयोग ने कुछ और भी सिफारिशें की हैं। इनके महत्व को देखते हुए आयोग की टिप्पणियों और सिफारिशों का कुछ विस्तार से उल्लेख करना उपयुक्त होगा। ये टिप्पणियाँ और संस्तुतियाँ इस प्रकार हैं—

बिना इरादे की मानहानि

इंग्लैंड में पोर्टर कमेटी ने सुझाव दिया था कि मानहानि का इरादा न होना किसी मानहानि की कार्यवाही के लिए प्रतिवादी का पूर्ण बचाव का तर्क नहीं होना चाहिए। समिति का विचार था कि कानून में किए जानेवाले किसी भी संशोधन को यह सुनिश्चित करना चाहिए कि जिस व्यक्ति की मानहानि हुई है उसे क्षमायाचना के द्वारा सन्तुष्ट करने के लिए सभी उचित कदम उठाये जाने चाहिए और यह क्षमायाचना मूल मानहानि सम्बन्धी प्रकाशन की परिस्थितियों के अनुकूल सार्वजनिक रूप से की जानी चाहिए। पोर्टर समिति की सिफारिश पर मानहानि अधिनियम, १९५२ की धारा ४ बनाई गई। उस धारा में यह व्यवस्था है कि यदि कोई प्रकाशक यह पुष्ट करता है कि उसने कथित आपत्तिजनक शब्दों को बिना किसी इरादे के प्रकाशित किया है और प्रकाशन के बारे में सभी प्रकार का उचित ध्यान बरता है तो वह दावेदार से कुछ प्रस्ताव कर सकता है जिसमें उचित शुद्धि करने तथा क्षमा-याचना प्रकाशित करने का प्रस्ताव भी शामिल है। यदि यह प्रस्ताव स्वीकार किया जाता है तो प्रकाशन के सम्बन्ध में कार्यवाही रोक दी जाती है। यदि प्रस्ताव अस्वीकृत किया जाता है तो प्रकाशक बचाव के रूप में अस्वीकृति का तर्क दे सकता है बशर्ते कि वह सिद्ध करे कि उसने निरपराध होने के अलावा यह प्रस्ताव प्रतिवादी

के यह नोटिस प्राप्त होने के बाद कि वादी की प्रकाशित शब्दों से मानहानि होती है, यथाशीघ्र किया था। उन उपबन्धों को भारत में लागू किया जाये।

निष्पक्ष टिप्पणी

ब्रिटिश मानहानि अधिनियम, १९५२ की धारा ६ के द्वारा अब इस प्रकार व्यवस्था की गई है—

> "ऐसे शब्दों के सम्बन्ध में, जिनसे अंशतः तथ्यों सम्बन्धी आरोप हैं तथा अंशतः विचारों की अभिव्यक्ति है, अपमान लेख तथा अपमान वचन के बारे में कार्यवाही से उचित टिप्पणी का बचाव केवल इस कारण असफल नहीं होगा कि तथ्यों सम्बन्धी प्रत्येक आरोप की सच्चाई सिद्ध नहीं होती है यदि विचारों की अभिव्यक्ति उचित टिप्पणी है तथा इसमें ऐसे कथित तथ्यों को ध्यान में रखा गया है अथवा ऐसे शब्दों में उल्लेख किया गया है जिनके बारे में शिकायत की गई है और जो सिद्ध हो गये हैं।"

इसने इंग्लैंड के कानून में परिवर्तन किया है। पहले कानून यह था कि कथित तथ्यों का सच्चाई से तनिक भेद होने से प्रतिवादी उचित टिप्पणी के बचाव से वंचित रह जायेगा। मानहानि के ब्रिटिश कानून की इस धारा में निहित सिद्धान्त को उपयुक्त कानून बनाकर भारत में अपनाया जाये।

पूर्ण विशेषाधिकार

न्यायिक कार्यवाही की उचित और सही रिपोर्टों के प्रकाशन का इस आधार पर विशेषाधिकार है कि इसका जनता को लाभ है और इससे न्याय-प्रशासन में सहायता मिलती है। विशेषाधिकार के लिए रिपोर्ट ऐसी न्यायिक कार्यवाही की होनी चाहिए जो किसी खुले न्यायालय में हुई है अथवा ऐसे स्थान में हुई है जो जनता के लिए खुला है। इंग्लैंड में यह स्थिति लाइबल एमेंडमेंट एक्ट, १८८८ और डिफेमेशन एक्ट, १९५२ द्वारा यथा संशोधित रूप द्वारा शासित होती है। दूसरे अधिनियम की धारा ८ में यह व्यवस्था है कि ब्रिटेन के अन्तर्गत न्यायिक प्राधिकार का प्रयोग करनेवाले किसी न्यायालय के समक्ष सार्वजनिक रूप से सुने गये मामलों की कार्यवाही किसी समाचार पत्र में उचित और सही रिपोर्ट का यदि ऐसी कार्यवाही के साथ समकालीन प्रकाशन होता है तो यह विशेषाधिकार होगा बशर्ते कि इस धारा में किसी धर्म-निन्दा अथवा अश्लील विषय का प्रकाशन अधिकृत नहीं होगा। यहाँ जिस विशेषाधिकार के बारे में कहा गया है वह पूर्ण विशेषाधिकार होगा। भारत में इस व्यवस्था के लिए कानून बनाया जाए किन्तु इसमें किसी "धर्म-निन्दा अथवा अश्लील विषय" सम्बन्धी उपबन्ध को शामिल न किया जाये।

भारतीय दण्ड संहिता के अन्तर्गत मानहानि

भारतीय विधि-आयोग की सिफारिश के अनुसार भारतीय दण्ड विधान की धारा ५०० जिसमें सजा का प्रावधान है, निम्नलिखित संशोधन किए जाएँ—

१. जो कोई भी दूसरे की मानहानि करता है उसे दो वर्ष तक की कारावास की सजा दी जायेगी अथवा जुर्माना किया जायेगा या दोनों सजायें दी जायेंगी ।

२. जब किसी समाचारपत्र में किसी के विरुद्ध आरोप प्रकाशित कर मानहानि का अपराध किया गया है तो जो न्यायालय अपराधी के विरुद्ध मुकदमे की सुनवाई कर रहा है वह यह आदेश देगा कि उसका फैसला पूरा अथवा आंशिक रूप से उस समाचारपत्र में, जिसे न्यायालय निर्दिष्ट करे, प्रकाशित होगा।

३. इस प्रकाशन का खर्च दोषी व्यक्ति से जुर्माने के रूप में वसूल किया जायेगा ।

किन्तु, इस धारा में जोड़े गए स्पष्टीकरण को, जो राज्यसभा द्वारा २३ नवम्बर, १९७८ को पास किया गया था, नहीं अपनाया जाए। वह स्पष्टीकरण इस प्रकार है—

"न्यायालय इस धारा के अन्तर्गत सजा सुनाने से पहले इस प्रश्न पर विचार कर सकेगा कि क्या इस तर्क से दोषी का अपराध बढ़ जाता है तथा इसे सिद्ध करने अथवा असिद्ध करने के लिए साक्ष्य पेश किया गया है ।"

सीमित विशेषाधिकार

ब्रिटेन के मानहानि अधिनियम, १९५२ की अनुसूची को भारत में कतिपय रूपभेद के साथ अपनाया जाए। अनुसूची के भाग-१ में स्पष्टीकरण अथवा खंडन के बगैर वक्तव्य दिये गए हैं और भाग-२ में स्पष्टीकरण अथवा खंडन के अध्यधीन सविशेषाधिकार वक्तव्य दिये गए हैं। अनुसूची की प्रविष्टियों में निम्नलिखित रूपभेद किया जाए—

भाग-१ : विशेषाधिकारवाले वक्तव्य–खण्डन अथवा स्पष्टीकरण बिना

१. किसी वादी देश के विधानमण्डल की खुली कार्यवाही की उचित और सही रिपोर्ट।

२. किसी अन्तर्राष्ट्रीय संगठन की, जिसका भारत सदस्य है, अथवा उन संगठनों की जो संयुक्त राष्ट्रसंघ से मान्यता प्राप्त है अथवा किसी अन्तर्राष्ट्रीय सम्मेलन की जिसमें भारत प्रतिनिधि भेजता है, खुली कार्यवाही की निष्पक्ष तथा सही रिपोर्ट ।

३. किसी अन्तर्राष्ट्रीय न्यायालय की खुली कार्यवाही की निष्पक्ष तथा सही रिपोर्ट ।

४. किसी विदेशी न्यायालय के समक्ष कार्यवाही की निष्पक्ष और सही रिपोर्ट ।

५. संसद् अथवा राज्य विधानमण्डल के किसी अधिनियम के अनुसरण में रखे गए ऐसे रजिस्टर की निष्पक्ष और सही रिपोर्ट अथवा उसके उद्धरण जो जनता के निरीक्षण के लिए उपलब्ध हैं तथा किसी ऐसे दस्तावेज की

रिपोर्ट जो भारत के किसी भाग के कानून के द्वारा जनता के निरीक्षण के लिए उपलब्ध है ।

६. किसी न्यायालय, न्यायाधिकरण अथवा जाँच-आयोग या जाँच-समिति जो किसी कानूनी प्राधिकारी द्वारा गठित है अथवा न्यायाधीश या इस प्रकार के न्यायालय के अधिकारी द्वारा अथवा उसके प्राधिकार के अधीन प्रकाशित कोई सूचना अथवा विज्ञापन ।

भाग-२ : स्पष्टीकरण अथवा खण्डन के अध्यधीन सविशेषाधिकार वक्तव्य

७. निम्नलिखित संघों अथवा समितियों अथवा उनकी शासी निकाय में से किसी के भी निष्कर्षों अथवा निर्णयों की निष्पक्ष और सही रिपोर्ट अर्थात्—

[क] किसी कला, विज्ञान, धर्म अथवा ज्ञान को बढ़ावा देने अथवा उसके प्रयोग को प्रोत्साहन देने के प्रयोजन से भारत में बने किसी ऐसे संघ के, जिसके संविधान के अन्तर्गत रुचिकर अथवा सम्बद्ध विषयों के बारे में उसे नियंत्रण करने अथवा न्याय-निर्णय करने की शक्ति प्राप्त हो, अथवा इस प्रकार के नियंत्रण अथवा न्याय-निर्णय के अध्यधीन किसी व्यक्ति के कार्यों अथवा आचरण के बारे में ।

[ख] किसी खेल अथवा मनोरंजन को बढ़ावा देने अथवा उसकी सुरक्षा करने अथवा जिसे खेलने या जिसके प्रयोग के लिए जनता के सदस्यों को आमन्त्रित किया जाता है अथवा शामिल किया जाता है,के प्रयोजन से भारत में बने कोई संघ, जिसका स।वेधान खेल अथवा मनोरंजन में भाग लेने अथवा उस पर नियंत्रण करने की शक्ति प्रदान करता है, के कार्यों या आचरण के बारे में ।

८. भारत के किसी भाग में किसी बैठक की कार्यवाही—

[क] किसी स्थानीय प्राधिकार अथवा स्थानीय प्राधिकार या प्राधिकारियों की समिति,

[ख] न्यायिक प्राधिकार का प्रयोग करनेवाले न्यायालय से अन्यथा कोई न्यायाधीश,

[ग] संसद् अथवा राज्य विधानमण्डल के अधिनियम के अधीन किसी जाँच के लिए उचित सरकार द्वारा नियुक्त कोई आयोग, न्यायाधिकरण, समिति अथवा व्यक्ति,

[घ] संसद् अथवा राज्य विधानमण्डल के अधिनियम के अनुसरण में स्थानीय जाँच करने के लिए स्थानीय प्राधिकारी द्वारा नियुक्त कोई व्यक्ति,

[ङ] संसद् अथवा राज्य विधानमण्डल के किसी अधिनियम द्वारा अथवा उसके अधीन गठित और उसके अधीन कार्य करनेवाला कोई अन्य न्यायाधिकरण, बोर्ड, समिति अथवा निकाय, जिसकी बैठकों में

समाचारपत्रों के प्रतिनिधियों तथा जनता के अन्य सदस्यों को प्रवेश नहीं दिया जाता है ।

९. संसद् अथवा राज्य विधानमण्डल के किसी अधिनियम द्वारा अथवा अधीन गठित पंजीकृत अथवा प्रमाणीकृत किसी ऐसी कम्पनी अथवा संघ की आम बैठक की कार्यवाही जो कम्पनी अधिनियम के उपबन्धों के अन्तर्गत एक निजी कम्पनी नहीं है ।

१०. किसी सरकारी विभाग, राज्य के अधिकारी, स्थानीय प्राधिकारी अथवा पुलिस के मुख्य अधिकारी द्वारा अथवा उसकी ओर से जनता की सूचना के लिए जारी की कोई सूचना अथवा अन्य सामग्री ।

सत्यता और लोकहित प्रतिवाद के रूप में

एक प्रश्न यह है कि क्या प्रतिवादी को न केवल आरोपों की सच्चाई को ही सिद्ध करना चाहिए बल्कि यह भी सिद्ध करना हो कि प्रकाशन लोकहित में था । १९४३ में हाउस ऑफ लार्ड्स की एक प्रवर समिति ने सिफारिश की थी कि सिविल और आपराधिक दोनों कार्यवाही में यदि कोई प्रकाशन लोकहित में है तो सत्यता एक प्रतिवाद (बचाव) होना चाहिए । लार्ड केम्बेल के लाइबल एक्ट ऑफ १९४३ में इस प्रस्ताव को स्वीकार किया गया था जो केवल आपराधिक कार्यवाही पर ही लागू होता है । भारतीय दण्ड संहिता की धारा ४९९ में भी यह सिद्धान्त है । इसका परिणाम यह हुआ है कि आपराधिक कार्यवाही में औचित्य अर्थात् सत्यता स्वयं एक प्रतिवाद नहीं है । दीवानी कार्यवाही के सम्बन्ध में प्रवर समिति के प्रस्ताव को हाउस ऑफ कामन्स द्वारा स्वीकार नहीं किया गया । इसका परिणाम यह हुआ कि इंग्लैंड और भारत दोनों में मानहानि के सिविल मामलों में सत्यता एक पूर्ण प्रतिवाद है ।

प्रेस-आयोग को यह प्रतिवेदित किया गया कि सत्यता तब तक पूर्ण प्रतिवाद नहीं होनी चाहिए जब तक इसके साथ लोकहित नहीं है । इस प्रश्न की ओर आस्ट्रेलिया के लॉ रिफार्म कमीशन का ध्यान आकर्षित हुआ और उसका यह मत था कि सिविल मामलों में सत्यता स्वयं 'लोकहित' के रूप में पूर्ण प्रतिवाद होनी चाहिए । यह एक अस्पष्ट शब्दावली है और प्रकाशकों को हक है कि उनका उन पर लागू होनेवाले नियमों के बारे में स्पष्ट मार्गदर्शन किया जाये । लोकहित की शर्त से पत्रकारों पर काफी अधिक बोझ पड़ेगा । आयोग ने कहा है कि हम वर्तमान स्थिति से भिन्न व्यवस्था के लिए कोई कारण नहीं समझते हैं । सत्यता को ही एकमात्र पूर्ण प्रतिवाद बने रहना चाहिए ।

१९४८ में पोर्टर समिति ने सिफारिश की थी कि यदि प्रतिवादी यह सिद्ध करता है कि अपमान लेख की विषय-वस्तु सत्य है तो वादी को हर्जाना वसूल करने का हक नहीं होना चाहिए चाहे प्रतिवादी कुछ छोटे आरोपों की सच्चाई को सिद्ध करने में असफल भी होता है बशर्ते कि वे छोटे आरोप वादी के सम्मान को

कोई विशेष क्षति नहीं पहुँचाते हैं । इस सिफारिश के कारण मानहानि अधिनियम, १९५२ की धारा-५ बनायी गयी थी । धारा-५ इस प्रकार है—

"अपमान लेख अथवा अपमान वचन, जिसके शब्दों में वादी के विरुद्ध दो अथवा अधिक स्पष्ट आरोप हैं, सम्बन्धी कार्यवाही में औचित्य का प्रतिवाद केवल इस कारण असफल नहीं होगा कि प्रत्येक आरोप की सच्चाई सिद्ध नहीं हुई है और ये शब्द अन्य आरोपों की सच्चाई को ध्यान में रखते हुए वादी के सम्मान को खास क्षति नहीं पहुँचाते हैं ।"

वादी उपर्युक्त धारा के प्रभाव से उन छोटे आरोपों के बारे में, जिन्हें वह समझता है प्रतिवादी सिद्ध नहीं कर सकता है, अभियोग चलाकर तथा अधिक गम्भीर सच्चे आरोपों की उपेक्षा कर बच सकता है । यदि वह इस युक्ति को अपनाता है तो सच्चे वक्तव्य असंगत हो जाते हैं और उसे सच्चे वक्तव्यों के सिद्ध होने की स्थिति में और अधिक हर्जाना उठाना पड़ सकता है ।

ऐसे मामलों तथा ऐसे किस्म के मामलों के बीच अन्तर किया जा सकता है और किया जाना चाहिए जिनमें समाचारपत्र ने रिपोर्ट दी है कि किसी व्यक्ति ने दस कम्पनियों के साथ धोखाधड़ी की है किन्तु केवल यह सिद्ध हुआ है कि नौ मामलों में धोखाधड़ी की गयी है ।

ऐसे मामले में पूरा बचाव होना चाहिए । इस सम्बन्ध में आस्ट्रेलिया रिफार्म कमीशन की निम्नलिखित सिफारिश को अपनाया जाय—

"कमीशन विश्वास करता है कि मानहानि की विषय-वस्तु के प्रकाशन का यह एक बचाव होना चाहिए कि जिस विषय-वस्तु के बारे में शिकायत की गयी है वह सत्य है । यदि कोई विषय-वस्तु तथा उसमें लगाया गया कोई आरोप कार्यवाही में वस्तुतः सत्य पाया गया अथवा वस्तुतः सत्यता से बहुत भिन्न नहीं पाया गया तो उस विषय-वस्तु को सत्य माना जाना चाहिए । क्षति के मूल्यांकन के प्रयोजन के लिए प्रकाशन के प्रभाव को निश्चित करने में न्यायालय को सारे प्रकाशन पर विचार करना चाहिए तथा यह भी विचार करना चाहिए कि किस हद तक प्रतिवादी प्रकाशन में वादी से सम्बद्ध विषय-वस्तु की सत्यता को सिद्ध करता है ।"

उत्तर का अधिकार

भारत में मानहानि का कानून, जो इंग्लैंड के कानून से मिलता-जुलता है और जिस व्यक्ति की मानहानि हुई है उसकी क्षति-पूर्ति करने की व्यवस्था करता है 'क्षति-पूर्ति' अथवा उत्तर के अधिकार का कोई प्रयोग नहीं करता है जो कि उपमहाद्वीपीय कानूनी पद्धति में एक महत्वपूर्ण उपचार है, उत्तर के सीमित अधिकार को भारत में अपनाया जाए ।

मुकदमा दायर करने का स्थान

मानहानि का मुकदमा दायर करने के बारे में वर्तमान स्थिति बनी रहनी चाहिए । समाचारपत्र संगठनों ने यह तर्क दिया है कि सुदूर स्थानों में समाचारपत्रों

के विरुद्ध शिकायतें दायर करने से दोषी को गंभीर दिक्कतें होंगी। उनका कहना है कि इससे समाचारपत्रों को और पत्रकारों को काफी परेशानी हुई है। आयोग इस मत से सहमत नहीं है कि समाचारपत्रों और पत्रिकाओं के विरुद्ध मानहानि की कार्यवाही प्रथमतः किसी दीवानी अथवा फौजदारी अदालत में उस राज्य में शुरू की जानी चाहिए जिसमें समाचारपत्र प्रकाशित होता है क्योंकि इससे भेदभाव होगा। यह पूछा जा सकता है कि प्रेस को वह सुविधा क्यों मिलनी चाहिए जो दूसरे व्यक्तियों को उपलब्ध नहीं है। इसके अलावा प्रतिवादी अथवा दोषी व्यक्ति को यह अनुमति है कि वह मामले को दूसरे न्यायालय में ले जाने के लिए उच्च न्यायालय से प्रार्थना करे।

तथापि जब तक द्वेष का प्रथमदृष्ट्या कोई मामला नहीं बनता है तब तक मजिस्ट्रेट दोषी व्यक्ति के न्यायालय में व्यक्तिगत रूप से उपस्थित होने की छूट दे सकता है। दण्ड प्रक्रिया संहिता की धारा २०५ खण्ड [१] में यह उपबन्ध करने के लिए उपर्युक्त संशोधन किया जाये कि जब तक द्वेष का कोई प्रथमदृष्ट्या मामला नहीं बनता है तब तक अपराधी को, जहाँ कहीं भी उसे समन जारी किया गया है, व्यक्तिगत उपस्थिति की छूट और वकील द्वारा उपस्थित होने की अनुमति दी जायेगी। किन्तु, मजिस्ट्रेट उस अपराधी की व्यक्तिगत उपस्थिति की छूट नहीं देगा जो किसी समाचारपत्र अथवा पत्रिका का संपादक, प्रकाशक अथवा मालिक है, यदि मजिस्ट्रेट संतुष्ट है कि दोषी व्यक्ति ने अनावश्यक रूप से उचित समय के अन्तर्गत कथित मानहानि के प्रकाशन पर शिकायतकर्ता के उत्तर को प्रकाशित करने से इन्कार किया है। तथापि कार्यवाही की किसी उत्तरवर्ती अवस्था में दोषी की प्रत्यक्ष व्यक्तिगत उपस्थिति के बारे में धारा २९५ [२] द्वारा प्रदत्त मजिस्ट्रेट के व्यापक विवेक के बारे में कोई हस्तक्षेप की आवश्यकता नहीं है।

बहुविध प्रकाशन की समस्या

इस तथ्य को ध्यान में रखते हुए कि कानून में कोई प्रकाशन, किसी व्यक्ति के साथ पत्र व्यवहार के रूप में, यह अर्थ रखता है कि उसी मानहानिकर्ता द्वारा उसी मानहानि की विषय-वस्तु का प्रत्येक प्रकाशन, चाहे वह किसी नये व्यक्ति अथवा उसी व्यक्ति के सम्बन्ध में हो, एक अलग प्रकाशन है जो कार्यवाही का एक भिन्न कारण बन जाता है। किसी समाचारपत्र की प्रत्येक प्रति की बिक्री अथवा डिलिवरी तकनीकी दृष्टि से एक भिन्न प्रकाशन है और यदि इसमें मानहानि की बात है तो यह कार्यवाही का अलग-अलग कारण बनता है।

> "अलग प्रकाशन सम्बन्धी नियम समाप्त किया जाना चाहिए और अकेला प्रकाशन सम्बन्धी नियम अपनाना चाहिए। किसी खास विषय-वस्तु के बहुविध प्रकाशन से कार्यवाही का केवल एक ही कारण बनना चाहिए किन्तु इस प्रकार की कार्यवाही में वादी को सभी प्रकाशनों के अनुरूप राहत मिलनी चाहिए। तथापि इस नियम के असंतोषप्रद परिणाम हो सकते हैं जब किसी वादी को यह मालूम न हो कि किस हद तक बहुविध

प्रकाशन हुए हैं और इस कारण उचित उपचार की माँग न की जाये। न्यायालय को उसी विषय-वस्तु के संबंध में आगे कार्यवाही लाने के लिए अनुमति देने के विवेक का सुझाव एक नया दृष्टिकोण है किन्तु इसके परिणामस्वरूप अनिश्चितता हो सकती है। किसी कार्यवाही के निश्चित होने के बाद भी प्रतिवादी को संदेह हो सकता है कि क्या उसके विरुद्ध आगे कि कार्यवाही की जा सकती है। किसी वादी की यह स्थिति जिसे यह मालूम होता है कि कोई प्रकाशन इतने व्यापक रूप में प्रकाशित हुआ है जितने कि पहले आशा नहीं थी, पूरी तरह से स्पष्ट नहीं है। पक्षों के लिए निश्चिततः महत्वपूर्ण है। इसके अलावा यह वांछनीय है कि न्यायालयों को इस बात की पूरी सूचना हो कि किस हद तक प्रकाशन हुआ है। उसे यह बताने के लिए प्रोत्साहित किया जाना चाहिए। वादी को बहुविध प्रकाशन के सम्बन्ध में तदनुसार एक ही कार्यवाही तक सीमित किया जाना चाहिए, किन्तु यह उसी हद तक सीमित किया जाना चाहिए जिस हद तक कार्यवाही में प्रकट किया गया है। वादी को किसी अतिरिक्त प्रकाशन के सम्बन्ध में कार्यवाही का अलग अधिकार होगा। इसके अन्तर्गत संभवतः पहले विचारण के बाद आगे कोई प्रकाशन तथा ऐसा कोई प्रकाशन जिसे प्रतिवादी ने स्वीकार नहीं किया है, आ जायेगा। इस उपबन्ध से वाद पक्षों के अधिकारों के बारे में कोई संदेह नहीं रहेगा। जो प्रतिवादी पूरे प्रकाशनों के बारे में बता देगा उसके विरुद्ध बहुविध प्रकाशन के लिए एक ही बार कार्यवाही की जायेगी। जो वादी प्रकट न की गई विषय-वस्तु का पता लगाता है उसके बारे में यह निश्चित है कि न्यायालय उसकी कार्यवाही को स्वीकार करेगा।"

प्रकाशन के लिए संयुक्त जिम्मेदारी

वर्तमान कानून के अन्तर्गत जब संयुक्त रूप से जिम्मेदार व्यक्तियों में से किसी भी व्यक्ति के विरुद्ध अपमान लेख तथा अपमान वचन के संयुक्त प्रकाशन के सम्बन्ध में मानहानि की कार्यवाही की जाती है तो प्रकाशन "निष्पक्ष टिप्पणी" अथवा "सीमित विशेषाधिकार" के तर्क को समाप्त करने के लिए पर्याप्त है जिससे वादी के प्रति सभी प्रतिवादियों का संयुक्त रूप से दायित्व रहता है और एक भी प्रतिवादी की ओर से विद्वेष पाये जाने पर सारी क्षति-पूर्ति सह-प्रतिवादी से वसूल की जा सकती है, भले ही उसे विद्वेष की कोई भी जानकारी न हो। इस मुद्दे पर गेटले का निम्नलिखित कानूनी वक्तव्य सबसे उचित है—

"जब किसी व्यक्ति ने सीमित विशेषाधिकार के किसी अवसर पर मानहानि के शब्द प्रकाशित किए हों तो वह स्वयं विद्वेषी है अथवा वह किसी सेवक या एजेंट के विद्वेष के लिए वरिष्ठ प्रत्यक्षी के आधार पर उत्तरदायी है तो वह विशेषाधिकार समाप्त ही हो जायेगा।"

भारत के कानून में इस सिद्धांत को शामिल करने का अर्थ होगा कि—

१. किसी समाचारपत्र का कोई प्रकाशक अपने एजेंट के विद्वेष के लिए प्रतिनिधि रूप में जिम्मेदार बना रहेगा,

२. किसी समाचारपत्र का प्रकाशक किसी स्वतन्त्र ठेकेदार के विद्वेष के लिए प्रतिनिधि रूप में जिम्मेदार नहीं होगा, और

३. किसी समाचारपत्र का कोई प्रकाशक किसी अप्रत्यायित पत्रकार के विद्वेष के लिए प्रतिनिधि रूप में उत्तरदायी नहीं होगा चाहे वह पत्रकार गुमनाम हो या अन्यथा ।

इंग्लैंड की फॉक्स कमेटी ने वितरकों, मुद्रकों और अनुवादकों के दायित्व के प्रश्न पर विस्तार से विचार किया । इस कमेटी ने कहा कि लिखित प्रकाशनों के वर्तमान वितरक, अर्थात् पुस्तक-विक्रेता, समाचार-एजेंट और समाचार विक्रेताओं को दुर्भावनारहित प्रसार का बचाव प्राप्त है जो किसी पुस्तक के पहले अथवा मुख्य प्रकाशकों को उपलब्ध नहीं है, अर्थात्—

(क) उन्हें नहीं मालूम था कि पुस्तक अथवा समाचारपत्र में कथित अपमान लेख प्रकाशित हुआ है,

(ख) उन्हें नहीं मालूम था कि पुस्तक और समाचारपत्र इस प्रकार का है कि इसमें कोई अपमान लेख हो सकता है, और

(ग) इस प्रकार की जानकारी का होना किसी लापरवाही के कारण नहीं था ।

फॉक्स कमेटी ने निरपराध होने के उपर्युक्त बचाव का विस्तार मुद्रकों पर करने की सिफारिश की बशर्ते कि वितरकों के मामले जैसी स्थिति अथवा सुरक्षा उनके मामले में भी हो । समिति ने कहा कि इस सिफारिश का परिणाम यह है कि जहाँ कथित प्रकाशन के मानहानिकारक स्वरूप के बारे में मुद्रकों की जाँच की जाती है अथवा जहाँ मुद्रक की किसी प्रकाशन के सम्बन्ध में जाँच करने में उनकी लापरवाही है उस स्थिति में निरपराध होने का बचाव असफल होगा । इसी प्रकार उनके रोजाना के मुद्रण के उनके सामान्य कारोबार के दौरान उनका एक बचाव होगा जो, यदि वितरकों का अनुभव इसमें कोई मार्गदर्शन करे, यह सुनिश्चित करेगा कि वह सामान्यतया प्रतिवादी के रूप में भी एक साथ नहीं है । जहाँ तक अनुवादकों का सम्बन्ध है समिति ने बचाव का उपबन्ध करने के लिए निम्नलिखित खण्ड बनाने की सिफारिश की, जिसमें बचाव सीमित ऋण विशेषाधिकार की तरह का ही होगा—

"किसी व्यक्ति द्वारा अपने किए हुए अनुवाद का (मौखिक अथवा लिखित) प्रकाशन के सीमित विशेषाधिकार द्वारा बचाव किया जायेगा बशर्ते कि तथाकथित शब्दों का अनुवाद मूल शब्द के भाव और सार के अनुसार किया गया हो ।"

वितरकों और मुद्रकों के दायित्व के बारे में फॉक्स कमेटी की इन सिफारिशों को भारत के कानून में शामिल किया जाय । जहाँ तक अनुवाद का सम्बन्ध है, अनुवादक को संरक्षण दिया जाना चाहिए । किन्तु किसी आपत्तिजनक विषय-वस्तु के अनुवाद के लिए संरक्षण नहीं दिया जाये ।

मानहानि-सम्बन्धी प्रमुख निर्णय

मानहानि और प्रेस के विषय में कुछ प्रमुख मामलों पर निर्णय इस प्रकार हैं—

१. —व्यक्ति की नेकनामी उसकी सम्पत्ति है । यह सम्पत्ति संभवतः अन्य सम्पत्तियों से अधिक मूल्यवान् है । इसके अधिकार का उल्लंघन कार्रवाई के लिए अच्छा आधार प्रस्तुत करता है ।

[रहीमबख्श बनाम बच्चालाल,
ए० आई० आर० १९२९, इलाहाबाद २१४]

२. —पत्रकार को कुछ भी कहने का विशेषाधिकार नहीं है । बल्कि उस पर असत्य के प्रति सावधान रहने की अधिक जिम्मेदारी आती है क्योंकि उसके कथनों का किसी अन्य व्यक्ति के कथनों से कहीं ज्यादा व्यापक प्रकाशन होता है तथा छपित होने का कारण अनभिज्ञ व्यक्तियों द्वारा उन पर विश्वास करने की अधिक संभावना रहती है ।

[खैरुद्दीन बनाम तारासिंह,
ए० आई० आर० १९२७, लाहौर २०-२३]

३. —सिर्फ इस आधार पर किसी पत्र का मालिक मानहानि की सिविल जिम्मेदारी से नहीं बच सकता है कि उसे अपने पत्र में मानहानिकारक बात छपने का पता नहीं था ।

[मुंशीराम बनाम मेवाराम वफा,
ए० आई० आर० १९३६, लाहौर २३]

४. —सार्वजनिक हित या लोक-कल्याण को प्रभावित करनेवाले मामलों पर टीका-टिप्पणी करना पत्रकार का कर्तव्य है । यदि वह उन बातों की आलोचना करता है जिनपर ऐसा करना वह सद्भावपूर्वक लोक-कल्याण में समझता है तो यह उसके उचित कार्य-क्षेत्र में आता है । किन्तु, उसकी टीका-टिप्पणी विद्वेष-रहित, जनहित में और सद्भावपूर्ण होनी चाहिए ।

[विशन सरूप बनाम नरदेव शास्त्री,
ए० आई० आर० १९६५, इलाहाबाद ४३९, ४४१]

५. —मानहानि से प्रभावित व्यक्ति सिविल और आपराधिक दोनों प्रकार के मुकदमे कर सकता है। बम्बई उच्च न्यायालय ने १९२७ में एक व्यक्ति को सिविल मामले में क्षति-पूर्ति का दंड दिया हालाँकि उसी विषय पर आपराधिक मामले में उसे सजा हो चुकी थी । न्यायालय ने आपराधिक मामले में हुई सजा का ध्यान रखते हुए क्षति-पूर्ति की राशि निर्धारित की ।

[हीराबाई जहाँगीर बनाम दिनशाह एदुलजी,
ए० आई० आर० १९२७, बम्बई २२]

६. —केवल गालीगलौज भरे या बेइज्जती करनेवाले शब्दों के प्रयोग पर क्षति-पूर्ति का दावा नहीं किया जा सकता है जब तक कि इसका असर व्यक्ति की

नेकनामी प्रभावित करने या उसे घृणा, हास्य, अवमान या निन्दा का पात्र बनाने या उन लोगों के उससे हट जाने या कतराने के रूप में न हो जो अन्यथा उसके नजदीकी थे।

[गिरीशचन्दर मित्तर बनाम जटाधारी,
२६ कलकत्ता ६५३]

७. —मानहानिकारक प्रकाशन को किसी अन्य सूत्र से लेकर पुनर्प्रकाशित करने पर मानहानि के लिए कार्रवाई की जा सकती है।

[जी० चन्द्रशेखर पिल्ले बनाम जी० रमण पिल्ले,
१९६४, केरल, एल० टी० ३१]

८. —आरोप की सचाई मानहानि के सिविल बाद में पूर्ण बचाव है। सचाई सिद्ध करने की जिम्मेदारी प्रतिवादी की होती है।

[लक्ष्मीनारायण बनाम शम्भूनाथ,
ए० आई० आर० १९३१, इलाहाबाद १२६]

९. —लेकिन, तथ्य के सत्य होने का विश्वासमात्र बचाव नहीं है।

[खैरुद्दीन बनाम तारासिंह,
ए० आई० आर० १९२७, लाहौर २०-२३]

१०. —सचाई के आधार पर बचाव के सफल होने कि लिए यह आवश्यक है कि मानहानिकारक समस्त प्रकाशन सारभूत रूप में सत्य है। उदाहरण के तौर पर यदि कोई पत्र यह छापे कि जेल के प्रभारी अधिकारी ने या उसकी मिलीभगत से दो व्यक्तियों को पीटा गया तो यह सिद्ध करना बचाव के लिए पर्याप्त नहीं होगा कि एक व्यक्ति की तो पिटाई की ही गई थी।

[पूर्ववर्ती]

११. —'सद्‌भाव' और 'लोक-कल्याण' तथ्यों के प्रश्न हैं। इसका निर्णय करने के लिए साक्ष्य होना आवश्यक है।

[सेवकराम सोमानी बनाम आर० के० करंजिया,
सर्वोच्च न्यायालय, १ मई, १९८१]

१२. —आपराधिक मानहानि के मामले में प्रतिवादी को न केवल पूरे आरोपों का सत्य होना प्रमाणित करना आवश्यक है, अपितु उसे इस तरह प्रमाणित करना जरूरी है मानों वादी पर उन आरोपों में मुकदमा चल रहा हो।

[अजीत सिंह बनाम राधाकिशन,
ए० आई० आर० १९३१, लाहौर २४६]

१३. —यदि दुर्भावना से न की गई हों तो सार्वजनिक हित में की गई उचित टीका-टिप्पणियाँ सजा से मुक्त होती हैं।

[रामकृष्ण पिल्ले बनाम करुणाकर मेनन,
२५ एम० एल० जे० ४७६]

१४. —मानहानिकारक समझे जाने पर भी यह बचाव है कि टीका-टिप्पणी लोक-कल्याण में मत की प्रमाणिक अभिव्यक्ति सद्भावपूर्वक की गई है, ।

[बालसुब्रमणियम बनाम राजगोपालचारियर,
ए० आई० आर० १९४४, मद्रास ४८४]

१५. किन्तु, —उचित टीका-टिप्पणी का आधार मत की अभिव्यक्ति का बचाव करता है, तथ्यों के अपमानजनक आरोपों का नहीं । (टिप्पणी तथ्यों पर अभिव्यक्त मत का कथन है । कानून उचित टिप्पणी के अधिकार की रक्षा करता है, तथ्यों सम्बन्धी आरोपों की नहीं ।)

[टी० जी० गोस्वामी बनाम राज्य,
ए० आई० आर० १९५२ पेप्सु १९५]

१६. —उन मामलों में उचित टीका-टिप्पणी के अधिकार के आधार पर बचाव का दावा नहीं किया जा सकता है जिनमें टीका करनेवाले को पता हो कि जिन तथ्यों पर वह टीका कर रहा है वह मिथ्या हैं । उन मामलों में भी यह दावा नहीं किया जा सकता जिनमें टीकाकार ने तथ्यों के प्रति पूर्ण उपेक्षाभाव बरतते हुए उन्हें सही मान लिया हो और ये तथ्य मिथ्या सिद्ध हो जाएँ ।

[एहसान अली बनाम हिफाजल अली,
ए० आई० आर० १९५९, नागपुर १४९]

१७. —प्रेस और प्रकाशनों के सम्बन्ध में दुर्भावना के आरोप में मानहानि का मुकदमा नहीं चलाया जा सकता है जब तक की निश्चित दुर्भावना न बतायी जाय । (मानहानिकारक प्रकाशन में दुर्भावना की ध्वनि निकलने के आधार पर मुकदमा नहीं चलाया जा सकता है ।)

[एन०जे० नानपोरिया बनाम ब्रजेन्द्र भौमिक,
७९ सी० डब्ल्यू० एन० ५३१]

१८. —दुर्भावना सिद्ध करने का दायित्व वादी पर होता है । वह इसे सिद्ध नहीं करता तो मुकदमा हार जायगा । (उसे ऐसा साक्ष्य प्रस्तुत करना होगा कि प्रतिवादी स्वयं वादी के प्रति दुर्भावना से प्रेरित था, यह कहने से नहीं चलेगा कि प्रतिवादी को सूचना देनेवाले लोग वादी के प्रति दुर्भावना रखते हैं ।)

[जनार्दन करंदीकर बनाम रामचन्द्र तिलक,
ए० आई० आर० १९४७, बम्बई २१९]

१९. —न केवल अपमानकारक पहले आरोप के लिए अपितु उसे दोहराये जाने के हर मामले में प्रत्येक व्यक्ति को दण्डित किया जा सकता है ।

[चन्द्रशेखर बनाम कार्तिकियन,
ए० आई० आर० १९६४, केरल २७७]

२०. —मानहानि का अभियोग सिद्ध करने के लिए यह आवश्यक नहीं है कि उस व्यक्ति की, जिसकी मानहानि की गयी हो, प्रत्यक्ष या अप्रत्यक्ष, सचमुच

क्षति हुई है । यह साबित करना पर्याप्त होगा कि प्रतिवादी का वादी की नेकनामी को क्षति पहुँचाने का आशय था या वह जानता था अथवा उसे यह विश्वास करने का कारण था कि उसके द्वारा लगाए गए आरोपों से वादी की नेकनामी को क्षति पहुँचेगी ।

[अमरसिंह बनाम बडालिया,
१९६५ क्रिमीनल लॉ जर्नल ६६३]

२१. —सम्पादक का यह कर्तव्य है कि वह प्राप्त समाचार या सूचना को प्रकाशित करने से पूर्व उसकी जाँच करे, विशेषकर यदि यह समाचार या सूचना मानहानिकारक हो, क्योंकि अन्ततः सम्पादक को इस समाचारपत्र की मानहानिकारी सामग्री के प्रकाशन के लिए जिम्मेदार ठहराया जाएगा । यदि वह जाँच नहीं करता तो उसे इस उपेक्षा और असावधानी के परिणाम भुगतने पड़ेंगे ।

[सोढ़ी गुरबचन सिंह कोशन बनाम बाबूराम व एक अन्य,
ए० आई० आर० १९६६, पंजाब और हरियाणा २०१]

२२. —समाचारपत्र सम्पादक अपने उचित कार्यक्षेत्र में कार्य करता है जब वह ऐसी बात की आलोचना करता है जिसे वह समुदाय के भलाई में मानता और विश्वास करता है । लेकिन, यदि वह आलोचना के नकाब में ऐसी भाषा का प्रयोग करता है जो किसी लोक-सेवक या सामान्य नागरिक को अवमानित करने या उसकी प्रतिष्ठा गिराने के लिए हो तो कानून उसकी रक्षा नहीं करता । उचित टीका-टिप्पणी की कसौटी पर खरा उतरने के लिए आवश्यक है कि प्रकाशन दुर्भावना से मुक्त हो ।

ब्योरों के मामले में अतिशयोक्ति या अशुद्धि से कोई टिप्पणी अनुचित नहीं मानी जाएगी यदि उसमें की गई अभिव्यक्ति तात्त्विक रूप से (मटिरियली) सत्य और सार्वजनिक फायदे में हो ।

[विशनसरूप बनाम नरदेव शास्त्री,
ए० आई० आर० १९६५, इलाहाबाद ४३९]

■

अध्याय ५

न्यायालय का अवमान

संविधान के अनुच्छेद १६ [२] में जिन विषयों में राज्य को वाक् और अभिव्यक्ति के मौलिक अधिकार पर युक्तियुक्त निर्बन्धन लगाने का अधिकार दिया गया है उनमें 'न्यायालय अवमान' विषय भी शामिल है। अनुच्छेद १२६ में उच्चतम न्यायालय को और अनुच्छेद २१५ में उच्च न्यायालयों को अभिलेख न्यायालय [कोर्ट ऑफ रिकार्ड] घोषित करके उन्हें उनका अवमान करने वालों को दण्डित करने समेत ऐसे न्यायालय को सभी अधिकार दिया गया है। अनुच्छेद १४२ [२] के अन्तर्गत उच्चतम न्यायालय को अपने अवमान के विषय में अन्वेषण करने या दण्ड देने के लिए कोई भी आदेश जारी करने की शक्ति प्राप्त है। संविधान के सातवीं अनुसूची की संघ सूची की प्रविष्टि ७७ में संसद् को उच्चतम न्यायालय को अवमान के विषय में और समवर्ती सूची की प्रविष्टि १४ में संसद् और राज्य विधानमण्डल को भी उच्च न्यायालयों के अवमान के विषय में कानून बनाने की शक्ति दी गई है।

इन शक्तियों के अधीन पहले १६५२ में और फिर १६७१ में न्यायालय अवमान अधिनियम बनाए गए। इन कानूनों, विशेषकर १६७१ के कानून में अवमान की परिभाषा, उसका दायरा और कार्यवाही सम्बन्धी प्रक्रिया अनुबन्धित की गई है। इन कानूनों के बनने से पूर्व भी न्यायालय के अवमान की संधारणा न केवल सदैव मान्य रही है बल्कि अदालतें इसे निरन्तर दृढ़ता से और अपने एक व्यापक अधिकार के रूप में लागू करती रही हैं।

इंग्लैंड में इस कानून का विकास अन्य कानूनों से भिन्न रूप में हुआ और इसका स्वरूप भी भिन्न रूप में उभरा है। वास्तव में, अपने अर्थात् न्यायालय के अवमान के लिए लोगों को दण्ड देने की शक्ति न्यायाधीशों ने स्वयं अपने आपको प्रदत्त की है और यह कानून वैसा ही बना है जैसा उन्होंने इसे बनाना चाहा है। उन्होंने इस शक्ति को न्याय-प्रशासन के लिए अपरिहार्य मानकर इसका इस्तेमाल उपस्थित समस्याओं से निपटने के लिए परिस्थितियों के अनुसार किया है। फलतः कालान्तर में यह अनुभव किया गया कि इसका उपयोग ऐसे पत्रकारों के खिलाफ भी हुआ है जिनसे अनचाहे गलतियाँ हो गई। इसे आधुनिक पत्रकारिता की चुनौतियों से अदालतों की रक्षा करने के लिए प्रयुक्त किया गया। इस कानून की रचना इस तरह से हुई है और इसे इस प्रकार से लागू किया गया है कि अवमान के लिए दण्डित करने की सारी शक्ति न्यायाधीशों के हाथों में केन्द्रित हो गई।

विवेकाधिकार के नाम पर वे चाहें जैसे भी इसका इस्तेमाल कर सकते थे। इन सब बातों को देखते हुए वहाँ श्री एच० जे० फिलीमोर की अध्यक्षता में एक सात सदस्यीय समिति गठित की गई। फिलीमोर समिति ने २४ मई, १९७४ को दी अपनी रिपोर्ट में इंग्लैंड के न्यायालय अवमान कानून को उदार बनाने की अनेक सिफारिशें कीं।

भारत के १९५२ के कानून को कुछ वर्षों के बाद कई तरह की कमियों से पूर्ण पाया गया। उच्चतम न्यायालय ने कई निर्णय दिए। इनसे भी कानून के कई पहलू अस्पष्ट बने रहे। इसलिए कानून में संशोधन की आवश्यकता अनुभव की गई। केन्द्रीय सरकार अप्रैल १९६० में संसद् में एक विधेयक लाई किन्तु इसे पर्याप्त नहीं पाया गया। अतः तत्कालीन अतिरिक्त सालिसिटर जनरल श्री एच० एन० सान्याल की अध्यक्षता में एक चार सदस्यीय समिति बनाई गई जिसने इस सारे कानून का निरीक्षण करके २८ फरवरी, १९६३ को अपनी रिपोर्ट पेश की। इसके साथ उसने संशोधित कानून का प्रारूप भी संलग्न किया।

सरकार ने मोटे तौर पर इस प्रारूप पर आधारित एक विधेयक २९ फरवरी, १९६८ को राज्यसभा में पुनःस्थापित किया। उसी वर्ष के अन्त में इसे दोनों सदनों की संयुक्त प्रवर समिति के विचारार्थ भेज दिया गया। श्री० एम० पी० भार्गव की अध्यक्षता में बनी इस समिति ने २० फरवरी, १९७० को अपनी रिपोर्ट दी। १९६८ में दाखिल विधेयक १९७१ में इस समिति की सिफारिशों के अनुसार संशोधित रूप में पारित हुआ। इस विधेयक का उद्देश्य न्यायालय के अवमान के लिए दण्ड देने की अदालतों की शक्तियों को परिभाषित और सीमित करना, तथा तत्सम्बन्धी प्रक्रिया को विनियमित करना घोषित किया गया। १९७६ में किए गए एक मामूली संशोधन के साथ यह कानून १९७१ से उसी रूप में लागू है।

इस विषय पर यह पहला विशद कानून है जिससे कई बातों को स्पष्ट करने और प्रक्रिया निर्धारित करने में सहायता मिली है। किन्तु कुछ विशेषज्ञों का मत है कि आज भी अदालतों द्वारा अपने अधिकारों का इस्तेमाल पहले की तरह ही किया जा रहा है। इस कानून का समुचित प्रभाव नहीं हुआ है। इसलिए इस पर पुनः विचार किए जाने की आवश्यकता है। भारतीय प्रेस परिषद् ने प्रेस के सन्दर्भ में इस अधिनियम की कुछ धाराओं [२, ५ और १२] में संशोधन सुझाए हैं। यद्यपि प्रथम प्रेस-आयोग [१९५४] ने न्यायालय अवमान अधिनियम, १९५२ में किसी संशोधन का सुझाव नहीं दिया था, दूसरे प्रेस-आयोग [१९८२] ने मुख्यतः धारा २ और १३ में संशोधन के सम्बन्ध में सिफारिशें की हैं।

न्यायालय का अवमान और प्रेस

न्यायालय के अवमान की अवधारणा इस विचार पर आधारित है कि हर व्यक्ति को ऋजु (फेयर) और निर्बाधित न्याय प्राप्त करने का अधिकार है। इसके लिए आवश्यक है कि न्याय-प्रशासन के व्यवस्थित संचालन की रक्षा की जाए।

लोगों का न्यायाधीशों और अदालतों की निष्पक्षता, योग्यता और न्यायप्रियता में विश्वास बना रहे, इसलिए उन्हें कलंकित न किया जाए।

हर व्यक्ति दोषी पाए जाने तक न्याय की नजरों में निर्दोष माना जाता है। उसे अपने को निर्दोष सिद्ध करने का अधिकार है। इसके लिए आवश्यक है कि उसे ऋजु विचारण (फेयर ट्रायल) का पूरा अवसर मिले। ऋजु विचारण की प्रक्रिया में किसी प्रकार की बाधा न डाली जाए। यह विचारण न्यायालय करे, कोई अन्य अभिकरण ऐसा कुछ न करे जिससे उसका यह अधिकार प्रभावित हो।

इस तरह न्यायालय के अवमान के लिए दण्ड के प्रावधान का प्रयोजन न्यायालय और न्यायाधीशों की प्रतिष्ठा और गरिमा, न्याय-प्रशासन, न्याय-प्रक्रिया, अदालत में पेश मामलों से सम्बद्ध पक्षों से ऋजु विचारण के अधिकार, और एक आवश्यक जनतांत्रिक व मानवीय संस्थान के रूप में न्यायपालिका की रक्षा करना है। यह अवधारणा स्पष्टतः लोकहित में है। इसलिए उच्च अदालतों को न सिर्फ अवमान करनेवालों को दण्डित करने के व्यापक अधिकार दिए गए हैं बल्कि दण्ड का निर्णय करने की असाधारण प्रक्रिया का लाभ भी उन्हें दिया गया है।

किन्तु, जनतन्त्र में लोग तब तक सार्वजनिक निर्णयों को न तो समुचित रूप से प्रभावित कर सकते हैं न ही स्वयं निर्णय कर सकते हैं जब तक कि उन्हें सब बातों की पर्याप्त जानकारी न हो। जानकारी देने का यह कार्य और दायित्व प्रेस निभाता है। उससे यह जन-अपेक्षा रहती है कि वह लोगों को प्रत्यक्ष-अप्रत्यक्ष रूप से प्रभावित करनेवाली हर चीज की जानकारी दे। सार्वजनिक संस्थानों की बुराइयों, अनियमितताओं, भ्रष्टाचार, कुप्रबन्ध, सार्वजनिक धन के दुरुपयोग, गैर-कानूनी और लोकहित-विरोधी कार्यों, जहाँ कहीं भी वह हो रहे हों, तथा जनहित को प्रभावित करनेवाले समस्त छिपे तथ्यों का उद्घाटन करना उसका दायित्व है। यदि अदालतों में स्थिति ठीक नहीं है या किसी न्यायाधीश का निजी आचरण ऐसा दोषपूर्ण हो कि उससे उसके सार्वजनिक कर्तव्य प्रभावित होते हों, तो उसकी जानकारी देना भी जनहित में होता है। किसी मुकदमें से सम्बद्ध ऐसे तथ्य हो सकते हैं जो प्रेस की नजरों में आएँ पर अन्यथा अदालत तक न पहुँच सकें और इनके उद्घाटन के बगैर न्याय विफल हो जाए। इनका भी उद्घाटन साफ तौर से न्याय के हित में होगा। पत्रकार अन्वेषणात्मक पत्रकारिता से कई बातें उजागर करते हैं। सम्बद्ध व्यक्ति या संस्थान इससे बचने के लिए अदालत का इस्तेमाल करने की कोशिश करते हैं। एक बार मामला अदालत के अधीन हो जाने पर पत्रकार उसके विषय में कुछ लिखने पर न्यायालय के अवमान के खतरे की सीमा-रेखा में आ जाते हैं। इससे पत्रकार को अपना काम रोक देना पड़ता है और जनता महत्त्वपूर्ण तथ्यों की जानकारी से वंचित रह जाती है।

इस प्रकार न्यायालय के अवमान का कानून नागरिक के अभिव्यक्ति के अधिकार को सीमित करता है। अभिव्यक्ति का अधिकार मौलिक अधिकार है। परन्तु न्यायालय का अवमान करनेवालों को दण्डित करने की न्यायालयों की शक्ति भी उन्हें संविधान ने ही दी है। दोनों में से किसी को पूर्णतः समाप्त नहीं किया

जा सकता है। न्यायालय के अवमान को रोकने के लिए अभिव्यक्ति पर युक्तियुक्त निर्बन्धन लगाए जा सकते हैं। फिर भी एक बुनियादी अधिकार के रूप में अभिव्यक्ति की स्वतन्त्रता के अधिकार की गैर-बुनियादी अधिकारों की तुलना में श्रेष्ठता कम नहीं होती। बल्कि यह उचित तर्क दिया गया है कि अधिकार बुनियादी होते हैं, निर्बन्धन नहीं। फिर न्यायालय की अवमानना को रोकनेकी शक्ति को भी कानून बनाकर मर्यादित करने का प्रावधान संविधान में किया गया है। ऐसे कानून बनाए भी गए हैं और उच्चतम न्यायालय ने इन्हें संवैधानिक करार दिया है। इस प्रकार अभिव्यक्ति की स्वतन्त्रता की तुलना में न्यायालय का अवमान रोकने का अधिकार कम श्रेष्ठ है।

फिर भी, दोनों ही अधिकार जनहित में है। दोनों का बना रहना जनता के लिए उपयोगी है। किन्तु, आवश्यकता इस बात की है कि न्यायालय दोनों में समुचित संतुलन स्थापित करके ही अवमान रोकने की अपनी शक्ति का प्रयोग करे। केवल न्याय-प्रशासन को गम्भीर क्षति होने पर ही इसका प्रयोग किया जाए, सामान्यतः प्रेस को लोगों को सूचित करने का कार्य करने से न रोका जाए। अदालतें अपनी प्रतिष्ठा और न्याय-प्रशासन के सुचारु संचालन को अक्षुण्ण रखने के लिए इसका युक्तियुक्त प्रयोग भले ही करती रहें, उन्हें मुकदमा लड़नेवालों को इसका दुरुपयोग नहीं करने देना चाहिए। साथ ही, यह भी देखा जाए कि न्यायाधीश केवल अपना प्राधिकार जताने के लिए अथवा अपने गैर-न्यायिक और निजी आचरण के खिलाफ आरोपों से अपने को बचाने के लिए इसका प्रयोग न करे।

फिलीमोर समिति ने कहा है कि न्यायालय के अवमान के कानून के सिद्धांतों को सुरक्षित रखने की जरूरत है पर आधुनिक परिस्थितियों को ध्यान में रखते हुए पर्याप्त सुधारों की भी आवश्यकता है। समिति का मत था कि इंग्लैंड की न्याय-प्रणाली अपने कामकाज के बारे में होनेवाली चर्चा पर नरम रुख अपनाने की स्थिति में है।

थैलीडोमाइड औषधि सम्बन्धी 'सण्डे टाइम्स' के मामले में हाउस ऑफ लॉर्ड्स नें परस्पर स्पर्द्धाकारी हितों को संतुलित करने की कोशिश की हालाँकि उसका निर्णय इस पत्र के पक्ष में नहीं रहा। इस मामले के विषय से सम्बद्ध एक लेख के प्रकाशन पर रोक लगाने के विचारण न्यायालय के निर्णय की उसने पुष्टि कर दी। फिर भी इस लेख से जनहित होने की बात को उसने अस्वीकार नहीं किया। लॉर्ड चीफ जस्टिस विजरी ने इतना ही कहा कि लेख के तुरन्त प्रकाशन से जो जनहित होगा वह विचाराधीन मुकदमे में शामिल पक्षों पर किसी प्रकार का दबाव रोकने के जनहित से ज्यादा वजनी है। लॉर्ड डैनिंग ने कहा कि यह राष्ट्रीय चिंताओं के विषयों में और प्रेस की आजादी के हित में है कि ऐसे मामलों में उचित टीका-टिप्पणियाँ की जाएँ। एक हित को दूसरे हित से संतुलित किया जाना चाहिए। ऐसे मामले हो सकते हैं जिनकी विषय वस्तु ऐसी हो जिसमें सार्वजनिक हित मुकदमों के पक्षधरों के निजी हितों से अधिक वजनी हो। ऐसे सब मामलों

में सार्वजनिक हित सर्वोपरि माना जाना चाहिए और उचित टीका-टिप्पणी की इजाजत दी जानी चाहिए।

लॉर्ड रीड ने कहा—इस विषय में कानून मुकदमे के पक्षकारों के निजी अधिकारों की रक्षा करने के लिए नहीं है। यह न्याय-प्रशासन में दखलंदाजी रोकने के लिए है और मेरे विचार में इसे इस प्रयोजन से जो कुछ युक्तियुक्त रूप से आवश्यक है वहाँ तक सीमित रखा जाना चाहिए। आमतौर से तकाजा टकराववाले हितों में संतुलन स्थापित करना है। वाक्-स्वातन्त्र्य को जितना जरूरी हो उससे ज्यादा सीमित नहीं किया जाना चाहिए, पर अगर यह न्याय-प्रशासन को सचमुच दुष्प्रभावित करने लगे तो इसकी अनुमति नहीं दी जा सकती है।

भारत के उच्चतम न्यायालय के न्यायाधीश कृष्ण अय्यर ने (वरद्कान्त बनाम रजिस्ट्रार, उड़ीसा उच्च न्यायालय) के मामले में कहा कि उच्चतम न्यायालय और उच्च न्यायालयों को वाक्-स्वातन्त्र्य का रक्षक होने के नाते न्यायिक हमले के खिलाफ भी सतर्कतापूर्वक रक्षा करनी चाहिए। यह एक नाजुक किन्तु पवित्र कर्तव्य है। इसे पूरा करने के लिए सहनशीलता और उच्च स्तर की निष्पक्षता की जरूरत होगी।

अब इस अधिनियम के प्रावधानों पर विस्तृत नजर डाली जाय।

धारा २ में न्यायालय के अवमान की परिभाषा दी गयी है। ऐसा पहली बार १९७१ के अधिनियम में किया गया। इससे पूर्ववर्ती १९२६ और १९५२ के अधिनियमों में परिभाषा नहीं दी गयी थी क्योंकि तब तक यह मान्यता थी कि इंग्लैंड और भारत के न्यायालयों ने अपने न्याय-निर्णयों से न्यायालय के अवमान का निश्चित अर्थ स्थिर कर दिया है।

इस धारा के अनुसार जब तक सन्दर्भ भिन्न न हो, न्यायालय का अवमान दो प्रकार का होगा—सिविल और आपराधिक।

सिविल अवमान

न्यायालय के किसी निर्णय, डिग्री, निर्देश, आदेश, समादेश (रिट) या किसी अन्य प्रक्रिया (प्रेसेस) की जान-बूझकर अवज्ञा या न्यायालय को दिये गये किसी वचन का जान-बूझकर उल्लंघन करना न्यायालय का सिविल अवमान है।

यदि अवज्ञा या वचन-भंग जान-बूझकर न किया गया हो तो किसी को अवमान का दोषी नहीं ठहराया जा सकता है। यदि यह सिद्ध हो जाए कि सम्बद्ध व्यक्ति को न्यायालय के आदेश, निर्देश आदि की जानकारी नहीं थी तो अवज्ञा को जान-बूझकर की गयी अवज्ञा नहीं माना जायगा। पर, जानकारी होना सिद्ध हो जाय तो अभियुक्त यह कह कर बच नहीं सकता कि अवज्ञा करने का उसका सीधा कोई इरादा नही था।

व्यक्तियों को ही नहीं, निगमों को भी न्यायालय के अवमान के लिए दण्डित किया जा सकता है। निगम और उसके अधिकारियों, अभिकर्ताओं और अन्य

व्यक्तियों की सम्पत्ति की कुर्की की जा सकती है। साथ ही इन लोगों को छह मास तक की अवधि के लिए सिविल जेल में बन्द रखा जा सकता है।

दण्ड

न्यायालय अवमान के लिए दोषी ठहराये गये व्यक्ति को धारा १२ के अन्तर्गत छह मास तक की साधारण कैद या दो हजार रुपये तक के जुर्माने या दोनों सजाओं से दण्डित किया जा सकता है। कोई अदालत अवमान के लिए इससे अधिक दण्ड नहीं दे सकती है। पर अभियुक्त माफी माँग ले और न्यायालय इससे सन्तुष्ट हो जाय तो वह उसे छोड़ दे सकता है या सजा कम कर सकता है। यदि क्षमा-याचना सद्भावपूर्वक (वोनाफाइडी) की गयी हो तो न्यायालय इस आधार पर उसे अस्वीकार नहीं कर सकता कि यह सापेक्ष (क्वालिफाइड) या सशर्त है। सिविल अवमान के मामले में यदि न्यायालय समझता है कि जुर्माना करना काफी नहीं है इसलिए अभियुक्त को कारावास का दण्ड देना जरूरी है तो वह साधारण कारावास के बजाय उसे अधिकाधिक छह मास तक सिविल कारागार में रखने का आदेश देगा।

किसी कम्पनी को अदालत को दिये गये वचन-भंग करने का दोषी ठहराये जाने पर उसके उस प्रत्येक व्यक्ति को, जो अवमान होने के समय कम्पनी के कारोबार के संचालन के लिए जिम्मेदार था, छह मास तक सिविल कारागार में रखा जा सकता है। ऐसे व्यक्ति को सजा नहीं दी जायगी जो यह सिद्ध कर दे कि न्यायालय का अवमान उसकी जानकारी में नहीं किया गया था या उसने इसे रोकने के लिए पूरी तत्परता बरती थी।

अगर यह सिद्ध हो जाय कि न्यायालय का अवमान कम्पनी के किसी निर्देशक, प्रबन्धक, सचिव या अन्य अधिकारी की सहमति या मौन स्वीकृति से या उसके द्वारा उपेक्षा किये जाने के कारण हुआ था तो उसे भी छह मास तक की सिविल जेल में रखने का दण्ड दिया जा सकता है।

कम्पनी से तात्पर्य किसी निगम, फर्म या व्यक्तियों के एसोसिएशन से है। कम्पनी के निर्देशक से तात्पर्य उसके भागीदार से है।

यह आवश्यक नहीं है कि न्यायालय अभियुक्त की क्षमा-याचना को स्वीकार करे ही अर्थात् न्यायालय का अवमान करनेवाला सजा से बचने के लिए क्षमा-याचना के हथियार का इस्तेमाल निश्चित सफलता के रूप में नहीं कर सकता है। सजा से बचने के लिए उसे अदालत को सन्तुष्ट करना होगा कि वह प्रामाणिकता से क्षमा माँग रहा है। क्षमा-याचना लिखित में या मौखिक किसी भी प्रकार से की जा सकती है। अगर यह सुनवाई के प्रारम्भिक चरण में कर दी जाय तो अदालत को उसकी प्रामाणिकता पर शक नहीं रहता है। अगर सुनवाई के अन्त में या उसके निकट किसी समय में क्षमा माँगी जाय और इस विलम्ब का सन्तोषजनक कारण न बताया जाय तो न्यायालय उसे प्रामाणिक न होना मानकर अस्वीकार कर सकता है।

१६७१ के अधिनियम से पहले न्यायालय पर यह बन्धन नहीं था कि वह सापेक्ष या सशर्त क्षमा-याचना को (यदि वह सद्‌भावपूर्ण हो) अस्वीकार नहीं ही करेगा । पर १६७१ के अधिनियम की धारा १२ (१) में स्पष्टीकरण जोड़ कर ऐसा उपबन्ध किया गया है कि अभियुक्त यह कह कर छूट सकता है कि "मैं नहीं समझता कि मैंने न्यायालय का अवमान किया है पर अगर मुझसे ऐसा हुआ है तो मुझे क्षमा कर दिया जाय ।" यह प्रावधान संसद् की प्रवर समिति (भार्गव समिति) की सिफारिश पर किया गया ।

सिविल अवमान के लिए अभियुक्त को साधारण कारावास नहीं दिया जा सकता है जब कि आपराधिक अवमान करनेवालों को दिया जा सकता है । इसका कारण यह है कि सिविल अवमान करनेवाले का दोष उतना गम्भीर नहीं होता जितना आपराधिक अवमान करनेवाले का समझा जाता है । सिविल अवमान के लिए दण्ड का उद्देश्य अवमान करनेवाले को सजा देने से ज्यादा उन आदेशों पर अमल कराना होता है जिनकी अवज्ञा की गयी हो ।

इसलिए, न्यायालय से अपेक्षा की गयी है कि वह सिविल अवमान के लिए दोषी पाये गये व्यक्ति को आमतौर से जुर्माने से दण्डित करेगा । अगर अवज्ञा या वचनभंग गम्भीर किस्म का हो तो उसे सिविल कारागार में रखने का आदेश दिया जा सकता है जिसकी अधिकाधिक अवधि छह मास होगी । किन्तु, ऐसा करते हुए उच्च न्यायालय को इसका कारण बताना चाहिए ।

आपराधिक अवमान

आपराधिक अवमान का अर्थ ऐसी सामग्री का प्रकाशन, चाहे लिखित या बोले गए शब्दों से, या संकेतों से, या दृश्यरूपण से, या अन्यथा हो, या कोई अन्य कार्य करना जो (१) किसी न्यायालय को कलंकित करे या कलंकित करनेवाला हो अथवा जो न्यायालय के प्राधिकार को गिराता हो या गिरानेवाला हो, (२) किसी न्यायिक कार्यवाही के सम्यक् संचालन पर प्रतिकूल प्रभाव डालता हो या डालनेवाला हो, या उसमें हस्तक्षेप करता हो या हस्तक्षेप करनेवाला हो, और (३) न्याय-प्रशासन में किसी अन्य तरीके से हस्तक्षेप करता हो या हस्तक्षेप करनेवाला हो अथवा उसमें विघ्न डालता हो या विघ्न डालनेवाला हो ।

प्रेस पर असर

न्यायालय अवमान का यह उपबन्ध प्रेस पर सीधा असर डालता है । न्याय-प्रशासन, न्याय-प्रक्रिया, न्यायाधीशों के आचरण, उनके निर्णयों आदि के विषय में लिखी गई बातें अनेक बार पत्रकारों को इस कानून के शिकंजे में जकड़ देती हैं । आपराधिक अवमान का दायरा बहुत व्यापक है । इसके अभियोग की सुनवाई की प्रक्रिया असाधारण और कठोर है । प्रक्रिया और दण्ड पर विचार करने से पहले इससे सम्बद्ध प्रावधानों के अभिप्राय, प्रकृति और प्रतिफल पर विचार किया जाए ।

न्यायालय के अवमान की मूल अवधारणा यह है कि सार्वजनिक न्याय-प्रशासन में डाली जानेवाली किसी भी बाधा से जनता की रक्षा की जानी चाहिए । ऐसा कोई भी काम करना जो न्यायालय के प्राधिकार को क्षति पहुँचाता है या जिससे उसमें जनविश्वास गिरता है, इस तरह की बाधा डालना है और इस प्रकार न्यायालय का अवमान करना है ।

पूरे न्यायालय या न्यायाधीशों को अलग-अलग कलंकित करना या उनके प्राधिकार को गिराना न्यायालय का गम्भीर आपराधिक अवमान समझा जाता है । अदालतें इन कार्यों पर कड़ा रूख अपनाती हैं और अवमान करनेवाले को संक्षिप्त विचारण के बाद दण्डित करती है । यदि किसी न्यायाधीश की योग्यता, ईमानदारी या निष्पक्षता के बारे में आरोप लगाए जाते हैं या इनके आधार पर उनकी आलोचना की जाती है तो यह समझा जाता है कि इससे न्याय-प्रशासन में जनता का विश्वास क्षीण होगा । इसी तरह न्यायालय पर पक्षपात, द्वेषभाव, उद्देश्यमूलता, भ्रष्टाचार, न्याय-प्रक्रिया को कुण्ठित या विकृत करने, बाहरी कारणों से कोई निर्णय करने जैसे आरोप लगाने या उसकी खिल्ली उड़ाने या शाब्दिक प्रहार करने जैसे प्रकाशन या कार्य करने से न्यायालय का अवमान होता है । संक्षेप में, ऐसा कुछ भी प्रकाशित करना या कार्य करना, जिससे लोगों के मन में न्यायालय या न्यायाधीश विशेष की योग्यता, ईमानदारी या निष्पक्षता के बारे में शंका पैदा हो, या जो लोगों को न्याय-प्रशासन में पूर्ण विश्वास रखने से रोके या खुद न्यायाधीश के मन में अपने न्यायिक कर्तव्य निभाने में कोई परेशानी पैदा करे, न्यायालय का अवमान करना है ।

किन्तु न्यायाधीशों के व्यक्तिगत अर्थात् गैर-न्यायीय कार्यों के सिलसिले में उनकी आलोचना न्यायालय के अवमान के दायरे में नहीं आती । यह आलोचना मानहानिकारक हो सकती है और सम्बद्ध न्यायाधीश अपनी प्रतिष्ठा की रक्षा के लिए भारतीय दण्ड संहिता की धारा ४९९ के अधीन अन्य नागरिकों की तरह मानहानि का मुकदमा चला सकता है । किन्तु, यदि न्यायाधीश के गैर-न्यायीय कार्यों या आचरण की आलोचना इस उद्देश्य से या इस तरह से की जाय जिससे न्याय-प्रशासन में लोगों का विश्वास गिरने की सम्भावना हो तो यह न्यायालय का अवमान करना होगा ।

किसी न्यायिक कार्य पर भी उचित और युक्तियुक्त टिप्पणी की जा सकती है । ऐसा करना न्यायालय का अवमान नहीं होता । पर, इस बात का ध्यान रखा जाना चाहिए कि आलोचना मर्यादित हो, द्वेषभाव से न की जाय और इसमें न्याय-प्रशासन का ह्रास करने की कोशिश निहित न हो । अदालत के किसी अन्तिम निर्णय से असहमति व्यक्त की जा सकती है तथा उसे गलत बताकर उसकी मर्यादित आलोचना की जा सकती है । पर, इसके लिए न्यायाधीश या न्यायालय पर अप्रामाणिकता का आरोप लगाने से उचित आलोचना का सीमोल्लंघन हो जाता है और ऐसा प्रकाशन न्यायालय के अवमान की मार में आ जाता है ।

न्यायिक कार्यवाही के सम्यक् संचालन पर प्रतिकूल प्रभाव डालने का अर्थ है कि कोई ऐसा परिणाम प्राप्त करना जो सामान्य अनुक्रम में मिलनेवाले परिणाम से

भिन्न हो । गवाहों को गवाही देने से रोकना, वादी-प्रतिवादियों पर मुकदमा खत्म करने या समझौता कर लेने के लिए दबाव डालना या प्रभावित करना, किसी पक्षकार की आलोचना करना, विशेष प्रकार का साक्ष्य देने या न देने के लिए कहने जैसा उचित विचारण पर प्रतिकूल असर डालनेवाला कोई भी प्रकाशन या कार्य इसके दायरे में आता है । सम्बद्ध प्रकाशन या कार्य भले ही गलत इरादे से न किया गया हो और इसका परिणाम मुकदमे के निर्णय पर वास्तव में पड़े या न पड़े, सजा के लिए इतना ही काफी होता है कि इससे न्यायाधीश, वादी-प्रतिवादियों और गवाहों आदि पर प्रतिकूल असर पड़ सकता है । कथन में सचाई हो तो भी सजा से बचा नहीं जा सकता है । हाँ, सजा देने में नरमी बरती जा सकती है । किन्तु, निर्दोष प्रकाशनों या, मुकदमे के अदालत के विचाराधीन होने की जानकारी या न्यायाधीन होने पर विश्वास करने के युक्तियुक्त आधार के अभाव में किया गया कार्य दण्डनीय नहीं होता ।

कोई वाद अदालत के विचाराधीन कब से कब तक होता है ? यह एक महत्त्वपूर्ण प्रश्न है जिसकी स्पष्ट जानकारी पत्रकारों और अन्य सबको होनी चाहिए, क्योंकि विचाराधीन मामलों पर टिप्पणी करना या "समानान्तर विचारण" चलाना न्यायालय का अवमान करना होता है ।

धारा ३ में जोड़े गए स्पष्टीकरण के अनुसार सिविल मामला उसे दायर करने के समय से विचाराधीन हो जाता है । किन्तु कोई अपराध किये जाने का मामला हो तो अभियुक्त के खिलाफ अभियोग-पत्र (चार्जशीट) या अदालत में चालान दाखिल करने पर या अदालत द्वारा समन अथवा वारण्ट जारी किये जाने पर ही उसे अदालत के विचाराधीन माना जाता है । अन्य मामलों में अदालत द्वारा मामले का संज्ञान करने पर उसे विचाराधीन समझा जाता है । मामला उस समय तक विचाराधीन माना जाता है जब तक अपील या पुनरीक्षण के लिए दायर याचिकाओं पर विचारण समेत मामलों का अन्तिम निपटान नहीं हो जाता है ।

किन्तु, निर्णय पर अमल के सम्बन्ध में कोई न्यायिक कार्यवाही चल रही हो तो उसकी अवधि को मामले के विचाराधीन होने की अवधि नहीं माना जाता । अर्थात्, अदालत द्वारा डिग्री, आदेश या सजा की अन्तिम घोषणा के साथ ही मामले का विचाराधीन रहना खत्म हो जाता है ।

यह उल्लेखनीय है कि १९७१ के अधिनियम से पहले "आसन्न" (इमीनेंट) न्यायिक कार्यवाही पर प्रतिकूल प्रभाव डालनेवाली बातें प्रकाशित करने या ऐसा कोई कार्य करने को भी न्यायालय का अवमान माना जाता था । परन्तु सान्याल समिति की सिफारिश पर इसे कानून से निकाल दिया गया था क्योंकि इतने विशाल देश के हजारों न्यायालयों में से किसी में कोई मुकदमा शुरू होनेवाला होने की जानकारी रखना सम्भव नहीं है । वैसे सान्याल समिति ने सिविल मामलों में 'असन्नता' का उपबन्ध खत्म करने और आपराधिक मामलों में इसे अधिक स्पष्ट करने की सिफारिश की थी, किन्तु संसद् ने दोनों ही मामलों में इसे कानून से हटाना उचित समझा ।

इस प्रकार किसी मामले की प्रथम इत्तिला रिपोर्ट दर्ज होने या पुलिस द्वारा मामले की जाँच किये जाने मात्र से वह न्यायालय के विचाराधीन नहीं हो जाता है ।

समाचारपत्रों द्वारा विचारण

समाचारपत्र में किसी वाद से सम्बद्ध बातों या व्यक्तियों पर उस समय टीका-टिप्पणी करने से वादियों-प्रतिवादियों और गवाहों का मन-मस्तिष्क मुकदमे के सिलसिले में प्रभावित हो सकता है । हो सकता है कि गवाह गवाही देने के लिए आगे न आयें या असत्य गवाही दें या वादी लोगों की नापसन्दगी अथवा आलोचना के भय से, न चाहते हुए भी, मामला वापस लेना या प्रतिवादी समझौता करना बेहतर समझें । हो सकता है कि समाचारपत्र मे छपी बातों के कारण अन्य लोग अभियुक्त के बारे में यह राय बना लें कि वही दोषी है, भले ही अदालत अन्ततः उसे निर्दोष पाये । न्यायाधीश का दिमाग भी अखबारों में छपे तथ्यों या टिप्पणियों से प्रभावित हो सकता है । अगर न्यायाधीश सचमुच प्रभावित न हो, पर लेखन न्यायाधीश को प्रभावित कर सकने वाला हो, तो भी उसका प्रकाशन आपत्तिजनक माना जायगा । ये और इस तरह की सब बातों का समाचारपत्रों में उस समय प्रकाशन, जब मामला अदालत के विचाराधीन हो, समानान्तर विचारण करना है । यह न्यायिक कार्यवाही के सम्यक् रुख को प्रतिकूल रूप से प्रभावित करता है, और इस तरह न्यायालय का अवमान माना जाता है । समाचारपत्रों को इस तरह की स्थिति से अनेक बार सामना पड़ता है ।

मुकदमे की सुनवाई से पहले ही अदालत का मन किसी पक्षकार के खिलाफ बनाने की कोशिश करना, सम्भावित गवाही को, जो अभी अदालत में पेश नहीं की गई हो, प्रकाशित करना या उस पर सार्वजनिक रूप से वाद-विवाद करना, विचाराधीन मामले के गुण-दोष पर बहस चलाना, अदालत में प्रस्तुत साक्ष्य को गलत ढंग से पेश करना, अभियुक्त या अन्य पक्षकार के चरित्र पर उस अवधि के दौरान टीका-टिप्पणी करना जब मामला विचाराधीन हो, अदालत के फैसले से पूर्व ही किसी अभियुक्त को दोषी घोषित करना, या ऐसे तथ्य छापना जिनसे वह दोषी प्रकट होता हो, किसी पक्षकार को धमकी देना, न्यायाधीश को उसके निर्णय को प्रभावित करने के उद्देश्य से पत्रादि भेजना—ये और ऐसी सब बातें न्यायालय का अपमान करती हैं क्योंकि इनसे न्याय-प्रशासन में जनविश्वास का ह्रास और न्याय-प्रक्रिया में हस्तक्षेप होता है ।

लेकिन, हस्तक्षेप काफी (सब्सटेंशियल) हो तभी सजा दी जा सकती है, मामूली हस्तक्षेप के आधार पर नहीं । अवमान के लिए कार्रवाई की यह आवश्यक शर्त है ।

न्यायालय के अवमान के सन्दर्भ में लोगों के सूचना के अधिकार और उचित न्याय पाने के अधिकारों में टकराव होता है । अवमान कानून पत्रकारों को मामलों से सम्बद्ध आवश्यक सूचनाओं के उद्घाटन से रोकता है और जनता को पूरी

जानकारी सार्वजनिक रूप से नहीं देने देता । यह जानकारी मुकदमे के सही निर्णय के लिए भी उपयोगी हो सकती है । किन्तु अदालतें इसे न्यायिक कार्यवाही के सम्यक् संचालन में हस्तक्षेप मानती हैं । उन परिस्थितियों और ऐसे लेखन के मामलों में उनका यह मानना उचित भी है जिनसे न्याय-प्रक्रिया पर प्रतिकूल असर पड़ता हो । पर, इसके कारण पत्रकारों और पत्रों को विचाराधीन वाद के विषय में कुछ भी प्रकाशित करने से रोकना निश्चय ही जानकारी के प्रसार और सार्वजनिक बहस से होनेवाले जनहित के विरुद्ध है । अतः अदालतों को उदार रुख अपनाते हुए यह देखना चाहिए कि दोनों में से किससे अधिक जनहित होता है । परन्तु, न्यायालय के अवमान के मामलों का अध्ययन बताता है कि अदालतें इस विषय में बहुत नाजुक मिजाज हैं, वे विचाराधीन मामलों पर अखबारों में टीका-टिप्पणी किया जाना या ऐसे तथ्य प्रकाशित करना जो साक्ष्य के रूप में उनके सामने अभी तक प्रस्तुत नहीं किये गये हैं, अक्सर बर्दाश्त नहीं करतीं ।

कानून में उल्लिखित कुछ शर्तों का पालन करते हुए न्यायिक कार्यवाही की उचित (फेयर) और सही रिपोर्ट, न्यायिक कार्य की उचित टीका-टिप्पणी, कुछ विनिर्दिष्ट मामलों को छोड़कर अन्य मामलों पर न्यायाधीशों के कक्ष में या बन्द अदालत में हुई सुनवाई की उचित और सही रिपोर्ट प्रकाशित करना या यह न जानते हुए या इस बात पर विश्वास करने का युक्तियुक्त आधार न होने पर कि अमुक मामला न्यायालय के अवमान के दायरे में आता है, उसे प्रकाशित या वितरित करना दण्डनीय अवमान नहीं होते । इससे सम्बद्ध प्रावधान धाराओं ३ से ७ में किये गये हैं ।

उचित टीका-टिप्पणी की स्पष्ट परिभाषा कानून में नहीं की गयी है । किन्तु, न्यायिक निर्णयों के अनुसार यह हर मामले के तथ्यों और परिस्थितियों पर निर्भर करेगी । यह देखकर इसका फैसला करना होगा कि किस तरह की भाषा का प्रयोग किया गया है, किस स्थिति में और किस सन्दर्भ में टिप्पणी की गयी है; यह किन लोगों के लाभ के लिए की गयी है और इससे वादी-प्रतिवादियों पर तथा न्यायालय व न्याय-प्रशासन के सन्दर्भ में समाज पर क्या असर होता है । अगर टीका-टिप्पणी के आड़ में न्यायाधीश पर अनुचित उद्देश्य, पक्षपात, मनमानेपन, अकुशलता, अयोग्यता, अप्रामाणिकता, अशिष्टता आदि के आक्षेप किये जायँ तो इसे उचित टीका-टिप्पणी नहीं कहा जायगा । उचित टीका-टिप्पणी भी मामले की सुनवाई पूरी हो जाने और उस पर अन्तिम फैसला हो जाने पर ही की जा सकती है, सुनवाई के दौरान नहीं ।

निचली अदालतों के पीठासीन अधिकारियों (मजिस्ट्रेटों, जजों आदि) के बारे में उनसे उच्च अदालतों से या उच्च न्यायालय से, जिसके अधीन वह हो, कोई बात कहना न्यायालय का अवमान करना नहीं होता, यदि बात सद्भाव से कही गयी हो । अर्थात्, इसका उद्देश्य न्याय-प्रशासन को सुधारना हो, उसमें हस्तक्षेप करना अथवा निचली अदालत या उसके पीठासीन अधिकारी को कलंकित करना न हो । इस काम से न्यायालय का अवमान हुआ है या नहीं, उच्च न्यायालय इसका निर्णय

यह देखकर करते हैं कि प्रकाशन में किस तरह की भाषा का प्रयोग किया गया है, बात का कितना प्रचार किया गया है, और उचित आलोचना की सीमा का अतिक्रमण तो नहीं किया गया है ।

धारा ७ के अन्तर्गत बन्द अदालत में या न्यायाधीश के कक्ष में हुई कार्यवाही की उचित और सही रिपोर्ट का प्रकाशन चार अपवादों को छोड़ अन्य किसी भी स्थिति में करने पर न्यायालय का अवमान नहीं होता । न्यायाधीश के कक्ष या बन्द अदालत की कार्यवाही का प्रकाशन जिन परिस्थितियों में न्यायालय के अवमान के लिए दण्डनीय हो सकता है, वे हैं—

१. किसी विद्यमान कानून के प्रावधानों के प्रतिकूल प्रकाशन,
२. यदि अदालत ने लोकनीति के आधार या अपने में निहित किसी अधिकार का प्रयोग करते हुए कार्यवाही के बारे में सब प्रकार की सूचना के या प्रकाशित विवरण के बारे में सूचना के प्रकाशन पर स्पष्टतः रोक लगाई हो,
३. यदि सार्वजनिक व्यवस्था या राज्य की सुरक्षा से सम्बद्ध कारणों से अदालत की कार्यवाही न्यायाधीश के कक्ष में या बन्द अदालत में हो तो उस कार्यवाही के बारे में जानकारी का प्रकाशन, और
४. यदि सूचना का सम्बन्ध ऐसी किसी गोपनीय प्रक्रिया, खोज या ईजाद से हो जो कार्यवाही में एक मुद्दा हो ।

न्यायाधीश के कक्ष में या बन्द अदालत के रूप में बैठे न्यायालय द्वारा जारी किसी आदेश के पूरे पाठ को, या पूरे पाठ अथवा उसके किसी हिस्से के उचित और सही संक्षेपण (समरी) को प्रकाशित करना न्यायालय का अवमान नहीं होता अगर न्यायालय ने उपर्युक्त अपवादों के आधार पर उसका प्रकाशन स्पष्टतः प्रतिषिद्ध न कर दिया हो ।

उच्चतम न्यायालय और उच्च न्यायालयों को अपने अवमान के लिए तो किसी को भी दण्ड देने का अधिकार है ही, उच्च न्यायालय अपनी अधीनस्थ अदालतों के अवमान को अपना अवमान मानकर उसी प्रक्रिया और व्यवहार के अनुसार कार्यवाही कर सकते हैं जैसे वह अपने अवमान के सिलसिले में करते हैं । उच्च न्यायालय अपने क्षेत्राधिकार के बाहर हुए अदालत के अवमान के लिए दण्ड दे सकता है । यदि निचली अदालत का अवमान ऐसे अपराध के कारण हुआ हो जो भारतीय दण्ड संहिता के अधीन दण्डनीय है तो उच्च न्यायालय उस पर विचार नहीं कर सकता क्योंकि उसके लिए दण्ड की व्यवस्था उस संहिता में मौजूद है ।

सामने अवमान

अदालत के सामने उसका अवमान बहुत गंभीर अपराध माना जाता है । इसके लिए दण्ड और दण्ड देने की प्रक्रिया का प्रावधान न्यायालय अवमान अधिनियम, १९७१ की धारा १४ में किया गया है ।

जब उच्चतम न्यायालय या उच्च न्यायालय के समक्ष यह आरोप लगाया जाए या इन अदालतों को स्वयं यह लगे की अमुक व्यक्ति ने उनकी उपस्थिति में या उनके

सुनने में न्यायालय का अवमान किया है तो वह उस व्यक्ति को हिरासत में लिवा सकती है । उसके बाद अभियुक्त को उस दिन अदालत के उठने से पूर्व किसी समय या उसके उपरान्त यथाशीघ्र उसे उसके खिलाफ लगे आरोप की लिखित सूचना दी जानी चाहिए । अभियुक्त को आरोप का जबाब देने का अवसर दिया जाएगा । उसकी आवश्यक गवाही लेकर और वह जो कहना चाहे उसे सुनकर या तो उसी समय या बाद में, जैसा उचित समझा जाए, सजा दी जा सकती है या उसे बरी किया जा सकता है ।

अभियुक्त को यह अनुरोध करने का अधिकार है कि मामले की सुनवाई दूसरे न्यायाधीश करें । यदि न्यायालय के मत में ऐसा करना व्यावहारिक और न्याय प्रशासन के हित में हो तो मामला उससे सम्बद्ध तथ्यों के वक्तव्य के साथ मुख्य न्यायाधीश के समक्ष उनके निर्देशों के लिए प्रस्तुत किया जाएगा । उन न्यायाधीशों को गवाह के रूप में पेश होने को नहीं कहा जा सकता जिनके सामने या सुनने में न्यायालय के अवमान की कथित घटना हुई हो । अभियुक्त को अदालत द्वारा विनिर्दिष्ट रकम की जमानत पर इस बन्धन के साथ छोड़ दिया जाना चाहिए कि वह बांड में लिखित समय और स्थान पर उपस्थित होगा । अदालत ठीक समझे तो अभियुक्त को उपर्युक्त शर्त के साथ व्यक्तिगत बांड पर भी रिहा कर सकती है ।

अदालत के सामने हुए अवमान के अलावा आपराधिक अवमान के मामले में उच्चतम न्यायालय या उच्च न्यायालय या तो स्वयं कार्रवाई शुरू कर सकता है या यह महाधिवक्ता के प्रस्ताव पर की जा सकती है । कोई अन्य व्यक्ति भी महाधिवक्ता की लिखित सहमति से ऐसा प्रस्ताव कर सकता है । चूँकि दिल्ली पूर्ण राज्य नहीं है अतः यहाँ महाधिवक्ता नहीं होता । इसलिए दिल्ली में इस विषय के सिलसिले में महाधिवक्ता का स्थान केन्द्रीय सरकार द्वारा विनिर्दिष्ट किसी विधि अधिकारी द्वारा या उसकी लिखित सहमति से किसी अन्य व्यक्ति द्वारा लिया जाता है । उच्चतम न्यायालय के अवमान के सिलसिले में कार्यवाही का प्रस्ताव महान्यायवादी (अटार्नी जनरल) करता है ।

उच्च न्यायालय निचली अदालतों से प्राप्त सन्दर्भों पर उनके अवमान के लिए कार्रवाई कर सकता है । इसमें भी वही प्रक्रिया अपनाई जाती है जो उच्च न्यायालय द्वारा उसके अवमान के सिलसिले में कारवाई करने के लिए निर्धारित है । यहाँ यह स्पष्ट है कि कोई व्यक्ति राज्यों में महाधिवक्ता और दिल्ली में विनिर्दिष्ट विधि अधिकारी के लिखित सहमति के बगैर किसी के खिलाफ अदालत के अवमान का मामला दायर नहीं कर सकता है ।

न्यायाधीश, मजिस्ट्रेट या न्यायिक कार्य करनेवाला कोई अधिकारी भी अपने या अन्य किसी न्यायालय के अवमान के लिए उसी तरह से दंडित किया जा सकता है जैसे अन्य कोई व्यक्ति । हाँ, कोई न्यायाधीश, मजिस्ट्रेट या न्यायिक कार्य करनेवाला अधिकारी अगर किसी अपील या पुनरीक्षा याचिका पर सुनवाई के दौरान निचली अदालत के बारे में कोई मत या टिप्पणी करे तो उसके कारण उसे न्यायालय के अवमान का दोषी नहीं माना जाएगा ।

इस प्रावधान के पीछे विचार यह है कि चूँकि न्यायालय की अवमानना के कानून का उद्देश्य न्यायालय के प्रति लोगों का विश्वास कायम रखना है, इसलिए स्वयं न्यायाधीशों, मजिस्ट्रेटों आदि का यह कर्तव्य है कि वह अपनी अदालतों की गरिमा बनाए रखें। इसके विपरीत कार्य करने पर उन्हें भी न्यायालय की अवमानना के दोषी अन्य किसी भी व्यक्ति के समान माना जाएगा।

किसी अन्य अदालत के न्यायिक कार्य में जान-बूझकर अनुचित या भ्रष्ट उद्देश्यों (मोटिव) से हस्तक्षेप करनेवाला न्यायाधीश न्यायालय की अवमानना करता है। इसी तरह उच्च अदालत के किसी आदेश की जान-बूझकर अवज्ञा करना और किसी प्रशासनिक अधिकारी द्वारा किसी मजिस्ट्रेट से यह कहना कि वह उच्च अदालत के निर्णय की उपेक्षा करे, भी न्यायालय का अवमान करना होता है।

न्यायालय अवमान के मामले को किसी अन्य उच्च न्यायालय को स्थानान्तरित नहीं किया जा सकता है। जिस उच्च न्यायालय या उसके अधीनस्थ अदालतों की कथित अवमानना हुई हो वही मामले की सुनवाई कर सकता है।

अदालत के सामने किए गए अवमान और अन्य प्रकार के आपराधिक अवमान की मामलों की सुनवाई की प्रक्रिया में भेद किया गया है। पहले प्रकार के अवमान में न्यायालय अभियुक्त को तुरन्त हिरासत में लेने और एक संक्षिप्त प्रक्रिया से दण्डित करने की कार्यवाही चलाता है। पर, अन्य प्रकार के आपराधिक अवमान के मामले में अभियुक्त को व्यक्तिगत रूप से नोटिस दी जाती है जिसके साथ उच्च न्यायालय द्वारा कार्यवाही शुरू करने के प्रस्ताव (मोशन) की प्रति और यदि कोई शपथ-पत्र दाखिल किए गए हों तो उनकी प्रतियाँ, और यदि कार्यवाही किसी निचली अदालत से प्राप्त सन्दर्भ पर शुरू की गई हो तो उस सन्दर्भ की प्रति, दी जानी चाहिए। यदि न्यायालय अभियुक्त को व्यक्तिगत रूप से नोटिस न देने का निर्देश दे तो उसे इसका कारण लिखना आवश्यक होता है। यदि अदालत को विश्वास हो कि अभियुक्त फरार हो सकता है या नोटिस लेने से बचने की कोशिश करेगा तो वह उसकी उतने मूल्य या राशि की सम्पत्ति को कुर्की करने का आदेश दे सकता है, जितनी वह युक्तियुक्त समझे।

अवमान का अभियुक्त अपने बचाव के समर्थन में शपथ-पत्र दाखिल कर सकता है। अदालत या तो शपथ-पत्र के आधार पर या और आवश्यक साक्ष्य लेकर अभियुक्त को दण्डित या बरी कर सकती है।

न्यायालय के सामने हुए अवमान के मामलों को छोड़कर आपराधिक अवमान के हर मामले की सुनवाई और निर्णय कम-से कम दो न्यायाधीशों की पीठ कर सकती है, कोई अकेला न्यायाधीश नहीं, भले ही वह मुख्य न्यायाधीश ही क्यों न हो। यह बात न्यायिक आयुक्त के न्यायालय पर लागू नहीं होती क्योंकि उसमें केवल एक न्यायाधिकारी होता है। (धारा १८)

अपील

किसी प्रकार के न्यायालय के अवमान के लिए दोषी पाए गए हर व्यक्ति को अपील करने का अधिकार है। दण्ड देनेवाले न्यायालय की अनुमति इसके लिए

जरूरी है। अपील न्यायालय के आदेश या निर्णय के खिलाफ की जा सकती है। यह अधिकार, १९७१ के अधिनियम से दिया गया है। उससे पहले के अधिनियमों में इसका प्रावधान एक अधिकार के रूप में नहीं था। यदि अदालत अवमान की कार्यवाही आरम्भ करने से ही इन्कार कर दे तो इस कानून के अन्तर्गत उसके इस निर्णय के विरुद्ध अपील नहीं हो सकती है। संविधान की धारा, १३६ के अन्तर्गत उच्चतम न्यायालय से अपील की विशेष प्रार्थना की जा सकती है जो नागरिक का एक सामान्य अधिकार है।

किससे अपील ?

अकेले न्यायाधीश के आदेश या निर्णय के विरुद्ध अपील तीस दिन के अन्दर उच्च न्यायालय के पीठ से की जा सकती है। पीठ में कम-से-कम दो न्यायाधीश होने चाहिए। पीठ के आदेश या निर्णय के खिलाफ अपील उच्चतम न्यायालय में की जा सकती है। केन्द्रशासित प्रदेशों के न्यायिक आयुक्तों के आदेश या निर्णय के विरुद्ध अपील सीधे उच्चतम न्यायालय में हो सकती है क्योंकि वहाँ यह न्यायिक अधिकारी अकेला होता है। उच्चतम न्यायालय में अपील उस आदेश के जारी किए जाने के ६० दिन के अन्दर की जा सकती है जिसके खिलाफ अपील की जाए। अन्तर्वर्ती (इन्टर-लॉक्यूटरी) आदेश के खिलाफ अपील इस कानून के अन्तर्गत नहीं की जा सकती है। (धारा १९)

काल-सीमा (लिमिटेशन)

न्यायालय के अवमान की न्यायिक कार्यवाही अवमान का कथित कार्य किए जाने से एक वर्ष की अवधि के भीतर शुरू की जा सकती है। इससे एक दिन भी ऊपर हो जाने पर कार्यवाही नहीं की जा सकती है। यह समय-सीमा न्यायालय के सब प्रकार के अवमान पर लागू होती है।

सुधार के सुझाव

भारतीय प्रेस परिषद् ने न्यायालय अवमान अधिनियम का भारतीय विधि संस्थान के सहयोग से विस्तृत अध्ययन किया। इसके आधार पर परिषद् ने १९८२ में इसमें सुधार की निम्नलिखित सिफारिशें कीं—

धारा २ (ग) के अन्तर्गत परिभाषा खण्ड में जोड़ा जाए कि—"यदि कोई कार्य सम्यक् सावधानी और सतर्कता से नहीं किया जाता तो उसे सद्भाव से किया गया नहीं कहा जा सकता है।" धारा ५ में नया प्रावधान आवश्यक है। यह इस तरह हो—

"धारा ५(क) किसी वक्तव्य का प्रकाशन जो सत्य है अथवा जिसे लेखक सद्भाव में सत्य मानता है, वह आपराधिक अवमान नहीं होगा, यदि वक्तव्य का ऐसा प्रचार न किया गया हो, जिसे मामले की परिस्थितियों में अतिशय पाया जाए।"

धारा १२ में यह परन्तु जोड़ा जाए—

"परन्तु, यदि अवमानक अपनी प्रतिरक्षास्वरूप सत्य की अथवा सत्य में सदाशयी विश्वास की अभ्यर्थना करता है तथा न्यायालय पाता है कि प्रतिरक्षा असत्य है, तो अवमानक को छह मास के कठोर कारावास का दण्ड या जुर्माना या दोनों दण्ड दिए जाएँगे ।"

अतिरिक्त सुझाव

धारा ५ में निम्नलिखित खण्ड (ख) जोड़ा जाए अथवा एक अतिरिक्त धारा ५ क रखी जाए—"सामान्य लोकहित के विषयों या मामलों पर सद्‌भावपूर्ण बहस न्यायालय का अवमान नहीं होगी, यदि न्यायिक कार्यवाही विशेष पर पड़नेवाला प्रतिकूल प्रभाव बहस से केवल प्रासंगिक हो ।" निम्नलिखित धारा उचित स्थान पर शामिल की जाए—

"कोई न्यायालय किसी व्यक्ति पर, किसी प्रकाशन में शामिल उस सूचना का स्रोत उद्‌घाटित करने के लिए बल नहीं डाल सकता, जिसके लिए वह उत्तरदायी हो, न ही स्रोत का उद्‌घाटन करने से इन्कार करनेवाला व्यक्ति न्यायालय के अवमान का दोषी होगा जब तक कि न्यायालय की संतुष्टि नहीं कर दी जाती की न्याय अथवा राष्ट्रीय सुरक्षा अथवा अपराध के निवारण के हित में स्रोत का उद्‌घाटन आवश्यक है ।"

भारतीय विधि संस्थान के श्री राजीव धवन ने, जिन्होंने अध्ययन की रिपोर्ट तैयार की, सुझाया है कि उच्चतम न्यायालय से, न्यायालय के अवमान की विधि में, न्यायपालिका की संस्थागत आवश्यकताओं और इस तथ्य के सन्दर्भ में कि संविधान के १६वें अनुच्छेद में वाक् और अभिव्यक्ति की स्वतन्त्रता के अधिकार की गारण्टी दी गई है, संशोधन के प्रश्न पर विचार करने को कहा जाए ।

द्वितीय प्रेस-आयोग ने कहा है कि न्यायालय अवमान अधिनियम की धारा २ (ग) (i) "न्यायालय को कलंकित करना या उसके प्राधिकार को गिराना" के अधीन मामलों में संक्षिप्त विचारण की वर्तमान प्रक्रिया अपनाना आवश्यक नहीं है । इसमें न्यायाधीश अपने से सम्बद्ध मामलों का खुद निर्णय करते हैं और बचाव पक्ष को वे सब रक्षोपाय उपलब्ध नहीं रहते जो सामान्य प्रक्रियात्मक विधि में उन्हें प्राप्त है । संक्षिप्त विचारण की प्रक्रिया न्यायालय के सामने किए गए अवमान या किसी चल रही कार्यवाही-विशेष के बारे में आपत्तिजनक आचरण अथवा कथन, जिसमें उसपर प्रतिकूल असर डालने की जोखिम हो, के मामलों में ही शीघ्र निर्णय के हित में उचित माना जा सकता है । इसलिए अधिनियम में इसके अनुरूप संशोधन किया जाना चाहिए । धारा २ (ग) (i) के अन्तर्गत अन्य सब मामलों के सिलसिले में नया अपराध स्थापित किया जाना चाहिए । इसके लिए महान्यायवादी या महाधिवक्ता के कहने पर ही मुकदमा चलाया जाना चाहिए । यदि अभियुक्त आरोप को सच्चा और लोक-लाभ में होना सिद्ध कर दे तो उसे बरी कर दिया जाना चाहिए । इससे यह शिकायत बहुत हद तक दूर हो जाएगी कि न्यायालय

के अवमान के मामलों में संक्षिप्त विचारण की प्रक्रिया प्रेस को न्याय-प्रशासन की लोकहित में प्रामाणिक और सत्य आलोचना करने से रोकती है ।

आयोग ने धारा २ (ग) की उपधाराओं (i) और (ii) की भाषा को कसने की सिफारिश की ताकि यह स्पष्ट कर दिया जाए कि केवल भारी (सब्सटेंशियल) हस्तक्षेप से ही न्यायालय का अवमान होता है । अगर यह संशोधन कर दिया जाता है तो धारा १३ को रखने की आवश्यकता नहीं रहेगी ।

आयोग का मत है कि जब किसी व्यक्ति पर किसी अपराध के लिए मुकदमा चल रहा हो और प्रेस के पास यह साक्ष्य हो कि अपराधी कोई और है तो उसे यह साक्ष्य न्यायालय के समक्ष प्रस्तुत कर देना चाहिए । सारे पत्रकार इस सुझाव से सहमत नहीं हैं ।

हम समझते हैं कि न्यायालय अवमान कानून के सार और प्रक्रिया को उदार बनाया जाना चाहिए ताकि प्रेस जनता के प्रति अपना दायित्व निभा सके साथ ही न्यायालय का जान-बूझकर अवमान न हो । न्यायाधीशों को अवमान के मामूली मामलों को छोड़ देना चाहिए या अभियुक्त को झाड़ बताकर रिहा कर देना चाहिए । न्यायालय के समक्ष अवमान के गम्भीर मामलों को छोड़कर ऐसे अन्य किसी मामले का संक्षिप्त विचारण नहीं होना चाहिए । अभियुक्त पर सामान्य कानून और प्रक्रिया के अनुसार कार्यवाही चलाई जानी चाहिए ।

निर्णयों के आधार पर स्थापित सिद्धांतों के अनुसार मोटे तौर पर निम्नलिखित प्रकाशन न्यायालय अवमान के दायरे में आते हैं—

न्यायिक कार्यवाही के लम्बित रहने के दौरान उससे सम्बद्ध तर्क या साक्ष्य प्रकाशित करना, लोगों के मन पर प्रतिकूल असर डालनेवाली किसी विवादग्रस्त वसीयत को प्रकाशित करना, जनता के मन पर प्रतिकूल प्रभाव डालनेवाले अभियुक्त के पूर्व परिचय को प्रकाशित करना, वाद के किसी पक्ष की ओर से पेश होनेवाले वकील पर प्रहार करना, व्यंग्यात्मक टिप्पणी करना या विज्ञापन छापना;

न्यायाधीशों पर एक ओर झुकाव का आरोप प्रत्यक्ष या अप्रत्यक्ष तरीके से लगाना; उच्च या उच्चतम न्यायालय की खण्डपीठों के गठन के तरीके पर प्रहार करना; किसी न्यायाधीश पर पक्षपात का आरोप लगाना; न्यायाधीशों को कार्यपालिका की कठपुतली कहना या उन्हें अन्धा बताना; किसी न्यायाधीश की न्यायिक ईमानदारी पर आक्षेप करना; उसे चापलूस या अनुभवहीन या गैर-जिम्मेदार कहना; यह आरोप लगाना कि अमुक न्यायाधीश की कार्यपालिका से मिलीभगत है; यह कहना कि अमुक वकील न्यायाधीश बनने योग्य नहीं था पर न्यायाधीश बना दिया गया है; किसी न्यायाधीश को विकृत या दुष्ट, पक्षपाती, बेईमान या ढीठ बताना; और

न्यायिक कार्यवाही के सम्बन्ध में समाचारों को तोड़-मरोड़कर और सनसनीखेज शीर्षकों से छापना, या अपमानजनक प्रकृति के भ्रामक शीर्षक प्रकाशित करना ।

महत्त्वपूर्ण मामले

न्यायालय अवमान के कुछ प्रमुख उल्लेखनीय मामले और उन पर निर्णय इस प्रकार है—

(१) पिछली शताब्दी में कलकत्ता से प्रकाशित "द बैंगाली" के संपादक और स्वामी श्री सुरेन्द्रनाथ बनर्जी का मामला भारतीय प्रेस से सम्बद्ध न्यायालय के अवमान का पहला महत्त्वपूर्ण मामला है । श्री बनर्जी ने अपने सम्पादकीय में कलकत्ता उच्च न्यायालय के न्यायाधीश नोरिस की तुलना बदनाम जजों जैफरीस और स्क्राग के साथ करते हुए उसकी इसलिए कड़ी आलोचना की कि उसने शालीग्राम जैसी पवित्र हिन्दू मूर्ति को न्यायालय में पेश किये जाने के समन जारी करके 'जबर्दस्ती' का कार्य किया । श्री बनर्जी ने लिखा कि न्यायाधीश ने इस कार्य से हुगली (नदी) में आग लगा दी है, बहुसंख्यक हिन्दू समुदाय कि धार्मिक भावनाओं को चोट पहुँचायी है ।

सुनवाई के दौरान श्री बनर्जी ने अपना स्पष्टीकरण देना और माफी माँगनी चाही किन्तु न्यायालय ने इसे सद्भावपूर्ण नहीं माना और उन्हें दो मास के कारावास का दण्ड सुनाया । पत्र के मुद्रक को इस आधार पर बरी कर दिया गया कि उसे अंग्रेजी भाषा का पर्याप्त ज्ञान नहीं था अतः वह सम्पादक के हाथ का खिलौना था ।

श्री बनर्जी ने दो आधारों पर प्रिवी कौंसिल में अपील की । एक यह कि कलकत्ता उच्च न्यायालय के अपने अवमान के मामले को सुनने का अधिकार नहीं है । दूसरा यह कि दण्ड बहुत कठोर है । प्रिवी कौंसिल ने अपील रद्द करते हुए निर्णय दिया कि भारत के उच्च न्यायालय वरिष्ठ अभिलेख न्यायालय (सुपीरियर कोर्ट ऑफ रिकार्ड) है इसलिए उन्हें इंग्लैंड की उच्च न्यायालयों की तरह के अधिकार प्राप्त है । दण्ड के बारे में प्रिवी कौंसिल ने कहा कि प्रकाशित सम्पादकीय भारतीय दण्ड संहिता की धारा ५०० के अधीन मानहानिकारक भी है और न्यायालय का अवमान करनेवाला भी । इसलिए सुनाया गया दण्ड कठोर नहीं है । (१८८४, आई० एल० आर० १०, कलकत्ता १०६)

(२) "महरट्टा" (मराठा) के संपादक श्री नरसिंह चिन्तामणि केलकर ने एक लेख में लोकमान्य तिलक को सजा देनेवाले न्यायाधीश श्री डेवर पर पक्षपात का आरोप लगाया और कहा कि वह सरकारी पिट्ठू है, उसका रूख अभियुक्त (तिलक) के प्रति अनुचित था और वह सुनवाई को मजाक बनाने को तुला हुआ था । लेख में न्यायाधीश पर कई और प्रहार किए गए । श्री केलकर माफी माँगने को तैयार नहीं हुए । उन्हें एक हजार रुपये जुर्माना और मुकदमे का खर्च चुकाने का आदेश दिया गया । (१६०६ आई० एल० आर० ३३, बम्बई २४०)

(३) "अमृत बाजार पत्रिका" (कलकत्ता) के मुद्रक और प्रकाशक श्री तरितकांत विश्वास पर पत्र में प्रकाशित एक लेख के कारण कलकत्ता उच्च न्यायालय के अवमान का अभियोग चलाया गया । लेख में मुख्य न्यायाधीश पर आरोप लगाया गया कि उसने कलकत्ता इम्प्रूवमेंट ट्रस्ट द्वारा फालतूजमीन अधिग्रहीत करने के

मामले में न्यायाधीश ग्रीव्स के निर्णय के विरुद्ध अपील की सुनवाई के लिए पीठ का गठन उद्देश्यमूलक भाव से किया । लेख में संकेत किया गया कि इम्प्रूवमेंट ट्रस्ट के अध्यक्ष ने अपनी मर्जी की पीठ बनवा ली । इसमें पूछा गया कि न्यायाधीश आशुतोष मुखर्जी की जगह पर न्यायाधीश चिट्टी को क्यों पीठ में शामिल किया गया है ? इसमें स्पष्टतः यह आरोप था कि मुकदमे में एक पक्ष उच्च न्यायालय की पीठ के गठन में हेराफेरी करा रहा है और मुख्य न्यायाधीश इसमें सहायक हो रहे हैं । ((१९१७) ४५ कलकत्ता १९९)

(४) १९१८ में "इंग्लिशमैन" और "पायनियर" को एक विचाराधीन मामले पर टिप्पणी के कारण कलकत्ता उच्च न्यायालय के अवमान का दोषी ठहराया गया था । यह मामला "इंग्लिशमैंन" में विलियम टेलर नामक एक व्यक्ति का पत्र प्रकाशित होने से उत्पन्न हुआ । पत्र में टेलर ने न्यायमूर्ति द्वारकानाथ मित्तर पर साक्ष्य के बगैर निर्णय करने और कारण न बताने का आरोप लगाया था तथा कहा था कि यदि किसी जिला जज ने ऐसा किया होता तो उसे मुअत्तल किये जाने की हर संभावना रहती । देखना है कि क्या उच्च न्यायालय के न्यायाधीश के पद पर प्रोन्नति का मतलब जिम्मेदारी से पूरी छूट है ?

टेलर ने तो माफी माँग ली और उसे माफ कर दिया गया परन्तु "इंग्लिशमैन" और "पायनियर" ने मामले पर उस समय टिप्पणियाँ प्रकाशित कर दीं जब मामला न्यायालय के विचाराधीन था । मुख्य न्यायाधीश सर बार्न्स पीकॉक ने दोनों समाचारपत्रों के विषय में संयुक्त निर्णय में कहा—

—दोनों पत्रों ने न्यायालय के विचाराधीन विषय पर टिप्पणियाँ प्रकाशित करके उसका अवमान किया है ।

—ऐसे मामले में एक पत्र द्वारा दूसरे पत्र को उद्धृत करना उस पत्र की तरह का ही अपराध करना है जिसके लिए वह पत्र अपराधी है जिससे उद्धृत किया गया हो ।

—न्यायालय अवमान के लिए लेखक और प्रकाशक दोनों या उसमें से कोई एक दंडित किया जा सकता है ।

—अगर मुद्रक यह सिद्ध न कर सके कि लेख के बारे में उसे जानकारी नहीं थी तो वह भी जिम्मेदारी से बच नहीं सकता है ।

—अभिलेख न्यायालय अवमान के मामलों में खुद कार्यवाही शुरू कर सकते हैं ।

—समुचित तरीके से क्षमा माँग लेने से अपराध की गंभीरता कम हो जाती है । लेकिन, अगर गलतबयानी की गई हो या तथ्यों को जान-बूझ कर छिपाया गया हो तो माफी माँगने के बावजूद दण्ड से पूरी तरह से नहीं बचा जा सकता है ।

[ए० आई० आर० १९१८, कलकत्ता ७१३]

(५) १९२९ में "सर्चलाईट" (पटना) के सम्पादक श्री मुरली मनोहर प्रसाद के मामले में सर तेजबहादुर सप्रू, मोतीलालनेहरू और शरत्चन्द्र बोस ने पत्र के सम्पादक और मालिकों की ओर से पैरवी की थी। "सर्चलाईट" ने "मुख्य न्यायाधीश पर प्रेस की टिप्पणी"शीर्षक से प्रकाशित लेख में पटना उच्च न्यायालय के मुख्य न्यायाधीश पर तीखे आक्षेप किये। इनमें उच्च न्यायालय के नियमों में वकीलों से परामर्श किये बिना परिवर्तन करने तथा कुछ मामलों में दिए गए निर्णयों के कारण उनकी कड़ी आलोचना की गई। एक टिप्पणी यह थी कि वर्तमान मुख्य न्यायाधीश की अध्यक्षतावाले पटना उच्च न्यायालय में जनता में पहले जैसा विश्वास नहीं रह गया है।

न्यायालय ने इस मामले में इन अभिनिर्णयों की उद्घोषणा की—

—यह कहना न्यायालय का गंभीर अवमान है कि कोई न्यायाधीश अपने समक्ष प्रस्तुत तर्कों और नजीरों की अवहेलना करता है तथा न्यायाधीश के हाथों में लोगों की स्वतन्त्रता की खतरा है।

—न्यायाधीशों और न्यायालयों की आलोचना की जा सकती है। यह कहा जा सकता है कि कोई न्यायिक कार्य कानून या जनहित के विरुद्ध है। किन्तु, आलोचना या उलाहना युक्तियुक्त तर्कों पर आधारित होना चाहिए।

—यदि किसी लेख में बहस या तर्क न किया जाए और सत्य की व्याख्या करने के बजाय व्यक्तियों का चरित्रहनन और न्याय-प्रशासन के प्रति घृणा पैदा करने या उसे बदनाम करने के लिए गालीगलौज या शब्दाडम्बर किया जाए तो इससे न्यायालय का स्पष्ट अवमान होता है।

—चूँकि न्यायाधीश अपने पद के कारण सार्वजनिक विवाद में शामिल नहीं हो सकता न ही एक निजी व्यक्ति के रूप में मानहानि की कार्यवाही कर सकता है, इसलिए उसकी गरिमा और प्राधिकार को कायम रखने के लिए उसे विशेष संरक्षण दिया जाना आवश्यक है। यह संरक्षण व्यक्तिगत नहीं स्पष्टतः सार्वजनिक न्याय के हित में है।

निर्णय में कहा गया कि "सर्चलाईट" के लेख में न्यायाधीश पर तर्कहीन दण्ड देने, मुखबिर की औरों द्वारा पुष्ट न की गई गवाही के आधार पर अभियुक्त को सिद्ध-दोष ठहराने और भारत के लोगों को आदतन झूठ बताने का दोषारोपण करते हुए उसकी निंदा की गई है। इनमें से किसी भी आरोप को उचित नहीं ठहराया जा सकता है। इससे जन साधारण के मन में यह धारणा बनती है कि सम्बद्ध न्यायाधीश अपने पद के अनुपयुक्त है। इनमें न्यायाधीश के प्राधिकार को खोटा बनाने की प्रवृति रहती है। इसलिए यह न्यायालय का अवमान है।

उच्च न्यायालय ने "सर्चलाईट" के संपादक पर पाँच सौ रुपये जुर्माना किया और सरकार के खर्च के रूप में एक सौ रुपये और देने को कहा। कम्पनी के निर्देशकों को इस आधार पर बरी कर दिया गया कि लेख के प्रकाशन के लिए वे किसी प्रकार से जिम्मेदार नहीं थे।

(ए० आई० आर० १९१८, कलकत्ता १०१३)

(६) कलकत्ता उच्च न्यायालय ने १९३५ में "अमृत बाजार पत्रिका" के एक और सम्पादकीय के प्रकाशन पर उसके सम्पादक को तीन मास के और प्रकाशक को एक मास के साधारण कारावास का दण्ड दिया। सम्पादकीय में मुख्य न्यायाधीश और अन्य न्यायाधीशों पर कार्यपालिका के साथ मेलजोल रखने में आनन्द लेने का आरोप लगाया था तथा वकीलों में से न्यायाधीशों की नियुक्तियों पर टिप्पणी करते हुए कहा था कि अगर सही व्यक्ति को नियुक्त किया जाए तो किसी को कोई शिकायत नहीं होगी। चरित्रवान्, ईमानदार और पर्याप्त अनुभव रखनेवाले व्यक्तियों को न्यायाधीश बनाया जाना चाहिए।

न्यायालय ने अपने निर्णय में कहा कि यदि लेख की प्रवृत्ति न्याय के स्रोत में विष घोलने, लोगों में न्यायालयों के बारे में घृणा पैदा करने और उनमें उनका विश्वास भंग करने की हो, जब कि न्यायालय उनके अधिकारों और स्वतन्त्रताओं के रक्षक हैं, तो उससे न्यायालय का अवमान होता है।

(ए० आई० आर० १९३५, कलकत्ता ४१९)

(७) मद्रास उच्च न्यायालय ने १९३९ में पी० एस० तुलजा राम राव बनाम सर जेम्स रेलन, गवर्नर रिजर्व बैंक व अन्य के मामले में अभिनिर्धारित किया कि

—किसी विचाराधीन मामले के सही या गलत होने के बारे में समाचारपत्रों में वाद-विवाद न्यायालय का अवमान है।

—मामलों के तथ्यात्मक समाचार छापे जा सकते हैं। लेकिन, न्यायालय का रूख क्या हो, इसकी बहस की अनुमति नहीं दी जा सकती है। ऐसा करना न्यायालय का अवमान है।

—उद्देश्य की प्रामाणिकता कोई बचाव नहीं हो सकता।

—अवमान की कसौटी यह नहीं है कि न्यायालय अवमानकारी प्रकाशन से प्रभावित हुआ या नहीं। कसौटी यह है कि प्रकाशन न्यायालय को प्रभावित करने के विचार से किया गया था या नहीं।

(ए० आई० आर० १९३९, मद्रास २५७)

(८) १९४१ में "सर्चलाईट" ने एक ऐसे विषय पर टिप्पणी की जो अदालत में दाखिल किया ही जानेवाला था। इस पर पटना उच्च न्यायालय ने न्यायालय का अवमान मानते हुए कहा कि

—जब मामले लम्बित हों तो किसी को इस पर पूर्व निर्णय देने या यह कहने का अधिकार नहीं है कि सही तथ्य क्या है।

(ए० आई० आर० १९४१, पटना १८५)

(९) १९४३ में "हिन्दुस्तान टाइम्स" ने यह छापा कि इलाहाबाद उच्च न्यायालय के मुख्य न्यायाधीश ने अधीनस्थ जजों की परिपत्र भेजकर उनसे युद्ध-कोष के लिए धन एकत्र करने को कहा है। साथ ही एक सम्पादकीय में इस बात की ओर इंगित किया कि मेरठ के सत्र न्यायाधीश ने कत्ल के एक मुकदमे की सुनवाई के

दौरान उपस्थित वकीलों और मुवक्किलों से इस परिपत्र के सराहनीय उद्देश्यों के बारे में अपील की जिससे उसी समय चन्दा इकट्ठा हुआ । कुछ अभियुक्तों ने डेढ़ सौ रुपये दिए । निर्णय में केवल चार अभियुक्तों को सिद्धदोष घोषित किया गया, शेष बरी कर दिए गए ।

"हिन्दुस्तान टाइम्स" को न्यायालय के अवमान की नोटिस मिली । पत्र के संवाददाता श्री सिंगल के वकील को मेरठ के सत्र न्यायाधीश श्री विद्यार्थी से जिरह करने की अनुमति दी गई । श्री विद्यार्थी ने कहा कि उन्हें मुख्य न्यायाधीश से कोई परिपत्र नहीं मिला । इस पर मुख्य न्यायाधीश ने परिपत्र की बात को मिथ्या बताया और निर्णय दिया कि लेखक की कोशिश न्यायालयों की प्रतिष्ठा गिराने की थी । श्री सिंगल को असत्य समाचार भेजने और न्यायालय को कलंकित करने का दोषी ठहराया गया । श्री सिंगल को एक हजार रुपये और समाचारपत्र के प्रकाशक और मुद्रक श्री देवदास गांधी को ५०० रुपए का जुर्माना किया गया क्योंकि उन्होंने प्रकाशित की गई बातों की सत्यता जानने की कोशिश नहीं की थी ।

किन्तु, प्रिवी काउंसिल ने "हिन्दुस्तान टाइम्स" की अपील का फैसला करते हुए कहा—

—न्यायाधीश की न्याय-इतर गतिविधियों के बारे में असत्य बातें कहना मानहानिकारक हो सकता है, पर इस मामले में जिन शब्दों पर आपत्ति की गई है वह अपने-आपमें न्यायालय का अवमान करनेवाले नहीं हैं ।

—यदि न्यायाधीश सार्वजनिक क्रियाकलापों में भाग लेते हैं तो उन्हें सब आलोचना के बारे में नाजुक मिजाज नहीं होना चाहिए । ऐसे मामलों में अवमान की कार्यवाही करना नितान्त भ्रान्त है। कसौटी यह हो कि क्या तथाकथित आपत्तिजनक शब्दों का प्रयोग, न्याय के सम्यक् संचालन और विधि के सम्यक् प्रशासन में बाधा डालने या हस्तक्षेप करने के लिए किया गया है ।

(आई० एल० आर० १९४४, कराची ७ (पी० सी०))

(१०) उसी वर्ष 'ट्रिब्यून' के मामले में लाहौर उच्च न्यायालय के मुख्य न्यायाधीश सर आर्थर हैरिस ने अन्य बातों के अतिरिक्त यह भी अभिनिर्धारित किया कि—

—यह कहना कोई अपराध नहीं है कि कार्यकारी अधिकारी का कार्य गैरकानूनी था । लेकिन, विचाराधीन मामले के विषय में यह लिखना अपराध है कि कार्यकारी अधिकारी को एक विशेष प्रकार से कार्य करना चाहिए था ।

—सम्पादक केवल यह कहने से अवमान की जिम्मेदारी से नहीं बच सकता है कि वह छुट्टी पर था । उसे यह सिद्ध करना होगा कि अवमानकारी प्रकाशन से उसका कोई सम्बन्ध नहीं था ।

—केवल सारवान् अवमान के लिए कार्यवाही की जानी चाहिए, तकनीकी अवमान के लिए नहीं ।

—जूरी के मस्तिष्क को विषाक्त करने, गवाहों या पक्षकारों को डराने या ऐसा वातावरण बनानेवाला प्रकाशन, जिसमें न्याय-प्रशासन का काम करना कठिन या असंभव हो जाए, न्यायालय का अवमान है ।

(ए० आई० आर० १६४३, लाहौर ३२६)

(११) १६५३ में "जागरण" ने एक झगड़े के सम्बन्ध में लेख छापे । झगड़े से सम्बद्ध लोगों को गिरफ्तार करके जमानत पर रिहा किया गया । पुलिस उस समय जाँच कर रही थी और उसने अभी आरोप-पत्र दाखिल नहीं किया था, न ही किसी व्यक्ति ने मजिस्ट्रेट के अदालत में निजी शिकायत की थी । वादी ने उच्च न्यायालय में अवमान का मामला बनाते हुए कहा कि इन लेखों के कारण मुकदमे में उसका पक्ष प्रभावित हुआ है जो वह दाखिल करने ही जा रहा था । इलाहाबाद उच्च न्यायालय ने इस दलील को नहीं माना और निर्णय दिया कि

—ऐसे किसी मामले के सिलसिले में न्यायालय के अवमान की कार्यवाही नहीं की जा सकती है जिसकी पुलिस अभी जाँच कर रही हो और जिसके बारे में मजिस्ट्रेट के अदालत में जाँच या सुनवाई के लिए कोई आरोप-पत्र जारी न किया गया हो ।

—केवल वारण्ट जारी करने से मामला न्यायालय के विचाराधीन नहीं समझा जा सकता है । भारत में मजिस्ट्रेट द्वारा समन या वारंट जारी करना उसका न्यायिक नहीं, कार्यकारी कृत्य है । (किन्तु, उड़ीसा, केरल और मद्रास उच्च न्यायालयों ने इस मत से असहमति व्यक्त की है ।)

(ए० आई० आर० १६५३, इलाहाबाद ६००)

(१२) मध्य भारत उच्च न्यायालय ने १६५७ में "नवभारत" में प्रकाशित एक समाचार पर न्यायालय अवमान के मामले में निर्णय दिया कि

—अवमानकर्ता द्वारा न्यायालय से माफी माँगने के पीछे उद्देश्य दण्ड से बच निकलना नहीं बल्कि गलती का पश्चात्ताप करना होना चाहिए, तभी क्षमा स्वीकार की जाएगी । चूँकि 'नवभारत' को पहले भी चेतावनियाँ दी जा चुकी थीं इसलिए न्यायालय ने इस मामले में उसकी क्षमायाचना स्वीकार नहीं की और सौ रुपये जुर्माना तथा मुकदमे का खर्च चुकाने का आदेश दिया ।

(ए० आई० आर० १६५७, मध्य भारत ३७)

(१३) इलाहाबाद उच्च न्यायालय ने १६५७ के ही एक और मामले में देर से क्षमा माँगे जाने पर उसे स्वीकार नहीं किया और अभिनिर्धारित किया कि

—क्षमायाचना के स्वीकार्य होने के लिए आवश्यक है कि वह स्वप्रेरित, बिना शर्त और पश्चात्ताप और अनुताप प्रदर्शित करती हो । देर से की गई क्षमायाचना इससे उल्टी है, इसका उद्देश्य सजा से बचना होता है ।

(ए० आई० आर० १६५७, इलाहाबाद ४५७)

(१४) पंजाब उच्च न्यायालय ने १९५८ में एक मामले में भारत में न्यायालय अवमान सम्बन्धी विधि के निम्नलिखित मूलभूत सिद्धान्तों को दोहराया—

—यद्यपि भारतीय संविधान का यह आधारभूत सिद्धान्त है कि स्वतन्त्र बहस होने दी जाए और यद्यपि नागरिकों की स्वतन्त्रता के लिए स्वतन्त्र प्रेस आवश्यक है, फिर भी संविधान-निर्माताओं ने प्रेस को कोई विशेषाधिकार नहीं दिए।

—न्यायालय समाचारपत्रों द्वारा सुनवाई को प्राधिकृत नहीं कर सकते और इस तरह न्यायालय के समक्ष अभियुक्तों के अधिकारों को खतरे में नहीं डाल सकते।

—न्याय और विधि के प्रवाह में बाधा डालने और रोकनेवाले प्रकाशनों के लिए दण्ड देने का न्यायालयों का अधिकार प्रेस की स्वतन्त्रता की संवैधानिक गारंटी से निर्बन्धित नहीं होता क्योंकि प्रेस की स्वतन्त्रता न्यायपालिका की स्वतन्त्रता और समुचित न्याय-प्रशासन से गौण (सबार्डिनेट) है।

—न्यायालयों का यह कर्तव्य है कि वे प्रेस की स्वतन्त्रता और अदालतों की उपयोगिता व कार्यकुशलता बनाये रखें।

—आदमी को चलने की छड़ी घुमाने की पूरी आजादी है पर छड़ी के पड़ोसी की नाक तक पहुँचने पर यह आजादी खत्म हो जाती है। इसी तरह प्रेस की आजादी वहाँ खत्म हो जाती है जिससे आगे व न्यायालयों को अपने कर्तव्य निभाने से रोकती, परेशान करती या उसमें बाधा डालती है।

—प्रकाशक को न्यायालय के कार्य हड़पने की इजाजत नहीं दी जा सकती, न ही उसे न्यायालय के विचाराधीन किसी मामले के गुण-दोष के बारे में प्रेस की स्वतन्त्रता की आड़ में अपना मत प्रचारित करने की अनुमति दी जा सकती है।

—मामलों पर विचार के दौरान उनके पक्षकारों के प्रति अपमानजनक बातें छापना जो उन्हें समुचित सुनवाई से रोकती है, न्यायालय का अवमान है।

—यह कहना कोई बचाव नहीं है कि (१) सम्बद्ध प्रकाशन न्यायालय की नजरों तक नहीं पहुँचा या कि (२) उसने न्यायालय को अपना कर्तव्य ठीक से करने से नहीं रोका या यह कि (३) प्रतिवादी का न्यायालय की गरिमा गिराने का कोई इरादा नहीं था, या (४) मामले के विचाराधीन रहते जो कुछ प्रकाशित किया गया वह सच्चे अथवा निष्पक्ष कथन या समाचार या तथ्य थे, अथवा यह कि (५) इनका प्रकाशन मुकदमे के पक्षकारों के हितों को चोट पहुँचाने या न्याय प्रशासन के प्रवाह में हस्तक्षेप करने के आशय से नहीं किया गया था।

—कथनों की सचाई या न्याय-प्रशासन के प्रवाह में हस्तक्षेप करने के आशय से प्रकाशन नहीं किये जाने की बात दण्ड के निर्धारण में संगत होती है, दोषसिद्धि में नहीं।

—लेकिन, न्यायालय अवमान की कार्यवाही के असाधारण अधिकार का तब तक इस्तेमाल नहीं करेगा जब तक कि प्रकाशन वादी के पक्ष को पर्याप्त मात्रा में दुष्प्रभावित न करता हो या न्याय-प्रवाह में हस्तक्षेप करने का वास्तविक प्रयास न किया गया हो।

(ए० आई० आर० १९५८, पंजाब ३७७, ३८१)

(१५) १९७० के एक मामले में केरल के उच्च न्यायालय और उच्चतम न्यायालय ने यह अभिनिर्धारित किया कि

—सम्पूर्ण न्यायपालिका की अतिरंजित निन्दा करना, जैसे यह कहना कि वह निहित स्वार्थों की हितैषी है, न्यायालय का अवमान है।

(आई० एल० आर० १९७८ (१) केरल ३८५ अपील १९७० (२) एस० सी० सी० ३२५)

(१६) उच्चतम न्यायालय के न्यायमूर्ति के० वी० कृष्ण अय्यर ने १९७८ में एक मामले में कहा

—स्वतंत्र प्रेस और उचित न्याय के भविष्य की माँग है कि राष्ट्रीय स्तर पर एक न्यायिक-सामाजिक-राजनीतिक बहस की जाय। ऐसी विशेष रीत विकसित की जानी चाहिए जिससे स्वतंत्र वाणी और स्वतंत्र न्याय में संविधान की प्रस्तावना और अनुच्छेद १९ के अनुरूप सह-अस्तित्व रहे। उन्होंने अमेरिकी जज, न्यायमूर्ति फ्रैंकफर्टर के इस कथन से सहमति व्यक्त की कि "न्यायाधीशों और न्यायालयों को व्यक्तियों और संस्थाओं के रूप में आलोचना से, अन्य व्यक्तियों या संस्थाओं से अधिक उन्मुक्ति का अधिकार नहीं है।" साथ ही उन्होंने न्यायमूर्ति ब्लैक के इस कथन का भी इस विषय में समर्थन किया कि "इसलिए नहीं कि न्यायाधीशों में कड़ाई का अभाव है या न्यायालय की गरिमा की माँग मौन रहकर अधिक सम्मान प्राप्त करना है बल्कि इसलिए कि शत्रुतापूर्ण आलोचना से न्याय का प्रवाह विकृत हो सकता है।"

(१९७८ ३ एस० सी० सी० ३३९; १९७८ एस० सी० सी० कि ४०२)

■

अध्याय ६

संसदीय विशेषाधिकार

विधायिका और प्रेस

विधायिका और प्रेस के अन्तर्सम्बन्धों का गहन महत्त्व है। जनजीवन के हर क्षेत्र में राज्य के बढ़ते हुए हस्तक्षेप और लोककल्याणकारी राज्य की नित्य-प्रति विस्तीर्ण हो रही गतिविधियों के सन्दर्भ में विधायिका के कार्यों और दायित्वों का विस्तार हो रहा है। अनेक प्रकार के क्लिष्ट और दूरगामी प्रभाववाले कानून ही संसद् और राज्य विधानमण्डलों में नहीं बनते बल्कि विभिन्न संसदीय प्रक्रियाओं जैसे प्रश्नोत्तर, अल्पसूचना प्रश्नों, ध्यानाकर्षण प्रस्तावों, विशेष उल्लेखों, आधे घण्टे की बहस, अल्पावधि बहस, विशेष बहस, स्थगन प्रस्तावों, अविश्वास प्रस्तावों, राष्ट्रपति के अभिभाषण के लिए धन्यवाद प्रस्ताव पर बहस, बजट पर बहस, मंत्रियों के वक्तव्यों पर विचार आदि के माध्यम से देश और जनता की हर समस्या वहाँ उजागर होती है। सांसदों और विधायकों के माध्यम से जनभावनाएँ अभिव्यक्त होती हैं।

इस सब की जानकारी उस जनता को जिसके लिए या जिसके नाम पर सम्पूर्ण संसदीय कार्य होता है मुख्यतः समाचारपत्र और अन्य जनसंचार माध्यम देते हैं। यदि प्रेस संसद् और विधानमण्डलों की कार्यवाही और अन्य गतिविधियों की रिपोर्ट न दे तो लोगों को न तो उन्हें प्रभावित करनेवाले महत्त्वपूर्ण निर्णयों, मतों, माँगों आदि की जानकारी तत्काल मिलेगी, न ही यह पता चलेगा कि उनके प्रतिनिधि उन सदनों में क्या कर रहे हैं जिनके लिए निर्वाचित कर उन्होंने उन्हें भेजा है। संसद् और विधानमण्डलों के अधिकृत अभिलेखों से उन्हें यह सारी जानकारी तत्काल नहीं मिल सकती है। मिले भी तो यह ऐसी नहीं होती जो आसानी से सबकी समझ में आ सके। समाचारपत्र कार्यवाही को उसके जनमहत्त्व के अनुसार सारवान् और सुग्राह्य रूप में उसी दिन प्रस्तुत कर देते हैं। इससे एक ओर जनमत निर्मित और शिक्षित होता है और वह तत्काल अपनी प्रतिक्रिया व्यक्त करता है। दूसरी ओर शासन जो करना या कहना चाहता है वह जनता तक पहुँचता है। साथ ही जनता को यह भी पता चलता है कि उसके प्रतिनिधियों ने विभिन्न मुद्दों पर क्या रूख अपनाया और मत व्यक्त किए। इससे उसे इन प्रतिनिधियों के बारे में भावी चुनावों में मत बनाने में निरन्तर सहायता मिलती है।

कोई समय था कि इंग्लैण्ड में संसद् की कार्यवाही का समाचारपत्रों में या अन्यत्र प्रकाशन वर्जित था। कार्यवाही केवल अधिकृत प्रकाशन 'हैंसर्ड' में छापी

जाती थीं । इस कानून के औपचारिक रूप से हटे हुए बहुत समय नहीं हुआ है, हालाँकि व्यवहार में समाचारपत्र काफी वक्त से ब्रिटिश संसद् की कार्यवाही की रिपोर्ट करते आ रहे हैं । किन्तु जहाँ पहले कार्यवाही का प्रकाशन संसद् का अवमान और उसके विशेषाधिकारों का उल्लंघन माना जाता था, आज उसे प्रकाशित न किए जाने पर पत्रों के विरुद्ध विशेषाधिकार के मामले उठाने के प्रयास किये जाते हैं । सांसद और विधायक ही नहीं, अध्यक्ष,मन्त्री, और सरकारें भी उत्सुकता से देखती हैं कि उनकी कही बातें या घोषित निर्णय व नीतियाँ कितनी और किस रूप में प्रकाशित की गई हैं ।

वास्तव में, आज विधायिका और प्रेस बड़े परिमाण में एक-दूसरे के पूरक बन गए हैं । विधायिका की गतिविधियों के समाचार अखबारों का एक अनिवार्य हिस्सा हो गए हैं । दूसरी ओर संसद् और विधानमण्डलों में होनेवाली कार्यवाही अधिकांशतः समाचारपत्रों में प्रकाशित सामग्री—समाचारों, टिप्पणियों, लेखों, सम्पादक के नाम पत्रों आदि—पर आधारित या उससे प्रभावित होती है । प्रश्नों, ध्यानाकर्षण प्रस्तावों, वाद-विवादों, विशेष उल्लेखों आदि आदि के नोटिस अक्सर प्रेस में छपी बातों के आधार पर दिए जाते हैं । अनेक बार सत्ता पक्ष और विपक्ष के सदस्य जो बातें संसद् में उठवाना चाहते हैं उन्हें पहले पत्रों में प्रकाशित कराने का प्रयास करते हैं । स्वयं सरकारें जब अपनी स्थिति का किसी संवेदनशील विषय पर संसद्/विधानमण्डल में स्वयं नहीं, पर पूछे जाने पर, स्पष्टीकरण करना चाहती हैं तो वह मामले को पहले प्रेस में उठवाने की कोशिश अपने सूचनाधिकारियों के माध्यम से करती है । यह दूसरी बात है कि सब पत्र इसके लिए तैयार नहीं होते । पर, यदि एक-दो पत्रों में भी बात छप जाए और कोई सदस्य उसके बारे में स्पष्टीकरण माँग ले तो सरकार के लिए अपनी स्थिति साफ करना आसान हो जाता है । ऐसा अन्तर्राष्ट्रीय प्रश्नों या देश के अन्दर के नाजुक राजनीतिक मुद्दों के सिलसिले में ज्यादा किया जाता है ।

आज के युग में यदि प्रेस संसद्/विधानमण्डल की कार्यवाही की रिपोर्ट न करे तो कार्यवाही बेमानी और बेमजा बनकर रह जाएगी । एक जागरूक जनमत के निर्माण में प्रेस की महती भूमिका है, यह एक निर्विवाद तथ्य है । जागरूक जनमत लोकतंत्र की नींव है । प्रेस इस नींव को अपनी सकारात्मक और सक्रिय भूमिका से दैनन्दिन सम्पुष्ट करता है ।

प्रेस लोकतंत्र का प्रहरी है तो संसद् (यहाँ इसका प्रयोजन राज्य विधानमण्डलों से भी है) जनभावनाओं की उद्घोषक है । दोनों से जनहित की रक्षा की अपेक्षा की जाती है । ऐसा वह अनावश्यक निर्बन्धनों से मुक्त वातावरण में ही कर सकते हैं । जनप्रतिनिधियों को जनता की आवाज उठाने और संसद् व विधानमण्डलों में अन्य संसदीय कार्य निर्बाध और निर्भीक रूप से करने की स्वतन्त्रता होनी चाहिए । यह उनका और उनके सदनों का विशेषाधिकार है । चूँकि दोनों लोकहित में कार्य करते हैं और इस हित के रक्षार्थ अपने-अपने कर्तव्य निभाने के लिए कार्य-स्वातंत्र्य का दावा रखते हैं, इसलिए कभी-कभी दोनों में घर्षण की स्थिति पैदा हो जाती

है । यद्यपि विधायिका और प्रेस के सम्बन्ध प्रायः सुखद रहते हैं फिर भी संसद् के अपरिभाषित और अनिश्चित विशेषाधिकारों की नंगी तलवार सांसदों की नाजुकमिजाजी के कच्चे धागों से प्रेस के सिर पर हमेशा लटकती रहती है । इससे बचने के लिए प्रेस को तनी रस्सी पर चलने की सावधानी हर क्षण बरतनी पड़ती है जिससे वह सांसदों के कार्यों और आचरण के बारे में पूरी जानकारी जनता को नहीं दे पाता है । इस स्थिति को बदलने की आवश्यकता है । विधायिका और प्रेस के लोकहित के परस्पर स्पर्द्धात्मक दावों को देखते हुए यह कार्य आसान नहीं है । फिर भी इसे करना लोकतंत्र के व्यापक हित में होगा ।

संसद् के विशेषाधिकार क्या हैं ?

भारत के संविधान के अनुच्छेद १०५ में संसद् और अनुच्छेद १९४ में विधानमण्डलों के विशेषाधिकारों के सम्बन्ध में प्रावधान किया गया है । दोनों अनुच्छेद समान हैं ।

इनमें दो विशेषाधिकारों का स्पष्ट उल्लेख है । एक सदस्यों को संसद् में बोलने की स्वतन्त्रता है । इसका विनियमन संसदीय प्रक्रिया सम्बन्धी नियमों और स्थायी आदेशों (स्टैंडिंग आर्डर्स) के अध्याधीन ही किया जा सकता है ।

दो, संसद् में या उसकी किसी समिति में कोई बात कहने या मतदान करने के कारण सांसदों पर न्यायालय में मुकदमा नहीं चलाया जा सकता है । संसद् द्वारा या संसद् के प्राधिकार के अधीन किसी रिपोर्ट, पत्र, मतों या कार्यवाही के प्रकाशन के सिलसिले में भी किसी व्यक्ति के विरुद्ध अदालती कार्रवाई नहीं की जा सकती है ।

लेकिन, अन्य विशेषाधिकारों का विस्तृत निर्धारण या उल्लेख नहीं किया गया है, न ही संविधान में ऐसा करना संभव होता है । अनुच्छेद १०५ (३) में संसद् और १९४ (३) में विधानमंडलों, उनके सदस्यों और समितियों की शक्तियों, विशेषाधिकारों और उन्मुक्तियों (इम्युनिटीज) को कानून बनाकर परिभाषित करने का अधिकार संसद्/विधानमंडल को दिया गया है । साथ ही यह व्यवस्था की गयी है कि जब तक संसद्/विधानमंडल कानून बनाकर ऐसा नहीं करते तब तक उनकी शक्तियाँ, विशेषाधिकार और उन्मुक्तियाँ वही होंगी जो संविधान के लागू होने के समय ब्रिटेन के 'हाउस ऑफ कामन्स' की थीं । संविधान (चौवालीसवाँ) संशोधन से 'हाउस ऑफ कामन्स' का उल्लेख समाप्त कर दिया गया था किन्तु इससे मूल स्थिति में कोई परिवर्तन नहीं हुआ ।

संसद् या विधानमण्डलों ने अपनी शक्तियों, विशेषाधिकारों और उन्मुक्तियों को परिभाषित करने का कोई कानून अभी तक नहीं बनाया है । इसलिए आज भी स्थिति यह है कि भारतीय संसद् और विधानमण्डलों के विशेषाधिकार वहीं हैं जिनका दावा ब्रिटेन का 'हाउस ऑफ कामन्स' २६ जनवरी, १९५० से पूर्व करता था ।

इसका अर्थ यह भी है कि 'हाउस ऑफ कामन्स' ने अपने विशेषाधिकारों के जो पुराने दावे २६ जनवरी, १९५० तक छोड़ दिए थे उनका उपयोग भारतीय

विधायिका नहीं कर सकती है । साथ ही, जब तक वह कानून बनाकर अपने विशेषाधिकार तय नहीं करती तब तक उसे २६ जनवरी, १९५० के बाद किसी नए विशेषाधिकार के उपयोग का अधिकार नहीं है ।

अब प्रश्न यह उठता है कि २६ जनवरी, १९५० को 'हाउस ऑफ कामन्स' के विशेषाधिकार क्या थे जो भारतीय संसद् और विधानमण्डलों को इस समय सुलभ है ? कठिनाई यह है कि स्वयं 'हाउस ऑफ कामन्स' ने अपने विशेषाधिकारों को संहिताबद्ध नहीं किया है ।

भूतपूर्व मुख्य न्यायाधीश न्यायमूर्ति एम० हिदायतुल्ला ने, जो बाद में राज्य सभा के अध्यक्ष रहें हैं, संसदीय विशेषाधिकारों के ब्रिटिश इतिहास और न्याय-निर्णयों का विस्तृत विवेचन करके निम्नलिखित निष्कर्ष निकाले हैं ।

एक, संसद् को अपने विशेषाधिकारों, उनके विस्तार और सदन के भीतर उनको कब इस्तेमाल किया जाए, इसका फैसला करने का पूरा अधिकार है ।

दो, उसे अपने अवमान के लिए दोषी व्यक्तियों को सजा देने की शक्ति प्राप्त है । अवमानकारी क्या है और क्या नहीं है, इसका फैसला करने का अधिकार भी उसी का है । इंग्लैंड की अदालतों ने संसद् के इस अधिकार को हमेशा मान्य किया है ।

तीन, संसद् को दोषी व्यक्तियों पर जुर्माना लगाने का अधिकार नहीं है । वह सदन के सत्रावसान से अधिक अवधि के लिए किसी को नजरबंद नहीं रख सकती है । सत्रावसान पर या सदन के भंग हो जाने पर बन्दियों को छोड़ देना होता है ।

चार, संसद् द्वारा नजरबन्दी का आदेश दिए जाने पर न्यायालय में बन्दी प्रत्यक्षीकरण की याचिकाएँ प्रस्तुत करनेवालों, उनके वकीलों या सुनवाई करनेवाले न्यायाधीशों के विरुद्ध कार्यवाही करने का अधिकार 'हाउस ऑफ कामन्स' को नहीं है ।

पाँच, 'हाउस ऑफ कामन्स' अदालतों द्वारा भेजे समन स्वीकार करता है और सुनवाई में अपने प्रतिनिधि भेजता है । दूसरी ओर अदालतें 'हाउस ऑफ कामन्स' द्वारा जारी वारण्ट का आदर करती हैं ।

छह, 'हाउस ऑफ कामन्स' के सदस्यों को अब सदन के सत्र के दौरान केवल दीवानी अपराधों में गिरफ्तार न किए जाने की उन्मुक्ति प्राप्त है, अन्य मामलों में नहीं ।

भारत का संविधान संसद् और राज्य विधानमण्डलों को अपनी प्रक्रिया और कार्य-संचालन के नियम स्वयं निर्धारित करने का अधिकार देता है । अनुच्छेद ११८ और २०८ में इसका प्रावधान किया गया है । इन नियमों के अन्तर्गत सदन बाहरी व्यक्तियों, जिनमें पत्रकार भी आते हैं, की संसद्-भवन में उपस्थिति को विनियमित कर सकता है । लोकसभा की प्रक्रिया नियमावली के नियम २८६ में 'अजनबियों' के प्रवेश को विनियमित करने का अधिकार अध्यक्ष को दिया गया

है । नियम ३८७ के अधीन अध्यक्ष जब उचित समझे 'अजनबियों' को सदन के किसी भी भाग से चले जाने का आदेश दे सकता है । यदि कोई 'अजनबी' दुराचरण करता है या अध्यक्ष द्वारा बनाए गए नियमों का जान-बूझकर उल्लंघन करता है अथवा चले जाने के आदेश का पालन नहीं करता तो उसे जबरन हटाया जा सकता है या हिरासत में लिया जा सकता है ।

प्रेस और विशेषाधिकार

संसद् की प्रेस दीर्घाओं में प्रवेश के कार्ड जारी करने में अध्यक्ष की सलाह के लिए प्रेस दीर्घा समिति होती है । पत्रकारों को इस समिति के परामर्श से और नियमों के अनुसार प्रत्येक सत्र के लिए स्थायी/अस्थायी 'प्रेस दीर्घा कार्ड' जारी किये जाते हैं । संसदीय संवाददाता सामान्यतः अपना कार्य निर्बाध रूप से करते रहते हैं । किन्तु, अध्यक्ष चाहें तो उनका प्रवेश बिना कारण बताए वर्जित कर सकते हैं । प्रेस दीर्घा कार्ड को दीर्घाओं में दुराचरण, सदन की कार्यवाही को पत्रों में गलत रूप में पेश करने, अध्यक्ष पर आरोप लगाने जैसे कारणों से रद्द किया जा सकता है । 'अजनबियों' के सम्बन्ध में सब नियम पत्रकारों पर भी लागू किए जा सकते हैं । किन्तु, सामान्यतः उन्हें पर्याप्त सम्मान दिया जाता है ।

जैसा कि पहले कहा गया है, संसद् के विशेषाधिकार अपरिभाषित हैं । इसके कारण उनकी प्रकृति और विस्तार अनिश्चित है । परिभाषित न होने के कारण अदालतें इनकी पुनरीक्षा नहीं कर सकती हैं । इस अनिश्चितता का सर्वाधिक प्रभाव पत्रकारों पर पड़ता है जिन्हें संसदीय कार्यवाही के प्रकाशन के बारे में अपनी सीमाओं का आभास केवल अनुभव और पिछले उदाहरणों के धुँधले ज्ञान से होता है । पत्रकार आमतौर से अपनी सीमायें स्वयं बाँध लेते हैं और प्रायः उस लक्ष्मण-रेखा के भीतर रहते हैं, संसद् द्वारा जिसे बाँधे जाने की कल्पना उनके मस्तिष्क में रहती है । यह कल्पना अयथार्थ नहीं होती क्योंकि अनुभव बताता है कि इस कल्पित लक्ष्मण-रेखा से बाहर पैर रखते ही वे अक्सर संसद् के विशेषाधिकारों के उल्लंघन के क्षेत्र में आ जाते हैं । अतः पत्रकारों को बड़ी सावधानी और समझ-बूझ के साथ संसदीय कार्यवाही और अन्य गतिविधियों का प्रकाशन करना होता है ।

पत्रकार मुख्यतः दो विषयों में विशेषाधिकार भंग होने के खतरे का सामना करते हैं । एक, कार्यवाही की रिपोर्ट प्रकाशित करने के सिलसिले में, और दो, सदन के अधिष्ठाता या सदस्यों के विरुद्ध ऐसी टिप्पणी करने से, जिससे इनकी प्रतिष्ठा या गरिमा गिरती हो तथा संसद् कलंकित होती हो । दूसरे प्रकार का कार्य संसद् के विशेषाधिकारों का उल्लंघन ही नहीं, उसका अवमान भी माना जाता है । साधारणतः हर पत्रकार इनसे बचने का प्रयास करता है ।

इंग्लैण्ड में प्रेस को वहाँ की संसद् की कार्यवाही की उचित और सही रिपोर्ट सद्भाव से और विद्वेषरहित भाव से प्रकाशित करने पर हर प्रकार की कार्यवाही से उन्मुक्ति प्राप्त है । भारत में १९५६ में संसद् द्वारा पारित संसदीय कार्यवाही [प्रकाशन-संरक्षण] अधिनियम, जिसे फिरोज गाँधी एक्ट भी कहते हैं, से यह स्थिति कानूनी तौर पर लागू की गई । किन्तु, यह कानून संसद् और उन्हीं कुछ विधानमण्डलों

की कार्यवाही के सम्बन्ध में प्रभावी हुआ जिन्होंने इसे पारित किया था । आपातस्थिति के दौरान तत्कालीन सरकार ने प्रेस परिषद अधिनियम, १९६५ के साथ-साथ इस कानून को भी समाप्त कर दिया । लेकिन, नई सरकार ने १९७८ में संविधान में संशोधन करके यह गारण्टी कर दी कि संसद् और समस्त राज्य विधानमण्डलों की कार्यवाही की 'पर्याप्त सच्ची' रिपोर्ट के प्रकाशन पर प्रेस और प्रसारण-माध्यमों पर सिविल या आपराधिक किसी प्रकार की कार्रवाई किसी अदालत में नहीं की जाएगी बशर्ते यह सिद्ध न हो जाए कि यह रिपोर्ट द्वेषभाव से प्रकाशित की गई है । इस गारण्टी के लिए संविधान में अनुच्छेद ३६१ क जोड़ा गया ।

यह उल्लेखनीय है कि रिपोर्ट के 'लोक-कल्याण' में होने की शर्त, जो फिरोज गांधी एक्ट में थी या सद्भावपूर्वक होने की शर्त, जो इंग्लैंड की सामान्य विधि में विद्यमान है, अनुच्छेद ३६१ क में नहीं लगाई गई है । इस प्रकार भारत के समाचारपत्र संसद् की कार्यवाही में शामिल हर बात, अदालती कार्रवाई के भय के बिना प्रकाशित कर सकते हैं, और रेडियो-दूरदर्शन प्रसारित कर सकते हैं, चाहे वह मानहानि शासकीय गोपनीयता, राजद्रोह, अश्लीलता आदि से सम्बद्ध कानूनों के अधीन अन्यथा दण्डनीय हो । शर्त यह है कि प्रकाशित सामग्री खुली संसदीय कार्यवाही की रिपोर्ट हो, लेख या टिप्पणी आदि नहीं । वह पर्याप्त सच्ची हो; द्वेषमूलक भाव से न लिखी गई हो । संसद् की गोपनीय बैठक की रिपोर्ट के लिए उन्मुक्ति प्राप्त नहीं होगी ।

मोटे तौर पर निम्न स्थितियों में पत्रकारों और पत्रों आदि को संसद् के विशेषाधिकारों को भंग करने या उसका अवमान करने का दोषी ठहराकर उन्हें दण्डित किया जा सकता है—

१. कार्यवाही का गलत या झूठा विवरण प्रकाशित करना ।

२. गोपनीय बैठक की रिपोर्ट छापना ।

३. अध्यक्ष द्वारा कार्यवाही के अभिलेख से निकाले गए शब्दों या भावों तथा उन बातों को प्रकाशित करना, जिन्हें कार्यवाही में शामिल न करने का आदेश अध्यक्ष ने दिया हो ।

४. किसी सदस्य के भाषण को दबाना ।

५. किसी संसदीय समिति की रिपोर्ट, उसके सामने प्रस्तुत साक्ष्य या समिति के किसी सदस्य की रिपोर्ट पर विमति टिप्पणी को रिपोर्ट के संसद् में पेश किए जाने से पूर्व प्रकाशित करना या समिति की कार्यवाही और उसके समक्ष दाखिल दस्तावेजों को छापना ।

६. अध्यक्ष द्वारा मंजूर किए जाने से पूर्व किसी प्रश्न, प्रस्ताव या संकल्प या उनके उत्तर को प्रकाशित करना । किसी विधेयक को संसद् में दाखिल [इन्ट्रोड्यूस] किए जाने से पहले प्रकाशित किया जा सकता है ।

७. किसी जाली दस्तावेज को संसदीय कागज-पत्र के रूप में प्रकाशित करना ।

८. ऐसी कोई भी बात प्रकाशित करना जिससे संसद् या उसकी किसी समिति की गरिमा कम होती हो ।

९. सदन या उसकी किसी समिति के चरित्र, आचरण या कार्यवाही पर आक्षेप करना या उसके किसी सदस्य पर सदस्यता के अयोग्य होने अथवा चरित्रहीनता, बेईमानी, किसी व्यसन, किसी प्रलोभन, घूस के प्रभाव में कोई संसदीय कार्य या आचरण करने के आरोप लगाना ।

१०. सदन या सदस्यों को कोई संसदीय कार्य या आचरण करने से रोकने के निहित उद्देश्य से कुछ छापना या किसी सदस्य द्वारा किसी मामले पर पक्ष अथवा विपक्ष में मत डालने के कारण उसे बदनाम करना ।

११. सदन की खिल्ली उड़ानेवाली या उसे बदनाम करनेवाली, उसके प्रति तिरस्कार या घृणा का भाव फैलानेवाली, कोई बात प्रकाशित करना ।

१२. अध्यक्ष के लिए अपमानजनक बात लिखना, अध्यक्ष को अपमानजनक पत्र लिखना । अध्यक्ष और हर सदस्य का विशेषाधिकार सारे सदन का विशेषाधिकार समझा जाता है ।

१३. अध्यक्ष या विशेषाधिकार समिति के समक्ष विचाराधीन किसी मामले पर टिप्पणी करना ।

१४. संसदीय समितियों के समक्ष साक्ष्य देनेवालों को ऐसा करने से रोकना या साक्ष्य को प्रभावित करना । यदि पत्रकार को साक्ष्य के लिए बुलाया गया हो तो उसके द्वारा प्रश्नों के उत्तर देने या अपनी सूचना का आधार बताने से इंकार करना ।

१५. पत्रकार द्वारा सदन की कार्यवाही में बाधा डालना या सदन के परिसर में अभद्र आचरण करना, अशांति पैदा करना, अध्यक्ष के किसी आदेश का पालन न करना ।

ये संसद् के विशेषाधिकार भंग होने और उसके अवमान के कुछ ही अधिक स्पष्ट उदाहरण हैं । चूँकि संसदीय विशेषाधिकारों का व्याप लगभग असीम और अनिश्चित है इसलिए कहना कठिन है कि किन अन्य स्थितियों में पत्र और पत्रकार विशेषाधिकार भंग के दोषी ठहराए जा सकते हैं ।

विशेषाधिकारों के संहिताकरण का प्रश्न

यही कारण है कि संसद् के विशेषाधिकारों को संहिताबद्ध करने की माँग काफी समय से उठती चली आ रही है । प्रेस ओर जनसामान्य चाहता है कि ऐसा किया जाए ताकि उसे संसद् के सम्बन्ध में अपनी सीमाओं का पता रहे, साथ ही संसद् भी मनमानी न कर सके । लेकिन, संसद् समझती है कि विशेषाधिकारों को संहिताबद्ध करने से उसकी सम्प्रभुता में कमी आ जाएगी । न्यायालय भी इसके सन्दर्भ में उसके निर्णयों की पुनरीक्षा कर सकेंगे । संहिता के जो प्रावधान नागरिक के मौलिक अधिकारों के प्रतिकूल होंगे या संसद् के जो निर्णय इन अधिकारों का

हनन करेंगे उनकी संविधान की अनुच्छेद १३ (२) के अधीन न्यायिक पुनरीक्षा हो सकेगी । किन्तु, संसद् अपने विशेषाधिकारों का निर्णय किसी बाहरी निकाय या अभिकरण द्वारा किए जाने के नितान्त विरुद्ध है ।

ब्रिटेन के 'हाउस ऑफ कामन्स' द्वारा अपने विशेषाधिकारों को संहिताबद्ध करने से इंकार करने का ऐतिहासिक कारण है । उसने ये विशेषाधिकार एक ओर राजाओं से और दूसरी तरफ 'हाउस ऑफ लार्ड्स' से लम्बे संघर्ष के बाद प्राप्त किये थे । इनके सिलसिले में उनका अदालतों से भी टकराव होता रहा । यहाँ तक कि उसने विशेषाधिकार भंग करने के अपराधियों के मामलों की सुनवाई करनेवाले जजों, वकीलों आदि को जेल भिजवाया और मौत तक की सजाएँ दीं । उसने अपने विशेषाधिकार को किसी के द्वारा न्यून किया जाना स्वीकार नहीं किया । चूँकि 'हाउस ऑफ लार्ड्स' इंग्लैंड का सर्वोच्च न्यायालय भी है इसलिए 'हाउस ऑफ कामन्स' को यह डर रहा कि अगर उसने अपने विशेषाधिकारों को संहिताबद्ध किया तो इसकी व्याख्या 'हाउस ऑफ लार्ड्स' करेगा । ब्लेकस्टोन का कहना था कि यदि 'हाउस ऑफ कॉमन्स' ने अपने विशेषाधिकारों का संहिताकरण करने का प्रयास किया तो राजा और लार्ड्स उसके उद्देश्यों को विफल कर देंगे । आज स्थिति वहाँ भी बहुत बदल चुकी है । वहाँ की अदालतें संसद् के विशेषाधिकारों का सम्मान करती हैं और संसद् भी अपनी किसी कार्रवाई के खिलाफ सुनवाई में अदालतों से असहयोग नहीं करती है ।

भारत के संविधान के अनुच्छेदों १०५ और १९४ की भाषा से स्पष्ट है कि संविधान-निर्माता संसद् द्वारा अपनी शक्तियों, विशेषाधिकारों और उन्मुक्तियों के विषय में कानून बनाए जाने के पक्ष में थे । इन अनुच्छेदों में किया गया यह प्रावधान कि भारतीय संसद् और विधानमण्डलों के वही अधिकार होंगे जो २६ जनवरी, १९५० को 'हाउस ऑफ कामन्स' के थे, एक अस्थायी व्यवस्था थी । यह तब तक लागू रहनी थी जब तक संसद् और विधानमण्डल इस विषय में कानून नहीं बनाते । लेकिन, विधायिका ने कानून बनाने की दिशा में कोई कदम न उठाकर इस अस्थायी व्यवस्था को स्थायी बना दिया है ।

संसद् के विशेषाधिकारों को संहिताबद्ध करने के प्रश्न पर विभिन्न लोगों के भिन्न-भिन्न मत हैं । एक भूतपूर्व मुख्य न्यायाधीश न्यायामूर्ति सुब्बाराव संहिताकरण के पक्ष में थे जब कि एक अन्य भूतपूर्व मुख्य न्यायाधीश न्यायमूर्ति एम० हिदायतुल्ला ने इसके विरुद्ध मत व्यक्त किया है । पर जहाँ तक प्रेस का सम्बन्ध है, उसकी प्रायः सभी संस्थाओं ने संसद् के विशेषाधिकारों के संहिताकरण पर सदैव जोर दिया है, यहाँ तक कि प्रथम प्रेस आयोग ने भी, जिसने प्रेस को प्रभावित करनेवाले कानूनों में संशोधन की माँगे स्वीकार नहीं की थीं, संसदीय विशेषाधिकारों को संहिताबद्ध करने की सिफारिश की । द्वितीय प्रेस आयोग ने भी इसे दोहराया है ।

भारतीय प्रेस परिषद् भी संसद् के विशेषाधिकारों के संहिताकरण के पक्ष में है । परिषद् ने संसद् और प्रेस के सम्बन्धों के विषय में विस्तृत अध्ययन करके

१९८२ में अनेक सिफारिशें कीं जिनमें विशेषाधिकारों को संहिताबद्ध करने की सिफारिश भी शामिल है। परिषद् की सिफारिशें इस प्रकार हैं—

संसदीय विशेषाधिकार तथा प्रेस की स्वतन्त्रता पर भारतीय प्रेस परिषद् की संस्तुतियाँ

१. विधायिका को अपने वर्तमान विशेषाधिकारों में वृद्धि नहीं करनी चाहिए। वास्तव में इन्हें न्यूनतम करने की आवश्यकता है। इंग्लैंड में भी 'हाउस ऑफ कामन्स' अपने पूर्व विशेषाधिकारों, जो कि ब्रिटेन के न्यायालय द्वारा मान्य है, के अतिरिक्त किसी नये विशेषाधिकार की अध्यर्थना नहीं कर सकता।

२. न्यायालयों के समरूप संसद् और विधानमण्डलों में प्रेस की उपस्थिति तथा उसकी कार्यवाही के समाचार देने का अधिकार भी स्पष्ट रूप से मान्य होना चाहिए।

३. परिषद् 'हाउस ऑफ कामन्स' द्वारा १९६६ में नियुक्त की गई प्रवर समिति द्वारा व्यक्त इन विचारों से सहमत है कि संसदीय विशेषाधिकार कानून इस प्रकार से प्रशासित नहीं होने चाहिए जिससे विचारों की स्वतन्त्र अभिव्यक्ति अथवा आलोचना नियन्त्रित अथवा निरुत्साहित हो, चाहे ऐसे विचार अथवा आलोचना कितने ही पक्षपातपूर्ण अथवा अतिशयोक्ति पूर्ण क्यों न हों।

४. सदन के दण्ड देने के अधिकार जहाँ तक संभव हो कम-से-कम प्रयोग में लाये जाने चाहिए तथा वह भी केवल जब सदन सन्तुष्ट हो कि उसके सदस्य अथवा अधिकारियों की उचित कार्यवाही के निष्पादन में व्यतिक्रम द्वारा अनुचित बाधा से उचित संरक्षण हेतु यह आवश्यक है।

५. जहाँ न्यायालय द्वारा किसी सदस्य की कठिनाई का उपचार हो सकता हो वहाँ इसके प्रतिरोधस्वरूप अथवा उपचार के परिवर्धन में सदन के दण्ड देने के अधिकार-क्षेत्र के आह्वान की स्वीकृति नहीं दी जानी चाहिए।

६. दण्ड देने के अधिकार ऐसी शिकायतों में कभी भी प्रयोग में नहीं लाये जाने चाहिए जो सदन के ध्यानाकर्षण के लिए अयोग्य अथवा साधारण प्रकृति की प्रतीत होतीं हैं। ऐसी शिकायतें शीघ्र ही खारिज कर दी जानी चाहिए।

७. सामान्यतः अवमान के लिए दण्डित करने की शक्ति का प्रयोग किसी व्यक्ति द्वारा किसी सदस्य अथवा अधिकारी के विरुद्ध अपने वैध अधिकार के अन्तर्गत संस्थापित अथवा अन्यथा। कानूनी कार्यवाही करने के विरुद्ध अवरोधक के रूप में नहीं किया जाना चाहिए।

८. अवमान हेतु निर्णय करते समय सदन को आरोपों की सत्यता के संबंध में सत्यनिष्ठ एवं उचित टिप्पणी के तर्क पर विचार करना चाहिए, यदि

वह कथन पूर्ण जाँच के पश्चात् किये गये हों, आवश्यक जनहित हेतु सत्यनिष्ठ एवं उचित विश्वास में किए गये हों तथा जनहित की पूरक विधि से किए गये हों । यदि वह व्यक्ति जिसके विरुद्ध शिकायत की गयी थी, सब विषय में सदन को संतुष्ट करने में समर्थ है, तो उसे सदन में अनुचित रूप से बाधा उत्पन्न करनेवाला अथवा इस हेतु प्रयत्न करनेवाला स्वीकार नहीं किया जायगा तथा तदनुसार अवमान से विमुक्त कर दिया जायगा ।

९. यह आचरण सदन के अवमान के रूप में मान्य नहीं होंगे—

(i) सम्बद्ध प्रलेखों को पूर्व प्रकाशित करना कि—

(क) किस प्रकार किसी सदस्य ने वास्तव में विभेद में मत दिया,

(ख) किसी प्रस्ताव के प्रसंग जो वास्तव में संसद् के पटल पर रखे गये हैं ।

(ii) किसी सदस्य द्वारा किसी विशेष प्रकार से मत देने अथवा मत देने से परिवर्तन करने के व्यक्त आशय का प्रकाशन ।

१०. सदन को अवमान के दोषी व्यक्ति से पर्याप्त उपक्रम की प्राप्ति अथवा अन्य मान्य कारणों से किसी दण्ड के परिहार, निलम्बन अथवा परिवर्तन हेतु अधिकार होना चाहिए ।

११ संसद् और विधानमण्डल को कार्यवाही से निकाले गये शब्दों के संबंध में उदार दृष्टिकोण अपनाना चाहिए क्योंकि प्रेस संवाददाताओं को यह संकेत देने हेतु कोई भी संतोषजनक व्यवस्था नहीं है कि कार्यवाही से कुछ शब्द निकाल दिए गये हैं । ऐसी स्थिति में संवाददाता स्वाभाविक त्रुटि कर सकता है जिसकी उपेक्षा की जानी चाहिए ।

१२. अधिष्ठाता द्वारा संसदीय कार्यवाही के पूर्ण रूप से अभिलिखित न करने के आदेश नहीं दिये जाने चाहिए, क्योंकि संसदीय लोकतन्त्र में एक नागरिक को विधानमण्डल में अपने प्रतिनिधियों के विचार तथा आचरण की जानकारी पाने का अधिकार है ।

१३. विशेषाधिकार के व्यवधान के आधार पर समाचारपत्रों में नियमविरुद्ध सामग्री प्रकाशन की अपेक्षा के लिए एक वर्ष की सीमा निर्धारित की जानी चाहिए ।

१४. सदन के आचार तथा व्यापार के नियमों में संशोधन करके विशेषाधिकार के व्यवधान की कार्यवाहियों में 'अवमानक को अपनी प्रतिरक्षा हेतु उचित अवसर दिया जाना चाहिए ।'

१५. जिस व्यक्ति के विरुद्ध विशेषाधिकार भंग करने की शिकायत की गयी हो उसे विशेषाधिकार समिति की कार्यवाही में भाग लेने, वकील करने, गवाही पेश करने तथा यदि आवश्यक हो, तो कानूनी सहायता पाने का अधिकार होना चाहिए ।

१६. विशेषाधिकार समिति द्वारा जिस व्यक्ति के विरुद्ध विशेषाधिकार भंग करने की शिकायत की गयी है, उसके द्वारा साक्ष्य प्रतिपरीक्षण तथा साक्ष्यों द्वारा पुनः परीक्षण के अधिकार की स्वीकृति दी जानी चाहिए ।

१७. विधानमंडल के सम्मुख अपनी रिपोर्ट प्रस्तुत करने के पश्चात् संसदीय समिति के सम्मुख प्रस्तुत अभिलेख अथवा साक्ष्यों तथा अभिगम्यता प्राप्त होनी चाहिए जब तक कि न्यायालय यह निर्णय न करे कि ऐसा करना जनहित में नहीं होगा ।

१८. यदि विधानमण्डल कथित विशेषाधिकार भंग करने के किसी विषय में न्यायालय के सम्मुख आह्वान करने के विषय में न्यायतंत्र की सहायता करता है, तो इससे सब नागरिकों में अत्यधिक विश्वास उत्पन्न होगा ।

१६. परिषद् अपने इस विचार की पुनरुक्ति करती है कि संसद् तथा राज्य विधानमंडलों को विशेषाधिकारों को प्रेस की स्वतंत्रता के हित में संहिता के रूप में निर्मित करना चाहिए । द्वितीय प्रेस परिषद् ने भी इसे आवश्यक पाया है ।

२०. परिषद् सुझाव देती है कि लोकसभा के अध्यक्ष तथा राज्यसभा के सभापति संसद् के विशेषाधिकारों की संहिता के निर्माण के लिए संयुक्त संसदीय समिति की स्थापना करें । प्रेस को समिति के विचारानुसार इसमें सम्बद्ध किया जाना चाहिए ।

२१. इस बीच, विभिन्न विधानमंडलों के सम्मुख प्रस्तुत विशेषाधिकारों के मामलों को उचित शीर्षकों के अन्तर्गत एक अधिकृत सारसंग्रह के रूप में प्रकाशित करना उचित होगा ।

विशेषाधिकार भंग की कार्यवाही की प्रक्रिया और दण्ड

सदन का कोई सदस्य विशेषाधिकार का अतिक्रमण या अवमान होने का मामला उठाने की सूचना अध्यक्ष को लिखित रूप में दे सकता है । यदि शिकायत किसी समाचारपत्र के विरुद्ध या किसी दस्तावेज के सिलसिले में हो तो संगत अंश सूचना के साथ नत्थी किये जाने चाहिए ।

यदि मामला देखते ही गम्भीर लगे तो अध्यक्ष सूचना देनेवाले सदस्य को मामला सदन में उठाने की अनुमति दे सकता है । पर, सामान्यतः वह पत्र के सम्पादक को लिखकर उससे स्पष्टीकरण माँगता है । यदि सम्पादक भूल-सुधार कर ले या बिना शर्त माफी माँग ले तो अध्यक्ष मामला उठाने की अनुमति देने से इंकार कर देता है । लेकिन, वह सदन को इसकी जानकारी देता है । अगर समपादक ऐसा न करे तो या तो अध्यक्ष स्वयं या सदन की राय से मामले को विशेषाधिकार समिति को जाँच और सिफारिश करने के लिए भेजता है । समिति पूरी जाँच करके अपनी सिफारिश सदन से करती है । अन्तिम निर्णय स्वयं सदन करता है ।

यदि समिति इस निर्णय पर पहुँचे कि जिसके विरुद्ध शिकायत की गयी है वह दोषी नहीं है तो मामला समाप्त कर दिया जाता है । यदि वह उसे दोषी पाये तो वह या तो उसे दण्डित करने की सिफारिश करती है या यह सिफारिश करती है कि दोषी व्यक्ति अथवा पत्र की परिनिन्दा करके अथवा उसके आचरण को निरनुमोदित करते हुए कार्यवाही समाप्त कर दी जाय । सदन चाहे तो समिति के प्रतिवेदन को उसी रूप में या संशोधन के साथ स्वीकार कर सकता है । चाहे तो वह उसे अस्वीकार भी कर सकता है । वैसे दोषी व्यक्ति को सुनवाई का अवसर देने का अनिवार्य प्रावधान नहीं है, फिर भी समिति उसे बुलाकर ऐसा अवसर दे सकती है।

संसद् के विशेषाधिकारों को भंग करने या उसका अवमान करने के लिए झाड़ बताने से लेकर जेल में रखने की सजा दी जा सकती है ।

झाड़ बताने कि लिए दोषी व्यक्ति को सदन की बार (जो अध्यक्ष के आसन के सामनेवाले द्वार के निकट बनायी जाती है) पर खड़ा किया जाता है । इसके बाद अध्यक्ष उसे सदन की ओर से झाड़ते हैं । ज्यादा गम्भीर अवमान के लिए जेल में रखने की जो सजा दी जाती है वह सदन के सत्रावसान तक की अवधि से अधिक नहीं हो सकती है ।

पत्रों और पत्रकारों के लिए एक सजा उनकी प्रेस दीर्घा की सुविधा समाप्त करना होता है ।

संसदीय विशेषाधिकारों का उल्लंघन : संक्षेप में

भारत में संसद् के विशेषाधिकारों को भंग करने या उसका अवमान करने के अधिसंख्य मामले समाचारपत्रों के विरुद्ध उठते हैं । इनके अध्ययन से पता चलता है कि ज्यादातर मामले सदस्यों के व्यक्तिगत या सामूहिक चरित्र या आचरण पर टिप्पणियों में आक्षेप किए जाने पर उठते हैं जिनसे जनता की निगाहों में संसद् की प्रतिष्ठा गिरती है ।

संक्षेप में निम्नलिखित कार्यों से संसदीय विशेषाधिकार भंग होते हैं या संसद् का अवमान होता है—

सदन या उसकी समितियों या अधिकारियों के चरित्र, या सदन की कार्यवाही की निन्दा करनेवाली टिप्पणियाँ प्रकाशित करना; सदन के समक्ष प्रस्तावों को प्रस्तुत किए जाने से पूर्व उन्हें प्रकाशित करना; सदन की किसी समिति या समिति की किसी बैठक की कार्यवाही को, अथवा समिति के निष्कर्षों अथवा रिपोर्ट को, उसका प्रतिवेदन सदन में प्रस्तुत किए जाने से पूर्व प्रकाशित या उद्घाटित करना अथवा उसका संदर्भ देना; समिति के समक्ष प्रस्तुत किसी दस्तावेज या पत्र को समिति का प्रतिवेदन दाखिल किए जाने से पहले छापना;

सदन की कार्यवाही या उसके किसी सदस्य के भाषण का गलत विवरण देना या मिथ्या निरूपण करना, अथवा सदस्य-विशेष के भाषणों को जान-बूझकर न छापना; किसी संसदीय समिति के प्रतिवेदन को मिथ्या निरूपित करना;

सभाध्यक्ष की निष्पक्षता पर छींटाकशी करना; सदन की गरिमा या प्रतिष्ठा को गिरानेवाली टिप्पणियाँ प्रकाशित करना; संसदीय प्रणाली के आधार को दुर्बल बनानेवाली आलोचना करना;

अध्यक्ष के आदेश पर कार्य-विवरण से निकाले गए शब्दों, वाक्यांशों, मुहावरों आदि को छापना; जिन बातों को अधिकृत कार्य-विवरण में सम्मिलित न करने का आदेश अध्यक्ष ने दिया हो, उन्हें प्रकाशित करना; सदन की किसी गुप्त बैठक की कार्यवाही उद्‌घाटित करना ।

कुछ प्रमुख निर्णय

संसदीय विशेषाधिकरों के सम्बन्ध में कुछ प्रमुख मामले और उन पर निर्णय इस प्रकार हैं—

१. लोकसभा ने १९६१ में बम्बई के अंग्रेजी साप्ताहिक 'ब्लिट्ज' के सम्पादक श्री आर० के करंजिया और उसके दिल्ली संवाददाता श्री ए० राघवन को सदन के गम्भीर अवमान का दोषी ठहराया । श्री करंजिया को २९ अगस्त, १९६१ को लोकसभा की 'बार' पर उपस्थित कराकर सभाध्यक्ष ने उन्हें फटकार सुनाई । श्री राघवन का पत्रकार-दीर्घा और केन्द्रीय कक्ष का प्रवेश-पत्र रद्द कर दिया गया । श्री राघवन ने १६ मार्च, १९६२ को अध्यक्ष को लिखे एक पत्र में माफी माँग ली । सदन ने इसे स्वीकार करके पुनः प्रवेश-पत्र दे दिया ।

'ब्लिट्ज' ने अपने १५ अप्रैल, १९६१ के अंक में आचार्य जे० बी० कृपालानी का लोकसभा में उनके द्वारा दिए गए एक भाषण पर मजाक उड़ाया था । साथ ही एक चित्र छापा जिस पर 'कृपालूनी' शीर्षक दिया गया । चित्र के साथ श्री राघवन का लेख छपा जिसमें उनके भाषण को सदस्य निर्वाचित होने के बाद का सबसे घटिया और सस्ता भाषण कहा गया । इसके अलावा श्री कृपालानी को 'सठियाया' और 'बाजारू मसखरा' बताया गया । इस प्रकार पत्र ने श्री कृपालानी की सदन के अन्दर किए गये कार्य के लिए उनकी खिल्ली उड़ाकर और असंयत भाषा का प्रयोग करके उनका और सदन का विशेषाधिकार भंग किया । विशेषाधिकार समिति ने श्री करंजिया और श्री राघवन को उसके समक्ष उपस्थित होकर स्पष्टीकरण देने के दो अवसर दिए, किन्तु वे नहीं आए । श्री करंजिया ने अपने उत्तर में 'उचित टिप्पणी' के अधिकार के आधार पर अपना बचाव पेश किया । लेकिन समिति ने इसे अस्वीकार कर दिया । समिति ने अपने प्रतिवेदन में [जिसे सदन ने स्वीकार कर लिया] कहा—

—प्रेस या किसी भी सामान्य नागरिक को संसद् पर उचित टीका-टिप्पणी करने का अधिकार है । किन्तु, टीका-टिप्पणी में किसी सदस्य पर, संसद् में उसके आचरण के सिलसिले में, व्यक्तिगत प्रहार किए जाएँ या टीका-टिप्पणी में भद्दी या गालीगलौज वाली भाषा का प्रयोग किया जाए तो इसे उचित टिप्पणी या न्यायसंगत आलोचना नहीं माना जा सकता है ।

—सदन के आचरण और कार्यवाही पर, अथवा उसके किसी सदस्य के सदन में भाषण या आचरण के सिलसिले में उस पर, वाक् या लेखन से आक्षेप करना सदन का विशेषाधिकार भंग करना है ।

—यह इस सिद्धान्त पर आधारित है कि सदन और उसके सदस्य जिस सम्मान के पात्र हैं, ऐसे कृत्य उसे कम करके तथा उन्हें लांछित व अवमानित करके या उनका मजाक उड़ाकर, उनके कार्यों और कर्तव्यों के निर्वहन में बाधा डालते हैं ।

—चूँकि प्रकाशन के लिए अन्तिम दायित्व संपादक का होता है इसलिए उसका अपराध अधिक गम्भीर है ।

(*V प्रिविलेज डायजेस्ट, संख्या २, १९६१*)

२. तमिल साप्ताहिक 'कल्कि' के विरुद्ध उठाए गए मामले में तत्कालीन मद्रास विधानसभा के अध्यक्ष ने व्यवस्था दी कि

—सदस्यों की सदन के बाहर गतिविधियों के सम्बन्ध में की गई उनकी आलोचना पर सदन के विशेषाधिकार भंग होने का मामला नहीं बनता है ।

'कल्कि' ने ३१ अगस्त, १९५८ के अंक में लिखा था कि सरकार को राज्य के जिलों को विभाजित करने की योजना स्वीकार नहीं करनी चाहिए क्योंकि इससे 'सदस्यों का गैर-कानूनी शक्ति पर एकाधिकार' बढ़ जाएगा ।

(*VII प्रिविलेज डायजेस्ट, ११ जुलाई, १९६३*)

३. १९६२ में अहमदाबाद के दैनिक 'प्रभात' ने यह प्रकाशित किया था कि गुजरात विधानसभा से राज्यसभा के चुनाव में एक प्रत्याशी के पक्ष में मत देने के लिए कुछ सदस्यों को बड़ी रकमें घूस के रूप में दी गई हैं । विधानसभा की विशेषाधिकार समिति ने कहा कि इससे सदन का विशेषाधिकार भंग नहीं हुआ क्योंकि

—सदस्यों द्वारा राज्यसभा के चुनावों में मतदान करना विधानसभा की कार्यवाही का अंग नहीं है ।

—चूँकि सभी विशेषाधिकार केवल सदन के कार्यों के प्रभावी निर्वहन के साधन के रूप में है, इसलिए विशेषाधिकार भंग करनेवाले अवमानजनक कथनों का 'कम-से-कम दूर का सम्बन्ध सदन की कार्यवाही या सदस्यों की सेवा से होना चाहिए ।'

४. इसी तरह उत्तर प्रदेश विधान परिषद् के अध्यक्ष ने व्यवस्था दी कि

—जब किसी मंत्री पर किए गए आक्षेपो का सम्बन्ध सदन के सदस्य के रूप में उसके कर्त्तव्यों या दायित्वों से नहीं होता तो इन आक्षेपों से मंत्री या सदन का विशेषाधिकार भंग होने का सवाल नहीं उठता ।

(*XXVI प्रिविलेज डायजेस्ट, संख्या १, १९८१*)

५. दिल्ली के दैनिक 'हिन्दुस्तान' ने २ जून, १९६७ के अंक में राज्य सभा में हजारी समिति की रिपोर्ट पर हुई बहस पर 'निराधार, निरर्थक और अनुचित' शीर्षक से सम्पादकीय लिखा । सदन में बिड़लाओं पर लगाए गए कुछ आरोपों पर आपत्ति करते हुए संपादकीय में लिखा गया कि सवाल यह है कि हजारी रिपोर्ट को आधार बनाकर जो बेहूदगी, विषवमन, चरित्रहनन और विचारहीनता प्रदर्शित की गई, क्या वह संसद् और उसके सदस्यों की गरिमा के अनुरूप थी ? राज्यसभा की विशेषाधिकार समिति ने पत्र को दोषी ठहराते हुए यह सिद्धान्त प्रतिपादित किया कि

—प्रेस को बिना भय या प्रलोभन के अपने विचार अभिव्यक्त करने की स्वतंत्रता होनी चाहिए लेकिन तथ्यों को तोड़-मरोड़कर और दुष्प्रेरणा का आरोप लगाकर इस स्वतंत्रता का दुरुपयोग नहीं किया जाना चाहिए । यदि ऐसा संसद् की कार्यवाही के सिलसिले में किया जाता है तो यह अपराध और भी गंभीर बन जाता है ।

पत्र के संपादक द्वारा बिना शर्त खेद व्यक्त कर देने के कारण उसके खिलाफ आगे कोई कार्रवाई नहीं की गई ।

(XII प्रिविलेज डायजेस्ट, संख्या २, १९६७)

६. मध्य प्रदेश विधानसभा के अध्यक्ष ने एक मामले में निर्णय दिया कि

—सामान्य टिप्पणियों को विशेषाधिकार भंग का मामला नहीं माना जा सकता है जब तक इनसे सदस्यों के कर्तव्य निभाने में बाधा न पड़ती हो ।

—समाचारपत्रों को किसी सदस्य का पूरा भाषण प्रकाशित करने को बाध्य नहीं किया जा सकता है ।

—हर छोटे-मोटे मामले को विशेषाधिकार भंग का मुद्दा नहीं बनाया जाना चाहिए ।

(XXVI प्रिविलेज डायजेस्ट, संख्या २, १९८१)

७. अंग्रेजी साप्ताहिक 'ब्राडवे टाइम्स' ने अपने १३ दिसम्बर, १९६३ के अंक में, तमिलनाडु विधानसभा सचिवालय में द्रविड़ मुन्नेत्र कडगम पार्टी के लोग भरे होने का आरोप लगाते हुए कहा कि इनमें से कुछ लोग द्रमुक को सदस्यों को प्रश्नों के उत्तर सत्र शुरू होने से पहले बता देते हैं ।

विधानसभा की विशेषाधिकार समिति ने अपनी रिपोर्ट में कहा कि पत्र ने सदन के अधिकारियों पर पक्षपात का आरोप लगाया है ।

—चूँकि इसमें (पक्षपात के आरोप में) अधिकारियों को उनका काम करने से भय दिखाकर रोकने की प्रवृति है, इसलिए इससे विधानसभा का विशेषाधिकार भंग होता है ।

(XII प्रिविलेज डायजेस्ट, संख्या १, १९६७)

८. १९५२ में पी० सुन्दरैया के मामले में लोकसभा ने निर्णय दिया था ।

—जब किसी संसदीय समिति की बैठकें हो रही हों तो उसकी कार्यवाही प्रकाशित नहीं की जानी चाहिए ।

(*XII प्रिविलेज डायजेस्ट, संख्या १, १९६७*)

९. १९६० में जब लोकसभा की विशेषाधिकार समिति एक पत्र के खिलाफ मामलों पर विचार कर रही थी तब एक अन्य पत्र ने उसकी एक दिन की कार्यवाही का पूरा विवरण छाप दिया । समिति ने इसे विशेषाधिकार भंग का मामला माना और इस सम्बन्ध में लोकसभा कि प्रक्रिया नियमावली के उस नियम का हवाला दिया जिसमें लिखा है कि

—समिति के समक्ष लिखित या मौखिक साक्ष्य की रिपोर्ट या कार्यवाही के किसी भाग का पटल पर रखे जाने से पहले निरीक्षण नहीं किया जा सकता है ।

—किसी संसदीय समिति के समक्ष प्रस्तुत साक्ष्य को सभा पटल पर रखे जाने से पूर्व प्रकाशित नहीं किया जा सकता है ।

(*VI प्रिविलेज डायजेस्ट, संख्या १, १९६२*)

१०. राज्यसभा की विशेषाधिकार समिति ने पाया कि 'ब्लिट्ज' ने सदन के सभापति की एक व्यवस्था को तोड़-मरोड़कर छापा था और व्यवस्था के बारे में असंयत भाषा का प्रयोग किया । समिति ने कहा कि सम्पूर्ण लेख को पढ़ने से जो धारणा और प्रभाव बनता है वह सभापति ने जो कहा था और उनका जो इरादा था, उससे उल्टा है ।

—यह इस सीमा तक सदन की कार्यवाही का मिथ्या निरूपण है ।

(*XXVI प्रिविलेज डायजेस्ट, संख्या २, १९८१*)

११. 'हिन्दुस्तान टाइम्स' ने अपने चार जून, १९६७ के अंक में 'शेड्स ऑफ स्टार चेम्बर' शीर्षक से एक लेख प्रकाशित किया जिसमें यह सवाल उठाया गया कि संसद् को कहाँ तक जनतन्त्र को दुर्बल किये बिना एक प्रकार के 'स्टार चेम्बर' की तरह का आचरण करने दिया जा सकता है, जहाँ उन व्यक्तियों और संस्थाओं के बारे में फैसला किया जाता है जिसके पास वहाँ अपने को बचाने का कोई साधन नहीं है ? यह लेख भी 'हिन्दुस्तान' के सम्पादकीय की तरह संसद् में बिड़लाओं पर आरोप लगाए जाने पर प्रतिक्रिया के रूप में लिखा गया था ।

पत्र के प्रधान सम्पादक श्री एस० मूलगांवकर ने अपने बचाव में कहा कि संसद् को 'स्टार चेम्बर' कहने से उसका विशेषाधिकार भंग नहीं हुआ । उनका इरादा संसद् को बदनाम करने का नहीं था । वह इस बात पर जोर देना चाहते थे कि कुछ लोग सबूत के बगैर ऐसे लोगों पर प्रहार करते हैं जो संसद् में न होने के कारण अपना बचाव नहीं कर सकते । श्री मूलगांवकर ने खेद प्रकट नहीं किया और वह विशेषाधिकार समिति की बैठक से उठकर चले आये ।

समिति ने उन्हें दोषी ठहराते हुए कहा कि उनके लेख से इस आरोप की धारणा बनती है कि संसद्, एक संस्थान के रूप में, एक दमनकारी और उत्तरदायित्वहीन न्यायाधिकरण है। यह संसद् पर गम्भीर आक्षेप है जिससे सदन का विशेषाधिकार भंग हुआ है और उसका अवमान हुआ है। समिति ने सम्पादक के अलावा पत्र के मुद्रक और प्रकाशक को भी तकनीकी रूप से दोषी ठहराया।

किन्तु, इसके बावजूद समिति ने दोषी व्यक्तियों के प्रति उदार रूख अपनाया और यह महसूस किया कि 'मामले की उपेक्षा करने से सदन की गरिमा बढ़ेगी।' उसने टिप्पणी की कि

—सदन को केवल उन गम्भीर मामलों में दण्ड देने की अपनी शक्तियों का प्रयोग करना चाहिए जिनमें ससंद् को बदनाम करने और संसद् के प्रति जनता के विश्वास और समर्थन को दुर्बल करने की कोशिश जान-बूझकर की जाती है।

(XXII प्रिविलेज डायजेस्ट, संख्या १, १९६७)

१२. आंध्र प्रदेश विधानसभा की विशेषाधिकार समिति ने बहुमत से निर्णय दिया कि सभाध्यक्ष की उनके सदन के बाहर के कार्यों के लिए आलोचना से, तथा ऐसी आलोचना से जिसमें उनकी निष्पक्षता पर आक्षेप नहीं किया गया हो, सदन का विशेषाधिकार भंग नहीं होता।

यह मामला 'डेक्कन क्रानिकल' द्वारा कई लोगों के ऐसे वक्तव्य प्रकाशित करने से उठा जिनमें कहा गया था कि अध्यक्ष को विजयवाड़ा चुनाव-क्षेत्र का प्रतिनिधि होने के नाते वहाँ की समस्याओं में रुचि लेनी चाहिए। यह वक्तव्य सरकार द्वारा विजयवाड़ा में एक नया सरकारी अस्पताल बनाने का प्रस्ताव समाप्त करने के विरुद्ध प्रतिक्रिया में दिए गये थे। समिति के बहुमत ने कहा कि

—ये वक्तव्य अध्यक्ष के सदन के बाहर के कार्य करने के सम्बन्ध में हैं। यह सन्देहजनक है कि ऐसी टीका-टिप्पणियों से सदन का विशेषाधिकार भंग होता है।

(IV प्रिविलेज डायजेस्ट, संख्या २, १९६०)

१३. अध्यक्ष के आदेश से कार्यवाही के विवरण से निकाले गये शब्दों, वाक्यांशों आदि का प्रकाशन संसद् के विशेषाधिकार को भंग करना है या नहीं, यह प्रश्न १९५९ में उच्चतम न्यायालय तक गया था। पटना के दैनिक 'सर्चलाइट' के सम्पादक एम० एस० मन्त्रेश्वर शर्मा बनाम बिहार के मुख्यमन्त्री श्रीकृष्ण सिन्हा के मामले में उच्चतम न्यायालय ने निर्णय दिया कि—

—किसी सदस्य के भाषण के उस हिस्से को समाचारपत्रों में प्रकाशित करना संसद् का विशेषाधिकार भंग करता है जिसे कार्यवाही के विवरण से निकाल देने का आदेश अध्यक्ष ने दिया हो।

—अध्यक्ष के इस आदेश का कानूनी प्रभाव यह होता है कि मानो कार्यवाही के अभिलेख से निकाले गये शब्द सदन में बोले ही नहीं गये थे।

इसलिए, भाषण के ऐसे हिस्से का चाहे सही प्रकाशन किया जाय, उसे विकृत और गलत रिपोर्ट माना जायगा। अतः इसके प्रकाशन पर संसद् विशेषाधिकार भंग के अपराध में कार्रवाई कर सकती है।

(ए० आई० आर० १९५९, एस० सी० ३९५)

संसदीय विशेषाधिकार बनाम न्यायालय, प्रेस व नागरिक

संसदीय विशेषाधिकार के संविधान प्रदत्त नागरिक स्वतन्त्रताओं पर प्रभाव के कुछ महत्त्वपूर्ण मामले भारतीय न्यायालयों में पहुँचे। एक मामले में विधायिका और न्यायपालिका में सीधा टकराव हुआ। यहाँ तक कि उत्तर प्रदेश विधानसभा ने इलाहाबाद उच्च न्यायालय के दो न्यायाधीशों की गिरफ्तारी के वारंट जारी किए तथा उन्हें सदन की बार पर उपस्थित होने को कहा और उच्च न्यायालय ने विधानसभा के तत्सम्बन्धी प्रस्ताव पर रोक लगा दी। इन सब मामलों में विशेषाधिकारों के विषय में संसद् और न्यायालय की परस्पर शक्तियों और सीमाओं, संसद् और अभिव्यक्ति की स्वतन्त्रता तथा संसद् और नागरिक अधिकारों के विषयों की संवैधानिक मीमांसा हुई। फलतः भविष्य के लिए कुछ सिद्धांत अभिनिर्धारित हुए।

पहला महत्त्वपूर्ण मामला तब उठा जब उत्तर प्रदेश विधानसभा के अध्यक्ष श्री नफीसुल हसन ने ८ अक्तूबर, १९५१ को बम्बई के साप्ताहिक 'ब्लिट्ज' के सम्पादक के विरुद्ध विशेषाधिकार भंग का एक प्रश्न विधानसभा की विशेषाधिकार समिति को जाँच के लिए भेजा। यह प्रश्न 'ब्लिट्ज' के २७ सितम्बर, १९५१ के अंक में अध्यक्ष की निष्पक्षता पर आक्षेप करनेवाला एक लेख प्रकाशित किए जाने पर उठा था।

विशेषाधिकार समिति ने पत्र के सम्पादक श्री डी० एम० मिस्त्री को उसके समक्ष उपस्थित होकर स्पष्टीकरण करने को कहा। किन्तु, श्री मिस्त्री ने उसकी पूर्णतः उपेक्षा की। वह न तो समिति के समक्ष उपस्थित हुए, न ही उन्होंने समिति के समन का जबाब दिया। समिति ने इसे गम्भीर बात माना और विधानसभा से सिफारिश की कि मिस्त्री को अधिकतम दण्ड दिया जाए। उन्हें गिरफ्तार करके उस समय तक कारावास में रखा जाए जब तक विधानसभा चाहे।

विधानसभा ने ७ मार्च, १९५२ को प्रस्ताव पारित करके निर्णय किया कि अध्यक्ष श्री मिस्त्री के खिलाफ वारण्ट जारी करें। उन्हें गिरफ्तार करके विशेषाधिकार भंग के आरोपों का जबाब देने के लिए सदन के समक्ष पेश किया जाय। अध्यक्ष ने वारण्ट जारी किए और श्री मिस्त्री को बम्बई में गिरफ्तार करके लखनऊ लाया गया। लखनऊ में उन्हें एक सप्ताह तक एक होटल के कमरे में रखा गया।

इस बीच श्री मिस्त्री की ओर से उच्चतम न्यायालय में बंदी प्रत्यक्षीकरण याचिका दायर की गई। इसमें कहा गया कि श्री मिस्त्री को गिरफ्तारी के २४ घंटे के अन्दर किसी मजिस्ट्रेट के समक्ष प्रस्तुत न करके संविधान के अनुच्छेद २२

(२) का उल्लंघन किया गया है। उच्चतम न्यायालय ने याचिका स्वीकार करते हुए श्री मिस्त्री को रिहा कर दिया।

इस प्रकार न्यायालय ने विधानसभाध्यक्ष के आदेश पर गिरफ्तार किए गए व्यक्ति को रिहा करके एक तो यह स्थापित किया कि न्यायालय को संविधान-प्रदत्त नागरिक-अधिकारों को लागू कराने का अधिकार है, भले ही इनका उल्लंघन संसदीय विशेषाधिकारों के अन्तर्गत विधानसभा (अथवा संसद्) के आदेश से हुआ हो।

(ए० आई० आर० १९५४, एस० सी० ६३६)

श्री मिस्त्री ने उच्चतम न्यायालय के आदेश से रिहा होने के बाद विधानसभाध्यक्ष पर बम्बई उच्च न्यायालय में क्षति-पूर्ति के लिए दीवानी मुकदमा कर दिया। इसका आधार उन्होंने यह बनाया कि (१) उत्तर प्रदेश विधानसभा के अध्यक्ष को उत्तर प्रदेश से बाहर रहनेवाले किसी व्यक्ति के विरुद्ध वारण्ट जारी करने का अधिकार नहीं है और (२) उन्हें अनुच्छेद २२ (२) का उल्लंघन करके गलत हिरासत में रखा गया।

बम्बई उच्च न्यायालय ने मुकदमा खारिज करते हुए निर्णय दिया कि अनुच्छेद १९४ (३) में विधानसभा के विशेषाधिकार के बारे में कोई क्षेत्रीय सीमा निर्धारित नहीं की गई है। राज्य से बाहर रहनेवाला कोई व्यक्ति उसकी विधानसभा की गरिमा नहीं गिरा सकता है। विशेषाधिकार भंग के आरोपों का उत्तर देने को उपस्थित कराने के लिए कहीं भी रहनेवाले व्यक्ति के खिलाफ वारण्ट जारी करने का अधिकार विधानसभा को है। गलत हिरासत के लिए क्षति-पूर्ति के सवाल पर उच्च न्यायालय ने कहा कि सभाध्यक्ष विधानसभा के अधिकारी हैं और उन्हें अनुच्छेद २१२ (२) के अधीन विधानसभा के संचालन सम्बन्धी कार्यों के सिलसिले में अधिकारों के प्रयोग पर पूर्ण उन्मुक्ति प्राप्त है, भले ही उनके द्वारा जारी वारण्ट को दूसरों ने गलत ढंग से लागू किया हो।

(आई० एल० आर० १९५७, बम्बई २१८)

क्या समाचारपत्र संविधान के १९वें अनुच्छेद में प्रदत्त 'वाक् और अभिव्यक्ति' की स्वतन्त्रता के आधार पर संसद् या विधानमण्डलों की कार्यवाही के उन अंशों को प्रकाशित कर सकते हैं जिन्हें अध्यक्ष के आदेश से कार्यवाही के अभिलेख से निकाल दिया गया हो?

इस महत्त्वपूर्ण प्रश्न पर उच्चतम न्यायालय ने 'सर्चलाइट' (पटना) के मामले में विचार किया।

हुआ यह कि 'सर्चलाइट' ने बिहार विधानसभा के एक सदस्य के भाषण के उन अंशों समेत पूरा भाषण अपने ३१ मई, १९५७ के अंक में प्रकाशित कर दिया जिन्हें अध्यक्ष ने कार्यवाही के अभिलेख से निकाल दिया था।

सदन ने यह मामला अपनी विशेषाधिकार समिति को भेज दिया। समिति ने जब 'सर्चलाईट' के सम्पादक श्री एम० एस० एम० शर्मा को जवाबतलब किया तो श्री शर्मा ने उच्चतम न्यायालय में समादेश-याचिका दायर कर दी। इसमें

उन्होंने कहा कि विशेषाधिकार समिति द्वारा उन्हें भेजी गयी नोटिस और प्रस्तावित कार्रवाई अनुच्छेद १९ (१) (क) से प्रदत्त वाक् और अभिव्यक्ति-स्वातन्त्र्य के उनके अधिकार का उल्लंघन है। उनके पत्र को अनुच्छेद १९ (२) में लिखे निर्बन्धनों के अधीन बने किसी कानून के अन्तर्गत लगी रोक को छोड़कर किसी भी विषय में कुछ भी प्रकाशित करने का अधिकार है। उनका मत था कि जिस तरह 'ब्लिट्ज' के मामले में उच्चतम न्यायालय ने अनुच्छेद २२ (२) के अधीन मौलिक अधिकार की रक्षा की थी वैसे ही अनुच्छेद १९ (१) (क) के मौलिक अधिकार को संसदीय विशेषाधिकार के क्षेत्र में लागू किया जाना चाहिए।

किन्तु, उच्चतम न्यायालय ने इसे नहीं माना। उसका निर्णय था कि चूँकि अनुच्छेद १९ (१) (क) सामान्य प्रकृति का है और संसदीय विशेषाधिकारों सम्बन्धी अनुच्छेद १०५ (३) और १९४ (३) विशेष प्रावधान है इसलिए १९ (१) (क) को १०५ (३) और १९४ (३) के सामने गौण माना जाएगा।

उच्चतम न्यायालय ने इसके साथ ही यह महत्त्वपूर्ण निर्णय भी किया कि अगर संसद् या विधानमण्डल अपने विशेषाधिकारों की परिभाषा करनेवाले कानून अनुच्छेद १०५ (३) या १९४(३) के अन्तर्गत बनाते हैं तो ये कानून अनुच्छेद १९ (१) (क) के समक्ष गौण होंगे तथा उनके अधीन की गई किसी कार्रवाई पर न्यायालय यह देखने के लिए विचार कर सकेंगे कि उनसे इस अनुच्छेद का उल्लंघन तो नहीं हुआ।

इस मामले में न्यायमूर्ति के० सुब्बाराव ने भिन्न मत दिया। उनका विचार था कि यदि मौलिक अधिकारों और संसदीय विशेषाधिकारों में टकराव होता है तो मौलिक अधिकारों के समक्ष विशेषाधिकारों को गौण माना जाएगा। इसलिए, सम्पादक को संसद् की कार्यवाही का पूरा विवरण प्रकाशित करने का मौलिक अधिकार है।

(ए० आई० आर० १९५९, एस० सी० ३९५)

विशेषाधिकारों के सम्बन्ध में भारत में सर्वाधिक विवादपूर्ण, रोचक और महत्त्वपूर्ण मामला केशवसिंह का है जो १९६४ में उत्तर प्रदेश में उठा, पर उसकी गूँज सारे देश में हुई।

केशवसिंह गोरखपुर का एक राजनीतिक कार्यकर्ता था। उसने अपने कुछ साथियों के साथ उत्तर प्रदेश विधानसभा के एक सदस्य के खिलाफ पर्चा प्रकाशित किया। विधानसभा ने उसे अपने विशेषाधिकार के उल्लंघन का दोषी पाया और सभाध्यक्ष ने उसे १९ मार्च, १९६४ को विधानसभा की 'बार' में खड़ा कर प्रताड़ित किया। किन्तु, प्रताड़ना की प्रक्रिया के दौरान केशवसिंह ने आपत्तिजनक व्यवहार किया। इस पर विधानसभा ने एक प्रस्ताव पारित करके उसे अवमान के दोष में सात दिन के कारावास का दण्ड दिया।

लेकिन, तीन दिन बाद एक वकील एम० बी० सोलोमन ने उसकी ओर से इलाहाबाद उच्च न्यायालय में बन्दी प्रत्यक्षीकरण याचिका दायर कर दी। इसमें कहा गया कि (१) विधानसभा ने केशवसिंह को अवैध रूप से कारावास में डाला

है। उसे ऐसा करने का कोई अधिकार नहीं है। (२) केशवसिंह को अपने बचाव का अवसर नहीं दिया गया, और (३) उसकी नजरबन्दी दुर्भावनापूर्ण और प्राकृतिक न्याय के सिद्धान्तों के प्रतिकूल है।

केशवसिंह और विधानसभा की ओर से वकील अपराह्न दो बजे न्यायमूर्ति बेग और न्यायमूर्ति सहगल की खंडपीठ के समक्ष उपस्थित हुए। यह फैसला किया गया कि याचिका पर ३ बजे विचार किया जाएगा। किन्तु ३ बजे विचार शुरू होने पर विधानसभा की तरफ से कोई वकील उपस्थित नहीं हुआ। न्यायाधीशों ने सुनवाई के बाद केशवसिंह को मामले पर गुण-दोष के आधार पर विचार होने तक जमानत पर छोड़ने का आदेश दिया। इस पर विधानसभा ने २१ मार्च, १९६४ को एक प्रस्ताव पारित करके दोनों न्यायाधीशों, वकील सोलोमन और केशवसिंह को विधानसभा के अवमान का दोषी ठहराया और उन्हें हिरासत में लेकर अपने समक्ष प्रस्तुत किए जाने का आदेश दिया।

न्यायमूर्ति बेग और सहगल ने यह बात रेडियो पर सुनी और दूसरे दिन सुबह उच्च न्यायालय में याचिका प्रस्तुत की जिसमें उन्होंने कहा कि

(१) विधानसभा का प्रस्ताव पूर्णतः असंवैधानिक है,

(२) यह अनुच्छेद २११ का उल्लंघन करता है जिसके अनुसार न्यायाधीशों के उनके कर्तव्यों सम्बन्धी आचरण पर विधानमण्डलों में (उन्हें हटाने के प्रस्ताव पर विचार को छोड़कर) चर्चा नहीं की जा सकती है। (ऐसा ही प्रावधान संसद् में उच्चतम न्यायालय या उच्च न्यायालयों के न्यायाधीशों के आचरण पर चर्चा न करने के विषय में अनुच्छेद १२१ में है।)

(३) केशवसिंह की ओर से दाखिल बन्दी प्रत्यक्षीकरण याचिका ठीक थी।

(४) हमने (न्यायाधीशों ने) संविधान के अनुच्छेद २२६ के अधीन अपने प्राधिकार का प्रयोग करते हुए केशवसिंह की रिहाई का आदेश दिया था।

(५) विधानसभा का प्रस्ताव न्यायालय का अवमान करता है, और

(६) चूँकि विधानसभा को इसे पारित करने का कोई अधिकार नहीं है इसलिए इसे रद्द कर दिया जाए तथा इस बीच इसके अमल को स्थगित कर दिया जाए। उसी दिन न्यायालय के सभी २८ न्यायाधीशों ने इस याचिका पर विचार करके इसका अन्तिम निपटान होने तक प्रस्ताव के कार्यान्वयन पर रोक लगा दी।

उधर विधानसभा ने स्थिति का स्पष्टीकरण करनेवाला प्रस्ताव पारित किया। इसमें कहा गया कि विधानसभा के अवमान के प्रश्न का फैसला दोनों न्यायाधीशों को नियमानुसार सुनवाई का अवसर देने के उपरान्त किया जाना चाहिए। उनके विरुद्ध जारी गिरफ्तारी के वारण्ट वापस ले लिए गए किन्तु उन पर सदन के समक्ष उपस्थित होकर जवाब देने का बन्धन लगा दिया गया। इस पर उच्च न्यायालय फिर बैठा और उसकी २३ न्यायाधीशों की पीठ ने इस प्रस्ताव पर अमल को भी स्थगित करने का आदेश दिया।

विधायिका और न्यायपालिका के बीच इस सीधे टकराव से उपस्थित इस संवैधानिक संकट को दूर करने के लिए केन्द्र ने अनुच्छेद १४३ का सहारा लिया। इसके अधीन राष्ट्रपति ने सारे प्रश्न पर उच्चतम न्यायालय की राय ली।

उच्चतम न्यायालय ने एक के विरुद्ध छह के बहुमत से निम्नलिखित मत प्रकट किए—

१. भारत के न्यायालय यह जानने के लिए कि किसी सदन का अवमान हुआ है या नहीं उसके द्वारा जारी वारण्ट की, चाहे उसमें कारण दिए गए हों या नहीं, जाँच कर सकते हैं। इंग्लैंड में अदालतें इसलिए ऐसे वारंट की जाँच नहीं कर सकतीं जिनमें कारण न दिए गए हों, क्योंकि वहाँ की संसद् उच्चतम अभिलेख न्यायालय है। भारत की संसद् या विधानमण्डल कभी न्यायालय नहीं रहे इसलिए उन्हें ऐसा विशेषाधिकार प्राप्त नहीं है कि उनके वारंटों पर यहाँ के न्यायालय विचार न कर सके। भारत के उच्चतम और उच्च न्यायालयों का क्रमशः अनुच्छेद ३२ और २२६ के अन्तर्गत यह कर्तव्य है कि वे नागरिक के मौलिक अधिकारों को लागू कराएँ। मौलिक अधिकारों और न्यायिक पुनरीक्षा के सिद्धान्तों के कारण भारतीय संसद् और विधानमण्डल यह दावा नहीं कर सकते कि उनके ऐसे वारंटों पर न्यायालयों को विचार करने का अधिकार नहीं है जिनमें कारण न दिए गए हों। (इंग्लैंड में अदालतें संसद् द्वारा जारी उन्हीं वारंटों पर विचार कर सकती हैं जिनमें कारण दिए गए होते हैं। और संसद् इसकी वजह से आम, अर्थात् ऐसे वारंट जिनमें कारण नहीं बताए जाते, जारी नहीं करती है)

२. संविधान में यह अपेक्षा की गई है कि संसद् और विधानमण्डल अपने विशेषाधिकारों के बारे में कानून बनाएँगे। ये कानून अनुच्छेद १९ (१) (क) के अनुरूप होने चाहिए, नहीं तो वे असंवैधानिक होंगे।

३. ऐसे कानून न बनने तक अनुच्छेद १९ (१) (क) विशेषाधिकारों से संम्बन्धी अनुच्छेदों के सामने गौण होगा। लेकिन, अनुच्छेद २१ नहीं। (अनुच्छेद २१ में प्राण और दैहिक स्वतन्त्रता के संरक्षण की प्रत्याभूति है) यदि कोई व्यक्ति यह शिकायत करता है कि विधायिका के आदेश से उसकी दैहिक स्वतन्त्रता दुर्भावनापूर्वक छीनी गई है तो अदालतों की यह जिम्मेदारी है कि वे उस पर विचार करें।

४. संसद् या विधानमण्डल को किसी न्यायाधीश द्वारा अपने कर्तव्यों के पालन में किए गए किसी कार्य पर उसके खिलाफ अपने अवमान के आरोप में कार्रवाई करने का अधिकार नहीं है क्योंकि निर्भीक और स्वतन्त्र न्यायपालिका भारत की संवैधानिक संरचना का बुनियादी आधार है।

५. अदालतों के समक्ष शिकायत करना नागरिकों का अधिकार है और इसमें उन्हें सहायता देना वकीलों का अधिकार है। इन अधिकारों को संसदीय विशेषाधिकारों से नियंत्रित नहीं किया जा सकता है। कोई सदन किसी उच्च न्यायालय के न्यायाधीश की गिरफ्तारी का प्रस्ताव पास नहीं कर सकता है। केशवसिंह के मामले में उत्तर प्रदेश विधानसभा वकील और न्यायाधीशों को हिरासत में लेने और उन्हें अपने सामने पेश किए जाने का निर्देश देने को सक्षम नहीं थी।

६. संसद् और विधानमण्डलों को अपने अवमान के लिए लोगों को दंडित करने का अधिकार है । पर,उनके आदेशों की न्यायालय द्वारा समीक्षा की जा सकती है । यह भी स्पष्ट कर दिया गया है कि संसद् विधानमण्डलों के किसी को दंडित करने के अधिकार पर न्यायिक नियंत्रण बहुत सीमित है । जैसे, यदि दंडित किए गए व्यक्ति को अपना बचाव करने का अवसर न दिया गया हो, या प्राकृतिक न्याय के सिद्धान्तों का पालन नहीं किया हो, तभी या दुर्भावनापूर्वक कार्रवाई की गई हो तभी न्यायालय हस्तक्षेप करेगा ।

(ए० आई० आर० १९६५ एस० सी० ७४५)

उच्चतम न्यायालय के राय के बाद इलाहाबाद उच्च न्यायालय ने केशवसिंह के खिलाफ विधानसभा की कार्रवाई को वैध ठहराया । उसने कहा कि विधानसभा अपने अवमान करनेवालों को गिरफ्तार करने का वारंट जारी कर सकती है । यह निर्णय करने का अधिकार केवल सदन का है कि उसकी अवमानना हुई या नहीं । न्यायालय इसकी जाँच नहीं कर सकते हैं । केशवसिंह के मामले में प्राकृतिक न्याय के सिद्धान्तों का उल्लंघन नहीं हुआ क्योंकि विधानसभा ने विशेषाधिकार भंग की जाँच के नियम बना रखे हैं । उच्च न्यायालय ने दुर्भावना से कार्रवाई किए जाने का आरोप भी सही नहीं माना । उसने कहा कि सिर्फ यह तथ्य जिसके खिलाफ विधानसभा ने अवमान के लिए कार्रवाई की वह बहुमतवाले दल से भिन्न दल का था इस बात का संकेत नहीं माना जा सकता कि विधानसभा ने दुर्भावना से कार्रवाई की थी ।

(ए० आई० आर० १९६५, इलाहाबाद ३४९)

कर्नाटक के ए० के० सुब्बैया बनाम कर्नाटक विधान परिषद् के मामले में यह प्रश्न उठा कि यदि विधानमण्डल का कोई सदस्य उच्च न्यायालय के न्यायाधीशों के आचरण पर निन्दात्मक टिप्पणी करता है तो क्या अदालत अनुच्छेद २११ के उल्लंघन के लिए कार्रवाई कर सकती है ? ए० के० सुब्बैया और एक अन्य विधायक ने कर्नाटक उच्च न्यायालय में एक समादेश याचिका दायर करके शिकायत की थी कि विधान परिषद् के एक सदस्य ने सदन में किए अपने भाषण में उच्च न्यायालय के न्यायाधीशों के आचरण की निन्दा की थी ।

उच्च न्यायालय ने निर्णय दिया कि विधायकों को सदन में कुछ भी कहने की आजादी है । उनके कथनों को अध्यक्ष या सदन ही नियंत्रित कर सकते हैं । वही यह निर्णय कर सकते हैं कि किसी सदस्य ने सदन में अभिव्यक्ति की स्वतंत्रता के अधिकार का प्रयोग करते हुए अनुच्छेद २११ का उल्लंघन किया है या नहीं । अनुच्छेद २११ के उल्लंघन के आरोप की जाँच करना न्यायालय के अधिकार-क्षेत्र से बाहर है ।

(ए० आई० आर० १९७९, कर्नाटक २४)

■

अध्याय ७

भारतीय दण्ड संहिता, १८६०
व
दण्ड-प्रक्रिया संहिता, १९७३

सन् १८६० में भारतीय विधि को संहिताबद्ध किया गया था । इसमें कई धाराएँ ऐसी थीं जिनका प्रेस से सम्बन्ध था, भले ही वे सीधी प्रेस से सम्बद्ध न रही हों । जैसे अश्लीलता (धारा २९२) और मानहानि (धारा ४९९) से सम्बद्ध ऐसे उपबन्ध थे जो लेखक, सम्पादक, प्रकाशक, मुद्रक आदि को प्रभावित करते थे । बाद में इनमें धारा १२४ (क) जोड़ी गई जिससे राजद्रोह का अपराध अन्य अपराधों में शामिल किया गया । १८९८ में धारा १५३ (क) सम्मिलित की गई जिससे विभिन्न वर्गों के लोगों के बीच शत्रुता बढ़ाने के खिलाफ प्रावधान किया गया । १९२७ में धार्मिक भावनाओं को अपमानित करने के विरुद्ध प्रावधान किया गया और इस तरह धारा २९५ (क) जोड़ी गई । १९७२ में १५३ (ख) शामिल की गई जिसमें राष्ट्रीय अखण्डता के विरुद्ध लांछन और प्राख्यान (एसर्शन) के विषय में दण्ड का प्रावधान किया गया । धारा ५०५ में सार्वजनिक शरारत (मिस्चिफ) के खिलाफ प्रावधान है जिसमें सशस्त्र सेनाओं को गदर के लिए, किसी को राज्य या सार्वजनिक प्रशान्ति या किसी अन्य वर्ग अथवा समुदाय के विरुद्ध अपराध के लिए उकसाना अपराध है ।

इस प्रकार भारतीय दण्ड संहिता, १८६० को धाराएँ १२४ (क), १५३ (क), १५३ (ख), १७१ (छ), २९२, २९३, २९४ (क), २९५ (क), ४९९-५०२ और ५०५, तथा

दण्ड-प्रक्रिया संहिता, १९७३ की धाराएँ ९१ (दस्तावेज या चीजें प्रस्तुत करने के लिए समन), ९३ (तलाशी वारण्ट), ९५ (कुछ प्रकाशनों की जब्ती), ९६ (जब्ती के विरुद्ध उच्च न्यायालय में आवेदन), १०८ (सदाचार के लिए प्रत्याभूति), १४४ (न्यूसेन्स या आशंकित खतरे के मामले में आदेश), १९६ (राज्य के विरुद्ध अपराधों के लिए अभियोजन), ३२७ (न्यायालयों का खुला होना), ३४५ (अवमान के मामले में प्रक्रिया), ३४९ (उत्तर न देने या दस्तावेज पेश न करने पर दण्ड) और ३५० (साक्षी के हाजिर न होने पर दण्ड की संक्षिप्त प्रक्रिया) भी अन्य नागरिकों के अलावा प्रेस को प्रभावित करती है ।

अब इन सब पर अलग-अलग विचार किया जाय। पहले भारतीय दण्ड संहिता की धाराएँ ली जाएँ।

धारा १२४ (क) : राजद्रोह

इसका सम्बन्ध राजद्रोह के अपराध से है। इसमें लिखा है—"जो कोई बोले गए या लिखे गए शब्दों के द्वारा, या दृश्यरूपण (विजिबल रिप्रेजेंटेशन) द्वारा, या अन्यथा भारत में विधि द्वारा स्थापित सरकार के प्रति घृणा या अवमान पैदा करेगा या पैदा करने का प्रयत्न करेगा, अप्रीति (डिसअफेक्शन) प्रदीप्त करेगा, या प्रदीप्त करने का प्रयत्न करेगा, वह आजीवन कारावास से, जिसमें जुर्माना जोड़ा जा सकेगा या तीन वर्ष तक के कारावास से, जिसमें जुर्माना जोड़ा जा सकेगा, या जुर्माने से दण्डित किया जा सकेगा।"

इस प्रकार किसी वैध सरकार के प्रति घृणा, अवमान या अप्रीति पैदा करना या पैदा करने का यत्न करना राजद्रोह करने का अपराध है। इसके लिए अपराध की कम या अधिक गम्भीरता के अनुसार केवल जुर्माने से लेकर जुर्माने के साथ आजीवन कारावास तक का दण्ड दिया जा सकता है।

परन्तु, एक लोकतान्त्रिक व्यवस्था में, जिसमें नागरिकों को अभिव्यक्ति की स्वतन्त्रता हो, सरकार की आलोचना, जिससे भले ही उसके प्रति लोगों के मन में घृणा उत्पन्न होती हो, या अप्रीति पैदा हो अथवा वह उसके लिए अवमाननाकारी हो, कैसे अपराध माना जा सकता है? लोकतन्त्र में नागरिक को यह अधिकार रहता है कि जिस सरकार को वह अच्छा नहीं पाता या जिसकी नीतियों, कार्यक्रमों और कार्यकरण से वह असहमत हो, चाहे तो उसके विरुद्ध प्रचार करे और उसे बदलने की आवश्यकता लोगों को बताए। हाँ, सरकार बदलने के तरीके वैध होने चाहिए। यदि अवैध तरीकों या हिंसा से सत्ता-परिवर्तन करने का प्रचार या आह्वान किया जाता है तो यह स्वतन्त्रता के अधिकार का दुरुपयोग होता है जिसे रोकने के लिए विधि द्वारा युक्तियुक्त निर्बन्धन लगाये जा सकते हैं।

इस धारा के साथ दिए गए तीन स्पष्टीकरणों में उपर्युक्त सिद्धांत को स्वीकार किया गया है। न्यायालय ने अपनी व्याख्याओं से इसे और साफ कर दिया है।

उच्चतम न्यायालय ने केदारनाथ बनाम बिहार राज्य (ए० आई० आर० १९६२, एस० सी० ९५५) के मामले में कहा कि धारा १२४ (क) लोकव्यवस्था के हित में एक युक्तियुक्त निर्बन्धन है किन्तु सरकार के खिलाफ वैमनस्य (इल फीलिंग) या प्रीति का अभाव पैदा करना अपराध नहीं होगा जब तक कि ऐसा करने का आशय या प्रवृति सार्वजनिक अव्यवस्था पैदा करने या हिंसा भड़काने की न हो। उच्चतम न्यायालय ने कहा कि इस धारा की बड़ी संकीर्ण व्याख्या की जानी चाहिए। यदि व्यापक व्याख्या की गई तो यह धारा संविधान के अनुच्छेद १९ (१) (क) के अधीन असंवैधानिक होगी।

कोई लेखन तभी राजद्रोहात्मक माना जा सकता है जब उसमें विधि द्वारा स्थापित सरकार को ध्वंस करने के लिए हिंसा भड़काने या सार्वजनिक अव्यवस्था

पैदा करने का आशय या प्रवृति हो। लेखन का आशय या प्रवृति का फैसला करने के लिए उसमें इस्तेमाल की गई भाषा और तत्कालीन परिस्थितियों पर विचार किया जाना और साथ ही यह भी देखना चाहिए कि क्या उसे पढ़कर एक युक्तियुक्त व्यक्ति के मन में हिंसा का भाव पैदा होता है ?

स्पष्टीकरण २ और ३ के अनुसार घृणा, अवमान या अप्रीति प्रदीप्त किए बिना या प्रदीप्त करने का प्रयत्न किए बिना सरकार के कामों को विधिपूर्ण साधनों से बदलवाने के लिए और सरकार की प्रशासनिक या अन्य क्रियाओं के विरुद्ध टीका-टिप्पणियाँ करना राज़द्रोह नहीं माना जाएगा। स्पष्टीकरण के अनुसार अप्रीति पद में अभक्ति (डिसलायल्टी) और शत्रुता की समस्त भावनाएँ आती हैं। इन स्पष्टीकरणों की व्याख्या में उच्चतम न्यायालय ने साफ कर दिया है कि सरकारी नीतियों या कार्यों की कड़ी-से-कड़ी भाषा में आलोचना करना अथवा प्रशासनिक, पुलिस या न्यायिक अधिकारियों पर लांछन लगाना अथवा राष्ट्रपति, राज्यपाल, प्रधानमन्त्री या अन्य मंत्रियों और सरकार के किसी पदाधिकारी का व्यक्तिगत अवमान करनेवाली बातें लिखना राजद्रोह का अपराध नहीं कहा जा सकता है।

राजद्रोह के अभियोग पर विचार करते समय अदालतें यह देखेंगी कि सम्बद्ध लेख का क्या असर पड़ने की संभावना है, यह नहीं कि लेखक का इरादा क्या था। किन्तु पत्र-पत्रिका सम्पादक, प्रकाशक या मुद्रक न तो इस आधार पर बच सकता है कि ये बातें किसी और पत्र या अन्य प्रकाशन से लेकर छापी गई हैं, और न ही इस दलील से ही कि इसे उसकी अनुपस्थिति में या उसकी अनुमति के बिना पत्र-पत्रिका में शामिल किया गया है।

चूँकि राजद्रोह का अपराध राज्य के विरुद्ध किया गया अपराध है इसलिए कोई अदालत दण्ड-प्रक्रिया संहिता, १९७३ की धारा १९६ (१) (क) के अनुसार इसके विषय में मामले पर विचार केन्द्रीय या राज्य सरकार की पूर्व मंजूरी के बिना नहीं कर सकती है।

धारा १५३ (क) : समूहों के बीच शत्रुता व असौहार्द

इस धारा का सम्बन्ध विभिन्न धार्मिक, मूलवंशीय, जातीय, क्षेत्रीय, भाषाई या सामुदायिक आधार पर विभिन्न समूहों के बीच असौहार्द या शत्रुता, घृणा, वैमनस्य की भावनाएँ पैदा करने या पैदा करने की कोशिशों से है। इन कार्यों को इस धारा के अन्तर्गत अपराध बनाया गया है। अपराधी को तीन वर्षों तक के कारावास से या जुर्माने या कारावास और जुर्माने दोनों से दण्डित किया जा सकता है। धार्मिक स्थलों पर किए गए ऐसे अपराध के लिए पाँच वर्ष तक का कारावास और जुर्माने दोनों का दण्ड दिया जा सकता है।

इस धारा का प्रेस को प्रभावित करनेवाला उपबन्ध यह है—"१५३ क (१) जो कोई—(क) बोले गये या लिखे गये शब्दों द्वारा या संकेतों द्वारा या दृश्यरूपणों द्वारा या अन्यथा विभिन्न धार्मिक, मूलवंशीय या भाषाई या प्रादेशिक समूहों, जातियों या समुदायों के बीच असौहार्द अथवा शत्रुता, घृणा या वैमनस्य की भावनाएँ, धर्म

मूल वंश, जन्म-स्थान, निवास-स्थान, भाषा जाति या समुदाय के आधारों पर या अन्य किसी भी आधार पर संप्रवर्तित करेगा या संप्रवर्तित करने का प्रयत्न करेगा, अथवा

(ख) कोई ऐसा कार्य करेगा जो विभिन्न धार्मिक, मूलवंशीय, भाषाई या प्रादेशिक समूहों या जातियों या समुदायों के बीच सौहार्द बने रहने पर प्रतिकूल प्रभाव डालनेवाला है और जो कोई प्रशान्ति में विघ्न डालता है या जिससे उसमें विघ्न पड़ना संभाव्य हो,

वह कारावास से, जिसकी अवधि तीन वर्ष तक की हो सकेगी, या जुर्माने से, या दोनों से दण्डित किया जाएगा ।

(२) जो कोई उपधारा (१) में विनिर्दिष्ट अपराध किसी पूजा के स्थान में या किसी जमाव में, जो धार्मिक पूजा या धर्म-कर्म करने में लगा हुआ हो, करेगा, वह कारावास से जो पाँच वर्ष तक का हो सकेगा, दण्डित किया जाएगा और जुर्माने से भी, दण्डनीय होगा ।"

इस धारा के अधीन दण्ड से इस धारा पर नहीं बचा जा सकता है कि सम्बद्ध बातें कतिपय शिकायतें दूर कराने के प्रामाणिक इरादे से लिखी गई थीं, किसी समूह, जाति या समुदाय के प्रति असौहार्द अथवा शत्रुता, घृणा, वैमनस्य की भावनाएँ उभारने के आशय से नहीं । १९६१ में किए गए संशोधन से पूर्व इस धारा में सम्मिलित स्पष्टीकरण में विद्वेषरहित आशय से तथा शिकायत दूर कराने के प्रामाणिक उद्देश्य से लिखी गई बातों पर इस धारा को लागू न करने का प्रावधान था । लेकिन, १९६१ के संशोधन से इसे निश्चित कर इसके उपबन्ध को और कठोर बना दिया गया । मौजूदा स्थिति यह है कि किसी कथन या लेखन के पीछे सम्बद्ध व्यक्ति का इरादा या उद्देश्य नहीं बल्कि उसका प्रभाव या प्रवृति देखकर अपराध का निर्णय किया जाएगा । यह दलील भी कि लिखी गई बातें सच हैं या इनसे वैमनस्य आदि पैदा करने का प्रयास सफल नहीं रहा, बचाव नहीं है ।

इस धारा के अन्तर्गत मामले की सुनवाई प्रथम श्रेणी का मैजिस्ट्रेट कर सकता है । अभियुक्त को बिना वारण्ट गिरफ्तार किया जा सकता है और उसकी जमानत नहीं हो सकती है । किन्तु केन्द्रीय या राज्य सरकार की पूर्व मंजूरी के बिना मुकदमा नहीं चलाया जा सकता है ।

धारा १५३ (ख) : पूजा-स्थलों में किया गया अपराध

इस धारा के अन्तर्गत राष्ट्र की अखण्डता पर प्रतिकूल प्रभाव डालनेवाले कथनों को धारा १५३ (क) की तरह अपराध बनाया गया है और उसी के समान दण्ड का प्रावधान किया गया है । इसके अधीन अपराधों के विषय में कानूनी कार्रवाई की प्रक्रिया भी वही है जो धारा १५३ (क) के अधीन अपराधों के लिए है अर्थात् यह अपराध भी संज्ञेय और अजमानती है तथा प्रथन श्रेणी के मैजिस्ट्रेट द्वारा सुने जा सकते हैं ।

यह धारा इस प्रकार है—"१५३ (ख) (१) जो कोई बोले गए या लिखे गए शब्दों द्वारा या संकेतों द्वारा या दृश्यरूपणों द्वारा या अन्यथा—

(क) ऐसा कोई लांछन लगाएगा या प्रकाशित करेगा कि किसी वर्ग के व्यक्ति, इस कारण कि वे किसी धार्मिक, मूलवंशीय, भाषाई या जातीय समूह या वर्ग या समुदाय के सदस्य हैं, विधि द्वारा स्थापित भारत के संविधान के प्रति सच्ची श्रद्धा या निष्ठा नहीं रख सकते या भारत की प्रभुता और अखण्डता की मर्यादा नहीं बनाए रख सकते, अथवा

(ख) यह प्राख्यान (एसर्शन) करेगा, परामर्श देगा, सलाह देगा, प्रचार करेगा या प्रकाशित करेगा कि किसी वर्ग के व्यक्तियों को इस कारण कि वे किसी धार्मिक, मूलवंशीय, भाषाई या प्रादेशिक समूह या व्यक्ति या समुदाय के सदस्य हैं, भारत के नागरिक के रूप में उनके अधिकार न दिए जाएँ या उन्हें उनसे वंचित किया जाए, अथवा

(ग) किसी वर्ग के व्यक्तियों की बाध्यता के सम्बन्ध में इस कारण कि किसी धार्मिक, मूलवंशीय, भाषाई या प्रादेशिक समूह या जाति या समुदाय के सदस्य हैं, कोई प्राख्यान करेगा, परामर्श करेगा, अभिवाक् (प्ली) करेगा या अपील करेगा या प्रकाशित करेगा, और ऐसे प्राख्यान, परामर्श, अभिवाक् या अपील से ऐसे सदस्यों तथा अन्य व्यक्तियों के बीच असामंजस्य, अथवा शत्रुता या घृणा या वैमनस्य की भावनाएँ उत्पन्न होती हैं या उत्पन्न होनी संभाव्य हैं,

वह कारावास से, जो तीन वर्ष तक का हो सकेगा, या जुर्माने से, अथवा दोनों से दण्डित किया जाएगा।

(२) जो उपधारा (१) में विनिर्दिष्ट कोई अपराध किसी उपासना-स्थल में या धार्मिक उपासना अथवा धार्मिक कर्म करने में लगे हुए किसी जमाव में करेगा, वह कारावास से, जो पाँच वर्ष तक का हो सकेगा, दण्डित किया जाएगा और जुर्माने से भी दण्डनीय होगा।"

उल्लेखनीय है कि 'भारत कीअखण्डता' के लिए वाक् और अभिव्यक्ति की स्वतन्त्रता पर निर्बन्धन लगाने का उल्लेख मूल संविधान में नहीं था। इसे संविधान (सोलहवाँ संशोधन) अधिनियम, १९६३ से अनुच्छेद १९ की उपधारा (२) में शामिल किया गया। इसी के अन्तर्गत भारतीय दण्ड संहिता में धारा १५३(ख) जोड़ी गई। यह अपराध विधि (संशोधन) अधिनियम, १९७२ के जरिये किया गया।

धारा १७१ (छ) : चुनाव के सिलसिले में मिथ्या कथन

यह धारा चुनावों के सिलसिले में मिथ्या कथन के प्रकाशन को अपराध बनाती है और इसमें अपराधी पर जुर्माना किए जाने का प्रावधान है। जुर्माने की अधिकतम राशि का निर्धारण नहीं किया गया है। इसे अदालत के निर्णय पर छोड़ दिया गया है।

इस धारा का पाठ इस प्रकार है—"१७१ (छ), जो कोई निर्वाचन के परिणाम पर प्रभाव डालने के आशय से किसी अभ्यर्थी (उम्मीदवार) के वैयक्तिक शील या आचरण के सम्बन्ध में तथ्य का कथन तात्पर्यित होनेवाला कोई ऐसा कथन करेगा या प्रकाशित करेगा, जो मिथ्या है, और जिसका मिथ्या होना वह जानता या विश्वास करता है अथवा जिसमें सत्य होने का वह विश्वास नहीं करता है, वह जुर्माने से दण्डित किया जायगा।"

इसमें कुछ बातें स्पष्ट हैं। यह धारा केवल चुनावों में खड़े उम्मीदवारों के विषय में लागू होती हैं। हालाँकि इसमें मानहानि का-सा अपराध आता है, फिर भी मानहानि के प्रावधानों से इसे थोड़ा भिन्न रखा गया है। यदि अभियुक्त यह सिद्ध कर दे कि उसने उम्मीदवार के बारे में जो कुछ लिखा है वह सच है तो उसे इस धारा के अधीन दण्डित नहीं किया जा सकता है। मानहानि के मामले में कथन का सत्य होना तब तक अपने-आपमें बचाव नहीं होता जब तक कि कही गयी बात मानहानि सम्बन्धी धारा ४९९ के किसी अपवाद से संरक्षित न हो।

अभियुक्त को १७१ (छ) के अन्तर्गत तभी दण्डित किया जा सकता है जब यह सिद्ध हो जाय कि सम्बद्ध बातें चुनाव-परिणाम को प्रभावित करने के आशय से लिखि गईं और उसे इनके मिथ्या होने की जानकारी या विश्वास था अथवा उनके सत्य होने का विश्वास उसे नहीं था।

इस अपराध के लिए मुकदमा चलाने की सरकार से मंजूरी लेने की जरूरत नहीं है।

धारा २९२ : अश्लीलता

यह धारा अश्लील लेखन की बिक्री को अपराध बताती है। उसके प्रावधानों के उल्लंघन के अपराधी को पहली बार दोषसिद्ध होने पर दो वर्ष तक का कारावास और दो हजार रुपए तक का जुर्माना तथा पुनः दोषसिद्ध होने पर पाँच वर्ष का कारावास और पाँच हजार रुपए तक का जुर्माना हो सकता है।

उपधारा (१) में अश्लील किसे माना जाएगा, इसका और उपधारा (२) में ऐसे लेखन के सिलसिले में किस प्रकार के कृत्य करनेवाले दण्ड के पात्र होंगे, इसका उल्लेख है। इन उपबन्धों की विस्तृत चर्चा करने से पूर्व पूरी धारा को उद्धृत करना उपयुक्त होगा। यह इस प्रकार है—

"२९२ (१) उपधारा (२) के प्रयोजनार्थ किसी पुस्तक, पुस्तिका, कागज, लेख, रेखाचित्र, रंगचित्र, रूपण, आकृति या अन्य वस्तुओं को अश्लील समझा जाएगा यदि वह कामोद्दीपक है कामुक व्यक्तियों के लिए रुचिकर है या उसका या (जहाँ उसमें दो या सुभिन्न मदें समाविष्ट हैं वहाँ) उसकी किसी मद का प्रभाव, समग्र रूप से विचार करने पर, ऐसा है जो उन व्यक्तियों को दुराचारी या भ्रष्ट बनाए, जिनके द्वारा उसमें अन्तर्विष्ट या सन्निविष्ट (एम्बाडीड) विषय का पढ़ा जाना, देखा जाना या सुना जाना, सभी सुसंगत परिस्थितियों को ध्यान में रखते हुए संभाव्य है।

(२) जो कोई—

(क) किसी अश्लील पुस्तक, पुस्तिका, कागज, रेखाचित्र, रंगचित्र, रूपण या आकृति या किसी भी अन्य अश्लील वस्तु को, चाहे वह कुछ भी हो, बेचेगा, भाड़े पर देगा, वितरित करेगा, लोक-प्रदर्शन करेगा, या उसे किसी भी प्रकार परिचालित करेगा, या उसे विक्रय, भाड़े, वितरण, लोक-प्रदर्शन या परिचालन के प्रयोजनों के लिए रचेगा, उत्पादित करेगा, या अपने कब्जे में रखेगा, अथवा

(ख) किसी अश्लील वस्तु का आयात या निर्यात या प्रवहन (कनवे) उपर्युक्त में से किसी प्रयोजन के लिए करेगा या यह जानते हुए, या यह विश्वास करने का कारण रखते हुए करेगा कि ऐसी वस्तु बेची, भाड़े पर दी, वितरित या लोक-प्रदर्शित, या किसी प्रकार से परिचालित की जाएगी, अथवा

(ग) किसी ऐसे कारबार में भाग लेगा या उससे धन प्राप्त करेगा, जिस कारबार में वह यह जानता है या यह विश्वास करने का कारण रखता है कि कोई ऐसी अश्लील वस्तुएँ पूर्वोक्त प्रयोजनों में से किसी प्रयोजन के लिए रची जातीं, क्रय की जातीं, रखी जातीं, आयात की जातीं, निर्यात की जातीं, प्रवहरण की जातीं, लोक-प्रदर्शित की जातीं या किसी भी प्रकार से परिचालित की जातीं हैं, अथवा

(घ) यह विज्ञापित करेगा या किन्हीं साधनों द्वारा चाहे वह कुछ भी हों, यह ज्ञात कराएगा कि कोई व्यक्ति किसी ऐसे कार्य में, जो इस धारा के अधीन अपराध है, लगा हुआ है, या लगने के लिए तैयार है, या यह कि कोई ऐसी अश्लील वस्तु किसी व्यक्ति से या किसी व्यक्ति के द्वारा प्राप्त की जा सकती है, अथवा

(ङ) किसी ऐसे कार्य की, जो इस धारा के अधीन अपराध है, करने की प्रस्थापना करेगा या करने का प्रयत्न करेगा,

प्रथम दोषसिद्धि पर दोनों में से किसी भाँति के कारावास से, जिसकी अवधि दो वर्ष तक हो सकेगी, और जुर्माने से जो दो हजार रुपये तक का हो सकेगा तथा द्वितीय या पश्चात्वर्ती दोषसिद्धि की दशा में दोनों में से किसी भाँति के कारावास से, जिसकी अवधि पाँच वर्ष तक की हो सकेगी और जुर्माने से भी, जो पाँच हजार रुपये तक का हो सकेगा, दण्डित किया जाएगा ।

अपवाद—इस धारा का विस्तार निम्नलिखित पर न होगा—

(क) कोई ऐसी पुस्तक, पुस्तिका, कागज, लेख, रेखाचित्र, रंगचित्र, रूपण या आकृति—

(१) जिसका प्रकाशन लोकहित में होने के कारण इस आधार पर न्यायोचित साबित हो गया है कि ऐसी पुस्तक, पुस्तिका, कागज, लेख, रेखाचित्र,रंगचित्र, रूपण या आकृति, विज्ञान, साहित्य, कला या विधा या सर्वजन सम्बन्धी अन्य उद्देश्यों के हित में है, अथवा

(२) जो सद्भावपूर्वक धार्मिक प्रयोजनों के लिए रखी या उपयोग में लाई जाती है ।

(ख) कोई ऐसा रूपण जो—

(१) प्राचीन संस्मारक तथा पुरातत्वीय स्थल और अवशेष अधिनियम, १६५८ के अर्थ में प्राचीन संस्मारक पर या उसके, अथवा

(२) किसी मन्दिर पर या उसके या मूर्तियों के प्रवहण के उपयोग में लाए जानेवाले या किसी धार्मिक प्रयोजन के लिए रखे या उपयोग में लाए जानेवाले किसी रथ पर, तक्षित (स्कल्पचर्ड), उत्कीर्ण (एनग्रेव्ड), रंगचित्रित या अन्यथा रूपित हों ।"

इस धारा के अधीन अपराधों में वारण्ट के बिना गिरफ्तारी नहीं की जा सकती है । साथ ही इनमें जमानत हो सकती है ।

अश्लीलता की स्पष्ट परिभाषा करना संभव नहीं पाया गया है । विभिन्न देशों में वहाँ की परिस्थितियों और सामाजिक मान्यताओं के अनुसार अलग-अलग विचार व्यक्त किए गए हैं । भारत के उच्चतम न्यायालय ने अपने कुछ निर्णयों में अश्लीलता की परख के कुछ मापदण्ड बनाए हैं । मोटे तौर पर भारत में स्थिति इस प्रकार है—

—जिस कृति के अश्लील होने की शिकायत हो उसे सम्पूर्ण रूप में देखकर निर्णय किया जाना चाहिए, कुछ अंशों के आधार पर नहीं । यह देखना चाहिए कि पूरी कृति का सामान्य व्यक्ति के भावों पर क्या प्रभाव पड़ता है ।

—यह भी देखना चाहिए कि कृति के किस वर्ग के लोगों के हाथों में पड़ने की संभावना है या उनकी सहज पहुँच में है । जैसे, यदि कोई अश्लील पत्रिका का प्रसार युवा-वर्ग में होता हो या परिवारों में पढ़ी जानेवाली पत्र-पत्रिकाओं में ऐसे चित्र या लेख हों, जिनसे बच्चों और युवा-वर्ग पर दुराचारी और भ्रष्ट बनानेवाला प्रभाव पड़ता हो तो इन्हें आपत्तिजनक करार दिया जाएगा । किसी एक व्यक्ति पर नहीं, व्यक्तियों के वर्ग पर पड़नेवाले संभावित प्रभाव पर विचार किया जाना चाहिए ।

—निर्णय करते समय अदालतों को समाज के समकालीन नैतिक मानकों का ध्यान रखना चाहिए । उन्हें यह देखना चाहिए कि बदलते हुए मानकों के संदर्भ में क्या सम्बद्ध कृति में ऐसी कोई बात है जो उन तरुणों में, जिनके हाथों में यह जा सकती है, गुप्त कामवासना उत्पन्न करने की प्रवृति रखती है ।

—इस तर्क से बचाव नहीं हो सकता कि दूसरी कृतियों में भी ऐसी ही बातें लिखी गयी हैं या उनमें अश्लील चित्रादि छापे गए हैं ।

—यौन सबन्धी हर लेख या नग्न अथवा अर्धनग्न चित्र अश्लील नहीं माना जा सकता है । अश्लीलता का निर्णय करते समय यह देखना होगा कि इसे किस तरह से प्रस्तुत किया गया है । यदि भाषा का प्रयोग और चित्र का प्रस्तुतिकरण ऐसा हो जिससे कामोद्दीपन हो तो वह आपत्तिजनक

माना जाएगा । किन्तु यदि किसी प्रकाशन में ऐसा प्रभाव डाले बिना यौन सम्बन्धी विषयों पर खुली बहस की जाए तो उसे आपत्तिजनक नहीं कहा जाएगा ।

—मात्र इसलिए कोई कृति अश्लीलता के आरोप से नहीं बच सकती कि वह साहित्यिक दृष्टि से उच्च कोटि की रचना है या किसी प्रतिष्ठित साहित्यकार ने इसे रचा है । कृति की साहित्यिक गुणवत्ता नहीं, पाठकों पर उसके समूचे प्रभाव को देखकर उसके अश्लील होने या न होने का फैसला किया जाएगा ।

—विज्ञान, कला, शिक्षा, पुरातत्व, पुराने स्मारकों, मन्दिरों आदि की मूर्तियों, चित्रों और उनसे सम्बद्ध लेखन आदि को आपत्तिजनक नहीं माना जाएगा । यदि किसी कलाकृति या रचना में कला और अश्लीलता दोनों के अंश हों तो यह देखकर फैसला करना होगा कि इनमें से कौन-सा तत्त्व अधिक और ज्यादा प्रभावोत्पादक है । उचित धार्मिक प्रयोजनों के लिए रखी गई या प्रयुक्त कृतियों को भी इस कानून में संरक्षण प्राप्त है ।

—निर्णय करते समय अदालतों को अभिव्यक्ति की स्वतंत्रता और अश्लीलता रोकने के सामाजिक हित को परस्पर तौलना आवश्यक है । यदि कृति में अश्लीलता की सीमाओं का पर्याप्त उल्लंघन किया गया हो तभी उसके मामले में अभिव्यक्ति की स्वतंत्रता को सीमित किया जा सकता है अन्यथा नहीं ।

—लेखक का आशय क्या था, निर्णय इसके आधार पर नहीं, प्रकाशन के संभावित प्रभाव के आधार पर किया जाएगा ।

कुछ राज्य सरकारों जैसे तमिलनाडु, उड़ीसा और बिहार ने धारा २९२ में राज्य स्तर पर संशोधन करके इसमें उपधारा (क) जोड़ दी या जोड़ने के लिए विधेयक पास किए । इसमें अत्यधिक 'अशिष्ट' और 'गन्दा' प्रकाशनों और कृतियों को भी अपराध बनाते हुए कड़े उपबन्ध किए गए । देशभर के पत्रकारों और अन्य बुद्धिजीवियों ने बिहार विधेयक का देशव्यापी घोर विरोध किया जिसके फलस्वरूप बिहार सरकार को अपना विधेयक वापस लेना पड़ा । तमिलनाडु कानून में १९८२ में किए संशोधनों को भी बाद में निरस्त कर दिया गया । उड़ीसा सरकार ने घोषणा की कि उसका कानून मृतप्राय है । इसका कभी प्रयोग नहीं किया जाएगा । राज्य के मुख्यमंत्री ने कहा, "यह भी स्पष्ट नहीं है कि यह विधि पुस्तिका में विद्यमान है भी या नहीं ।" बिहार और तमिलनाडु विधेयकों की उक्त धाराएँ कानून में रहतीं तो उनका भारी दुरुपयोग करके प्रेस को दबाया जा सकता था ।

धारा २९३ : तरुणों में अश्लील वस्तुओं का विक्रय

इस धारा में धारा २९२ के अधीन दण्ड को बीस वर्ष से कम आयु के युवाओं को अश्लील वस्तुओं की बिक्री करने, भाड़े पर देने, वितरित, प्रदर्शित, परिचालित या पेश करने या ऐसा करने का प्रयत्न करनेवालों के लिए अधिक कड़ा बना दिया

गया है । प्रथम दोषसिद्धि पर अपराधी को तीन वर्ष तक के साधारण या सश्रम कारावास और दो हजार रुपये तक के जुर्माने से तथा पुनः दोषसिद्ध होने पर सात वर्ष तक के (दोनों में से किसी एक भाँति के) कारावास और पाँच हजार रुपये तक के जुर्माने से दण्डित किया जा सकता है ।

धारा २९५ (क) : धार्मिक भावनाओं को आहत करना

इस धारा के अधीन किसी वर्ग की धार्मिक भावनाओं को चोट पहुँचाने के आशय से किए गए कार्यों के लिए दण्ड का प्रावधान है । दोषी व्यक्तियों को तीन वर्ष तक के साधारण या सश्रम कारावास से या जुर्माने से या दोनों से दण्डित किया जा सकता है ।

यह धारा इस प्रकार है—"२९५ (क) जो कोई भारत के नागरिकों के किसी वर्ग के धार्मिक भावनाओं को आहत करने के विमर्शित (डेलीबरेट, जान-बूझकर) और विद्वेषपूर्ण आशय से उस वर्ग के धर्म या धार्मिक विश्वासों का अपमान उच्चारित या लिखित शब्दों द्वारा या संकेतों द्वारा या दृश्यरुपणों द्वारा या अन्यथा करेगा या करने का प्रयत्न करेगा, वह दोनों में से किसी भाँति के कारावास से, जिसकी अवधि तीन वर्ष तक की हो सकेगी, या जुर्माने से, या दोनों से दण्डित किया जाएगा ।"

धारा १५३ (क) और धारा २९५ (क) के प्रावधान मिलते-जुलते हैं । दोनों का उद्देश्य विभिन्न वर्गों और समुदायों में सौहार्द बनाए रखना है । किन्तु, जहाँ १५३ (क) के प्रावधान धार्मिक, मूलवंशीय, भाषायी, प्रादेशिक समूहों, जातियों और समुदायों, सबके सम्बन्ध में है, २९५ (क) को धार्मिक वर्गों की भावनाओं को आहत करने से रोकने के उद्देश्य से एक अतिरिक्त प्रावधान के रूप में रखा गया है। इसे भारतीय दण्ड संहिता में १९२७ में जोड़ा गया ।

इस धारा की भाषा और न्यायालयीन निर्णयों से स्पष्ट है कि किसी वर्ग की धार्मिक भावनाओं को ठेस पहुँचाने के लिए जान-बूझकर और विद्वेष भाव से लिखी गई बातों के सिलसिले में ही कार्रवाई की जा सकती है । यदि इन्हें मात्र असावधानी से या अनजाने में लिखा गया हो और इनके पीछे कोई विद्वेष की भावना न हो तो कार्रवाई नहीं की जा सकती है । किन्तु, अभियुक्त इस तर्क से नहीं बच सकता है कि उसने जो आरोप लगाए हैं वह सब ठीक हैं और सच हैं या उसने किसी सुधार की आवश्यकता पर बल देने के लिए आपत्तिजनक बातें प्रकाशित की या उसने किसी के प्रहार के जवाब में इन्हें प्रकाशित किया या उसने किसी एक धर्मविशेष के नहीं, बल्कि अन्य धर्मों के विश्वासों पर भी चोट की है ।

इस धारा के अधीन मुकदमा चलाने से पूर्व केन्द्रीय या राज्य सरकार की मंजूरी लेना आवश्यक है । पर इसके अन्तर्गत अपराध संज्ञेय और अजमानती हैं अर्थात् बिना वारण्ट गिरफ्तारी की जा सकती है तथा गैर-जमानती वारण्ट जारी किए जा सकते हैं ।

धारा ४९९ : मानहानि

इस धारा का सम्बन्ध मानहानि से है । इस विषय पर अलग अध्याय में विस्तृत विचार किया जा रहा है ।

धारा ५०५ : लोक रिष्टिकारक (मिस्चीवियस) वक्तव्य

इस धारा में तीनों सेनाओं के सदस्यों को विद्रोह करने या अपना कर्तव्य न करने, लोगों में भय या संत्रास पैदा करने, राज्य या लोक प्रशान्ति के विरुद्ध अपराध करने, या एक वर्ग या समुदाय के लोगों को दूसरे वर्ग या समुदाय के विरुद्ध अपराध करने के लिए उकसानेवाले कथन, अफवाहें या रिपोर्टें रचने, प्रकाशित या परिचालित करनेवालों के विरुद्ध दण्ड का प्रावधान है ।

दोषसिद्ध व्यक्तियों को तीन वर्ष तक का कारावास या जुर्माना या दोनों ही दण्ड दिए जा सकते हैं । पूजा के स्थान या धार्मिक जमाव में किए गए ऐसे अपराध के लिए पाँच वर्ष तक कारावास के साथ-साथ जुर्माना भी किया जाएगा ।

परन्तु, यदि सम्बद्ध व्यक्ति के पास यह विश्वास करने का युक्तियुक्त आधार हो कि कथन, अफवाह या रिपोर्ट सत्य है और उसने इसे सद्‌भावपूर्वक तथा उपर्युक्त किसी आशय के बिना रचा, प्रकाशित या परिचालित किया है तो उसे दण्डित नहीं किया जाएगा ।

इस अपवाद से स्पष्ट है कि शरारत के स्पष्ट आशय से किए गए कार्यों के लिए दण्ड दिया जा सकता है, अन्यथा नहीं । यदि सम्बद्ध व्यक्ति यह सिद्ध कर दे कि उसने उस कथन, अफवाह या रिपोर्ट को सत्य समझकर रचा, प्रकाशित या परिचालित किया और ऐसा समझने का उसके पास युक्तियुक्त कारण था और उसने किसी गलत इरादे से ऐसा नहीं किया तो यह उसके बचाव के लिए पर्याप्त होगा ।

एक वर्ग को दूसरे वर्ग (जिसमें आर्थिक वर्ग भी हो सकते हैं) के विरुद्ध अपराध करने के लिए उकसानेवाले या उकसाने की संभावनावाले कथन, अफवाहें या रिपोर्टें ही इस धारा के अधीन आपत्तिजनक मानी जाएँगी, जिनमें उकसाने की प्रवृति न हो उन्हें नहीं । इस प्रकार अगर एक वर्ग को दूसरे वर्ग के खिलाफ अपराध करने को उकसाए बिना कोई शिकायत किसी रचना में की जाती है तो उसके लिए उसके लेखक, प्रकाशक, मुद्रक या संपादक को दण्डित नहीं किया जा सकता है ।

यह पूरी धारा इस प्रकार है—"५०५ (१) जो कोई किसी कथन, जनश्रुति (र्‌यूमर, अफवाह) या रिपोर्ट की—

(क) इस आशय से कि, या जिससे यह संभाव्य हो कि, भारत की सेना, नौसेना या वायुसेना का कोई आफिसर, सैनिक, नाविक या वायु सैनिक विद्रोह करे, या अन्यथा वह इस नाते अपने कर्तव्य की अवहेलना करे या उसके पालन में असफल रहे, अथवा

(ख) इस आशय से कि, या जिससे यह संभाव्य हो कि, लोक या लोक के किसी भाग को ऐसा भय या संत्रास कारित हो जिससे कोई व्यक्ति राज्य के विरुद्ध या लोक प्रशान्ति के विरुद्ध अपराध करने के लिए उत्प्रेरित हो, अथवा

(ग) इस आशय से कि, या जिससे यह संभाव्य हो कि, उससे व्यक्तियों का कोई वर्ग या समुदाय किसी दूसरे वर्ग या समुदाय के विरुद्ध अपराध करने के लिए उद्दीप्त किया जाए,

रचेगा, प्रकाशित करेगा या परिचालित करेगा, वह कारावास से, जो तीन वर्ष तक का हो सकेगा, या जुर्माने से, या दोनों से दण्डित किया जाएगा ।

(२) जो कोई जनश्रुति या संत्रासकारी समाचार अंतर्विष्ट करनेवाले किसी कथन या रिपोर्ट को, इस आशय से कि, या जिससे यह संभाव्य हो कि, विभिन्न धार्मिक, मूलवंशीय, भाषायी या प्रादेशिक समूहों या जातियों या समुदायों के बीच शत्रुता, घृणा या वैमनस्य की भावनाएँ, धर्म, मूलवंश, जन्म-स्थान, निवास-स्थान, भाषा, जाति या समुदाय के आधारों पर या अन्य किसी आधार पर पैदा या सम्प्रवर्तित हो, रचेगा, प्रकाशित करेगा या परिचालित करेगा, वह कारावास से, जो तीन वर्ष तक का हो सकेगा, या जुर्माने से, या दोनों से, दण्डित किया जाएगा ।

(३) जो कोई उपधारा (२) में विनिर्दिष्ट अपराध किसी पूजा के स्थान में या किसी जमाव में, जो धार्मिक पूजा या पूजा-कार्य करने में लगा हुआ हो, करेगा, वह कारावास से, जो पाँच वर्ष तक का हो सकेगा, दण्डित किया जाएगा या जुर्माने से भी दण्डनीय होगा ।

अपवाद—ऐसा कोई कथन, जनश्रुति या रिपोर्ट इस धारा के अर्थ के अन्तर्गत अपराध की कोटि में नहीं आती, जब उसे रचनेवाले, प्रकाशित करनेवाले या परिचालित करनेवाले व्यक्ति के पास इस विश्वास के लिए युक्तियुक्त आधार हो कि ऐसा कथन, जनश्रुति या रिपोर्ट सत्य है और वह उसे सद्भावपूर्वक तथा पूर्वोक्त जैसे किसी आशय के बिना रचता है, प्रकाशित करता है या परिचालित करता है ।"

अब दण्ड प्रक्रिया संहिता की प्रेस को प्रभावित करनेवाली धाराओं पर विचार किया जाए—

धारा ९१ : दस्तावेज पेश करने के लिए समन

इस धारा के अन्तर्गत अदालत और पुलिस थानों के प्रभारी अधिकारी किसी मामले से सम्बद्ध दस्तावेज या अन्य चीजें अपने समक्ष पेश करने को उस व्यक्ति से कह सकते हैं जिसके कब्जे या शक्ति में इनके होने का उन्हें विश्वास हो । इन दस्तावेजों या चीजों का सम्बन्ध किसी ऐसे अन्वेषण, जाँच, विचारण (ट्रायल) या अन्य कार्यवाही से होना चाहिए जो इस संहिता के अधीन ऐसे न्यायालय या अधिकारी के द्वारा या अधीन हो रही हो । न्यायालय समन जारी करके और पुलिस अधिकारी लिखित आदेश से किसी निश्चित समय और स्थान पर इन्हें पेश करने अथवा स्वयं हाजिर होने और इन्हें पेश करने का हुक्म दे सकते हैं ।

यदि वह व्यक्ति जिसे दस्तावेज या कोई चीज पेश करने को कहा गया हो, स्वयं हाजिर न होकर उसे पेश करवा दे तो यह समझा जाएगा कि उसने आदेश का पालन कर लिया है ।

समय या आदेश जारी करने से पहले न्यायालय या पुलिस अधिकारी को समुचित सामग्री के आधार पर इस बात की संतुष्टि कर लेना आवश्यक है कि माँगा गया दस्तावेज या चीज उस व्यक्ति के कब्जे में या शक्ति में है, जिसके नाम पर समन या आदेश जारी किया जाए । समन या आदेश में उन दस्तावेजों या चीजों का स्पष्ट उल्लेख होना चाहिए जिन्हें पेश करने को कहा जाए । 'मामले से सम्बद्ध सब चीजें पेश करने' जैसा व्यापक और अस्पष्ट समन या आदेश वैध नहीं माना जाएगा । यह भी जरूरी है कि समन या आदेश तभी जारी किया जाए जब न्यायालय अथवा पुलिस अधिकारी का यह मत बने की माँगे जानेवाले दस्तावेज या चीजें प्राप्त करना मामले के अन्वेषण, जाँच, विचारण या अन्य कार्यवाही के प्रयोजनों के लिए जरूरी या वांछनीय है । अदालत या पुलिस अधिकारी को इस निर्णय पर पहुँचने के लिखित कारण भी देने होते हैं ताकि ऊपर के न्यायालय इसके सही होने या न होने का समुचित फैसला कर सकें ।

न्यायालय या अधिकारी समन या आदेश किसी पक्ष या अभियुक्त के आवेदन पर या अपनी ओर से भी जारी कर सकता है । उसी व्यक्ति से दस्तावेज या अन्य कोई चीज पेश करने को कहा जा सकता है जिसके कब्जे या शक्ति में उसके होने का विश्वास हो, अभियुक्त या अन्य किसी व्यक्ति से नहीं ।

यह धारा इस प्रकार है—

"(१) जब कभी कोई न्यायालय या पुलिस थाने का कोई भारसाधक अधिकारी यह समझता है कि किसी ऐसे अन्वेषण, जाँच, विचारण या अन्य कार्यवाही के प्रयोजनों के लिए, जो इस संहिता के अधीन ऐसे न्यायालय या अधिकारी के द्वारा या समक्ष हो रही है, किसी दस्तावेज या अन्य चीज का पेश किया जाना आवश्यक या वांछनीय है तो जिस व्यक्ति के कब्जे या शक्ति में ऐसे दस्तावेज या चीज के होने का विश्वास है उसके नाम ऐसा न्यायालय एक समन या ऐसा अधिकारी एक लिखित आदेश उससे यह अपेक्षा करते हुए जारी कर सकता है कि उस समन या आदेश में उल्लिखित समय और स्थान पर उसे पेश करे अथवा हाजिर हो और उसे पेश करे ।

(२) यदि कोई व्यक्ति, जिससे इस धारा के अधीन दस्तावेज या अन्य चीज करने की अपेक्षा की गई है उसे पेश करने के लिए स्वयं हाजिर होने के बजाय उस दस्तावेज या चीज को पेश करवा दे तो यह समझा जाएगा कि उसने उस अपेक्षा का अनुपालन कर दिया है ।

(३) इस धारा की कोई बात—

(क) भारतीय साक्ष्य अधिनियम, १८७२ की धारा १२३ और १२४ या बैंककार बही साक्ष्य अधिनियम, १८९१ पर प्रभाव डालनेवाली नहीं समझी जाएगी, अथवा

(ख) डाक या तार प्राधिकारी की अभिरक्षा में किसी पत्र, पोस्टकार्ड, तार या अन्य दस्तावेज या किसी पार्सल या चीज को लागू होनेवाली नहीं समझी जाएगी ।"

धारा ९३ : तलाशी-वारण्ट

यह धारा न्यायालय को उस स्थिति में तलाशी-वारण्ट जारी करने की शक्ति प्रदान करती है जब उसे यह विश्वास करने का कारण हो कि धारा ९१ के अन्तर्गत जिस व्यक्ति के नाम पर समन या आदेश जारी किया गया हो या किया जाए वह माँगा गया दस्तावेज या वस्तु पेश नहीं करेगा या हो सकता है कि पेश न करे या उसे पता न हो कि दस्तावेज या वस्तु किसी व्यक्ति के कब्जे में है, या वह यह समझे कि इस संहिता के अधीन किसी जाँच, विचारण या अन्य कार्यवाही के प्रयोजन की पूर्ति आम तलाशी या निरीक्षण से होगी तो वह आम तलाशी या निरीक्षण के लिए तलाशी-वारण्ट जारी कर सकता है ।

अदालत ठीक समझे तो वह वारण्ट में किसी खास जगह या उसके हिस्से की तलाशी या निरीक्षण करने का निर्देश दे सकती है ।

स्पष्ट है कि साधारण तलाशी के इस गम्भीर अधिकार का प्रयोग न्यायालय सोचे-विचारे बिना नहीं कर सकता है । यदि ऊपर के न्यायालय यह पाएँ कि मजिस्ट्रेट ने तलाशी-वारण्ट जारी करने से पूर्व अपने न्यायिक विवेक का इस्तेमाल नहीं किया था तो वह उसके आदेश को रद्द कर सकता है । फिर जिस दस्तावेज या चीज के लिए खोज की जानी हो उसका साफ-साफ उल्लेख होना चाहिए ।

तलाशी मुहल्ले के दो या अधिक सम्मानित व्यक्तियों की उपस्थिति में ली जानी चाहिए । तलाशी अधिकारी को कब्जे में ली गई चीजों की सूची बनाकर उस पर इन गवाहों के हस्ताक्षर प्राप्त करने होते हैं और इसकी एक प्रति तलाशी-वाले स्थान के अधिवासी (ऑकुपायर) या उसकी तरफ से किसी अन्य व्यक्ति को दी जानी चाहिए । इस व्यक्ति को तलाशी के समय उपस्थित रहने की अनुमति देनी जरूरी होती है ।

साधारण तलाशी-वारण्ट जारी करने से पूर्व न्यायालय को अपनी संतुष्टि कर लेनी चाहिए कि जारी किया जानेवाला वारण्ट भारतीय दण्ड संहिता के अधीन किसी जाँच, विचारण या अन्य कार्यवाही के प्रयोजन से आवश्यक है । इस संतुष्टि के लिए उसके समक्ष पर्याप्त सामग्री होनी चाहिए । यह जरूरी नहीं है कि तलाशी-वारण्ट पहले समन या पुलिस आदेश जारी करने के बाद ही जारी किए जाएँ । फिर भी, न्यायालय सरलता से यह वारण्ट जारी नहीं कर सकता है । अपने आदेश में उसे वारण्ट जारी करने के कारण भी बताने होते हैं । ऊपरी अदालतें कारणों पर विचार करके आदेश को रद्द भी कर सकती हैं ।

उन्हीं दस्तावेजों या चीजों को कब्जे में लिया जा सकता है जो मामले की जाँच, विचारण या अन्य कार्यवाही के सिलसिले में उपयोगी हों, अन्य दस्तावेजों या वस्तुओं को नहीं ।

उल्लेखनीय है कि जब कि दस्तावेज या वस्तु पेश करने का आदेश पुलिस थाने का प्रभारी अधिकारी भी दे सकता है, तलाशी-वारण्ट जारी करने का अधिकार पुलिस को नहीं है । यह शक्ति केवल न्यायालय को दी गयी है ।

धारा ९३ इस प्रकार है—"९३ (१) (क) जहाँ किसी न्यायालय को यह विश्वास करने का कारण है कि वह व्यक्ति, जिसको धारा ९१ के अधीन समन या आदेश या धारा ९२ की उपधारा (१) के अधीन अपेक्षा सम्बोधित की गई है या की जाती है, ऐसे समन या अपेक्षा द्वारा यथा—अपेक्षित दस्तावेज या चीज पेश नहीं करेगा या हो सकता है कि पेश न करे, अथवा

(ख) जहाँ ऐसे दस्तावेज या चीज के बारे में न्यायालय को यह ज्ञात नहीं है कि वह किसी व्यक्ति के कब्जे में है, अथवा

(ग) जहाँ न्यायालय यह समझता है कि इस संहिता के अधीन किसी जाँच, विचारण या अन्य कार्यवाही के प्रयोजनों की पूर्ति साधारण तलाशी या निरीक्षण से होगी,

वहाँ वह तलाशी-वारण्ट जारी कर सकता है, और वह व्यक्ति जिसे ऐसा वारण्ट निर्दिष्ट है, उसके अनुसार और इसमें इसके पश्चात् अन्तर्विष्ट उपबन्धों के अनुसार तलाशी ले सकता है या निरीक्षण कर सकता है ।

(२) यदि, न्यायालय ठीक समझता है, तो वह उस वारण्ट में उस विशिष्ट स्थान या उसके भाग को विनिर्दिष्ट कर सकता है और केवल उसी स्थान या भाग की तलाशी या निरीक्षण होगा, तथा वह व्यक्ति जिसको ऐसे वारण्ट के निष्पादन का भार सौंपा जाता है केवल उसी स्थान या भाग की तलाशी लेगा या निरीक्षण करेगा जो ऐसे विनिर्दिष्ट हैं ।

(३) इस धारा की कोई बात जिला मजिस्ट्रेट या मुख्य न्यायिक मजिस्ट्रेट से भिन्न किसी मजिस्ट्रेट को डाक या तार प्राधिकारी की अभिरक्षा में किसी दस्तावेज, पार्सल या अन्य चीज की तलाश के लिए वारण्ट जारी करने के लिए प्राधिकृत नहीं करेगी ।"

धारा ९५ : प्रकाशनों को जब्त करने की घोषणा

इस धारा के अधीन राज्य सरकारें ऐसे समाचारपत्रों, पुस्तकों या अन्य दस्तावेजों को अधिसूचना जारी करके भारत में कहीं भी, किसी भी पुलिस अधिकारी के जरिए जब्त कर सकती है जिनमें ऐसी कोई बात शामिल होना उसे प्रतीत होता हो जो भारतीय दण्ड संहिता की धाराओं १२४ क (राजद्रोह), १५३ क (समूहों के बीच शत्रुता और असौहार्द), १५३ ख (पूजा-स्थलों में किया गया अपराध), २९२ (अश्लीलता), २९३ (तरुणों में अश्लील वस्तुओं का विक्रय) और २९५ क (धार्मिक भावनाओं को आहत करना) में से किसी के अन्तर्गत दण्डनीय है । 'दस्तावेज' में रंगचित्र, रेखाचित्र, या फोटो या अन्य दृश्यरूपण भी शामिल हैं ।

राज्य सरकार को अधिसूचना में यह साफ-साफ बताना आवश्यक है कि इस कार्रवाई के लिए उसकी राय का आधार क्या है अन्यथा उच्च न्यायालय उसे रद्द

कर देगा । अधिसूचना जारी होने के बाद कोई मजिस्ट्रेट किसी पुलिस अधिकारी को, जो उपनिरीक्षक (सब-इंस्पेक्टर) से नीचे के पद का नहीं हो, सम्बद्ध समाचारपत्र, पुस्तक या अन्य दस्तावेज की हर प्रति कब्जे में लेने कि लिए किसी स्थान में प्रवेश करने और तलाशी लेने के लिए वारण्ट द्वारा प्राधिकृत कर सकता है।

वारण्ट उसी स्थान में प्रवेश करने और तलाशी लेने के लिए जारी किया जा सकता है जहाँ सम्बद्ध समाचारपत्र, पुस्तक या अन्य दस्तावेज के होने का 'उचित संदेह' हो ।

उन्हीं समाचारपत्रों, पुस्तकों या अन्य दस्तावेजों की जब्ती के लिए कार्रवाई की जा सकती है जिनमें लिखी बातें उपर्युक्त धाराओं के अधीन दण्डनीय हों । यदि सरकार सम्बद्ध एक धारा के अधीन आपत्तिजनक समझकर जब्ती की अधिसूचना जारी करती है तो वह किसी अन्य धारा के अन्तर्गत प्रकाशन या दस्तावेज को जब्त नहीं कर सकती है अर्थात् उन्हीं धाराओं के मुताबिक कार्रवाई हो सकती है जिनका उल्लेख अधिसूचना में किया गया हो । राज्य सरकार को अपने आदेश में प्रकाशन के उन अंकों या हिस्सों (पैसेजेज) इंगित करने चाहिए जिन्हें आपत्तिजनक समझा गया हो ।

आदेश कोई भी राज्य सरकार दे सकती है और यह उन सब राज्यों के लिए होना चाहिए जहाँ भारतीय दण्ड संहिता लागू होती है । किन्तु इस धारा के अन्तर्गत किसी सरकार को ऐसे प्रकाशनों या दस्तावेजों के अपने राज्य में प्रवेश को रोकने का स्पष्ट अधिकार नहीं दिया गया है ।

राज्य सरकार समाचारपत्रों, पुस्तकों या अन्य दस्तावेजों की जब्ती का अपना आदेश जब चाहे वापस ले सकती है या रद्द कर सकती है । उस स्थिति में उसे जब्त की गई चीज उन्हें लौटानी होगी जिनसे लेकर उन्हें जब्त किया गया था ।

अगर मुकदमे की सुनवाई के बाद न्यायालय अभियुक्त को बरी कर देता है तो उस स्थिति में भी जब्त की गई सामग्री लौटानी जरूरी होती है ।

इस धारा के अधीन किसी आदेश या कार्रवाई को उच्च न्यायालय में ही चुनौती दी जा सकती है ।

धारा ९५ इस प्रकार है—"९५ (१) जहाँ राज्य सरकार को प्रतीत होता है कि—

(क) किसी समाचारपत्र या पुस्तक में, अथवा

(ख) किसी दस्तावेज में,

चाहे वह कहीं भी मुद्रित हुई हो, कोई ऐसी बात अन्तर्विष्ट है जिसका प्रकाशन भारतीय दण्ड संहिता की धारा १२४ क या धारा १५३ क के या धारा १५३ ख या धारा २९२ या धारा २९३ या धारा २९५ क के अधीन दण्डनीय है, वहाँ राज्य सरकार ऐसी बात अन्तर्विष्ट करनेवाले समाचारपत्र के अंक की प्रत्येक प्रति का और ऐसी पुस्तक या अन्य दस्तावेज की प्रत्येक प्रति का सरकार के पक्ष में समपहरण कर लिए जाने की घोषणा, अपनी राय के आधारों का कथन करते हुए,

अधिसूचना द्वारा कर सकती है और तब भारत में, जहाँ भी वह मिले, कोई भी पुलिस अधिकारी उसे अभिगृहीत कर सकता है और कोई मजिस्ट्रेट, उपनिरीक्षक के अनिम्न पंक्ति के किसी पुलिस अधिकारी को, किसी ऐसे परिसर में, जहाँ ऐसे किसी अंक की कोई प्रति या ऐसी कोई पुस्तक या अन्य दस्तावेज है या उसके होने का उचित संदेह है, प्रवेश करने और उसके लिए तलाशी लेने के लिए वारण्ट द्वारा प्राधिकृत कर सकता है ।

(२) इस धारा में और धारा ९६ में—

(क) 'समाचारपत्र' और पुस्तक के वे ही अर्थ होंगे, जो प्रेस और पुस्तक रजिस्ट्रीकरण अधिनियम, १८६७ में है,

(ख) 'दस्तावेज' के अन्तर्गत रंगचित्र, रेखाचित्र या फोटोचित्र या अन्य दृश्यरूपण भी है ।

(३) इस धारा के अधीन पारित किसी आदेश पर की गई किसी कार्रवाई को किसी न्यायालय में धारा ९६ के उपबन्धों के अनुसार ही प्रश्नगत किया जाएगा अन्यथा नहीं ।"

धारा ९६ : जब्ती के विरुद्ध आवेदन

इस धारा के अन्तर्गत कोई भी व्यक्ति, जिसका जब्त किए गए समाचारपत्र, पुस्तक या दस्तावेज में कोई हित हो, जब्ती के घोषणा के राजपत्र के प्रकाशन के दो मास के अन्दर उच्च न्यायालय में इसे रद्द करने की याचिका दायर कर सकता है ।

आवेदन इस आधार पर किया जा सकता है कि जब्ती का आदेश गैर-कानूनी या अनुचित है क्योंकि जिस सामग्री को आपत्तिजनक मानकर आदेश जारी किया गया था वह भारतीय दण्ड संहिता की उस धारा के अधीन दण्डनीय नहीं है जिसके आधार पर जब्ती की घोषणा की गई थी । उच्च न्यायालय आदेश में दिए गए तथ्यों और परिस्थितियों पर विचार करके उसे रद्द कर सकता है । यदि न्यायालय को लगे कि सम्बद्ध प्रकाशन या दस्तावेज के जिन अंशों पर आपत्ति की गई है उसकी एक से अधिक व्याख्या हो सकती है तो भी उसे आदेश रद्द कर देना चाहिए । फैसला किसी अंश पर अलग से विचार करके नहीं, सम्पूर्ण प्रकाशन या दस्तावेज में कही गई बातों के समूचे प्रभाव के आधार पर किया जाना चाहिए । यदि आदेश में जब्ती के आधार नहीं दिए जाते तो न्यायालय और कुछ जाँच किए बिना और राज्य सरकार द्वारा वादी को दिए गये आधारों की उपेक्षा करते हुए जब्ती के आदेश को रद्द कर देगा तथा जब्त की गई सामग्री उस व्यक्ति को लौटा देगा जिससे इसे प्राप्त किया गया था ।

मामले की सुनवाई उच्च न्यायालय के तीन न्यायाधीशों की विशेष पीठ द्वारा की जानी चाहिए । यदि उच्च न्यायालय के न्यायाधीशों की संख्या तीन से कम हो तो उस उच्च न्यायालय के सभी न्यायाधीशों की पीठ को सुनवाई करनी चाहिए । विशेष पीठ के न्यायाधीशों में मतभिन्नता हो तो निर्णय बहुमत से होना चाहिए ।

धारा ९६ इस प्रकार है—"९६ (१) किसी ऐसे समाचारपत्र, पुस्तक या अन्य दस्तावेज में, जिसके जिसके बारे में धारा ९५ के अधीन समपहरण की घोषणा की गई है, कोई हित रखनेवाला कोई व्यक्ति उस घोषणा के राजपत्र में प्रकाशन की तारीख से दो मास के अन्दर उस घोषणा को इस आधार पर अपास्त कराने के लिए उच्च न्यायालय में आवेदन कर सकता है कि समाचारपत्र के उस अंक या उस पुस्तक अथवा अन्य दस्तावेज में, जिसके बारे में वह घोषणा की गई थी, कोई ऐसी बात अन्तर्विष्ट नहीं है जो धारा ९५ की उपधारा (१) में निर्दिष्ट है ।

(२) जहाँ उच्च न्यायालय में तीन या अधिक न्यायाधीश हैं, वहाँ ऐसा प्रत्येक आवेदन उच्च न्यायालय के तीन न्यायाधीशों से बनी विशेष न्यायपीठ द्वारा सुना और अवधारित किया जाएगा और जहाँ उच्च न्यायालय में तीन से कम न्यायाधीश हैं वहाँ ऐसी विशेष न्यायपीठ में उस उच्च न्यायालय के सब न्यायाधीश होंगे ।

(३) किसी समाचारपत्र के सम्बन्ध में ऐसे किसी आवेदन की सुनवाई में, उस समाचारपत्र में, जिसकी बाबत समपहरण की घोषणा की गई थी, अन्तर्विष्ट शब्दों, चिह्नों या दृश्यरूपणों की प्रकृति या प्रवृति के सबूत में सहायता के लिए उस समाचारपत्र की कोई प्रति साक्ष्य में दी जा सकती है ।

(४) यदि उच्च न्यायालय का इस बारे में समाधान नहीं होता है कि समाचारपत्र के उस अंक में या उस पुस्तक या अन्य दस्तावेज में, जिसके बारे में वह आवेदन किया गया है कोई ऐसी बात अन्तर्विष्ट है जो धारा ९५ की उपधारा (१) में निर्दिष्ट है, तो वह समपहरण की घोषणा को अपास्त कर देगा ।

(५) जहाँ उन न्यायाधीशों में, जिनसे विशेष न्यायपीठ बनी है, मतभेद है वहाँ विनिश्चय उन न्यायाधीशों की बहुसंख्या की राय के अनुसार होगा ।"

धारा १०८ : सदाचार के लिए प्रत्याभूति (बाण्ड)

इस धारा में प्रथम श्रेणी के मजिस्ट्रेट को उसे, जो उसे मिली इत्तिला के अनुसार, धाराओं १२४ (क), १५३ (क), २९२, २९५ (क) और न्यायाधीशों व उनके कर्तव्य निर्वहन के सम्बन्ध में ४९९ और ५०३ का उल्लंघन करता है, एक वर्ष तक कि अवधि के लिए सदाचार का बन्धपत्र (बाण्ड) निष्पादित करने का आदेश देने का अधिकार है । मजिस्ट्रेट बन्धपत्र के साथ प्रत्याभूतियों की भी माँग कर सकता है ।

किसी प्रकाशन के सम्पादक, स्वामी, मुद्रक या प्रकाशक के विरुद्ध कार्रवाई राज्य सरकार के आदेश या उसके प्राधिकार अथवा राज्य सरकार द्वारा इस निमित्त सशक्त किसी अधिकारी के आदेश के बिना नहीं की जा सकती है ।

मजिस्ट्रेट इत्तिला मिलने पर ही, और ऐसी सामग्री के प्रकाशन के सिलसिले में ही, जो उपर्युक्त धाराओं के अधीन दण्डनीय है, कार्रवाई कर सकता है । धारा २९२ (अश्लीलता) को छोड़कर अन्य अपराध यदि साशय (इंटेंशनली) किए जाएँ तभी कार्रवाई की जा सकती है । परन्तु अश्लील प्रकाशन के सिलसिले में तब भी

कार्रवाई की जा सकती है जब यह सिद्ध हो जाए कि यह प्रकाशन साशय नहीं किया गया है ।

यद्यपि मजिस्ट्रेट इत्तिला मिलने पर कार्रवाई कर सकता है परन्तु उसे कार्रवाई करने से पूर्व अपने विवेक से निर्णय करना होगा कि इस कार्रवाई का पर्याप्त आधार है या नहीं । वह इत्तिला मिलते ही, अपना दिमाग लगाए बिना, कार्रवाई करने को बाध्य नहीं है, न उसे ऐसा करना चाहिए । कार्रवाई के लिए अपनी राय बनाना उसका कर्तव्य है । राय बनाने के लिए उसके समक्ष पर्याप्त सामग्री होनी चाहिए । यदि राय बनाने का पर्याप्त आधार न हो तो उसे बाण्ड निष्पादित करने का आदेश देने से इंकार कर देना चाहिए, अन्यथा ऐसा आदेश उच्च न्यायालय द्वारा रद्द कर दिया जाएगा ।

यह धारा इस प्रकार है—"१०८ (१) जब किसी प्रथम वर्ग न्यायिक मजिस्ट्रेट को इत्तिला मिलती है कि उसकी स्थानीय अधिकारिता के अन्दर कोई ऐसा व्यक्ति है जो ऐसी अधिकारिता के अन्दर या बाहर—

(i) या तो मौखिक रूप से या लिखित रूप से या किसी अन्य रूप से निम्नलिखित बातें साशय फैलाता है या फैलाने का प्रयत्न करता है या फैलाने की दुष्प्रेरणा करता है, अर्थात्—

(क) कोई ऐसी बात, जिसका प्रकाशन भारतीय दण्ड संहिता की धारा १२४ क या धारा १५३ क या धारा १५३ ख या धारा २९५ क के अधीन दंडनीय है, अथवा

(ख) किसी न्यायाधीश से, जो अपने पदीय कर्तव्यों के निर्वहन में कार्य कर रहा है या कार्य करने का तात्पर्य रखता है, संबद्ध कोई बात जो भारतीय दण्ड संहिता के अधीन आपराधिक अभित्रास या मानहानि की कोटि में आती है, अथवा

(ii) भारतीय दण्ड संहिता की धारा २९२ में यथानिर्दिष्ट कोई अश्लील वस्तु विक्रय के लिए बनाता, उत्पादित करता, प्रकाशित करता या रखता है, आयात करता है, निर्यात करता है, प्रवहरण करता है, विक्रय करता है, भाड़े पर देता है, वितरित करता है, सार्वजनिक रूप से प्रदर्शित करता है या किसी अन्य प्रकार से परिचालित करता है, और उस मजिस्ट्रेट की राय में कार्यवाही करने के लिए पर्याप्त आधार है तब ऐसा मजिस्ट्रेट, ऐसे व्यक्ति से इसमें इसके पश्चात् उपबंधित रीति से अपेक्षा कर सकता है कि वह कारण दर्शित करे कि एक वर्ष से अनधिक की इतनी अवधि के लिए, जितनी वह मजिस्ट्रेट ठीक समझे, उसे अपने सदाचार के लिए प्रतिभुओं सहित या रहित बंधपत्र निष्पादित करने के लिए आदेश क्यों न दिया जाए ।

(२) प्रेस और पुस्तक रजिस्ट्रीकरण अधिनियम, १८६७ में दिए गए नियमों के अधीन रजिस्ट्रीकृत, और उनके अनुरूप सम्पादित, मुद्रित और प्रकाशित किसी प्रकाशन में अन्तर्विष्ट किसी बात के बारे में कोई कार्यवाही ऐसे प्रकाशन के सम्पादक, स्वत्वधारी, मुद्रक या प्रकाशन के विरुद्ध राज्य सरकार के, या राज्य सरकार द्वारा

इस निमित्त सशक्त किए गए किसी अधिकारी के आदेश से या उसके प्राधिकार के अधीन ही की जाएगी, अन्यथा नहीं ।"

धारा १४४ : न्यूसेंस या आशंकित खतरे के मामले में आदेश

इस धारा के अन्तर्गत कोई जिला मजिस्ट्रेट या उपखण्ड (सबडिविजनल) मजिस्ट्रेट या राज्य सरकार द्वारा इस सम्बन्ध में सशक्त कोई और कार्यपालक मजिस्ट्रेट किसी व्यक्ति को कतिपय काम न करने या किसी सम्पत्ति की कोई खास व्यवस्था करने का निर्देश दे सकता है अगर वह समझे कि इस निर्देश से किसी व्यक्ति को बाधा, क्षोभ या क्षति, या जान, स्वास्थ्य या सुरक्षा के खतरे को या शांतिभंग होने या बलवे या दंगे को रोका जा सकता है या निर्देश में इन्हें रोकने की प्रवृति है ।

किन्तु यह निर्देश तभी जारी किया जा सकता है जब शंकित खतरे के और तेजी से निवारण के लिए यह कदम उठाना अविलम्बनीय हो ।

निर्देश जारी करने से पूर्व मजिस्ट्रेट के पास ऐसा करने के लिए पर्याप्त आधार होना चाहिए । निर्देश लिखकर ही जारी किया जा सकता है और इसमें स्थिति के बारे में तात्त्विक (मैटीरियल) तथ्य दिए जाने चाहिए । आमतौर से उस व्यक्ति को कार्रवाई की सम्यक् (ड्यू) सूचना दी जानी चाहिए किन्तु आपात की दशाओं में या ऐसी परिस्थितियों में जब सम्यक् सूचना तामील करने की गुंजाइश न हो तो यह आदेश एकपक्षीय रूप में भी जारी किया जा सकता है ।

आदेश प्रथम बार दो मास की अवधि से ज्यादा कि लिए जारी नहीं किया जा सकता है । यदि सरकार खतरों के निवारण के लिए आवश्यक समझे तो इसे अधिकाधिक चार मास के लिए और जारी रखा जा सकता है । राज्य सरकार अधिसूचना जारी करके ही ऐसा कर सकती है ।

मजिस्ट्रेट अपना या अपने अधीनस्थ किसी अन्य मजिस्ट्रेट का आदेश या तो अपनी प्रेरणा से अथवा किसी प्रभावित व्यक्ति के आवेदन पर रद्द या परिवर्तित कर सकता है । इसी तरह राज्य सरकार भी स्वप्रेरणा से या प्रभावित व्यक्ति के आवेदन पर अपने आदेश को रद्द या परिवर्तित कर सकती है । प्रभावित व्यक्ति से आवेदन प्राप्त होने पर यथास्थिति मजिस्ट्रेट या राज्य सरकार को उस व्यक्ति को अपने समक्ष व्यक्तिशः या वकील के जरिए उपस्थित होने और आदेश के विरुद्ध कारण बताने के शीघ्र अवसर देना होगा, और अगर वह आवेदन को पूरा या अधूरा रद्द करे तो उसे इसके कारण लिखित में बताने होंगे ताकि इन्हें ऊपरी अदालतों (सेशन या उच्च न्यायालय) में चुनौती दी जाने पर ये अदालतें उनके सही या गलत होने का फैसला कर सकें ।

यद्यपि इस धारा के प्रावधान सीधे प्रेस के लिए नहीं हैं पर यह ऐसे प्रावधान हैं जो हर व्यक्ति पर लागू होते हैं जिनमें पत्रकार भी आते हैं । उच्चतम न्यायालय के निर्णय (वीरेन्द्र बनाम पंजाब राज्य, ए० आई० आर० १९५७, पंजाब १) के अनुसार इस धारा के अधीन मजिस्ट्रेट किसी समाचारपत्र या पत्रिका में ऐसी सामग्री

प्रकाशित करने पर पूर्व सेंसरशिप लगा सकता है जिसके प्रकाशन से साम्प्रदायिक द्वेष या दंगों आदि से सार्वजनिक शांति भंग होती हो ।

यह धारा इस प्रकार है—"१४४ (१) उन मामलों में, जिनमें जिला मजिस्ट्रेट या उपखंड मजिस्ट्रेट अथवा राज्य सरकार द्वारा इस निमित्त विशेषतया सशक्त किए गए किसी अन्य कार्यपालक मजिस्ट्रेट की राय में इस धारा के अधीन कार्यवाही करने के लिए पर्याप्त आधार है और तुरन्त निवारण या शीघ्र उपचार करना वांछनीय है, वह मजिस्ट्रेट ऐसे लिखित आदेश द्वारा जिसमें मामले के तात्विक तथ्यों का कथन होगा और जिसकी तामील धारा १३४ द्वारा उपबन्धित रीति से कराई जाएगी, किसी व्यक्ति को कार्य-विशेष न करने या अपने कब्जे की या अपने प्रबंधाधीन किसी विशिष्ट सम्पत्ति की कोई विशिष्ट व्यवस्था करने का निर्देश उस दशा में दे सकता है जिसमें ऐसा मजिस्ट्रेट समझता है कि ऐसे निर्देश से यह सम्भाव्य है, या ऐसे निर्देश की यह प्रवृत्ति है कि विधिपूर्वक नियोजित किसी व्यक्ति को बाधा, क्षोभ या क्षति का, या मानव जीवन, स्वास्थ्य या क्षेम को खतरे या लोक प्रशान्ति विक्षुब्ध होने का, या बलवे या दंगे का निवारण हो जाएगा ।

(२) इस धारा के अधीन आदेश, आपात की दशाओं में या उन दशाओं में जब परिस्थितियाँ ऐसी हैं कि उस व्यक्ति पर, जिसके विरुद्ध वह आदेश निर्दिष्ट है, सूचना की तामील सम्यक् समय में करने की गुंजाइश न हो, एक-पक्षीय रूप में पारित किया जा सकता है ।

(३) इस धारा के अधीन आदेश किसी विशिष्ट व्यक्ति को, या किसी विशेष स्थान या क्षेत्र में निवास करनेवाले व्यक्तियों को अथवा आम जनता को, जब वे किसी विशेष स्थान या क्षेत्र में जाते रहते हैं या जाएँ, निर्दिष्ट किया जा सकता है ।

(४) इस धारा के अधीन कोई आदेश उस आदेश के दिए जाने की तारीख से दो मास से आगे प्रवृत न रहेगा—

परन्तु यदि राज्य सरकार मानव जीवन, स्वास्थ्य या क्षेम को खतरे का निवारण करने के लिए अथवा बलवे या किसी दंगे का निवारण करने के लिए ऐसा करना आवश्यक समझती है तो वह अधिसूचना द्वारा यह निदेश दे सकती है कि मजिस्ट्रेट ारा इस धारा के अधीन किया गया कोई आदेश उतनी अतिरिक्त अवधि के लिए, जतनी वह उक्त अधिसूचना में विनिर्दिष्ट करे, प्रवृत रहेगा, किन्तु वह अतिरिक्त भवधि उस तारीख से छह मास से अधिक की न होगी जिसको मजिस्ट्रेट द्वारा दिया गया आदेश ऐसे निदेश के अभाव में समाप्त हो गया होता ।

(५) कोई मजिस्ट्रेट या तो स्वप्रेरणा से या किसी व्यक्ति के आवेदन पर किसी ऐसे आदेश को विखंडित या परिवर्तित कर सकता है जो स्वयं उसने या उसके अधीनस्थ किसी मजिस्ट्रेट ने या उसके पद पूर्ववर्ती ने इस धारा के अधीन दिया है ।

(६) राज्य सरकार उपधारा (४) के परन्तु क के अधीन अपने द्वारा दिए गए किसी आदेश को या तो स्वप्रेरणा से या किसी व्यथित व्यक्ति के आवेदन पर विखंडित या परिवर्तित कर सकती है ।

(७) जहाँ उपधारा (५) या उपधारा (६) के अधीन आवेदन प्राप्त होता है वहाँ, यथास्थिति, मजिस्ट्रेट या राज्य सरकार आवेदक को या तो स्वयं या प्लीडर द्वारा उसके समक्ष हाजिर होने और आदेश के विरुद्ध कारण दर्शित करने का शीघ्र अवसर देगी, और यदि, यथास्थिति, मजिस्ट्रेट या राज्य सरकार आवेदन को पूर्णतः या अंशतः नामंजूर कर दे तो वह ऐसा करने के अपने कारणों को लेखबद्ध करेगी ।"

धारा १९६ : राज्य के विरुद्ध अपराधों के लिए सरकार की पूर्व मंजूरी

इस धारा के अन्तर्गत यह व्यवस्था है कि राज्य के विरुद्ध किए गए अपराधों या धाराओं १५३ क, १५३ ख, २९५ क या ५०५ के अधीन दण्डनीय अपराधों के सिलसिले में किसी पर मुकदमा केन्द्र या राज्य सरकार की मंजूरी से ही चलाया जा सकता है । कोई अदालत १२० क के अधीन, ऐसे आपराधिक षड्यंत्र के सिलसिले में, जो मृत्युदण्ड, आजीवन कारावास या दो साल अथवा इससे अधिक के सश्रम कारावास से दण्डनीय है, विचार नहीं करेगी जब तक सरकार या जिलाधीश इसकी लिखित सम्मति नहीं देता । सार्वजनिक न्याय के विरुद्ध अपराधों के लिए और साक्ष्य में दिए गए दस्तावेजों से सम्बद्ध अपराधों के लिए लोकसेवकों के अवमान के विषय में आपराधिक षड्यंत्र के मुकदमों की सुनवाई के लिए ऐसी सम्मति की जरूरत नहीं होगी ।

यह धारा सरकार और मजिस्ट्रेट से अपेक्षा करती है कि सम्मति प्रदान करने से पहले वह कम-से-कम निरीक्षक के पद के पुलिस अधिकारी से प्रारम्भिक खोजबीन (अन्वेषण) कराएँगे ।

यह धारा इस प्रकार है—"१९६ (१) कोई न्यायालय—

(क) भारतीय दण्ड संहिता के अध्याय ६ के अधीन या धारा १५३ क, धारा १५३ ख, धारा २९५ क या धारा ५०५ के अधीन दण्डनीय किसी अपराध का, अथवा

(ख) ऐसा अपराध करने के लिए आपराधिक षड्यंत्र का, अथवा

(ग) भारतीय दण्ड संहिता की धारा १०८ क में यथावर्णित किसी दुष्प्रेरण का, संज्ञान केन्द्रीय सरकार या राज्य सरकार की पूर्व मंजूरी से ही करेगा, अन्यथा नहीं ।

(२) कोई न्यायालय भारतीय दण्ड संहिता की धारा १२० ख के अधीन दण्डनीय किसी आपराधिक षड्यंत्र के किसी ऐसे अपराध का, जो मृत्यु, आजीवन कारावास या दो वर्ष या उससे अधिक की अवधि के कठिन कारावास से दण्डनीय संज्ञेय अपराध करने के आपराधिक षड्यंत्र से भिन्न है, संज्ञान तब तक नहीं करेगा जब तक राज्य सरकार या जिला मजिस्ट्रेट ने कार्यवाही शुरू करने के लिए लिखित सम्मति नहीं दे दी है—

परंतु जहाँ आपराधिक षड्यंत्र ऐसा है जिसे धारा १९५ के उपबंध लागू हैं वहाँ ऐसी कोई सम्मति आवश्यक न होगी ।

(३) केन्द्रीय सरकार या राज्य सरकार, उपधारा (१) के अधीन मंजूरी देने के पूर्व और राज्य सरकार या जिला मजिस्ट्रेट, उपधारा (२) के अधीन सम्मति देने के पूर्व, ऐसे पुलिस अधिकारी द्वारा जो निरीक्षक के पंक्ति से नीचे का नहीं है, प्रारम्भिक अन्वेषण किए जाने का आदेश दे सकता है और उस दशा में ऐसे पुलिस अधिकारी की वे शक्तियाँ होंगी जो धारा १५५ की उपधारा (३) में निर्दिष्ट है ।"

धारा ३२७ : न्यायालयों का खुला होना

यह धारा पत्रकारों को (अन्य नागरिकों की तरह) न्यायालयों में उपस्थित होने की अनुमति देती है । पर, पीठासीन न्यायाधीश या मजिस्ट्रेट ठीक समझें तो किसी को (जिसमें पत्रकार भी हो सकते हैं) अदालत के कमरे या भवन से चले जाने या उसमें न घुसने का आदेश दे सकता है ।

यह धारा इस प्रकार है—"३२७. वह स्थान, जिसमें कोई दण्ड न्यायालय किसी अपराध की जाँच या विचारण के प्रयोजन से बैठता है, खुला न्यायालय समझा जाएगा, जिसमें जनता साधारणतः प्रवेश कर सकेगी जहाँ तक कि सुविधापूर्वक वे उसमें समा सके,

परन्तु यदि पीठासीन न्यायाधीश या मजिस्ट्रेट ठीक समझता है तो वह किसी विशिष्ट मामले की जाँच या विचारण के किसी प्रक्रम में आदेश दे सकता है कि जनसाधारण या कोई विशेष व्यक्ति उस कमरे में या भवन में, जो न्यायालय द्वारा उपयोग में लाया जा रहा है, न तो प्रवेश करेगा, न होगा और न रहेगा ।"

इनके अलावा यहाँ धाराओं ३४५, ३४६, ३४७, ३४८, ३४९ और ३५० का उल्लेख करना पत्रकारों की जानकारी के लिए उपयोगी है । ये इस प्रकार हैं—

"३४५ (१) जब कोई ऐसा अपराध, जैसा भारतीय दण्ड संहिता की धारा १७५ (दस्तावेज पेश न करना), धारा १७८ (शपथ लेने से इनकार करना), धारा १७९ (लोकसेवक के प्रश्नों का उत्तर देने से इनकार करना), धारा १८० (वक्तव्य पर हस्ताक्षर करने से इनकार करना) या धारा २२८ (न्यायिक कार्यवाही कर रहे लोकसेवक का जान-बूझकर अपमान करना या उसके काम में व्यवधान डालना) में वर्णित है, किसी सिविल, दण्ड या राजस्व न्यायालय की दृष्टिगोचरता या उपस्थिति में किया जाता है तब न्यायालय अभियुक्त को अभिरक्षा में निरुद्ध करा सकता है और उसी दिन न्यायालय के उठने के पूर्व किसी समय अपराध का संज्ञान कर सकता है और अपराधी को ऐसा कारण दर्शित करने का, कि क्यों न उसे इस धारा के अधीन दंडित किया जाए, उचित अवसर देने के पश्चात् अपराधी को दो सौ रुपए से अनधिक जुर्माने का और जुर्माना देने में व्यतिक्रम होने पर एक मास तक की अवधि के लिए जब तक कि ऐसा जुर्माना उससे पूर्वतर न दे दिया जाए, सादा कारावास का दण्डादेश दे सकता है ।

"(२) ऐसे प्रत्येक मामले में न्यायालय वे तथ्य जिनसे अपराध बनता है, अपराधी द्वारा किए गए कथन के (यदि कोई हो) सहित, तथा निष्कर्ष और दंडादेश भी अभिलिखित करेगा ।"

"(३) यदि अपराध भारतीय दण्ड संहिता की धारा २८८ के अधीन है तो अभिलेख में यह दर्शित होगा कि जिस न्यायालय के कार्य में विघ्न डाला गया था या जिसका अपमान किया गया था, उसकी बैठक किस प्रकार की न्यायिक कार्यवाही के सम्बन्ध में और उसके किस प्रक्रम पर हो रही थी और किस प्रकार का विघ्न डाला गया या अपमान किया गया था ।"

"३४६ (१) यदि किसी मामले में न्यायालय का यह विचार है कि धारा ३४५ में निर्दिष्ट और उसकी दृष्टिगोचरता या उपस्थिति में किए गए अपराधों में से किसी के लिए अभियुक्त व्यक्ति जुर्माना देने में व्यतिक्रम करनेसे अन्यथा कारावासित किया जाना चाहिए या उस पर दो सौ रुपए से अधिक जुर्माना अधिरोपित किया जाना चाहिए या किसी अन्य कारण से उस न्यायालय की यह राय है कि मामला धारा ३४५ के अधीन नहीं निपटाया जाना चाहिए तो वह न्यायालय उन तथ्यों को जिनसे अपराध बनता है और अभियुक्त के कथन की इसमें इसके पूर्व उपबंधित प्रकार से अभिलिखित करने के पश्चात्, मामला उसका विचारण करने की अधिकारिता रखनेवाले मजिस्ट्रेट को भेज सकेगा और ऐसे मजिस्ट्रेट के समक्ष ऐसे व्यक्ति की हाजिरी के लिए प्रतिभूति दी जाने की अपेक्षा कर सकेगा, अथवा यदि पर्याप्त प्रतिभूति न दी जाए तो ऐसे व्यक्ति को अभिरक्षा में ऐसे मजिस्ट्रेट के पास भेजेगा ।

"(२) वह मजिस्ट्रेट, जिसे कोई मामला इस धारा के अधीन भेजा जाता है, जहाँ तक हो सके इस प्रकार कार्यवाही करने के लिए अग्रसर होगा मानो वह मामला पुलिस रिपोर्ट पर संस्थित है ।"

"३४७. जब राज्य सरकार ऐसा निर्देश दे तब कोई भी रजिस्ट्रार या कोई भी उप-रजिस्ट्रार, जो रजिस्ट्रीकरण अधिनियम, १६०८ के अधीन नियुक्त है, धारा ३४५ और ३४६ के अर्थ मे सिविल न्यायालय समझा जाएगा ।"

"३४८. जब किसी न्यायालय ने किसी अपराधी को कोई बात, जिसे करने की उससे विधिपूर्वक अपेक्षा की गई थी, करने से इंकार करने या उसे न करने के लिए या साशय कोई अपमान करने या विघ्न डालने के लिए धारा ३४५ के अधीन दण्डित किए जाने के लिए न्यायनिर्णीत किया है धारा ३४६ के अधीन विचारण के लिए मजिस्ट्रेट के पास भेजा है, तब वह न्यायालय अपने आदेश या अपेक्षा के उसके द्वारा मान लिए जाने पर या उसके द्वारा ऐसे माफी माँगे जाने पर, जिससे न्यायालय का समाधान हो जाए, स्वविवेकानुसार अभियुक्त को उन्मोचित कर सकता है या दण्ड का परिहार कर सकता है ।"

"३४९. यदि दण्ड न्यायालय के समक्ष कोई साक्षी या कोई व्यक्ति, जो किसी दस्तावेज या चीज को पेश करने के लिए बुलाया गया है, उन प्रश्नों का, जो उससे किए जाएँ, उत्तर देने से या अपने कब्जे या शक्ति में की किसी दस्तावेज या चीज को, जिसे पेश करने की न्यायालय उससे अपेक्षा करे, पेश करने से इंकार करता है और ऐसे इन्कार के लिए कोई उचित कारण पेश करने के लिए युक्तियुक्त अवसर दिए जाने पर ऐसा नहीं करता है तो ऐसा न्यायालय उन कारणों से, जो लेखबद्ध

किए जाएँगे, उसे सात दिन से अनधिक की किसी अवधि के लिए सादा कारावास का दंडादेश दे सकेगा अथवा पीठासीन मजिस्ट्रेट या न्यायाधीश द्वारा हस्ताक्षरित वारण्ट द्वारा न्यायालय के किसी अधिकारी की अभिरक्षा के लिए सुपुर्द कर सकेगा, जब तक कि उस बीच ऐसा व्यक्ति अपनी परीक्षा की जाने और उत्तर देने के लिए या दस्तावेज या चीज पेश करने के लिए सहमत नहीं हो जाता है और उसके इनकार पर डटे रहने की दशा में उसके बारे में धारा ३४५ या ३४६ के उपबन्धों के अनुसार कार्यवाही की जा सकेगी।"

■

अध्याय ८

भारतीय प्रतिलिप्यधिकार अधिनियम, १९५७ (कॉपीराइट एक्ट)

प्रतिलिप्यधिकार इस अवधारणा पर आधारित है कि जिस तरह ..रीरिक श्रम और कौशल से निर्मित कोई वस्तु मनुष्य की सम्पत्ति है उसी प्रकार बौद्धिक श्रम और निपुणता से सर्जित मूल कृति भी उसकी सम्पत्ति है । इस पर और इसकी प्रतिलिपि पर उसका अधिकार है । इस अधिकार की रक्षा और इसके अतिलंघन पर दण्ड के लिए कानूनी व्यवस्था कर दी गई है ताकि बौद्धिकों की इस चल सम्पत्ति को चुराया न जा सके और रचयिताओं को उनकी रचनाओं के लाभ से वंचित न किया जाए ।

राष्ट्रीय सीमाओं में ही नहीं अन्तर्राष्ट्रीय स्तर पर भी प्रतिलिप्यधिकार की व्यवस्था है । इसकी शुरुआत रोमन साम्राज्य में हुई । किन्तु, तब यह मूलतः प्रकाशकों का अधिकार था जब कि आज यह बुनियादी तौर पर कृति के रचयिता का अधिकार है ।

विश्व में सबसे पहले प्रतिलिप्यधिकार का कानून १७१० में इंग्लैंड में बना था जिसे एक्ट आफ अनू कहते थे । इसमें रचयिता को १४ वर्ष के लिए यह अधिकार दिया गया था । रचयिता के जीवनकाल में इसमें १४ वर्ष के लिए और वृद्धि की जा सकती थी । किन्तु, मौजूदा कानूनों में प्रतिलिप्यधिकार की अवधि इससे अधिक लम्बी होती है ।

राष्ट्रीय कानून विदेशों में भी अपने नागरिकों के प्रतिलिप्यधिकारों की रक्षा करने का प्रयास करते हैं । ऐसा अन्य देशों के नागरिकों को परस्पर आधार पर अपने यहाँ यह अधिकार देकर या इस पर प्रतिबन्ध लगाकर किया जाता है । विभिन्न देशों में प्रतिलिप्यधिकार को व्यवस्थित रखने के उद्देश्य से अन्तर्राष्ट्रीय संविदाएँ स्वीकृत की गई हैं । इनके आधार पर अन्तर्राष्ट्रीय प्रतिलिप्यधिकार संघ का गठन किया गया है ।

भारतीय प्रतिलिप्यधिकार कानून सबसे पहले १८४७ में बना था । उससे पूर्व इस विषय पर इंग्लैंड की सामान्य विधि चलती थी । किन्तु, इस अधिनियम के स्थान पर ३१ अक्तूबर, १९१२ को इंग्लिश कापीराइट अधिनियम, १९११ लागू किया गया । दो वर्ष बाद १९१४ में इंग्लैंड के इस कानून के आधार पर, किन्तु इंग्लिश अधिनियम के कुछ उपबन्धों को भारत के सन्दर्भ में कुछ फेरबदल

करके, नया भारतीय कापीराइट अधिनियम बनाया गया । लेकिन, १९५६ में जब इंग्लैंड में नया कापीराइट कानून बना तो भारतीय कापीराइट कानून में भी संशोधन करना पड़ा क्योंकि भारतीय कानून मूलतः इंग्लैंड के कानून पर आधारित था । इसलिए, १९५७ में स्वतन्त्र भारत की संसद् ने मौजूदा भारतीय प्रतिलिप्यधिकार अधिनियम पारित किया । इंग्लैंड का सब उल्लेख इसमें से निकाल दिया गया ।

किन कृतियों पर प्रतिलिप्यधिकार ?

प्रतिलिप्यधिकार मौलिक, साहित्यिक, नाट्य, संगीतात्मक और कलाकृतियों पर लागू होता है । (धारा १३) इस प्रकार यह अधिकार न केवल पुस्तकों और पत्र-पत्रिकाओं के विषय में है बल्कि नाट्य, संगीत और कला, वास्तुकला, फिल्मों और रिकार्डों के सम्बन्ध में भी है । पर, यहाँ हम पुस्तकों और प्रेस के सन्दर्भ में ही इस पर विचार करेंगे ।

प्रतिलिप्यधिकार के लिए यह आवश्यक है कि सम्बद्ध कृति मौलिक हो अर्थात् यह उस रचयिता से निःसृत होनी चाहिए जो इस अधिकार का दावा करता है । किन्तु, इसका अर्थ यह कदापि नहीं है कि कृति नितान्त नई खोज या नए विचार पर आधारित हो तभी इस अधिकार का दावा किया जा सकता है । न्यायिक निर्णयों में स्पष्ट कर दिया गया है कि विचारों पर कोई प्रतिलिप्यधिकार नहीं होता । यह अधिकार विचारों की छपित या लिखित अभिव्यक्ति या इसके प्रस्तुतिकरण के कौशल या श्रम के सम्बन्ध में होता है । यह भी जरूरी नहीं है कि अभिव्यक्ति बिल्कुल नए या मौलिक तरीके से की गई हो । केवल यह जरूरी है कि जिस कृति पर प्रतिलिप्यधिकार का दावा किया जाता है वह दूसरी किसी कृति की प्रतिलिपि न हो ।

मौलिक कृति से यह भी अभिप्रेत नहीं है कि इसमें अन्य किसी कृति का कोई अंश शामिल न हो और उसका हर टुकड़ा मौलिक हो । प्रतिलिप्यधिकार का फैसला करते समय अदालतों को सम्पूर्ण कृति का मूल्यांकन करना होता है; वह छोटे-छोटे टुकड़ों को अलग-अलग करके निर्णय नहीं दे सकती है । यदि यह पाया जाए कि कृति का बड़ा हिस्सा किसी अन्य कृति की नकल है तो अदालतें दोषी व्यक्ति को इस अधिनियम के अन्तर्गत दण्डित कर सकती हैं ।

कृति के पुनर्मुद्रण पर तो पहला प्रतिलिप्यधिकार जारी रहता ही है उसके बाद के संशोधित संस्करणों पर भी वह लागू होता है । लेकिन, यदि किसी संस्करण में इतना व्यापक परिवर्तन किया गया हो कि वह वस्तुतः नई कृति बन जाए तो नई कृति के रचयिता या सम्पादक का स्वतन्त्र प्रतिलिप्यधिकार बन जाता है । यदि नया संस्करण किसी सम्पादक द्वारा रचा गया हो तो ऐसी कृति के लिए दो स्वतन्त्र प्रतिलिप्यधिकार विद्यमान हो सकते हैं—एक मूल कृति के लिए और दूसरा सम्पादक द्वारा संशोधित, पुनर्व्यवस्थित और अतिरिक्त सामग्री जोड़ने से बनी कृति के लिए ।

यह आवश्यक नहीं है कि प्रतिलिप्यधिकार पाने के लिए कृति को प्रकाशित किया ही जाए । अप्रकाशित कृतियों अर्थात् पाण्डुलिपियों पर भी प्रतिलिप्यधिकार

रहता है। वास्तविक में मौलिक कृति तत्काल प्रतिलिप्यधिकार हासिल कर लेती है भले ही वह प्रकाशित हो या अप्रकाशित। लेकिन, दोनों कृतियों में एक अन्तर है। वह यह कि अप्रकाशित कृति पर प्रतिलिप्यधिकार के लिए उसका रचयिता रचना के समय या तो भारतीय नागरिक या भारत में अधिवसित व्यक्ति होना चाहिए। इसका मतलब यह है कि ऐसा व्यक्ति भारतीय कानून के अन्तर्गत अपनी कृति पर प्रतिलिप्यधिकार का दावा नहीं कर सकता है जो इसे रचने के समय भारत का नागरिक नहीं था या जिसका अधिवास भारत में नहीं था।

ऐसी कृति में भी प्रतिलिप्यधिकार विद्यमान हो सकता है जो अभी लिखी नहीं गई है। किन्तु, यह अधिकार कृति के रचना के बाद ही किसी अन्य व्यक्ति को सौंपा जा सकता है।

अधिनियम के विभिन्न प्रावधानों पर आगे विचार करने से पूर्व कुछ महत्त्वपूर्ण परिभाषाओं पर दृष्टिपात करना उपयोगी होगा।

साहित्यिक कृति—इससे कृति की साहित्यिक गुणवत्ता अभिप्रेत नहीं है। प्रतिलिप्यधिकार अधिनियम में इन शब्दों का प्रयोग बहुत व्यापक अर्थों में किया गया है। अतः इसमें स्तरीय साहित्य ही नहीं आता बल्कि सूचीपत्र, मूल्यसूची, रेलवे समय-सारिणियों का ब्राडशा, शब्दकोश, रेडी रेकनर, किसी भाषण की रिपोर्ट, अखबारों में प्रकाशित लेख और रेडियो-दूरदर्शन कार्यक्रमों की बुलेटिन जैसी कृतियाँ भी आती हैं। जैसा कि पहले कहा गया है प्रतिलिप्यधिकार विचारों, सूचनाओं और समाचारों के अनन्य अधिकार को मान्यता नहीं देता; वह उनके साहित्यिक रूप-विधान (फार्म) पर रचयिता के अधिकार की रक्षा करता है। साहित्यिक कृति में संग्रह भी शामिल समझे जाते हैं।

रचयिता—इससे वह व्यक्ति अभिप्रेत है जो किसी साहित्यिक या नाट्य कृति की रचना करता है। रचयिता वह है जो कृति को लिखता है और अपने ज्ञान, श्रम, विवेक, साहित्यिक निपुणता और रुचि से उसे साहित्यिक या नाट्य कृति का स्वरूप प्रदान करता है। चूँकि विचारों पर कोई प्रतिलिप्यधिकार नहीं होता इसलिए कोई यह कहकर कि अमुक विचार मेरे थे या मैंने बताए थे तब तक प्रतिलिप्यधिकार का दावा नहीं कर सकता है जब तक वह इन विचारों को साहित्यिक कृति में नहीं बदलता।

किसी संग्रह का साहित्यिक कृति होने का दावा बनता है या नहीं, इसका कोई निर्धारित मापदण्ड नहीं है। इसका फैसला अदालतों को यह देखकर करना होता है कि संग्रह के रचयिता ने अपने कितने ज्ञान, श्रम, विवेक, साहित्यिक निपुणता और रुचि से इसे किस हद तक साहित्यिक कृति बनाया है।

रूपान्तरण या अनुकूलन (अडैप्टेशन)—रूपान्तरण या अनुकूलन का अर्थ है किसी मौलिक कृति को दूसरे रूप में बदलना। अपनी मौलिक कृति को रूपान्तरित करने का अधिकार उसके रचयिता को तो है किन्तु कोई दूसरा व्यक्ति रचयिता की

अनुज्ञप्ति (लायसेंस) के बिना ऐसा नहीं कर सकता है । अनुज्ञप्ति के बगैर कृति का रूपान्तरण करना रचयिता के प्रतिलिप्यधिकार का अतिलंघन करना होगा ।

किसी कृति का उसकी भाषा या शब्दों का प्रयोग किए बिना भी सार्वजनिक रूप से मंचन करना कृति का रूपान्तरण करना होता है । यदि नाटक में मूल कृति की भाषा या शब्दों का प्रयोग न किया गया हो, पर कहानी, उपन्यास, काव्य में जो स्थितियाँ हों वही ज्यादातर मंचन में भी हों तो ऐसे नाटक को कृतिकार के प्रतिलिप्यधिकार की अतिलंघनकारी कृति माना जाता है ।

किसी साहित्यिक या नाट्य कृति या उस कृति का कोई संस्करण जिसमें कथा या घटना-क्रम को पूर्णतः या मुख्यतः ऐसे चित्रों के जरिए दर्शाया जाए जो किसी पुस्तक या समाचारपत्र, पत्रिका या नियतकालिक पत्र में प्रयुक्त करने के लिए उपयुक्त हो तो उसे भी इस कृति का रूपान्तरण माना जाता है, जैसे, व्यंग्यचित्र श्रृँखला (कामिक स्ट्रिप) ।

प्रकाशन—किसी कृति का प्रकाशित हुआ माना जाने के लिए जरूरी है कि इसकी प्रतियाँ पर्याप्त संख्या में सार्वजनिक रूप में जारी की गई हों । प्रतियों के निजी तौर पर प्रसार को प्रकाशन नहीं कहा जा सकता है । पर, यह जरूरी नहीं है कि प्रतियों को बेचने के लिए ही जारी किया जाए । निःशुल्क वितरण किए जाने पर भी इन्हें प्रकाशित समझा जाएगा यदि इन्हें सार्वजनिक रूप से जारी किया गया हो ।

प्रकाशक—जो व्यक्ति किसी कृति की पर्याप्त प्रतियाँ जनता में जारी करता है वह इस अधिनियम के अन्तर्गत उसका प्रकाशक माना जाता है । रचनाकार स्वयं भी प्रकाशक हो सकता है और प्रतिलिप्यधिकार के स्वामी से अनुज्ञप्तिप्राप्त व्यक्ति भी, जैसा कि प्रायः होता है । इस कानून में यह मानकर चला जाता है कि पुस्तक पर जिस व्यक्ति का नाम प्रकाशक के रूप में छपा है वही उसका प्रकाशक है । प्रतिलिप्यधिकार के अतिलंघन सम्बंन्धी किसी भी मुकदमे में उसी को प्रकाशक के रूप में नोटिस दी जाती है । हाँ, सम्बद्ध व्यक्ति चाहे तो सबूत पेश करके यह सिद्ध कर सकता है कि पुस्तक पर उसका नाम गलत छपा है, उसका असली प्रकाशक वह नहीं है ।

अनन्य अनुज्ञप्ति (एक्सक्ल्युसिव लायसेंस)—प्रतिलिप्यधिकार का स्वामी किसी व्यक्ति को इस अधिकार के सम्बन्ध में पूर्ण या आंशिक अनुज्ञप्ति दे सकता है । कुछ परिस्थितियों में कोई भी व्यक्ति यह अधिकार प्रतिलिप्यधिकार बोर्ड से प्राप्त कर सकता है । जब यह अनुज्ञप्ति किसी को ऐसा प्रतिलिप्यधिकार देती है जो कृति के रचयिता समेत उसके सिवा और किसी को प्राप्त नहीं रहता तो इस अनुज्ञप्ति को अनन्य अनुज्ञप्ति कहा जाता है । उदाहरणार्थ, जब लेखक प्रकाशक से यह अनुबन्ध करता है कि प्रकाशक को प्रतिलिप्यधिकार की कानूनी अवधि के दौरान कृति को छपवाने, प्रकाशित करने और बेचने का अनन्य अधिकार होगा तो यह प्रकाशक के पक्ष में प्रतिलिप्यधिकार की अनन्य अनुज्ञप्ति हुई ।

अतिलंघनकारी कृति (इन्फ्रिन्ज्ड कापी)—इससे अभिप्राय कृति की उस प्रत्येक प्रति से है जो प्रतिलिप्यधिकार का अतिलंघन करके पुनरुत्पादित की गई हो ।

संयुक्त रचयिताओं की कृति—हमसे ऐसी कृति अभिप्रेत है जो दो या अधिक रचयिताओं के सहयोग से बनी हो और जिसके एक रचयिता का योगदान दूसरे रचयिताओं से स्पष्टतः भिन्न न हो ।

सरकारी कृति—इससे अभिप्राय उस कृति से है जो सरकार या उसके किसी विभाग, भारत में किसी विधानमण्डल या न्यायालय, अधिकरण या न्यायाधिकारी के निर्देश या नियंत्रण के अधीन बनाई या प्रकाशित की गई हो ।

भारतीय कृति—भारतीय कृति से वह कृति अभिप्रेत है जिसकी रचना किसी भारतीय नागरिक ने की हो ।

प्रतिलिप्यधिकार का अर्थ

जैसा कि पहले इंगित किया गया है प्रतिलिप्यधिकार कानून का कार्य मनुष्य के बौद्धिक श्रम, कौशल और रुचि से किए गए सर्जन के फल को अन्य व्यक्तियों द्वारा हड़पे जाने से रोकना है ।

भारतीय प्रतिलिप्यधिकार अधिनियम, १९५७ की धारा १४ (१) में प्रतिलिप्यधिकार के स्वामी को स्वयं किसी साहित्यिक, नाट्य या संगीतात्मक कृति को (१) किसी सारवान् रूप में पुनरुत्पादित करने, (२) प्रकाशित करने, (३) सार्वजनिक रूप से प्रस्तुत करने, (४) उसका कोई अनुवाद उत्पादित, पुनरुत्पादित, प्रस्तुत या प्रकाशित करने, (५) कृति के सम्बन्ध में कोई चलचित्र, फिल्म या रिकार्ड बनाने, (६) कृति को रेडियो-दूरदर्शन से संचारित करने, (७) कृति का कोई अनुकूलन करने, और (८) भाषान्तर या अनुकूलन के सम्बन्ध में इनमें से कोई कार्य करने या इन कार्यों के लिए किसी और व्यक्ति को प्राधिकृत करने का अनन्य अधिकार है ।

इस धारा की उपधारा (२) में यह भी स्पष्ट कर दिया गया है कि प्रतिलिप्यधिकार पूर्ण कृति पर ही नहीं बल्कि इसके या इसके भाषान्तर या अनुकूलन के पर्याप्त भाग के सम्बन्ध में यह सब कार्य किए जाने पर भी लागू होता है । अर्थात्, प्रतिलिप्यधिकार का स्वामी कृति को पूरे नहीं केवल पर्याप्त हिस्से में पुनरुत्पादित करे तो उस पर भी उसका प्रतिलिप्यधिकार होता है । कोई अन्य व्यक्ति यदि इसमें अपनी ओर से थोड़ा-बहुत जोड़कर अनधिकृत रूप से कोई दूसरी पुस्तक प्रकाशित करता है तो वह इस अधिकार के अतिलंघन का दोषी समझा जाएगा ।

यह उल्लेखनीय है कि प्रतिलिप्यधिकार के स्वामी को किसी भी सारवान् रूप में कृति के पुनरुत्पादन का अनन्य अधिकार दिया गया है । इसका अर्थ यह है कि किसी अनधिकृत व्यक्ति द्वारा सम्बद्ध कृति की नकल छापने पर ही नहीं अपितु अन्य किसी माध्यम, जैसे, नाटक, रेडियो-प्रसारण आदि, से पुनरुत्पादित किए जाने पर भी प्रतिलिप्यधिकार का अतिलंघन होता है । यह अतिलंघन पूरी कृति के हूबहू

पुनरुत्पादन पर ही नहीं बल्कि उसके पर्याप्त हिस्से को पुनरुत्पादित करने पर भी होगा ।

अनधिकृत व्यक्ति द्वारा किसी पुस्तक को भाषण के दौरान पर्याप्त रूप में प्रस्तुत करना, कृति पर आधारित फिल्म या रिकार्ड बनाना भी प्रतिलिप्यधिकार का अतिलंघन है ।

कृति के स्वामी को उसका भाषान्तर तैयार करने और प्रकाशित करने का अनन्य अधिकार होता है । भाषान्तरित कृति पर भी उसे उसी तरह प्रतिलिप्यधिकार हासिल रहता है जैसे मूल कृति पर । इस प्रकार किसी कृति का अनधिकृत रूप से भाषान्तर प्रकाशित करनेवाले को प्रतिलिप्यधिकार के अतिलंघन के अपराध में दंडित किया जा सकता है । लेकिन, कोई भी व्यक्ति किन्हीं परिस्थितियों और कतिपय शर्तों पर प्रतिलिप्यधिकार बोर्ड से कृति का भाषान्तर प्रकाशित करने की अनुज्ञप्ति प्राप्त कर सकता है । (धारा ३२)

कोई व्यक्ति केवल इस कानून के अन्तर्गत ही प्रतिलिप्यधिकार का हकदार होता है अन्यथा नहीं । हाँ, यह उपबन्ध विश्वासघात या धोखाधड़ी जैसे कृत्यों के खिलाफ कानूनी कार्रवाई करने का सामान्य अधिकार खत्म नहीं करता । (धारा १६)

प्रतिलिप्यधिकार का दावा करने के लिए यह आवश्यक नहीं है कि सम्बद्ध कृति का पंजीकरण कराया गया हो । इस कानून में कृतियों के प्रतिलिप्यधिकार के लिए पंजीकरण करने का प्रावधान जरूर है, लेकिन पंजीकरण कराने की कोई अनिवार्यता या दायित्व का कोई उल्लेख नहीं है । १८४७के कानून में यह अनिवार्यता रखी गई थी, परन्तु १९१४ और १९५७ के कानूनों में इसे शामिल नहीं किया गया । इस तरह प्रतिलिप्यधिकार का दावा कृति के पंजीकरण के बिना भी पेश किया जा सकता है । पंजीकरण का इतना लाभ अवश्य है कि पंजीकरण की बही में दिया गया विवरण कृति के बारे में प्रथमदृष्टया साक्ष्य माना जाता है ।

प्रतिलिप्यधिकार का स्वामित्व और स्वामी के अधिकार

कृति का स्वामी कृति में प्रतिलिप्यधिकार का प्रथम स्वामी होता है । (धारा १७)

किन्तु, इसके पाँच अपवाद हैं । एक, यदि रचयिता ने किसी समाचारपत्र, पत्रिका या अन्य नियतकालिक पत्र में प्रकाशन के लिए इसके मालिक की नौकरी या अप्रेंटिसशिप के अनुबन्ध के अन्तर्गत कृति की रचना की हो तो पत्र-पत्रिका का मालिक (अगर कोई प्रतिकूल करार न हुआ हो) कृति में प्रतिलिप्यधिकार का प्रथम स्वामी होता है । लेकिन, उसका यह अधिकार कृति के अपनी पत्र-पत्रिका में प्रकाशन या पुनरुत्पादन के सिलसिले में ही रहता है । अन्य सब बातों के सम्बन्ध में कृति के प्रतिलिप्यधिकार का प्रथम स्वामी उसका रचयिता ही होता है ।

इसका तात्पर्य यह है कि पत्र-पत्रिका के मालिक का कृति को पुस्तक, पैम्फलेट आदि के रूप में छापने का प्रतिलिप्यधिकार नहीं होता; यह अधिकार कृति के रचयिता का है । इसी तरह चूँकि स्वतंत्र (फ्री-लांस) पत्रकार पत्र के स्वामी की

नौकरी या अप्रेंटिसशिप के अधीन नहीं होता इसलिए उसकी कृतियों में प्रथम प्रतिलिप्यधिकार ऐसे पत्रकार का होता है, पत्र-पत्रिका के मालिक का नहीं ।

दो, यदि कोई फोटो, चित्र, रंगचित्र, फिल्म आदि पारिश्रमिक लेकर किसी के लिए तैयार किए गए हों तो (अगर कोई प्रतिकूल करार न हुआ हो) इनमें प्रतिलिप्यधिकार का प्रथम स्वामी वह व्यक्ति होता है ।

तीन, यदि कोई कृति किसी अनुबन्ध के अधीन ऐसी नौकरी या अप्रेंटिसशिप के दौरान बनाई गई हो जिसपर पहला और दूसरा अपवाद लागू नहीं होता तो (अगर कोई प्रतिकूल करार न हुआ हो) रचयिता का नियोजक (एम्प्लायर) उसमें प्रतिलिप्यधिकार का प्रथम स्वामी होता है ।

चार, किसी सरकारी कृति की दशा में सरकार (अगर कोई प्रतिकूल करार न हुआ हो) उसमें प्रतिलिप्यधिकार की प्रथम स्वामी होती है । और,

पाँच, अन्तर्राष्ट्रीय संगठनों के प्रकाशनों में प्रतिलिप्यधिकार का प्रथम स्वामी सम्बद्ध संगठन होता है ।

किन्तु, किसी विद्यमान या भावी कृति में प्रतिलिप्यधिकार का स्वामी किसी अन्य व्यक्ति को यह अधिकार सौंप (एसाइन) सकता है । (धारा १८) ऐसा लिखित में किए जाने पर ही वैध माना जाता है । (धारा १९)

प्रतिलिप्यधिकार पूर्णतः या आंशिक मात्रा में; सामान्यतः अथवा निर्बन्धनों के साथ; और पूरी या सीमित अवधि के लिए सौंपा जा सकता है । जैसा कि पहले कहा गया है भावी कृति में प्रतिलिप्यधिकार का सौंपा जाना तभी लागू होगा जब कृति अस्तित्व में आ जायगी ।

जिस व्यक्ति को जिस मात्रा में प्रतिलिप्यधिकार सौंपा जाता है वह उस मात्रा में उसका स्वामी बनता है । न सौंपी गई मात्रा स्वामी कृति का रचयिता ही रहता है ।

प्रतिलिप्यधिकार को सौंपने का कोई खास तरीका इस कानून में निर्दिष्ट नहीं किया गया है अर्थात् इसके लिए कोई निश्चित फार्म भरने की जरूरत नहीं है । किस भी कागज पर लिखकर यह कार्य किया जा सकता है ।

प्रतिलिप्यधिकार की अवधि

किसी साहित्यिक, नाट्य, संगीतात्मक या कलात्मक कृति (फोटोग्राफ को छोड़कर) में प्रतिलिप्यधिकार रचयिता की मृत्यु के ५० वर्ष बाद तक होता है । यदि कृति के एक से अधिक रचयिता हों तो जिस रचयिता की मृत्यु सबसे बाद में होती है उसके ५० वर्ष उपरान्त तक रहता है । (धारा २२)

यदि किसी रचयिता की मृत्यु उसकी कृति के प्रकाशन से पूर्व हो गई हो और मृत्यु के समय वह प्रतिलिप्यधिकार का स्वामी रहा हो तो कृति में प्रतिलिप्यधिकार उसके प्रकाशन की तिथि से ५० वर्ष तक रहता है । (धारा २४)

अनाम या छद्मनाम से प्रकाशित कृति में प्रतिलिप्यधिकार की अवधि उसके प्रकाशन से ५० वर्ष तक होती है। किन्तु, रचयिता का वास्तविक परिचय इस अवधि की समाप्ति से पूर्व ज्ञात हो जाए तो रचयिता की मृत्यु के ५० वर्ष बाद तक प्रतिलिप्यधिकार रहेगा। अगर एक से अधिक रचयिता हों तो और एक से ज्यादा का नाम ज्ञात हो जाए तो इनमें से जिसकी मृत्यु सबसे अन्त में होती है उसके मरने के ५० वर्ष बाद तक प्रतिलिप्यधिकार रहता है। (धारा २३)

सरकारी और अन्तर्राष्ट्रीय संगठनों के प्रकाशनों में प्रतिलिप्यधिकार उनके प्रथम बार प्रकाशन से ५० बर्ष बाद तक रहता है। (धाराएँ २८ और २९)

फोटो में प्रतिलिप्यधिकार की अवधि फोटो बनाने के समय से ५० साल बाद तक होती है। (धारा २५)

सब दशाओं में अवधि की गणना रचयिता की मृत्यु के वर्ष से आगे की पहली जनवरी से आरम्भ की जाती है। उदाहरणार्थ, यदि रचयिता की मृत्यु १९८५ में किसी दिन हुई हो तो प्रतिलिप्यधिकार पहली जनवरी, १९८६ से शुरू होकर ३१ दिसम्बर, २०३६ तक रहेगा।

प्रतिलिप्यधिकार की अनुज्ञप्तियाँ (लायसेंस)

किसी कृति में प्रतिलिप्यधिकार का स्वामी या किसी भावी कृति में प्रतिलिप्यधिकार का होनेवाला स्वामी लिखित अनुज्ञप्ति से इस अधिकार का कोई हिस्सा किसी को प्रदान कर सकता है। उसे यह कार्य अपने या अपने द्वारा प्राधिकृत अभिकर्ता के हस्ताक्षर से करना होगा। भावी कृति के सम्बन्ध में अनुज्ञप्ति तभी अमल में आएगी जब यह कृति अस्तित्व में आ चुकी होगी। भावी कृति में प्रतिलिप्यधिकार की अनुज्ञप्ति पानेवाला व्यक्ति यदि कृति के अस्तित्व में आने से पूर्व मर जाए तो उसके कानूनी प्रतिनिधि, अनुज्ञप्ति में कोई प्रतिकूल प्रावधान न होने पर, इस अनुज्ञप्ति के लाभ का हकदार होंगे। (धारा ३०)

किसी भी व्यक्ति द्वारा किसी साहित्यिक या नाट्य कृति का कोई भाषान्तर तैयार और प्रकाशित करने की अनुज्ञप्ति के लिए प्रतिलिप्यधिकार बोर्ड से आवेदन किया जा सकता है। यह आवेदन निर्धारित फार्म भरकर और निश्चित फीस जमा कराकर दाखिल किया जा सकता है। आवेदन के साथ यह बताना होता है कि भाषान्तरित कृति का परचून दाम क्या होगा।

प्रतिलिप्यधिकार बोर्ड इस शर्त के साथ आवेदक को भाषान्तर प्रकाशित करने की अनुमति दे सकता है कि आवेदक भाषान्तरित कृति की सार्वजनिक बिक्री पर प्रतिलिप्यधिकार के स्वामी को बोर्ड द्वारा निर्धारित दर से रायल्टी देगा। बोर्ड यह दर निर्धारित तरीके के आधार पर तय करेगा। किन्तु बोर्ड द्वारा दी जानेवाली अनुज्ञप्ति अनन्य अनुज्ञप्ति नहीं होगी।

लेकिन, अगर प्रतिलिप्यधिकार के स्वामी ने या उसके द्वारा प्राधिकृत व्यक्ति ने कृति के प्रथम प्रकाशन के सात वर्ष के अन्दर उस भाषा में भाषान्तर प्रकाशित

किया हो जिसमें आवेदक भाषान्तर प्रकाशित करना चाहता है तो बोर्ड इसके लिए अनुज्ञप्ति प्रदान नहीं कर सकता है ।

अगर आवेदक यह सिद्ध कर दे कि उसने प्रतिलिप्यधिकार के स्वामी को भाषान्तर प्रकाशित करने की अनुमति देने का अनुरोध किया था और स्वामी ने इसे रद्द कर दिया था या उसे स्वामी का पता नहीं चल सका है तो बोर्ड उसे भाषान्तर की अनुज्ञप्ति दे सकता है । प्रतिलिप्यधिकार के स्वामी का पता न चलने पर आवेदक को कृति के प्रकाशक को लिखना चाहिए और दो मास तक प्रतीक्षा करने के बाद ही प्रतिलिप्यधिकार बोर्ड को आवेदन करना चाहिए ।

प्रतिलिप्यधिकार बोर्ड का यह समाधान हो जाने पर ही कि आवेदक कृति का सही भाषान्तर तैयार करने और प्रकाशित करने के लिए सक्षम तथा वह प्रतिलिप्यधिकार के स्वामी को देय रायल्टी अदा करने के साधन रखता है, बोर्ड भाषान्तर प्रकाशित करने की अनुज्ञप्ति दे सकता है अन्यथा नहीं । अगर रचयिता ने कृति की प्रतियाँ परिचालन से वापस ले लीं हों तो भी बोर्ड भाषान्तर के लिए अनुज्ञप्ति नहीं दे सकता है ।

ये सब निर्णय करने से पहले बोर्ड को प्रतिलिप्यधिकार के स्वामी को, यथाव्यावहार्य, सुनवाई का मौका देना जरूरी है । (धारा ३२)

प्रतिलिप्यधिकार का पंजीकरण

प्रतिलिप्यधिकार कार्यालय में प्रतिलिप्यधिकार की पंजी रहती है जिसमें कृति के नाम या शीर्षक और रचयिताओं, प्रकाशकों तथा प्रतिलिप्यधिकार के स्वामियों के नाम और पते दर्ज किए जाते हैं । अन्य निर्धारित सूचनायें भी इसमें लिखी जा सकती हैं । (धारा ४४)

किसी कृति का रचयिता या प्रकाशक अथवा उसमें प्रतिलिप्यधिकार का स्वामी या उसमें हित रखनेवाला कोई व्यक्ति इस पंजी में कृति के बारे में यह सब जानकारी प्रतिलिप्यधिकार पंजीयक को निर्धारित फीस के साथ और निर्धारित फार्म पर आवेदन करके दर्ज करा सकता है । पंजीयक यथोचित जाँच कराकर यह जानकारी पंजी में दर्ज करता है । प्रतिलिप्यधिकार कार्यालय में प्रतिलिप्यधिकार पंजी की निर्धारित अनुक्रमणिकाएँ (इण्डेक्स) भी रहता है । पंजी और अनुक्रमणिकाओं का निर्धारित फीस देकर निरीक्षण किया जा सकता है या उनकी नकल ली जा सकती है । यह पंजी और इसमें दर्ज प्रविष्टियों (पर्टिकलर्स) की प्रमाणित नकल सब न्यायालयों में इनका प्रथमदृष्टया साक्ष्य माना जाता है । प्रतिलिप्यधिकार बोर्ड इस पंजी में गलती से छूट गई प्रविष्टियों को दर्ज करने, गलती से दर्ज की गई प्रविष्टियों को निकालने और किसी गलती या त्रुटि को ठीक करके पंजी का परिशोधन करने का आदेश दे सकता है । (धाराएँ ४५ से ५०)

प्रतिलिप्यधिकार का अतिलंघन

किसी कृति में प्रतिलिप्यधिकार का उस समय अतिलंघन हुआ माना जाता है जब कोई व्यक्ति प्रतिलिप्यधिकार के स्वामी या प्रतिलिप्यधिकार रजिस्ट्रार द्वारा इस कानून के अधीन दी गई अनुज्ञप्ति के बिना या अनुज्ञप्ति की शर्तों का या इस कानून के अधीन किसी सक्षम अधिकारी द्वारा लगाई गई किसी शर्त का उल्लंघन करके ऐसी कोई बात करता है जिसे करने का अनन्य अधिकार प्रतिलिप्यधिकार के स्वामी का हो।

अतिलंघन करनेवाली प्रतियों को बिक्री या भाड़े के लिए बनाना, बेचना, भाड़े पर देना, व्यापार के तौर पर प्रदर्शित करना, या बिक्री अथवा भाड़े के लिए पेश करना, वितरित करना या आयात करना (निजी या घरेलू प्रयोग के लिए किए गए आयात को छोड़कर) प्रतिलिप्यधिकार अधिनियम का अतिलंघन करना है। (धारा ५१)

किन्तु, निम्नलिखित कार्यों से प्रतिलिप्यधिकार का अतिलंघन नहीं होता है :

—किसी कृति का अनुसंधान, निजी अध्ययन, समालोचना या समीक्षा के लिए या सामयिक घटनाओं की रिपोर्ट देने के लिए किसी पत्र-पत्रिका में अथवा रेडियो-प्रसारण, चलचित्र फिल्म या फोटोग्राफी में उचित प्रयोग;

—किसी अदालती कार्यवाही के लिए या अदालतों की रिपोर्ट देने के लिए कृति का पुनरुत्पादन;

—विधानमण्डलों के सचिवालयों द्वारा सदस्यों के लिए तैयार की गई किसी कृति का पुनरुत्पादन या प्रकाशन;

—किसी कानून के अधीन बनाई या दी गई प्रमाणित प्रति का पुनरुत्पादन;

—किसी प्रकाशित कृति के किसी यथोचित उद्धरण का जनता के बीच पठन-सुपठन,

—शिक्षण के दौरान शिक्षकों या विद्यार्थियों द्वारा कृति का पुनरुत्पादन या प्रत्यक्षतः सम्बद्ध व्यक्तियोंके समक्ष प्रस्तुतीकरण;

—अगर सामयिक, आर्थिक, राजनैतिक, सामाजिक या धार्मिक विषयों पर किसी लेख के रचयिता ने इसके पुनरुत्पादन का अधिकार स्पष्ट रूप से अपने लिए आरक्षित न कर रखा हो तो ऐसे लेख का पत्र-पत्रिकाओं में प्रकाशन;

—सार्वजनिक भाषणों की रिपोर्ट का प्रकाशन;

—अगर कोई पुस्तक भारत में बिक्री के लिए उपलब्ध न हो तो किसी सार्वजनिक पुस्तकालय के प्रभारी (इन्चार्ज) द्वारा इसकी अधिकाधिक तीन प्रतियाँ पुस्तकालय के प्रयोग के लिए बनाना या बनवाना;

—सरकारी राजपत्र (गजट) में प्रकाशित कोई विषय और विधानमण्डलों द्वारा पारित किसी कानून का, उसके साथ दी गई टीकाओं या अन्य मौलिक सामग्री के साथ, पुनरुत्पादन या प्रकाशन;

—सरकार द्वारा नियुक्त किसी समिति, आयोग, परिषद्, मण्डल आदि की विधानमण्डल के सभापटल पर रखी गई रिपोर्ट और न्यायालयों, न्यायाधिकरणों या अन्य न्याय अधिकारियों के निर्णयों या आदेशों का पुनरुत्पादन या प्रकाशन (यदि सरकार द्वारा रिपोर्ट के और न्यायालयों आदि द्वारा अपने निर्णयों या आदेशों के पुनरुत्पादन या प्रकाशन पर रोक लगा दी गई हो तो इनका पुनरुत्पादन या प्रकाशन प्रतिलिप्यधिकार का अतिलंघन करना है ।);

—विधानमण्डलों द्वारा बनाए गए अधिनियमों, नियमों या आदेशों का किसी भारतीय भाषा में अनुवाद का उत्पादन या प्रकाशन यदि सरकार ने स्वयं ऐसा पहले न किया हो या भाषान्तर जनता में बिक्री के लिए उपलब्ध न हो । लेकिन, ऐसे भाषान्तर में किसी प्रमुख स्थान पर यह लिख दिया जाए कि वह सरकार द्वारा प्राधिकृत या प्रमाणित रूप से स्वीकृत नहीं है । (धारा ५२)

अधिनियम में 'उचित प्रयोग' शब्दों की परिभाषा नहीं दी गई है । अतः इसका निर्णय अदालतें करती हैं कि किसी कृति से लिए गए उद्धरणों की मात्रा और अनुपात अनुचित तो नहीं है और जो नकल की गई है उससे मूल कृति का महत्त्व तो कम नहीं होता या उसे मूल कृति के रचयिता को उसकी मेहनत के लाभ से काफी परिमाण में तो वंचित नहीं कर दिया गया है ।

प्रतिलिप्यधिकार के अतिलंघन का अभियुक्त उपर्युक्त अपवादों के आधार पर अपने को निर्दोष सिद्ध कर सकता है । लेकिन, कोई व्यक्ति इस आधार पर कि उसने जान-बूझकर प्रतिलिप्यधिकार का उल्लंघन नहीं किया है या उसने पहले से चले आ रहे व्यवहार (जैसे, एक अखबार द्वारा दूसरे अखबार की नकल छापना) का ही पालन किया था, अपना बचाव नहीं कर सकता है । यह तर्क की उसे कृति में प्रतिलिप्यधिकार होने की जानकारी नहीं थी, भी आंशिक बचाव ही सुलभ करता है ।

सिविल उपचार

प्रतिलिप्यधिकार के अतिलंघन करनेवालों के खिलाफ सिविल और आपराधिक दोनों ही प्रकार के उपचार इस कानून में रखे गए हैं । सिविल उपचारों के अन्तर्गत वादी क्षति-पूर्ति, हिसाब पाने, अवैध बिक्री से बची प्रतियाँ हासिल करने और प्रतियों की आगे बिक्री रुकवाने का दावा पेश कर सकता है ।

लेकिन, अगर प्रतिवादी यह सिद्ध कर दे कि अतिलंघन की तिथि को उसे पता नहीं था या उसके पास यह विश्वास करने का युक्तियुक्त आधार नहीं था कि सम्बद्ध कृति में किसी का प्रतिलिप्यधिकार है तो उसे अतिलंघनकारी प्रतियों से प्राप्त सम्पूर्ण लाभ या उसका कोई भाग वादी को अदा करने और अतिलंघन के सम्बन्ध में किसी इंजक्शन (रोक) का पालन करने को ही कहा जा सकता है । इस स्थिति में वादी क्षति-पूर्ति जैसे किसी और उपचार का हकदार नहीं होता है । (धारा ५५)

यदि प्रतिलिप्यधिकार के अन्तर्गत विभिन्न अधिकारों के स्वामी भिन्न-भिन्न व्यक्ति हों तो उनमें से प्रत्येक व्यक्ति अपने अधिकार को, दूसरे किसी अधिकार के स्वामी को पक्षकार (पार्टी) बनाए बिना, मुकदमें या अन्य कार्यवाही से लागू करा सकता है ।

कृति के रचयिता को इस अधिनियम की धारा ५७ में अपनी कृति के स्वरूप और अपनी ख्याति की रक्षा के लिए विशेष अधिकार दिए गए हैं ।

कृति में प्रतिलिप्यधिकार प्रकाशक या अन्य किसी को देने के बाद भी उसके रचयिता को उसका रचयिता होने का दावा करने का अधिकार रहता है । कृति को किसी प्रकार विरूपित, विकृत अथवा उसमें फेरबदल करने, या कृति के सम्बन्ध में ऐसा कोई कार्य किए जाने पर जिससे रचयिता की प्रतिष्ठा या ख्याति पर प्रतिकूल प्रभाव पड़ सकता हो तो रचयिता ऐसे सब कार्यों को रुकवाने या उनके बारे में क्षति-पूर्ति का दावा कर सकता है । रचयिता के कानूनी प्रतिनिधि भी कृति का रचयिता होने का दावा करने के सिवाय उपर्युक्त सब दावे कर सकते हैं । रचयिता या प्रतिलिप्यधिकार के अनन्य लायसेंसधारक के अलावा कोई अन्य व्यक्ति अतिलंघन के विरुद्ध सिविल मुकदमा नहीं कर सकता है ।

अपराध

प्रतिलिप्यधिकार या इस नियम में प्रदत्त अन्य अधिकारों का जान-बूझकर अतिलंघनवाले व्यक्ति को एक वर्ष तक का कारावास या जुर्माने या दोनों ही दण्ड दिए जा सकते हैं । (धारा ६३) किन्तु, इसके लिए यह सिद्ध करना जरूरी है कि अभियुक्त ने यह जानते हुए भी कि उसका कृत्य कृति में प्रतिलिप्यधिकार का अतिलंघन करता है, ऐसा किया है ।

मजिस्ट्रेट द्वारा अपराध का संज्ञान कर लिए जाने के बाद उपनिरीक्षक या इससे ऊपर के पदोंवाले पुलिस अधिकारी सम्बद्ध अतिलंघनकारी कृति की सब प्रतियाँ मजिस्ट्रेट के वारण्ट के बिना ही अपने कब्जे में ले सकते हैं । जब्त प्रतियाँ यथाशीघ्र मजिस्ट्रेट के समक्ष पेश करनी होती हैं ।

अतिलंघनकारी प्रतियाँ बनाने के प्रयोजन से जान-बूझकर कोई प्लेट बनाने या रखनेवाले व्यक्ति को एक वर्ष तक का कारावास या जुर्माने या दोनों से दण्डित किया जा सकता है । (धारा ६५) कुछ अन्य अपराधों के लिए भी ऐसा ही दण्ड दिया जा सकता है ।

प्रतियों और प्लेटों को जब्त किए जाने और उनका व्ययन करने तथा प्रतिलिप्यधिकार रजिस्ट्रार या प्रतिलिप्यधिकार बोर्ड के निर्णयों या आदेशों के विरुद्ध अपील की जा सकती है । (धारा ७१-७२)

सिविल मामले की सुनवाई जिला न्यायाधीश और आपराधिक मामले की सुनवाई प्रेजीडेंसी या प्रथम श्रेणी के मजिस्ट्रेट से नीचे की अदालतें नहीं कर सकती हैं ।

अन्तर्राष्ट्रीय प्रतिलिप्यधिकार

भारत सरकार अपने राजपत्र में अधिसूचना जारी करके इस अधिनियम के सारे या कुछ उपबन्ध विदेशों में पहली बार प्रकाशित कृतियों पर भी लागू कर सकती है । इसी तरह वह राजपत्र में आदेश प्रकाशित करके घोषणा कर सकती है कि अमुक अन्तर्राष्ट्रीय संगठनों, जिनमें एक या अधिक सार्वभौम शक्तियाँ या सरकारें सदस्य हों, की कृतियों को भारत के प्रतिलिप्यधिकार अधिनियम के अधीन सारे भारत में प्रतिलिप्यधिकार रहेगा ।

यदि केन्द्रीय सरकार को यह लगे कि कोई देश भारतीय रचयिताओं की कृतियों को पर्याप्त संरक्षण नहीं देता तो वह यह आदेश जारी कर सकती है कि उस देश के नागरिकों की कृतियों को भारतीय प्रतिलिप्यधिकार अधिनियम के अन्तर्गत पूर्ण या आंशिक संरक्षण उपलब्ध नहीं होगा । (धाराएँ ४०-४२)

■

अध्याय ९

प्रेस परिषद् अधिनियम, १९७८

प्रेस परिषद् इस अवधारणा पर आधारित है कि यदि समाचारपत्रों, संवाद समितियों या पत्रकारों द्वारा पत्रकारिता के आचार का उल्लंघन किया जाता है तो इसके लिए सरकार या किसी अन्य बाहरी अभिकरण को नहीं बल्कि स्वयं प्रेस को आवश्यक कार्यवाही करनी चाहिए। यदि कार्यवाही का अधिकार सरकार के पास रहा तो वह इसका लाभ उठाकर प्रेस को नियंत्रित करने का प्रयास कर सकती है। प्रेस की स्वतंत्रता उसकी स्वच्छन्दता नहीं है। अगर कोई समाचारपत्र, संवाद समिति अथवा पत्रकार स्वच्छन्द रूप से ऐसा कुछ भी लिखने लगे जिससे पत्रकारिता का आचार (एथिक्स) भंग होता हो और उसका स्तर गिरता हो तो उसे विनियमित किया जाना वांछनीय है। किन्तु ऐसा करने के लिए प्रेस के अन्दर कोई तन्त्र होना अधिक वांछनीय है बजाय इसके कि यह कार्य सरकार करे। ऐसा तन्त्र पत्रकारिता के सिद्धान्तों के उल्लंघन के विरुद्ध पत्रों, संवाद समितियों और पत्रकारों को विनियमित करता है। विनियमन की इस व्यवस्था को आत्मनियामक तन्त्र कहा जाता है। प्रेस परिषद् ऐसा ही तन्त्र है। इस प्रकार प्रेस परिषद् का कार्य प्रेस के लिए आत्मविनियमनकारी है।

प्रेस परिषद् के विचार ने सबसे पहले यूरोप के स्कैण्डेनेवियन देशों में मूर्त रूप लिया। स्वीडन का 'कोर्ट ऑफ आनर' विश्व की सर्वप्रथम प्रेस परिषद् है जिसकी स्थापना १९१६ में हुई थी। किन्तु अन्य देशों में प्रेस के आत्मनियामक तन्त्रों की स्थापना धीरे–धीरे हुई। इंग्लैण्ड में परिषद् का जन्म १९५३ में हुआ। यह वहाँ के पहले रायल प्रेस आयोग की सिफारिशों का परिणाम था। इंग्लैण्ड में इस संस्था की स्थापना के उपरान्त अन्य कई देशों ने उसका अनुसरण किया। इस समय चार दर्जन से अधिक देशों में विभिन्न रूपों में प्रेस परिषद् कार्य कर रही है।

भारतीय प्रेस परिषद् का आविर्भाव १९६५ में इस सम्बन्ध में संसद द्वारा पारित अधिनियम से हुआ। परिषद् ने अपना कार्य १६ नवम्बर, १९६६ से करना आरम्भ किया। १९६५ के अधिनियम के अन्तर्गत परिषद् का पुनर्गठन दो बार हुआ था। किन्तु भारत सरकार ने १९७५ में लगाई गई आपातस्थिति के दौरान न केवल परिषद् को भंग कर दिया अपितु प्रेस परिषद् अधिनियम को ही निरस्त कर दिया। लेकिन १९७७ में जनता सरकार के सत्तारूढ़ होने पर परिषद् को पुनरुज्जीवित करने के कदम उठाये गये। उसी वर्ष संसद में नया प्रेस विधेयक पेश हुआ जो दोनों सदनों की प्रवर समिति द्वारा विचारित होने के बाद १९७८ में पारित हुआ। इस नये अधिनियम

के अन्तर्गत नई परिषद् का गठन हुआ जिसने पहली मार्च, १९७९ से कार्य आरम्भ किया।

भारतीय प्रेस परिषद् एक सांविधिक संस्थान है अर्थात् ऐसा संस्थान जिसकी स्थापना कानून बनाकर की गई। विश्व में ऐसी परिषदें कम हैं। इंग्लैण्ड, आस्ट्रेलिया, कनाडा और यूरोप की लगभग सभी प्रेस परिषदें पत्रकारिता व्यवसाय के विभिन्न घटकों जैसे मालिकों, सम्पादकों और पत्रकारों में आपसी समझौतों से गठित हुई हैं और इनका कोई कानूनी आधार नहीं है। इन देशों में यह मान्यता है कि कानून से स्थापित परिषदों पर सरकार का नियंत्रण नहीं तो उसका परोक्ष प्रभाव अवश्य रहता है। किन्तु, भारत सरकार का अनुभव यह रहा है कि कानून में समुचित रक्षा उपाय करके प्रेस परिषद् को सरकारी प्रभाव से दूर रखा जा सकता है। परिषद् की स्वतन्त्रता वास्तव में बहुत कुछ उसके अपने ऊपर निर्भर करती है। यदि परिषद् स्वयं सरकारी संकेतों के अनुसार चलने लगे तो अच्छे–से अच्छा कानून भी उसकी स्वतन्त्रता की गारण्टी नहीं कर सकता है। लेकिन, साहसी और नितान्त निष्पक्ष प्रेस परिषद् पूरी कानूनी गारण्टी न होने पर भी प्रभावी रूप से अपने दायित्व का निर्वहन कर सकती है।

परिषद् की संरचना

प्रेस परिषद् अधिनियम, १९७८ के अन्तर्गत भारतीय प्रेस परिषद् का एक सभापति और २८ अन्य सदस्य होते हैं। यद्यपि कानून में ऐसा नहीं लिखा गया है फिर भी परम्परा और मान्यता यह है कि चूँकि परिषद् का कार्य अर्द्ध–न्यायिक प्रकृति का होता है इसलिए इसका अध्यक्ष उच्चतम न्यायालय का कोई सेवारत अथवा अवकाशप्राप्त न्यायाधीश होना चाहिए। न्यायमूर्ति जे० आर० मधोलकर उच्चतम न्यायालय के सेवारत न्यायाधीश थे जब उनकी नियुक्ति परिषद् के पहले अध्यक्ष के रूप में की गई थी। बाद के सभी अध्यक्ष उच्चतम न्यायालय के अवकाशप्राप्त न्यायाधीश रहे।

अन्य सदस्यों में छह श्रमजीवी सम्पादक (अर्थात् ऐसे सम्पादक, जो मालिक या प्रबन्धक नहीं हैं), सात अन्य श्रमजीवी पत्रकार, छह समाचारपत्रों के स्वामी या उनके प्रबन्ध का कारबार करनेवाले व्यक्तियों में से और एक संवाद समितियों का प्रबन्ध करनेवालों में से होता है।

प्रेस व्यवसाय से सम्बद्ध इन बीस व्यक्तियों के अलावा आठ दूसरे सदस्य होते हैं। इनमें से तीन ऐसे व्यक्ति होते हैं जिन्हें शिक्षा और विज्ञान, विधि और साहित्य तथा संस्कृति के बारे में विशेष ज्ञान या व्यावहारिक अनुभव हो। पाँच सदस्य संसद से होते हैं—लोकसभा से तीन और राज्यसभा से दो। विशेष ज्ञान और अनुभव रखनेवाले एक–एक सदस्य का नामनिर्देशन विश्वविद्यालय अनुदान आयोग, भारतीय बार परिषद् और साहित्य अकादमी द्वारा किया जाता है। सांसदों का नामनिर्देशन लोकसभा के अध्यक्ष और राज्यसभा के सभापति अपने–अपने सदन के सदस्यों में से करते हैं।

अध्यक्ष का चयन एक तीन सदस्यीय समिति करती है। राज्यसभा के सभापति, लोकसभा के अध्यक्ष और परिषद् के सदस्यों द्वारा अपने में से चुना गया एक व्यक्ति इस समिति के सदस्य होते हैं।

व्यवसाय से सम्बद्ध बीस सदस्यों का चयन मालिकों, प्रबन्धकों, सम्पादकों और श्रमजीवी पत्रकारों के ऐसे प्रतिनिधि संगठनों द्वारा प्रस्तुत नामों की सूचियों में से एक विहित प्रक्रिया के अनुसार किया जाता है। इन संगठनों को अपनी प्राथमिकता के आधार पर नाम भेजने को कहा जाता है। इस प्रक्रिया के अन्तर्गत सबसे पहले वे व्यक्ति चुने जाते हैं जिनके नाम विभिन्न श्रेणियों के सभी या एक से अधिक प्रतिनिधि संगठनों की सूचियों में होते हैं। इस तरह से चुने गए सदस्यों के बाद बचे स्थानों का फैसला लाटरी से किया जाता है। लाटरी से पहले यह तय किया जाता है कि किस संगठन के प्रतिनिधि को पहले चुना जाए। जिस संगठन का नाम लाटरी में निकलता है उसकी सूची में जिस व्यक्ति का नाम सबसे ऊपर होता है उसे चुन लिया जाता है। इसके बाद लाटरी में जिन और संगठनों के नाम निकलते हैं उनकी सूचियों में से निर्देशित प्राथमिकता के अनुसार सदस्यों का चयन किया जाता है। यह प्रक्रिया तब तक जारी रखी जाती है जब तक सम्बद्ध श्रेणी के सदस्यों की संख्या पूरी नहीं हो जाती है।

किसी एक समाचारपत्र समूह से एक से अधिक व्यक्ति परिषद् का सदस्य नहीं हो सकता है। अगर चयन की उपर्युक्त प्रक्रिया से एक समाचारपत्र समूह से सम्बद्ध दो या अधिक व्यक्ति विभिन्न श्रेणियों में चुने जाएँ तो इन सबसे किसी एक का चयन लाटरी से किया जाता है।

इस सारी प्रक्रिया को इस प्रकार समझा जा सकता है। मानो श्रमजीवी पत्रकारों के तीन संगठन नाम भेजने के अधिकारी हैं। इनमें से प्रत्येक संगठन श्रमजीवी पत्रकारों के १४ नाम—आठ भाषायी समाचारपत्रों या संवाद समितियों से सम्बद्ध व्यक्तियों के और छह अंग्रेजी पत्रों या संवाद समितियों में कार्य करनेवाले व्यक्तियों के नाम भेज सकते हैं।

यदि इन तीनों संगठनों की सूचियों में एक व्यक्ति का नाम समान हो तो वह व्यक्ति चुना गया माना जाएगा। चूँकि इस श्रेणी में सात सदस्य लिये जाते हैं इसलिए अब यह देखा जायगा कि क्या दो संगठनों की सूचियों में कोई समान नाम हैं। मान लीजिए, दो नाम दो संगठनों की सूचियों में समान हैं। इन दोनों व्यक्तियों को भी चुना गया समझा जाएगा। शेष चार सदस्यों का चयन करने के लिए तीनौं संगठनों के नामों की लाटरी निकाली जाएगी। यदि लाटरी में संगठन 'ख' का नाम निकले तो इस संगठन की सूची में जिस व्यक्ति का नाम सबसे ऊपर होगा वह चुना जाएगा। अब शेष दो संगठनों के बीच लाटरी निकाली जाएगी। जिसका नाम निकलेगा उसकी सूची से सर्वप्रथम व्यक्ति चुना जाएगा। अब तीसरे संगठन की सूची का पहला व्यक्ति भी ले लिया जाएगा। इसके बाद बचे एक नाम को चुनने के लिए इस प्रक्रिया को दोहराया जाएगा और जिस संगठन का नाम लाटरी में निकलेगा उसकी सूची में लिखा दूसरा नाम चन लिया जाएगा।

प्रेस परिषद् की संरचना

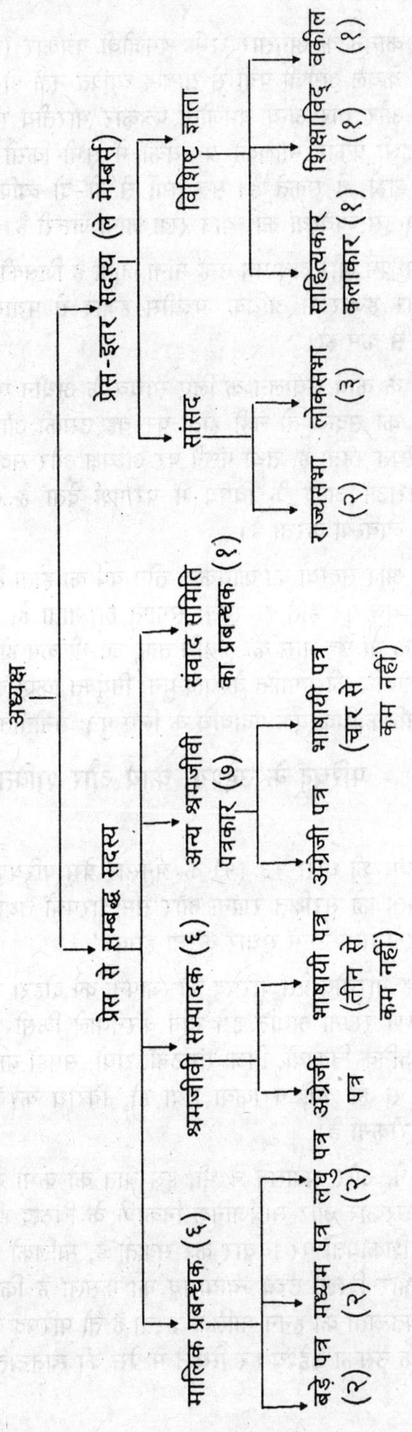

किन्तु, कानून के अनुसार सभी श्रमजीवी पत्रकार (सम्पादक और सम्पादक इतर पत्रकार) केवल अंग्रेजी पत्रों से सम्बद्ध व्यक्ति नहीं हो सकते हैं। कम–से–कम तीन सम्पादक और चार अन्य श्रमजीवी पत्रकार भारतीय भाषाओं के पत्रों से होने अनिवार्य हैं। इसी प्रकार मालिकों–प्रबन्धकों में सभी किसी एक वर्ग (बड़े, मध्यम और लघु) से नहीं हो सकते हैं। सब वर्गों से दो–दो व्यक्ति होने चाहिए। लाटरी निकालते समय इस व्यवस्था का ध्यान रखा जाना जरूरी है।

बड़ा, मध्यम और लघु पत्र उन्हें माना जाता है जिसकी प्रसार संख्या प्रति अंक क्रमशः पचहत्तर हजार से अधिक, पच्चीस हजार से पचास हजार के बीच और पच्चीस हजार से कम हो।

परिषद् के कार्य संचालन के लिए सचिव के अधीन एक सचिवालय होता है। सचिव परिषद् का सदस्य तो नहीं होता पर वह उसकी और उसकी समितियों की बैठकों में उपस्थित रहता है, तथा पूछने पर अध्यक्ष और सदस्यों को कार्यविधि, पूर्व निर्णयों, परम्पराओं आदि के विषय में परामर्श देता है और कार्य–विवरण के अभिलेखन की व्यवस्था करता है।

अध्यक्ष और सदस्यों का कार्यकाल तीन वर्ष का होता है। पर, जहाँ सदस्यों का कार्यकाल तीन वर्ष पूरे होते ही स्वतः समाप्त हो जाता है, अध्यक्ष अगला अध्यक्ष नियुक्त होने तक या छह मास की अवधि तक, जो भी कम हो, कार्य करता रहता है। अध्यक्ष एक पदावधि की समाप्ति के बाद पुनः नियुक्त किए जा सकते हैं। निवृत्त होने वाला सदस्य अधिकाधिक एक पदावधि के लिए पुनः मनोनीत होने का पात्र होगा।

परिषद् के उद्देश्य, कार्य और शक्तियाँ

उद्देश्य

अधिनियम की धारा १३ (१) के अनुसार प्रेस परिषद् का उद्देश्य ''भारत में प्रेस की स्वतन्त्रता को सुरक्षित रखना और समाचारपत्रों तथा समाचार एजेंसियों के स्तर बनाए रखना तथा उनमें सुधार करना होगा।''

इस तरह भारतीय प्रेस परिषद् की स्थापना का दोहरा उद्देश्य है। एक, प्रेस की स्वतन्त्रता अक्षुण्ण रखना अर्थात् इसे न्यून करनेवाले किसी भी कार्य का, चाहे वह सरकारों, सार्वजनिक निकायों, निजी संगठनों, संघों, समूहों या व्यक्तियों द्वारा अथवा प्रेस के अन्दर से ही क्यों न किया गया हो, विरोध करना, निन्दा करना और यथासंभव उसे रोकना है।

परिषद् ने, और अदालत ने भी, इस बात को कभी स्वीकार नहीं किया कि परिषद् केवल सरकार और सार्वजनिक निकायों के विरुद्ध ही प्रेस की आजादी को न्यून करने की शिकायतों पर विचार कर सकती है, मालिकों या प्रबन्धकों के विरुद्ध नहीं। परिषद् और दिल्ली उच्च न्यायालय का फैसला है कि किसी मामले में यदि सम्पादक की स्वतन्त्रता का हनन मालिक करता है तो परिषद् उस पर भी विचार कर सकती है क्योंकि उसका उद्देश्य हर स्थिति में प्रेस की स्वतन्त्रता को बनाए रखना है,

भले ही इसे न्यून करने की कोशिश प्रेस के अन्दर से ही क्यों न हो रही हो। दिल्ली उच्च न्यायालय ने १९७५ में 'हिन्दुस्तान टाइम्स' बनाम प्रेस परिषद् के मामले में, जो वर्गीस केस के रूप में जाना जाता है, और १९८४ में प्रेस परिषद् ने नाज अन्सारी बनाम 'अल्जमीयत' के मामले में ऐसा ही रुख अपनाया था। जहाँ तक सरकारों का सवाल है परिषद् ने प्रेस पर उनके हर प्रकार के दबाव को, चाहे वह आर्थिक, प्रशासनिक या अन्य किसी प्रकार का हो, उसकी स्वतन्त्रता को न्यून करना मानकर अपनी शक्तियों के अधीन कार्रवाई की है।

परिषद् के समक्ष लगभग आधी शिकायतें सरकारों, विशेषकर राज्य सरकारों और उनके अधिकारियों व पुलिस के विरुद्ध आती हैं।

कार्य

भारतीय प्रेस परिषद् को काफी व्यापक कार्य सौंपे गए हैं। इनका उल्लेख धारा १३(२) में किया गया है, जो इस प्रकार है—

(क) समाचारपत्रों तथा समाचार एजेंसियों द्वारा अपनी स्वतंत्रता बनाए रखने में उनकी सहायता करना,

(ख) समाचारपत्रों, समाचार एजेंसियों और पत्रकारों के लिए उच्च वृत्तिक स्तर के अनुसार एक आचार–संहिता बनाना (निर्मित करना),

(ग) यह सुनिश्चित करना कि समाचारपत्रों, समाचार एजेंसियों और पत्रकारों की ओर से लोकरुचि के उच्च स्तर बनाए रखे जाएँ, और नागरिक अधिकारों और उत्तरदायित्वों दोनों की सम्यक् भावना का पोषण करना,

(घ) उन सब व्यक्तियों में जो पत्रकारिता की वृत्ति में लगे हुए हैं उत्तरदायित्व और लोकसेवा की भावना प्रोत्साहित करना,

(ङ) ऐसी किसी भी बात पर जिससे लोकहित और लोक–महत्व के समाचारों के प्रदाय और प्रसार का निर्बन्धन संभाव्य हो, विचार करते रहना,

(च) भारत में किसी समाचारपत्र या समाचार एजेंसियों द्वारा किसी विदेशी स्रोत से प्राप्त सहायता के मामलों का, जिनके अन्तर्गत वे मामले भी हैं जो केन्द्रीय सरकार द्वारा उसे निर्देशित किये जायें या किसी व्यक्ति, व्यक्तियों के संगम या अन्य संगठन द्वारा उसकी जानकारी में लाये जायें, पुनर्वलोकन करते रहना,

परन्तु इस खण्ड की कोई बात भारत के किसी भी समाचार पत्र या समाचार एजेंसी द्वारा किसी विदेशी स्रोत से प्राप्त सहायता के किसी मामले में किसी अन्य ऐसी रीति से जो केन्द्रीय सरकार ठीक समझे, कार्यवाही करने से केन्द्रीय सरकार को प्रवारित न करेगी। (अर्थात् रोकेगी नहीं),

(छ) विदेशी समाचारपत्रों के, जिनके अन्तर्गत किसी राजदूतावास द्वारा या भारत में विदेशी राज्य के किसी प्रतिनिधि द्वारा निकाली गयी पत्रिकाएँ

भी हैं, परिचलन और प्रभाव के अध्ययन का भार अपने ऊपर लेना, स्पष्टीकरण—इस खण्ड के प्रयोजन के लिए 'विदेशी राज्य' पद का वही अर्थ होगा जो सिविल प्रक्रिया संहिता, १९०८ की धारा ८७ (क) में है, (१९०८ का ५),

(ज) समाचारपत्र निकालने या उनके प्रकाशन में या समाचार एजेंसियों में लगे हुए व्यक्तियों के सभी वर्गों में उचित कृत्यिक सम्बन्ध की अभिवृद्धि करना, परन्तु इस खण्ड की कोई बात परिषद् पर उन विवादों की बाबत कोई कृत्य सौंपनेवाली नहीं समझी जाएगी जहाँ औद्योगिक विवाद अधिनियम, १९४७ लागू है,

(झ) समाचारपत्रों और समाचार एजेंसियों के स्वामित्व के संकेन्द्रण या उनके अन्य पहलुओं से सम्बद्ध ऐसी घटना पर निगाह रखना जिनका प्रेस की स्वतन्त्रता पर प्रभाव पड़ सकता हो,

(ञ) ऐसे अध्ययन कार्य हाथ में लेना जो परिषद् को सौंपे जाएँ और किसी ऐसे विषय के बारे में अपनी राय प्रकट करना जो केन्द्रीय सरकार द्वारा उसे निर्दिष्ट किया जाए,

(ट) ऐसे अन्य कार्य करना जो उपर्युक्त कृत्यों के निर्वहन के आनुषंगिक या साधक हों।

परिषद् के कार्यों के सम्बन्ध में कुछ बातें महत्वपूर्ण हैं। एक, उपधारा २ (ख) में आचार–संहिता बनाने की जो बात कही गयी है, उसका अर्थ संहिता लिख देना नहीं है, बल्कि उसे निर्णयों के आधार पर धीरे–धीरे निर्मित करना है। अंग्रेजी में 'बिल्ड' शब्द का प्रयोग किया गया है जिसका अर्थ क्रमिक रूप से तैयार करना है, एकबारगी लिखना नहीं है। 'फ्रेम' या 'प्रिपेयर' शब्दों का प्रयोग सोच–समझ कर टाला गया है क्योंकि इनका तात्पर्य एकबारगी तैयार करना है।

दो, औद्योगिक विवादों, जैसे वेतन, भत्तों, भविष्य निधि, ग्रेच्युटी, काम के घण्टों, छुट्टियों आदि के सम्बन्ध में विवादों पर परिषद् विचार नहीं कर सकती है। लेकिन, यदि किसी सम्पादक या पत्रकार को इस तरह से नौकरी से हटाया जाए या दण्डित किया जाय कि उससे प्रेस की स्वतन्त्रता प्रभावित होती हो तो परिषद् विवाद के इस पहलू पर विचार कर सकती है। उदाहरणार्थ, अगर किसी को सम्पादक पद से इसलिये बर्खास्त या पदावनत किया जाय कि उसने ऐसा समाचार या लेख प्रकाशित किया है जिससे मालिक के आर्थिक या राजनीतिक हित प्रभावित हुए हैं तो परिषद् इस बात पर विचार कर सकती है कि मालिक की कार्रवाई से क्या सम्पादक की सम्पादकीय स्वतंत्रता दुष्प्रभावित हुई है? वर्गीस और नाज अन्सारी के मामले ऐसे ही थे।

तीन, १९६५ के प्रेस परिषद् अधिनियम में परिषद् को पत्रकारों के प्रशिक्षण सम्बन्धी कार्य भी दिये गये थे। लेकिन १९७८ के अधिनियम में इन्हें सम्मिलित नहीं किया गया क्योंकि पिछली परिषद् ने इन्हें करने में कठिनाइयाँ बताई थीं। पर, सरकार ने इसे लागू नहीं किया है।

लेकिन, दूसरे प्रेस–आयोग ने यह कार्य पुनः परिषद् को सौंपने की सिफारिश की है। परिषद् ने इसका अनुमोदन किया है।

शक्तियाँ

प्रेस परिषद् को किसी समाचारपत्र या पत्रकार अथवा अन्य किसी को दण्ड देने का अधिकार नहीं है। किन्तु, वह पत्रकारिता सम्बन्धी सदाचार का उल्लंघन करने या लोकरुचि के स्तर का उल्लंघन करने के दोषी समाचारपत्रों या संवाद समितियों तथा वृत्तिक अवचार (मिसकन्डक्ट) के दोषी सम्पादकों या श्रमजीवी पत्रकारों को चेतावनी दे सकती है, उनकी भर्त्सना कर सकती है या उनकी परिनिन्दा (सेंश्योर) कर सकती है।

अगर परिषद् ऐसा करना लोकहित में आवश्यक या समीचीन समझे तो वह किसी पत्र से कह सकती है कि वह समाचारपत्र, संवाद समिति, सम्पादक या उसमें कार्य करने वाले पत्रकार के विरुद्ध फैसले को, जिसमें समाचारपत्र, संवाद समिति, सम्पादक या पत्रकार का नाम भी हो, उस रीति से प्रकाशित करे जिस रीति से परिषद् ठीक समझे। परिषद् के इन कार्यों को न्यायालय में चुनौती नहीं दी जा सकती है।

परिषद् अपने निर्णयों या रिपोर्टों में सरकार या किसी भी प्राधिकरण के आचरण के बारे में भी ऐसा मत प्रकट कर सकती है जो वह ठीक समझे अर्थात् प्रेस की स्वतन्त्रता को न्यून करने के सरकार या किसी प्राधिकरण के कृत्यों के खिलाफ वह निर्णय दे सकती है, और उनकी आलोचना अथवा अन्य किसी प्रकार की प्रतिकूल टिप्पणी कर सकती है।

इस अधिनियम के अधीन अपने कृत्यों के पालन या किसी जाँच के प्रयोजन से परिषद् को वही शक्तियाँ प्राप्त हैं जो सिविल प्रक्रिया संहिता, १९०५ के अधीन सिविल न्यायालय में मुकदमों की सुनवाई के समय निहित रहती है।

इस तरह प्रेस परिषद् (क) व्यक्तियों को समन जारी कर सकती है, अपने समक्ष हाजिर करा सकती है और उनकी शपथ पर परीक्षा कर सकती है।

(ख) दस्तावेजों का प्रकटीकरण करा सकती है और उनका निरीक्षण कर सकती है।

(ग) शपथ–पत्र पर साक्ष्य ले सकती है।

(घ) किसी न्यायालय या कार्यालय से किसी सार्वजनिक अभिलेख (रिकार्ड) या उसकी प्रतिलिपियाँ मँगा सकती है।

(ङ) साक्षियों का दस्तावेजों की परीक्षा के लिए कमीशन नियुक्त कर सकती है, या

(च) विहित किया गया कोई अन्य कार्य कर सकती है।

परिषद् द्वारा की गई हर जाँच भारतीय दण्ड संहिता की धारा १९३ और धारा २२८ के अर्थ में न्यायिक कार्यवाही होती है। (धारा १५)

इस अधिनियम में प्रेस के सूत्रों की गोपनीयता के सिद्धान्त को स्पष्टतः मान्यता दी गयी है। परिषद् किसी समाचारपत्र, संवाद समिति, सम्पादक या पत्रकार को उनके द्वारा प्राप्त या रिपोर्ट किये गये किसी समाचार या सूचना का स्रोत प्रकट करने के लिए विवश नहीं कर सकती है। (धारा १५ (२))

परिषद् का मत है कि इस सिद्धान्त को सामान्य सिद्धान्त के रूप में स्वीकार किया जा सकता है।

दण्ड का प्रश्न

इस विषय पर सारे विश्व में वाद–विवाद चल रहा है कि प्रेस परिषद् को दण्ड देने का अधिकार होना चाहिए या नहीं। एक मत यह है कि परिषद् का नैतिक बल ही उसकी वास्तविक शक्ति है। प्रेस की सर्वोच्च संस्था द्वारा किसी पत्र या पत्रकार की निन्दा किए जाने से बड़ी सजा नहीं हो सकती है, विशेषकर तब जब परिनिन्दित पत्रों को अपने खिलाफ निर्णय अपनी पंक्तियों में प्रकाशित करने पड़ें और उनके पाठक यह जानें कि उनके पत्र को पत्रकारिता की सर्वोच्च निकाय ने पत्रकारिता के उच्च आदर्शों का उल्लंघन करने का दोषी ठहराया है।

दण्ड का अधिकार प्रेस परिषद् को न देने के पक्ष में एक महत्वपूर्ण तर्क यह है कि परिषद् के कुछ सदस्य आपसी गठजोड़ बनाकर उन पत्रों को जान–बूझ कर दण्डित कर सकते हैं जिन्हें वे या कतिपय बाहरी प्राधिकरण या लोग पसन्द नहीं करते।

एक तर्क यह भी है कि दण्ड व्यवस्था प्रेस के आन्तरिक आत्मविनियमन के उदात्त सिद्धान्त से मेल नहीं खाती है।

दूसरी ओर प्रश्न यह उठता है कि यदि कोई समाचारपत्र, संवाद–समिति, सम्पादक या पत्रकार प्रेस परिषद् द्वारा बार–बार प्रताड़ित और परिनिन्दित किए जाने पर भी पत्रकारिता के सदाचार का उल्लंघन करने और पीत पत्रकारिता में लगे रहने से बाज न आये तो क्या किया जाय? क्या प्रेस परिषद् और सारा समाज ऐसे पत्रों और पत्रकारों के सामने असहाय बना रहे या सरकार से यह अपेक्षा की जाये कि वह इन्हें दण्डित करे?

जहाँ तक सरकार पर यह छोड़े जाने का सवाल है, न पत्रकार जगत्, न ही उदार जनतांत्रिक विचारों का पोषक जनमत और न प्रेस परिषद् इसे उचित मान सकती है। इसलिए बहुत से लोगों का मत है कि ऐसे पत्रों और पत्रकारों को दण्ड देने की शक्ति प्रेस परिषद् में निहित की जाए क्योंकि उस पर इसके वस्तुपरक और निष्पक्ष इस्तेमाल का भरोसा किया जा सकता है और किया जाना चाहिए। इनका यह भी कहना है कि प्रेस परिषद् ऐसे पत्रों और पत्रकारों को दण्डित करके उन्हें स्तरहीन और पीत पत्रकारिता से नहीं रोकेगी तो यह काम सरकार खुद करेगी जो प्रेस की स्वतंत्रता के हित में नहीं होगा।

कुछ लोग चाहते हैं कि प्रेस परिषद् को 'तेज दाँत' दिए जायें ताकि वह ऐसी पत्रकारिता करनेवालों को ऐसे काट सके कि उसका पर्याप्त असर हो। पर, दूसरे लोगों

का मत है कि परिषद् के मुँह में 'दाँत' तो हों पर ज्यादा तेज नहीं। ज्यादा 'तेज दाँत' देना परिषद् के अपने भविष्य के लिए खतरनाक होगा क्योंकि हो सकता है कि परिषद् का गठन किसी समय ऐसा हो कि वह इनका अनावश्यक रूप से अधिक इस्तेमाल करने लगे। उस स्थिति में परिषद् को प्रेस के अन्दर से प्राप्त सहज मान्यता और नैतिक वैधता समाप्त हो जाएगी। एक बार ऐसा हो गया तो परिषद् का प्रभाव जाता रहेगा।

परिषद् और संसद् ने परिषद् को दण्डात्मक शक्तियाँ प्रदान किए जाने के प्रश्न पर कई बार विचार किया है। प्रायः फैसला यही रहा है कि उसे ऐसी शक्तियाँ न दी जाएँ। किन्तु, परिषद् ने १९८१ में इस विषय में कुछ सिफारिशें कीं, जो इस प्रकार हैं—

(१) परिषद् द्वारा तीन वर्ष की अवधि में तीन बार परिनिन्दित किए जाने वाले पत्र का अखबारी कागज का कोटा एक वर्ष के लिए न बढ़ाया जाए ताकि उसकी प्रसार संख्या की विकास–दर एक साल तक न बढ़ सके। उसे एक साल तक की अधिकाधिक अवधि के लिए सरकारी विज्ञापन न दिये जाएँ।

(२) तीन वर्ष की अवधि में कम–से–कम तीन बार परिनिन्दित किये जाने वाले सम्पादकों और पत्रकारों के प्रत्ययन प्रमाण–पत्र (एक्रेडिटेशन कार्ड) छह मास के लिए निलम्बित कर दिए जाएँ।

(३) ये सब कार्रवाई सरकार अपनी ओर से नहीं, परिषद् की सिफारिश पर करे।

(४) परिषद् को समाचारपत्रों, संवाद समितियों और पत्रकारों की तरह सरकारों और प्राधिकरणों को भी चेतावनी देने, भर्त्सना करने और परिनिन्दा करने की शक्ति प्रदान की जाए तथा इस विषय में संसद और सम्बद्ध राज्य विधान मण्डलों में रिपोर्ट पेश की जाय।

द्वितीय प्रेस आयोग ने परिषद् की पहली तीन सिफारिशों का अनुमोदन किया है। लेकिन, उसने सरकारों और प्राधिकरणों को चेतावनी देने, भर्त्सना करने या परिनिन्दा करने की शक्ति परिषद् को देने की संस्तुति सरकार से नहीं की। परन्तु, प्रेस परिषद् ने इस विषय में अपने मत पर पुनः जोर दिया है।

हमारा मत है कि न्यायालय अवमानना की तरह प्रेस परिषद् को भी उसकी अवमानना किए जाने पर दण्ड देने की शक्ति कानून से दे दी जाए तो इस पेचीदी समस्या का समाधान हो सकता है।

समितियाँ

प्रेस परिषद् कुछ समितियों की सहायता से कार्य करती है। उसकी सामान्यतः चार स्थायी समितियाँ होती हैं— जाँच समिति, सर्व–प्रयोजन समिति, वित्त समिति और चयन समिति।

जाँच समिति, जो परिषद् की सबसे महत्वपूर्ण समिति है अर्ध–न्यायिक रीति से शिकायतों और वादों की सुनवाई करती है। इसकी सिफारिशों पर सम्पूर्ण परिषद् की बैठकों में विचार करके निर्णयों की घोषणा की जाती है। परिषद् अधिसंख्य मामलों में

जाँच समिति की सिफारिशों का किसी संशोधन के बगैर अनुमोदन करती है। पर, जहाँ वह चाहती है उनमें या तो परिवर्तन कर देती है या मामला जाँच समिति के पुनः विचारार्थ भेजती है। एक से अधिक जाँच समितियाँ हो सकती हैं और इस समय हैं।

सर्व–प्रयोजन समिति

यह परिषद् की दूसरी सबसे महत्त्वपूर्ण समिति है जो प्रेस सम्बन्धी कानूनों, सरकार या अन्य निकायों से प्राप्त संदर्भों और प्रेस से सम्बद्ध विविध प्रश्नों पर विचार करके अपनी सिफारिशें परिषद् को देती हैं। उदाहरणार्थ, द्वितीय प्रेस आयोग की रिपोर्ट पर पहले इस समिति में विस्तृत विचार हुआ। उसकी सिफारिशों के आधार पर पूर्ण परिषद् ने अपना मत निर्धारित किया। परिषद् के लिए यह जरूरी नहीं है कि समिति की सिफारिशों को यथावत् अपना ले। परिषद् अनेक बार इन सिफारिशों को संशोधन के साथ स्वीकार करती है; कभी–कभी पूर्णतः अस्वीकार भी कर देती है। लेकिन, इन परिस्थितियों में भी इस समिति का कार्य खास महत्त्व का होता है क्योंकि वह परिषद् को एक सुविचारित मत बनाने में मदद करती है।

वित्त समिति

यह समिति परिषद् की वित्तीय स्थिति की समय–समय पर समीक्षा करती है और आय व व्यय तथा कर्मचारियों के वेतन–भत्तों आदि विषयों में निर्णय लेने में सहायक होती है।

चयन समिति

इस समिति का कार्य परिषद् के कर्मचारियों का चयन करने के बारे में परिषद् की सहायता करना है। समिति की सिफारिश पर नई नियुक्तियाँ की जाती हैं या तरक्की अथवा पदोन्नति दी जाती है। लेकिन, सब मामले बाद में परिषद् के अनुमोदन के लिए प्रस्तुत किये जाते हैं। समिति की सिफारिशें सामान्यतः उसी रूप में स्वीकार कर ली जाती हैं जिस रूप में वे की जाती हैं। लेकिन, ऐसे भी अवसर आते हैं जब परिषद् समिति का निर्णय अनुमोदित नहीं करती या उसे इस पर पुनर्विचार करने को कहती है।

परिषद् चाहे तो किसी विषय विशेष के सम्बन्ध में अस्थायी समिति गठित कर सकती है। समितियों में परिषद् के अपने सदस्य होते हैं। परन्तु, परिषद् चाहे तो किसी बाहरी व्यक्ति को किसी समिति का सदस्य सहयोजित कर सकती है। ऐसा सदस्य समिति में हाजिर होने और चर्चा में भाग लेने का अधिकारी होता है पर वह किसी मतदान में भाग नहीं ले सकता। धारा ८ (३) में किए गये इस प्रावधान का इस्तेमाल परिषद् ने अभी तक नहीं किया है।

निर्णय–प्रक्रिया

परिषद् सारे निर्णय सामान्यतः आमराय के आधार पर करती है। दो–चार अवसरों को छोड़कर उसने मतविभाजन के जरिए निर्णय नहीं किये। किसी विषय पर

विवाद होने पर सदस्यों को अपनी राय खुलकर व्यक्त करने का अवसर दिया जाता है और विचारों के अन्तर को बहस के माध्यम से कम करने का प्रयास किया जाता है। अन्त में आम राय के आधार पर फैसला किया जाता है। विभिन्न सदस्य भले ही अलग–अलग वर्गों और हितों के प्रतिनिधियों के रूप में मनोनीत हुए हों, पर परिषद् में वे उसके सदस्य के रूप में स्वतन्त्र विचार व्यक्त करते हैं। किसी एक संस्था के सदस्य परिषद् या उसकी समितियों की बैठकों में प्रायः एक–दूसरे से भिन्न मत व्यक्त करते हैं। एक अर्ध–न्यायिक निकाय के सदस्य होने के नाते उनसे यही अपेक्षा की जाती है कि वे अपनी न्यायबुद्धि से स्वतन्त्र और निष्पक्ष भाव से मत व्यक्त करेंगे और निर्णय देंगे।

शिकायतों की सुनवाई की एक निश्चित प्रक्रिया नियमों में निर्धारित की गयी है। शिकायतकर्ता को शिकायत का कारण उत्पन्न होने से एक निश्चित अवधि के भीतर शिकायत भेजनी चाहिए। परिषद् को शिकायत भेजने से पूर्व उस पत्र के सम्पादक को पत्र लिखकर उसे स्पष्टीकरण या शिकायत दूर करने को कहना चाहिए जिसके विरुद्ध शिकायत हो। यदि सम्पादक शिकायतकर्ता का समाधान न कर सके तो परिषद् के पास आना चाहिए। शिकायत के साथ सम्पादक को ऐसा पत्र लिखने और सम्पादक के उत्तर, यदि प्राप्त हुआ हो, की जानकारी तथा शपथ–पत्र पर यह घोषणा कि उठाया जा रहा मामला न्यायालय के विचाराधीन नहीं है, भेजी जानी चाहिए।

परिषद् का अध्यक्ष यदि शिकायत को जाँच के लायक न पाये तो वह उसे शुरू में ही रद्द कर सकता है। अध्यक्ष द्वारा ऐसा करने पर परिषद् मामले का संज्ञान नहीं कर सकती है। अध्यक्ष के निर्णय को चुनौती नहीं दी जा सकती है। फिर भी, परम्परा यह है कि अध्यक्ष ऐसे मामलों की जानकारी परिषद् की बैठकों में सदस्यों के सूचनार्थ देता है।

वाद की सुनवाई के लिए कोई फीस नहीं देनी होती। शिकायत को जाँच के लिए मंजूर करने के बाद सभी पक्षों को सारे तथ्य और एक दूसरे द्वारा दिए गए तथ्यों और तर्कों पर उन्हें जो कुछ कहना हो उसे लिखकर भेजने को कहा जाता है। इसके बाद पक्ष–विपक्ष को जाँच समिति के समक्ष मौखिक गवाही के लिए आमंत्रित किया जाता है। परिषद् के अध्यक्ष और समिति के सदस्य दोनों पक्षों की बातें सुनते हैं तथा प्रश्न या स्पष्टीकरण पूछते हैं। अन्त में समिति लिखित और मौखिक साक्ष्य पर विचार करके पूर्ण परिषद् को अपनी सिफारिशें भेजती है जो अक्सर बिना संशोधन किये परिषद् द्वारा अपना ली जाती हैं। समिति अपने निष्कर्षों की रिपोर्ट कारणों सहित भेजती है, साथ ही मामले का अभिलेख उसे प्रेषित करती है।

वादी–प्रतिवादी स्वयं या अपने प्रतिनिधियों के जरिए उपस्थित होकर अपना पक्ष जाँच समिति के समक्ष प्रस्तुत कर सकते हैं। प्रायः वरिष्ठ वकील विभिन्न मामलों में परिषद् के समक्ष जिरह करते हैं। परिषद् वकीलों द्वारा इसकी कार्यवाही को न्यायालयों जैसी कार्यवाही में बदलने की कोशिश करने को पसन्द नहीं करती क्योंकि

उनका प्रयास प्रायः मामले को लम्बा खींचना होता है जब कि परिषद् इन्हें यथासम्भव शीघ्र निपटाना चाहती है। जाँच कार्य में प्राकृतिक न्याय के सिद्धान्तों को अपनाया जाता है, जैसे पक्षकारों को समुचित नोटिस और सुनवाई का सम्यक् अवसर देना। यह इसलिये भी जरूरी होता है क्योंकि परिषद् के निणर्यों को न्यायालय में चुनौती नहीं दी जा सकती है। पर, प्राकृतिक न्याय से किसी पक्ष को वंचित करना उच्च न्यायालय के रिट अधिकार के अधीन चुनौती का आधार बन सकता है।

शिकायतों की जाँच करने के अलावा परिषद् किसी कानून, सन्दर्भ या प्रश्न पर अपनी राय बनाने से पूर्व विभिन्न संस्थाओं, हितों और व्यक्तियों के विचार भी आमंत्रित करती है, उचित समझने पर उन्हें मौखिक रूप से विचार व्यक्त करने के लिए बुलाती है।

परिषद् का प्रत्येक सदस्य और परिषद् द्वारा नियुक्त हर अधिकारी या अन्य कर्मचारी भारतीय दण्ड संहिता की धारा २१ के अर्थ में लोकसेवक समझा जाता है। उन पर प्रेस परिषद् अधिनियम के अधीन सद्भावपूर्वक की गयी किसी कार्रवाई के कारण मुकदमा नहीं चलाया जा सकता है या अन्य कोई कानूनी कार्रवाई नहीं की जा सकती है।

जैसा कि पहले इंगित किया गया है परिषद् कोई शिकायत प्राप्त न होने पर भी स्वप्रेरणा (सुओ मोटो) से कोई जाँच या कार्यवाही आरम्भ कर सकती है।

परिषद् का एक महत्वपूर्ण कार्य विशेष प्रकरणों और मुद्दों पर विशेष समितियों का गठन करके उनकी विस्तृत और व्यापक जांच कराना होता है। ये समितियाँ जगह–जगह पर जाकर अथवा सम्बद्ध व्यक्तियों को बुलाकर विषय के समस्त पहलुओं की छानबीन, पूछताछ और गहराई से अध्ययन व अन्वेषण करती हैं। उनकी सिफारिशों के आधार पर किए गए निर्णय प्रायः उन विषयों और मुद्दों पर परिषद् द्वारा निर्मित की जा रही आचार संहिता के स्थायी मार्गदर्शक सिद्धान्त बनते हैं। रामजन्मभूमि–बाबरी मस्जिद प्रकरण पर गठित समितियाँ इसकी उदाहरण हैं। परिषद् ने अब तक ऐसी कई विशेष समितियाँ गठित की हैं।

ऐसा कोई भी सदस्य जिसका समिति या परिषद् के समक्ष उपस्थित किसी वाद से व्यक्तिगत रूप से कोई सम्बन्ध हो या उसका या उसके भागीदार का कोई हित हो या जिसमें वह मुवक्किल की ओर से या किसी समाचारपत्र, संवाद समिति, सम्पादक या अन्य श्रमजीवी पत्रकार के अभिकर्ता (एजेंट) या प्रतिनिधि के रूप में हित रखता हो, इस वाद पर हो रहे विचार–विमर्श में भाग नहीं ले सकता है न ही मतदान कर सकता है।

परिषद् के वित्तीय स्रोत

परिषद् की अपनी निधि होती है जिसमें धन के दो मुख्य स्रोत हैं। एक, केन्द्रीय सरकार द्वारा दिया जाने वाला अनुदान, जो सूचना और प्रसारण मंत्रालय के बजट अनुदानों के साथ संसद द्वारा स्वीकृत होता है। दो, परिषद् द्वारा समाचारपत्रों और संवाद समितियों से ली जाने वाली वार्षिक फीस। १९६५ के अधिनियम में परिषद्

द्वारा अपने खर्च के लिए फीस लगाने का अधिकार नहीं था और उसे सारा खर्च केन्द्रीय अनुदान से प्राप्त होता था। परन्तु, १९७८ के अधिनियम में इस विचार से परिषद् को फीस लगाने का अधिकार दिया गया कि इससे वह वित्तीय दृष्टि से भी अधिक स्वतन्त्र रहेगी।

प्रेस और पंजीकरण एपीलेट बोर्ड

जैसा कि प्रेस और पुस्तक पंजीकरण अधिनियम, १८६७ सम्बन्धी अध्याय में बताया गया है कि इस अधिनियम के अधीन मजिस्ट्रेट द्वारा पत्रों की घोषणाओं को सत्यापित करने से इन्कार करने या घोषणा–पत्र रद्द करने के विरुद्ध प्रेस और पंजीकरण बोर्ड से अपील करने का प्रावधान है। पहले इस बोर्ड का गठन भारत सरकार करती थी। लेकिन प्रेस परिषद् अधिनियम, १९७८ के अन्तर्गत अब यह प्रेस परिषद् करती है। बोर्ड का एक अध्यक्ष और एक अन्य सदस्य होता है। परिषद् का अध्यक्ष इस बोर्ड का भी अध्यक्ष होता है। दूसरे सदस्य का चयन परिषद् अपने सदस्यों में से करती है। बोर्ड के गठन की यह अच्छी व्यवस्था है क्योंकि प्रेस परिषद् के अध्यक्ष और अन्य सदस्यों से न्यायपरकता और निष्पक्षता की अधिक भरोसेमंद अपेक्षा की जा सकती है।

परिषद् ने कई कानूनों, जैसे न्यायालय की अवमानना का कानून, मानहानि सम्बन्धी कानून, शासकीय गोपनीयता कानून तथा संसद के विशेषाधिकार और प्रेस के बारे में विस्तृत अध्ययन करके अनेक सुझाव दिये हैं। उसने सबके मार्ग–दर्शन के लिए अपने निर्णयों का सार–संग्रह (कम्पेण्डियम) भी प्रकाशित किया है। इसके अलावा उसने कुछ मार्ग–दर्शन सिद्धान्त जारी किये हैं, जैसे—साम्प्रदायिक अशान्ति पर रिपोर्टिंग व टिप्पणियों सम्बन्धी १९६९ के मार्ग–दर्शक सिद्धान्त, रामजन्म–भूमि–बाबरी मस्जिद प्रकरण की रिपोर्टिंग तथा शासन की कार्रवाइयों की जाँच के बाद जारी १२ सूत्री मार्ग निर्देशन (जनवरी १९९१) तथा पंजाब और जम्मू कश्मीर में आतंकवादी गतिविधियों की प्रेस के सन्दर्भ में जाँच की रपटों में सुझाए गये सिद्धान्त (जनवरी और जुलाई १९९१)। परिषद् ने कुछ मामलों में घटनास्थल पर उपसमितियाँ भेज कर तथ्यों का अन्वेषण किया। समय–समय वक्तव्य जारी करके भी परिषद् ने प्रेस और प्राधिकारियों का मार्ग–दर्शन किया अथवा विशेष परिस्थितियों, घटनाओं और प्रकरणों पर तत्काल प्रतिक्रिया व्यक्त की।

अपना कामकाज सबकी नजरों के सामने करने का सिद्धान्त अपनाते हुए परिषद् ने सार्वजनिक सुनवाई और खुली बैठकें करना कुछ वर्षों से आरम्भ किया है।

प्रेस परिषद् की उपयोगिता के बारे में आम लोगों में ही नहीं, पत्रकारों को भी समुचित जानकारी नहीं है। पर्याप्त जानकारी के अभाव में कुछ क्षेत्रों में यह धारणा है कि परिषद् अधिक प्रभावी और उपयोगी नहीं रही। लेकिन तथ्य इस धारणा को झुठलाते हैं।

■

अध्याय १०

श्रमजीवी पत्रकार और अन्य समाचारपत्र कर्मी कानून

कर्मचारी (सेवा की शर्तें)

और

प्रकीर्ण उपबन्ध अधिनियम, १९५५

यह अधिनियम प्रथम प्रेस–आयोग (१९५४) की सिफारिश और देश के पत्रकारों की चिरकालीन माँग के फलस्वरूप संसद ने १९५५ में पारित किया था। इसका उद्देश्य समाचारपत्रों और संवाद समितियों में कार्य करनेवाले श्रमजीवी पत्रकारों तथा अन्य व्यक्तियों के लिए कतिपय सेवा–शर्तें निर्धारित व विनियमित करना है। इससे पहले अखबारी कर्मचारियों को श्रेणीबद्ध करने, कार्य के न्यूनतम निर्धारित घण्टों, छुट्टी, मजदूरी की दरों के निर्धारण और पुनरीक्षण करने, भविष्य–निधि और ग्रेच्युटी आदि के बारे में कोई निश्चित व्यवस्था नहीं थी। पत्रकारों को कानूनी तौर पर कोई आर्थिक व सेवागत सुरक्षा प्राप्त नहीं थी।

इस कानून में समाज में पत्रकार के विशिष्ट कार्य और स्थान तथा उसकी गरिमा को मान्यता देते हुए सम्पादक और अन्य श्रमजीवी पत्रकारों के हित में कुछ विशेष प्रावधान किये गए हैं। इनके आधार पर उन्हें सामान्य श्रमिकों से, जो औद्योगिक सम्बन्ध अधिनियम, १९४७ से विनियमित होते हैं, कुछ अधिक लाभ मिलते हैं।

पहले यह अधिनियम जम्मू–काश्मीर राज्य में लागू नहीं था पर १९७० में इसका विस्तार वहाँ भी कर दिया गया। अतः अब यह सारे देश के पत्रकारों व अन्य समाचारपत्र–कर्मचारियों के सिलसिले में लागू है।

परिभाषाएँ

श्रमजीवी पत्रकार की कानूनी परिभाषा पहली बार इस अधिनियम से की गयी। इसके अनुसार श्रमजीवी पत्रकार वह है जिसका मुख्य व्यवसाय पत्रकारिता हो और वह किसी समाचारपत्र स्थापन (स्टैब्लिशमेंट) में या उसके सम्बन्ध में पत्रकार की हैसियत से नौकरी करता हो। इसके अन्तर्गत सम्पादक, अग्रलेख–लेखक, समाचार–सम्पादक, उप–सम्पादक, फीचर लेखक, प्रकाशन–विवेचक (कापी टेस्टर), रिपोर्टर, संवाददाता (कॉरेस्पौंडेण्ट), व्यंग्य–चित्रकार (कार्टूनिस्ट), समाचार फोटोग्राफर और

प्रूफरीडर आते हैं। अदालतों के निर्णयों के अनुसार पत्रों में काम करनेवाले उर्दू–फारसी के कातिब, रेखा–चित्रकार और सन्दर्भ–सहायक भी श्रमजीवी पत्रकार हैं।

कई पत्रों के लिए तथा अंशकालिक कार्य करने वाला पत्रकार भी श्रमजीवी पत्रकार है यदि उसकी आजीविका का मुख्य साधन अर्थात् उसका मुख्य व्यवसाय पत्रकारिता है।

किन्तु, ऐसा कोई व्यक्ति जो मुख्य रूप से प्रबन्ध या प्रशासन का कार्य करता है या पर्यवेक्षकीय हैसियत से नियोजित (एम्लायड) होते हुए या तो अपने पद से जुड़े कार्यों की प्रकृति के कारण या अपने में निहित शक्तियों के कारण ऐसे कृत्यों का पालन करता है जो मुख्यतः प्रशासकीय प्रकृति के हैं, तो वह श्रमजीवी पत्रकार की परिभाषा में नहीं आता है। इस तरह एक सम्पादक श्रमजीवी पत्रकार है यदि वह मुख्यतः सम्पादकीय कार्य करता है और सम्पादक के रूप में नियोजित है। पर यदि वह सम्पादकीय कार्य कम और मुख्य रूप से प्रबन्धकीय या प्रशासकीय कार्य करता है तो वह श्रमजीवी पत्रकार नहीं रह जाता है।

गैर–पत्रकार समाचारपत्र कर्मचारी वह है जो किसी समाचारपत्र–स्थापन में या उसके सम्बन्ध में किसी काम को करने के लिए नियोजित किया जाता है, जैसे मशीनमैन, मेक–अपमैन, कम्पोजिटर, लिपिक, लेखा–सहायक आदि। श्रमजीवी पत्रकार और मुख्य रूप से प्रबन्धकीय या प्रशासकीय हैसियत से नियोजित और प्रबन्धक प्रकृति का कार्य करनेवाले कर्मी इस परिभाषा में नहीं आते।

समाचारपत्र–स्थापन (न्यूजपेपर स्टैब्लिशमेंट) से किसी व्यक्ति या व्यक्तियों के नियंत्रणाधीन कोई ऐसा स्थापन अभिप्रेत है जो एक या अधिक समाचार–पत्रों के उत्पादन या प्रकाशन के लिए अथवा कोई समाचार एजेंसी या सिण्डीकेट चलाने के लिए हो, भले ही वह निगमित (इनकार्पोरेटेड) हो या न हो।

समाचार–पत्र से अभिप्राय ऐसी छपी हुई नियतकालिक कृति से है जिसमें सार्वजनिक समाचार या सार्वजनिक समाचारों पर टीका–टिप्पणियाँ हों। इसके अन्तर्गत छपी हुई नियतकालिक कृति की ऐसी अन्य श्रेणी भी आती है जिसे सरकार इस निमित्त राजपत्र में अनुसूचित करे।

प्रेस और पुस्तक रजिस्ट्रीकरण अधिनियम और श्रमजीवी पत्रकार कानून में 'समाचार–पत्र' की जो परिभाषा की गयी है वह मूलतः समान है। किन्तु, श्रमजीवी पत्रकार कानून में केन्द्रीय सरकार को इस कानून के प्रयोजन से सार्वजनिक समाचारों और उन पर टिप्पणियाँ करने वाली ही नहीं, अन्य श्रेणियों के पत्रों को भी 'समाचार–पत्र' घोषित करने का अधिकार दिया गया है।

इस कानून में प्रयुक्त अन्य सब शब्दों या पदों की वही परिभाषाएँ लागू होती हैं जो औद्योगिक विकास अधिनियम, १९४७ में दी गयी हैं।

अन्य कानून

अधिनियम की धारा ३(१) से श्रमजीवी पत्रकारों के सम्बन्ध में वे सब उपबन्ध लागू किये गये हैं जो औद्योगिक विकास अधिनियम, १९४७ में कर्मकारों (वर्कमैन)

पर लागू होते हैं। किन्तु धारा ३(२) के जरिये पत्रकारों की छँटनी के विषय में यह सुधार कर दिया गया है कि छँटनी के लिए सम्पादक को छह मास की, अन्य श्रमजीवी पत्रकारों को तीन मास की सूचना देनी होगी। अन्य कर्मकारों के लिए सूचना की यह अवधि एक मास की होती है। सम्पादकों और अन्य श्रमजीवी पत्रकारों को इस सुधार के साथ–साथ वह सभी अधिकार और विशेषाधिकार प्राप्त हैं जो औद्योगिक विकास कानून के अन्तर्गत अन्य कर्मकारों को सुलभ हैं।

कर्मचारी भविष्य निधि और प्रकीर्ण उपबन्ध अधिनियम, १९५२, बोनस अदायगी अधिनियम, १९६५ और औद्योगिक कर्मचारी स्थायी आदेश अधिनियम, १९४६ भी पत्रकारों और गैर–पत्रकार समाचार कर्मियों के सम्बन्ध में लागू होते हैं।

ग्रेच्युटी

श्रमजीवी पत्रकारों को ग्रेच्युटी की अदायगी के बारे में श्रमजीवी पत्रकार कानून में विशेष उपबन्ध किये गये हैं। धारा ५ में यह प्रावधान है कि किसी समाचारपत्र–स्थापन में लगातार तीन वर्ष तक कार्य करनेवाले श्रमजीवी पत्रकारों को, अनुशासन की कार्रवाई के तौर पर दिये गये दण्ड को छोड़कर, किसी कारण से की गयी छँटनी पर या सेवानिवृत्ति की आयु हो जाने पर उसके सेवानिवृत्त होने पर, या सेवाकाल के दौरान उसकी मृत्यु हो जाने पर, या दस वर्ष तक नौकरी के बाद किसी कारणवश स्वेच्छा से इस्तीफा देने पर, उसे मालिक द्वारा सेवाकाल के हर पूरे किये वर्ष या उसके छह मास से अधिक के किसी भाग पर, १५ दिन के औसत वेतन के बराबर धनराशि दी जाएगी। स्वेच्छा से इस्तीफा देने वाले श्रमजीवी पत्रकार को अधिकाधिक साढ़े बारह मास के औसत वेतन के बराबर ग्रेच्युटी मिलेगी।

यदि कोई श्रमजीवी पत्रकार कम–से–कम तीन वर्ष की सेवा के बाद अन्तःकरण की आवाज के आधार पर इस्तीफा देता है तो उसे भी इसी हिसाब से ग्रेच्युटी दी जाएगी।

काम और विश्राम

इस अधिनियम के अन्तर्गत बनाये गये नियमों के अध्याधीन रहते हुए लगातार चार सप्ताहों की किसी अवधि के दौरान, भोजन के समयों को छोड़कर, १४४ घण्टों से ज्यादा काम नहीं लिया जा सकता है, न ही उसे इससे अधिक समय तक काम करने की अनुमति दी जा सकती है।

हर श्रमजीवी पत्रकार को लगातार सात दिन की अवधि के दौरान कम–से–कम लगातार २४ घण्टे का विश्राम दिया जाना चाहिए। सप्ताह को शनिवार की मध्य रात्रि से आरम्भ समझा जाता है। (धारा ६)

श्रमजीवी पत्रकारों के लिए दो प्रकार की छुट्टियों—उपार्जित छुट्टी और चिकित्सा छुट्टी—का स्पष्ट प्रावधान इस कानून में कर दिया गया है। शेष छुट्टियों के सम्बन्ध में नियम बनाने का उपबन्ध है। उपार्जित छुट्टी काम पर व्यतीत अवधि की

१/११ से कम नहीं होगी और यह पूरी तनख्वाह पर मिलेगी। चिकित्सा प्रमाण–पत्र पर चिकित्सा छुट्टियाँ कार्य पर व्यतीत अवधि की १/१८ से कम नहीं होंगी। यह आधी तनख्वाह पर दी जायेगी। इसका अर्थ मोटे तौर पर यह है कि श्रमजीवी पत्रकार को वर्ष में एक मास की उपार्जित छुट्टी और चिकित्सा प्रमाणपत्र के आधार पर आधी तनख्वाह पर चार सप्ताह की छुट्टी दी जानी चाहिए। (धारा ७)

कानून की धारा २० में केन्द्रीय सरकार को उपदान (ग्रेच्युटी), काम के घण्टों, छुट्टियों तथा विभिन्न विषयों पर नियम बनाने की शक्तियाँ दी गई हैं। इसके अन्तर्गत बनाए गए नियम २७ मई, १९५७ से लागू हैं। इन नियमों में उपदान, काम के घण्टों और छुट्टियों के विषय में किये गये मुख्य प्रावधान इस प्रकार हैं–

– ग्रेच्युटी की अदायगी कर्मचारी के सेवानिवृत्त होने, इस्तीफा देने, हटाये जाने या सेवाकाल के दौरान मृत्यु हो जाने पर देय होने के तीन महीने के अन्दर की जानी चाहिए।

– काम के घण्टों का प्रावधान सम्पादकों पर लागू नहीं होता।

– संवाददाताओं, रिपोर्टरों और समाचार फोटोग्राफरों को किसी दिन काम शुरू करने के बाद उस समय तक काम पर समझा जायेगा जब तक वह उसे पूरा नहीं कर लेते। किन्तु, यदि उनसे पूरे सप्ताह में ३६ घण्टे से ज्यादा काम लिया गया है तो दूसरे सप्ताह में एक या अधिक बार तीन घण्टे या उससे अधिक का विश्राम देकर इसकी क्षति–पूर्ति करनी पड़ेगी।

– अन्य श्रमजीवी पत्रकारों के लिए सामान्य कार्य–दिन दिन की पारी में छह घण्टे और रात की पारी में साढ़े पाँच घण्टे से ज्यादा समय का नहीं होगा। रात को ११ बजे से सुबह ५ बजे तक के समय को रात्रि की पारी में माना जाएगा। दिन की पारी में लगातार चार घण्टे के काम के बाद एक घण्टे का और रात्रि की पारी में लगातार तीन घण्टे के कार्य के उपरान्त आधे घण्टे विश्राम दिया जाना चाहिए।

– श्रमजीवी पत्रकार को लगातार दूसरे सप्ताह में रात्रि पारी में काम करने को नहीं कहा जा सकता है। उसे चौदह दिनों में एक सप्ताह से ज्यादा रात्रि पारी में नहीं लगाया जा सकता है। एक रात्रि पारी से दूसरी रात्रि पारी में बदले जाने के बीच चौबीस घण्टे का अन्तराल होना चाहिए। दिन की एक पारी से दिन की दूसरी पारी में बदले जाने का यह अन्तराल १२ घण्टे का होना चाहिए।

– श्रमजीवी पत्रकार वर्ष में १० सामान्य छुट्टियों का अधिकारी है। यदि वह छुट्टी के दिन काम करता है तो उसे इसकी पूर्ति किसी ऐसे दिन छुट्टी देकर करनी होगी जिस पर नियोजक और पत्रकार दोनों सहमत हों। छुट्टियों और साप्ताहिक अवकाश की मजदूरी श्रमजीवी पत्रकारों को दी जायेगी।

– काम पर गुजरे ग्यारह मास पर एक मास की उपार्जित छुट्टी दी जायेगी। किन्तु, ९० उपार्जित छुट्टियाँ एकत्र हो जाने के बाद और छुट्टियाँ उपार्जित नहीं मानी जाएँगी। सामान्य छुट्टियों, आकस्मिक छुट्टियों और टीका छुट्टी की अवधि कों काम पर व्यतीत अवधि माना जायेगा।

– प्रत्येक १८ मास की अवधि में एक मास की छुट्टी चिकित्सक के प्रमाण–पत्र पर दी जायेगी। यह छुट्टी आधे वेतन पर होगी।

– ऐसी महिला श्रमजीवी पत्रकारों को, जिनका सेवाकाल एक वर्ष से अधिक का हो, तीन मास तक की प्रसूति छुट्टी दी जायेगी। यह छुट्टी गर्भपात होने पर भी सुलभ की जायेगी।

– संक्रामक रोग की दशा में औरों से अलग रहने के लिए २१ दिन तक की टीका छुट्टी दी जाएगी। असाधारण मामले में यह करन्तीन (क्वैरन्टाइन) छुट्टी ३० दिन तक की हो सकती है।

– यदि कर्मचारी को कोई छुट्टी देय न हो तो नियोजक की इच्छा पर उसे असाधारण छुट्टी दी जाएगी। इस छुट्टी की न्यूनतम या अधिकतम अवधि नियमों में निर्धारित नहीं की गयी है।

– नियोजक की इच्छा पर उस स्थिति में अग्रिम छुट्टी दी जा सकती है जब पत्रकार की कोई छुट्टी देय न हो। इसे बाद में अर्जित छुट्टी में समायोजित किया जायेगा। इसे अनर्जित छुट्टी (लीव नॉट ड्यू) कहा गया है।

– ऐसे अध्ययन के लिए जो पत्रकार के कार्य में व्यवहार हो नियोजक की इच्छा पर अध्ययन छुट्टी दी जाएगी।

– नियोजक की इच्छा पर वर्ष में १५ दिन की आकस्मिक छुट्टी दी जाएगी। पाँच दिन से अधिक समय के लिए एक साथ आकस्मिक छुट्टी नहीं ली जा सकती। आकस्मिक छुट्टी को अन्य किसी छुट्टी के साथ नहीं जोड़ा जा सकता है।

नियम ३८ में यह व्यवस्था की गयी है कि यदि किसी अन्य नियम, समझौते या अनुबन्ध का कोई भाग श्रमजीवी पत्रकारों के लिए इन नियमों से अधिक लाभकारी हो तो उन पर वह लागू होगा। ऐसा कोई नियम श्रमजीवी पत्रकारों पर लागू नहीं किया जाएगा जो इन नियमों से कम फायदेमंद हो।

मजदूरी निर्धारण

इस अधिनियम का एक महत्वपूर्ण उपबन्ध श्रमजीवी और अन्य समाचारपत्र कर्मचारियों के लिए मजदूरी की दरें नियत करने की शक्ति केन्द्रीय सरकार में निहित करने के विषय में है। धाराओं ८ से १३ (घ) का सम्बन्ध इसी विषय के विभिन्न व्यावहारिक पहलुओं से है।

धारा ८(१) में उपबन्धित किया गया है कि केन्द्रीय सरकार एक निर्धारित रीति से श्रमजीवी पत्रकारों और अन्य समाचारपत्र–कर्मचारियों के लिए मजदूरी की दरें नियत कर सकेगी और धारा ८(२) में कहा गया है कि मजदूरी की दरों को वह ऐसे अन्तरालों पर, जैसा वह ठीक समझे, समय–समय पर पुनरीक्षित (रिवाइज्ड) कर सकेगी। दरों का निर्धारण और पुनरीक्षण कालानुपाती (टाइम वर्क) और मात्रानुपाती (पीस वर्क) दोनों प्रकार के कामों के लिए किया जा सकेगा।

पर, यह व्यवस्था भी की गयी है कि सरकार वेतन दरों का निर्धारण या पुनरीक्षण मनमाने तौर पर न करे। इसलिये धारा ९ में एक मजदूरी बोर्ड के गठन का प्रावधान किया गया है। बोर्ड की सिफारिशों पर विचार करके ही मजदूरी की दरें नियत की जा सकती हैं। यदि किन्हीं कारणों से बोर्ड के काम में गतिरोध पैदा हो जाय तो केन्द्रीय सरकार उसके स्थान पर न्यायाधिकरण (ट्रिब्यूनल) स्थापित करके उसे बोर्ड का काम सौंप सकती है। १९७९ में ऐसा ही किया गया था। केन्द्रीय सरकार बोर्ड/न्यायाधिकरण की सिफारिशों पर विचार करके मजदूरी की अन्तरिम दरें भी नियत कर सकती है। अन्तिम दरों को लागू कर दिए जाने पर अन्तरिम दरों के आधार पर मजदूरी देना बन्द कर दिया जाता है।

मजदूरी बोर्ड में अध्यक्ष समेत दस सदस्य नियुक्त किये जाते हैं। किसी उच्च न्यायालय या उच्चतम न्यायालय का विद्यमान या भूतपूर्व न्यायाधीश ही अध्यक्ष हो सकता है। अन्य सदस्यों में समाचारपत्रों के नियोजकों और श्रमजीवी पत्रकारों का प्रतिनिधित्व करनेवाले तीन–तीन व्यक्ति तथा तीन स्वतन्त्र व्यक्ति होते हैं। (धारा ९ (क) से (ग) तक)

गैर–पत्रकार समाचारपत्र–कर्मचारियों के सम्बन्ध में मजदूरी बोर्ड भी इसी रीति से गठित किया जाता है। इसमें श्रमजीवी पत्रकारों के प्रतिनिधियों के स्थान पर गैर–पत्रकार समाचारपत्र कर्मचारियों का प्रतिनिधित्व करनेवाले तीन सदस्य होते हैं। (धारा १३ग (क से ग))

मजदूरी बोर्ड समाचारपत्र–स्थापनों, श्रमजीवी पत्रकारों, गैर–पत्रकार समाचारपत्र–कर्मचारियों तथा इस विषय में हितबद्ध (इंट्रेस्टेड) अन्य व्यक्तियों से अभ्यावेदन (रिप्रेजेंटेशन) आमंत्रित करता है। हर अभ्यावेदन लिखित रूप में और बोर्ड द्वारा निर्धारित अवधि में उसे मिलना चाहिए। अभ्यावेदन करनेवाले व्यक्ति को इसमें बताना चाहिए कि बोर्ड मजदूरी की ऐसी किन दरों का सुझाव दे जो उसकी राय में नियोजक की सामर्थ्य या अन्य संगत परिस्थितियों को देखते हुए युक्तियुक्त हों।

बोर्ड अभ्यावेदनों पर विचार करके तथा अपने समक्ष रखी गयी सारी सामग्री की परीक्षा करके अपनी सिफारिशें केन्द्रीय सरकार से करता है। बोर्ड वह तारीख, चाहे वह पिछली तारीख हो या आनेवाली तारीख, भी विनिर्दिष्ट कर सकता है जब से कोई सिफारिश लागू मानी जानी चाहिए।

सिफारिश करते समय बोर्ड को जीवन–निर्वाह के व्यय, अन्य सदृश्य नौकरियों की विद्यमान मजदूरी की दरों, देश के विभिन्न क्षेत्रों में समाचारपत्र–उद्योग

की परिस्थितियों और किन्हीं अन्य परिस्थितियों का, जो उसे सुसंगत प्रतीत होती हों, ध्यान रखना आवश्यक होता है। (धारा १० (१ से ४))

इसके बाद केन्द्रीय सरकार का काम है कि वह सिफारिशें प्राप्त होने के उपरान्त, जहाँ तक हो सके, शीघ्र मजदूरी की दरें नियत या पुनरीक्षित करने सम्बन्धी आदेश जारी करे। यह आदेश बोर्ड की सिफारिशों के अनुसार या उसमें ऐसे किसी फेरबदल के साथ, जिसे वह उचित समझे, जारी किया जा सकता है। किन्तु, फेरबदल ऐसा नहीं होना चाहिए जो बोर्ड की सिफारिशों के स्वरूप में महत्वपूर्ण परिवर्तन कर दे।

यदि केन्द्रीय सरकार बोर्ड की सिफारिशों में ऐसे फेरबदल करती है जिनसे सिफारिशों के स्वरूप में महत्वपूर्ण परिवर्तन नहीं होता तो ऐसा करने से पूर्व उसे उन सब व्यक्तियों को, जिन पर इनका प्रभाव पड़ सकता हो, इसकी सूचना देनी होती है और उन अभ्यावेदनों पर विचार करना होता है जो वे इस सम्बन्ध में लिखित रूप में करें।

केन्द्रीय सरकार यदि ठीक समझे तो बोर्ड की सिफारिशों या उनके किसी भाग को बोर्ड को निर्देशित कर सकती है। इस दशा में वह बोर्ड की अतिरिक्त सिफारिशों पर विचार करेगी और या तो सिफारिशों के अनुसार या सिफारिशों के स्वरूप में महत्वपूर्ण फेरबदल सहित आदेश करेगी। इसका अर्थ यह है कि वह बोर्ड के परामर्श के बिना उसकी सिफारिशों के स्वरूप में महत्वपूर्ण परिवर्तन करनेवाले फेरबदल नहीं कर सकती है।

सिफारिशों को लागू करनेवाला केन्द्रीय सरकार का प्रत्येक आदेश राजपत्र में प्रकाशित होने की तारीख या आदेश में विनिर्दिष्ट किसी अन्य तारीख से अमल में आता है।

केन्द्रीय सरकार के आदेश के प्रभाव में आ जाने पर, प्रत्येक श्रमजीवी पत्रकार और गैर–पत्रकार समाचारपत्र–कर्मचारी इस बात का हकदार हो जाता है कि उसे उसके नियोजक द्वारा उस दर पर मजदूरी दी जाये जो आदेश विनिर्दिष्ट मजदूरी की दर से किसी दशा में कम न हो। (धारा १३)

इस कानून में यह उपबन्धित किया गया है कि यदि किसी अन्य अधिनियम या अधिनिर्णय (एवार्ड), करार या अधिनियम से असंगत हो तो उनके तहत इस अधिनियम के प्रावधान लागू होंगे।

यही नहीं, जहाँ कोई कर्मचारी ऐसे किसी अधिनिर्णय, करार या सेवा संविदा के अधीन या अन्यथा, किसी विषय के सम्बन्ध में ऐसे फायदों का हकदार है जो उसके लिए उनसे अधिक अनुकूल है जिनका वह इस अधिनियम के अधीन हकदार है तो वह इस विषय के सम्बन्ध में उन अधिक अनुकूल फायदों का, इस बात के रहते हुए भी, हकदार रहेगा कि वह अन्य विषयों में फायदे इस अधिनियम के अधीन प्राप्त करता है। (धारा १६ (१))

धारा १६ (२) में यह स्पष्ट कर दिया गया है कि कोई समाचारपत्र–कर्मचारी किसी विषय के सम्बन्ध में इस अधिनियम के अधीन प्राप्त अधिकारों और विशेषाधिकारों के लिए नियोजक के साथ कोई करार कर सकता है। अर्थात् नियोजक यह नहीं कह सकता है कि इस कानून के कारण वह कर्मचारी को बेहतर वेतन–भत्ते या अन्य अधिकार–विशेषाधिकार प्रदान नहीं कर सकता है।

समाचारपत्र–कर्मचारी का सारा देय नियोजकों से उसी तरह वसूला जा सकता है जैसे भू–राजस्व का बकाया वसूल किया जाता है। देय राशि के बारे में उत्पन्न विवादों का फैसला श्रम न्यायालय करता है। (धारा १७ (१) से (३))

धारा १७ (क) में समाचारपत्र–स्थापनों द्वारा कतिपय रजिस्टर, अभिलेख और मस्टररोल रखने और धारा १७(ख) में राज्य सरकारों द्वारा निरीक्षक नियुक्त करने और निरीक्षकों की शक्तियों के बारे में उपबन्ध किये गये हैं।

इस अधिनियम या इसके अधीन बनाये गये किसी नियम या आदेश का उल्लंघन करनेवाले नियोजक को दोषसिद्ध पाये जाने पर दो सौ रुपये तक के जुर्माने से दण्डित किया जा सकता है। उसी अपराध के लिए पुनः दोषसिद्ध पाये जाने पर पाँच सौ रुपये तक दण्ड दिया जा सकता है।

यह दण्ड स्पष्टतः साधारण है। किन्तु जहाँ तक समाचारपत्र–कर्मचारियों के देय की वसूली का सवाल है उसकी प्रक्रिया उतनी ही कड़ी सिद्ध हो सकती है जितनी सरकारी धन की वसूली की होती है। फिर भी पत्रकारों और गैर–पत्रकार समाचारपत्र–कर्मचारियों तथा उनके संगठनों की आमराय है कि इस कानून के उपबन्धों को अधिक प्रभावी बनाने के लिए इसमें कतिपय संशोधन किये जाने चाहिए। विशेषकर ऐसे संशोधन, जिनसे विवादों का फैसला जल्द हो सके और प्रक्रिया उतनी कष्टप्रद न रहे जितनी इस समय है।

इस कानून को एक्सप्रेस न्यूजपेपर्स बनाम भारतसंघ (१९५९ एस०सी०आर० १२) के मामले में चुनौती दी गयी थी किन्तु उच्चतम न्यायालय ने इसे संवैधानिक और वैध ठहराया।

न्यायालय ने यह सिद्धांत प्रतिपादित किया है कि समाचारपत्रों के नियोजकों को अपनी इच्छानुसार पत्रकारों की नियुक्तियाँ करने का अधिकार है किन्तु नियुक्ति के बाद उन्हें कानून के अंतर्गत निर्धारित न्यूनतम वेतन–भत्ते उन्हें देने ही होंगे। इसमें वे मनमानी या इनकार नहीं कर सकते। ऐसा करने पर उन्हें दण्डित किया जा सकता है।

पत्रकार संगठनों की मांग है कि इस कानून का पालन न करने वाले नियोजकों को भारी अर्थदण्ड देने के साथ–साथ कुछ कारावास की सजा का प्रावधान भी किया जाना चाहिए। इस विषय में उन्होंने केन्द्रीय सरकार को कई ज्ञापन दे रखे हैं।

■

अध्याय ११

भारतीय तार अधिनियम, १८८५ और भारतीय डाकघर अधिनियम, १८९८

भारतीय तार अधिनियम, १८८५ के अन्तर्गत सरकार को किसी तार को प्रेषित न करने, या बीच में रोकने का अधिकार है। भारत सरकार और राज्य सरकारों द्वारा प्रत्यायित (एक्रेडिटेड) संवाददाताओं द्वारा भेजे गये प्रेस तारों को इस कानून के अधीन प्रतिबन्ध लगाकर रोका जा सकता है।

अधिनियम की धारा ५ (२) जिससे सरकार को यह अधिकार उपलब्ध होता है, इस प्रकार है—

> "किसी भी सार्वजनिक संकट की अवस्था में या सार्वजनिक सुरक्षा के हित में, केन्द्रीय सरकार या एक राज्य सरकार या इसके लिए केन्द्रीय सरकार या राज्य सरकार द्वारा विशेष रूप से अधिकृत कोई अधिकारी इस बात से संतुष्ट हो जाता है कि भारत की प्रभुसत्ता तथा अखण्डता, राज्य की सुरक्षा, विदेशी राज्यों के साथ मित्रता या सार्वजनिक व्यवस्था या किसी अपराध को करने के लिए उकसाने को रोकने के लिए यह जरूरी या समयोचित है, तो लिखित रूप से कारणों को रिकार्ड कर आदेश द्वारा एक निर्देश दे सकता है कि किसी व्यक्ति या किन्हीं व्यक्तियों की श्रेणी को या उनसे किसी विशिष्ट विषय से संबद्ध संदेश, जो संदेश भेजा जाना है या भेजा गया है या किसी टेलीग्राफ द्वारा प्राप्त हुआ है, को नहीं भेजा जायेगा या बीच में रोक दिया जाएगा या आदेश देनेवाली सरकार या आदेश मे उल्लिखित अधिकारी को दिया जाएगा, परन्तु केन्द्रीय सरकार या राज्य सरकार से प्रत्यायित संवाददाताओं के भारत में प्रकाशित करने के लिए भेजे जाने वाले संदेशों को तब तक बीच में नहीं रोका जायेगा, जब तक इस अधिनियम के अन्तर्गत उनको भेजना वर्जित न किया गया हो।"

इस तरह प्रेस तारों का प्रेषण प्रतिबन्धित करके उन्हें 'सार्वजनिक संकटकालीन स्थिति' में और 'सार्वजनिक सुरक्षा के हित' में बीच में रोका जा सकता है। तार रोकने का निर्णय भारत सरकार और राज्य सरकारों के अलावा उनके द्वारा विशेष रूप से प्राधिकृत किसी भी अधिकारी द्वारा किया जा सकता है, यदि वे समझें कि ऐसा करना भारत की प्रभुसत्ता और अखण्डता, राज्य की सुरक्षा, अन्य देशों से

मैत्री, सार्वजनिक व्यवस्था या अपराध उद्दीपन को रोकने के हित में ऐसा करना आवश्यक है। यद्यपि सरकारों या प्राधिकृत अधिकारियों को तार रोकने का आदेश लिखित कारणों के साथ जारी करना होता है तथापि इसके दुरुपयोग की संभावनाएँ रह सकती हैं। ऐसा १९६८ में उड़ीसा के पत्रकारों के साथ हुआ था जिस पर भारतीय प्रेस परिषद् ने, इसकी पुनरावृत्ति रोकने के लिए, १९६९ में कुछ सिफारिशें की थीं।

द्वितीय प्रेस-आयोग ने कुछ और महत्वपूर्ण सिफारिशें की हैं। आयोग ने कहा है कि अमेरिका और ब्रिटेन में तारों को बीच में रोकने का कोई कानूनी प्रावधान नहीं है। पर, यह ठीक नहीं है कि केवल इस कारण से कि यह प्रावधान उन देशों में नहीं है, भारत में यह अधिकार सार्वजनिक संकटकाल में या सार्वजनिक सुरक्षा के हित में सरकार को नहीं दिया जाये। यह हो सकता है कि "कतिपय मामलों में इसका दुरुपयोग हो परन्तु हम इस तथ्य से आँख नहीं मूँद सकते कि कतिपय मामलों में टेलीग्राफ संदेश के द्वारा झूठे या तोड़-मरोड़ कर संदेश भेजे गये हों।" इसलिये, सार्वजनिक सुरक्षा को बनाये रखने के लिए या उसकी सुनिश्चितता के लिए यह अधिकार सरकार के पास होना चाहिए जो इसका उपयुक्त मामलों में प्रयोग कर सके। यह अधिकार भारत जैसे विशाल देश में केवल सम्बद्ध उत्तरदायी मन्त्री द्वारा इस्तेमाल नहीं किया जा सकता है। इसे आवश्यक रूप से स्थानीय अधिकारियों को सौंपना होगा।

परन्तु, आयोग ने इसके दुरुपयोग को रोकने के लिए कई उपाय सुझाये हैं। ये इस प्रकार हैं—

१. ये अधिकार थोड़े समय के लिए सौंपे जायें। जिन प्राधिकारियों को अधिकार सौंपे जाएँ उन्हें ऐसे स्पष्ट निर्देश दिए जाने चाहिए ताकि इनका दुरुपयोग न हो सके।

२. उपयुक्त सरकार द्वारा सार्वजनिक संकट की उपस्थिति की घोषणा अधिसूचना जारी करके करनी चाहिए। इसके पश्चात् ही प्राधिकृत अधिकारियों द्वारा इन अधिकारों का प्रयोग किया जा सकेगा। जिलाधीश को ऐसा अधिकारी घोषित किया जाए।

३. अधिसूचना जारी करने के बाद तारघर का मुख्य अधिकारी आपत्तिजनक तार जिलाधीश को पेश करे। इसके बाद जिलाधीश को तार को रोकने या प्रेषित करने का लिखित आदेश देना चाहिए।

४. सार्वजनिक सुरक्षा के हित में जब इस अधिकार का प्रयोग करना जरूरी हो तो यह प्रयोग यथासंभव सम्बद्ध मंत्री द्वारा एक बारगी एक मास तक किया जाना चाहिये। विशेष परिस्थितियों में ही यह अधिकार जिलाधीश को सौंपा जा सकता है। संकट की स्थिति एक मास के बाद भी जारी रहे तो सरकार इस अधिकार के इस्तेमाल की अवधि बढ़ा सकती है।

आयोग ने प्रेस परिषद् द्वारा १९६६ में की गयी इस सिफारिश का अनुमोदन किया है कि तारघर का प्रभारी अधिकारी और जिलाधीश एक-एक रजिस्टर रखें। तारघर के रजिस्टर में जिलाधीश के समक्ष प्रस्तुत तार प्राप्त होने का समय, उसे भेजनेवाले और जिसके लिए भेजा गया हो, उसका नाम तथा तार को रोकने की सिफारिश दर्ज की जानी चाहिए। जिलाधीश के रजिस्टर में उन्हें तार मिलने का समय, तार में लिखी बातों का विवरण, जिलाधीश का निर्णय और निर्णय का समय दर्ज किया जाना चाहिए। इन रजिस्टरों से अदालत को यह फैसला करने में मदद मिलेगी कि तार किसी कदाशय से तो नहीं रोका गया।

भारतीय डाकघर अधिनियम, १८९८ की धारा २० के अन्तर्गत अभद्र या अश्लील सामग्री को डाक से भेजना वर्जित है। इसी प्रकार ऐसी डाक को, जिस पर या जिसके लिफाफे पर अभद्र, अश्लील, राजद्रोहात्मक, निन्दात्मक, धमकानेवाले या अत्यन्त उद्वेजक (ऑफेंसिव) शब्द, चिन्ह या डिजाइन हों, भेजना भी अवैध है। ऐसे समाचारपत्रों, पुस्तकों, पैटर्न या नमूना पैकटों को डाकतार महापाल द्वारा प्राधिकृत किसी अधिकारी द्वारा उसमें अभद्र या अश्लील सामग्री होने के संदेह पर रोका या खोला जा सकता है तथा उसका निपटान जैसे केन्द्रीय सरकार चाहे वैसे किया जा सकता है।

जो पत्र प्रेस और पुस्तक रजिस्ट्रीकरण अधिनियम, १८६७ के अधीन नियमों के अनुसार मुद्रित और प्रकाशित नहीं होते, उन्हें डाक से प्रेषित नहीं किया जा सकता है। (धारा २७ क) यदि प्रेषित किया जाता है तो इन्हें रोककर राज्य सरकार द्वारा इस विषय में नियुक्त अधिकारी को दिया जा सकता है। इसी तरह ऐसे समाचारपत्र को भी, जिसमें राजद्रोहात्मक सामग्री हो, रोककर उसे इस अधिकारी को सौंपा जा सकता हैं (धारा २७ ख (१) (क) और (ख))।

किसी सार्वजनिक संकट की स्थिति के उत्पन्न होने पर या राष्ट्रीय सुरक्षा व प्रशांति के हित में किसी भी डाक से प्रेषित चीज को बीच में रोका जा सकता है या केन्द्र, या राज्य सरकारें अथवा उनके द्वारा प्राधिकृत अधिकारी के आदेशानुसार उसका निपटान किया जा सकता है। सार्वजनिक संकट की स्थिति विद्यमान होने या सार्वजनिक सुरक्षा अथवा प्रशान्ति के हित में कोई कार्य किये जाने के बारे में कोई संदेह उत्पन्न हो तो केन्द्र या राज्य सरकार का प्रमाण-पत्र इसका निर्णायक सबूत माना जायेगा। अर्थात, यह फैसला करने का अधिकार सरकार को रहेगा कि संकटकालीन परिस्थितियाँ हैं या नहीं, अथवा सामग्री को बीच में रोकना और उसका जैसा चाहे निपटान करना सार्वजनिक सुरक्षा या प्रशांति के हित में है या नहीं।

यह उल्लेखनीय है कि तार को बीच में रोकने के बारे में यह प्रावधान कि यदि भारत की प्रभुसत्ता और अखण्डता या राज्य की सुरक्षा या अन्य देशों से मैत्री सम्बन्धों या सार्वजनिक व्यवस्था या अपराध उद्दीपन को रोकने के हित में आवश्यक अथवा समयोचित होने पर ही ऐसा किया जा सकता है, डाकघर अधिनियम में नहीं है जो कि होना चाहिए था। द्वितीय प्रेस आयोग ने इस पर आश्चर्य व्यक्त

किया है । उसने कहा है कि भारतीय तार अधिनियम में यह प्रावधान इसलिये किया गया था ताकि उस कानून को संविधान के अनुच्छेद १९ (१) (क) के आधार पर चुनौती न दी जा सके । आयोग ने सुझाया है कि भारतीय डाकघर अधिनियम में भी भारतीय तार अधिनियम की धारा ५ (२) जैसा प्रावधान किया जाय । साथ ही, उसने तार कानून के सम्बन्ध में अपनी सिफारिशों को डाकघर कानून पर भी लागू करने को कहा है ।

किसी अभद्र या अश्लील सामग्री को या ऐसी डाक को जिसके लिफाफे पर अभद्र, अश्लील, राजद्रोहात्मक, निन्दात्मक, धमकानेवाले या अत्यन्त उत्तेजक शब्द-चिन्ह या डिजाइन हों, भेजने या भेजने के लिए देनेवालों को एक वर्ष तक के कारावास या जुर्माने या दोनों से दण्डित किया जा सकता है ।

टेलीफोनों की कनसुई (टैपिंग)

सरकारी अभिकरण अन्य कामों के अतिरिक्त पत्रकारों के टेलीफोनों को गुपचुप सुनते हैं जिससे प्रेस की सूचनाओं के स्रोतों और सूचनाओं का सरकार को पता चल जाता है । टेलीफोन की कनसुई नागरिक के एकान्तता के अधिकार का तो गंभीर अतिक्रमण है ही, यह प्रेस की आजादी को भी प्रभावित करती है । अपने सूत्रों और स्रोतों की रक्षा करना प्रेस का पवित्र कर्तव्य है लेकिन टेलीफोनों की कनसुई के कारण वे अनेक बार ऐसा नहीं कर पाते ।

टेलीफोनों को चोरी से सुनने का स्पष्ट अधिकार सरकार को किसी कानून में नहीं दिया गया है । तार अधिनियम में भी इसका कोई उल्लेख नहीं है । फिर भी कनसुई की जाती है ।

द्वितीय प्रेस-आयोग ने सिफारिश की है कि राष्ट्रीय सुरक्षा, सार्वजनिक व्यवस्था, अपराधों की छानबीन के हित और ऐसे अन्य उद्देश्यों को छोड़कर अन्य कारणों से टेलीफोनों की कनसुई नहीं की जानी चाहिए । इन मामलों में भी टेलीफोनों की कनसुई सम्बद्ध मंत्री के या ऐसे अधिकारी के, जिसे अधिकार प्रत्यायोजित किया गया हो, लिखित आदेशों पर की जानी चाहिए । आदेश में उसे जारी करने के कारण लिखे जाने चाहिए । आदेश तीन मास की अवधि के बाद अपने-आप समाप्त समझा जाना चाहिए । इतना ही नही, निवारक नजर-बन्दी के मामलों पर विचार करने के लिए जैसा बोर्ड गठित किया जाता है वैसा ही बोर्ड टेलीफोनों की कनसुई के बारे में बनाया जाए । यह निर्णय बोर्ड करे कि तीन मास की अवधि के बाद कनसुई जारी रखी जानी चाहिए या नहीं । किन्तु यदि परिस्थितियों की माँग हो तो सम्बद्ध मंत्री या प्रतियुक्त अधिकारी को कनसुई का नया आदेश जारी करने का अधिकार होना चाहिए । भारतीय तार अधिनियम, १८८५ में इन सिफारिशों पर आधारित प्रावधान किये जाने चाहिए ।

■

अध्याय १२

विविध कानून

१. पुस्तक और समाचारपत्र (सार्वजनिक पुस्तकालय) परिदान अधिनियम, १९५४

इस अधिनियम के अन्तर्गत प्रकाशकों पर यह कानूनी जिम्मेदारी डाली गयी है कि वे अपनी पुस्तकों और समाचारपत्रों की एक-एक प्रति भारत सरकार द्वारा अधिसूचित सार्वजनिक पुस्तकालयों को मुफ्त और अपने खर्च पर दें ।

धारा ३ के अन्तर्गत प्रकाशक को पुस्तक के प्रकाशन के ३० दिनों के अन्दर उसकी एक प्रति कलकत्ता स्थित राष्ट्रीय पुस्तकालय को और एक-एक प्रति तीन अन्य सार्वजनिक पुस्तकालयों को देना अनिवार्य है । राष्ट्रीय-पुस्तकालय (कलकत्ता) को भेजी जानेवाली प्रति पुस्तक की सर्वोत्तम प्रतियों की तरह तथा ऐसे सर्वोत्तम कागज पर होनी चाहिए जिस पर पुस्तक की एक भी प्रति मुद्रित की गयी हो । इस धारा में यहाँ तक स्पष्ट कर दिया गया है कि यह प्रति जिल्दबंद, सिली और बँधी होनी चाहिए । दूसरे पुस्तकालयों को दी जानेवाली प्रतियाँ उस कागज पर हों जिस पर बिक्री के लिए पुस्तक की सर्वाधिक प्रतियाँ छापी गयी हों । ये उसी दशा में होनी चाहिए जैसी बिक्री के लिए तैयार की गयी पुस्तकें हों । पुस्तकों की प्रतियाँ देने की यह जिम्मेदारी पुस्तक के प्रत्येक संशोधित संस्करण के सिलसिले में भी लागू होती है ।

धारा ३ (क) के अन्तर्गत पत्र के प्रकाशक को अपने पत्र की एक-एक प्रति उन सार्वजनिक पुस्तकालय को देना आवश्यक है जिन्हें केन्द्रीय सरकार ऐसे पुस्तकालयों के रूप में अधिसूचित करे । यह उसे मुफ्त और अपने खर्चे पर करना होता है ।

पुस्तकें और समाचारपत्र दिए जाने के बारे में कानून में यह अन्तर है कि प्रत्येक पुस्तक की एक प्रति कलकत्ता स्थित राष्ट्रीय पुस्तकालय को तो दी ही जानी चाहिए जबकि समाचारपत्र की प्रति वहाँ भेजने की अनिवार्यता नहीं है । इसके अलावा जहाँ पुस्तकों के सम्बन्ध में यह निर्धारित कर दिया गया है उनकी कुल चार प्रतियाँ प्रकाशन के ३० दिन के अन्दर दी जानी चाहिए । समाचारपत्रों के लिए प्रतियों की संख्या निर्धारित नहीं की गयी है । अवधि भी निर्धारित नहीं की गयी है पर समाचारपत्र के प्रकाशन के तुरन्त बाद देने की बात कही गयी है ।

इस कानून के प्रावधानों या इसके अन्तर्गत बताये गये नियमों का उल्लंघन करनेवाले प्रकाशक को पचास रुपये तक का जुर्माना (पुस्तक का मामला हो तो पुस्तक की कीमत भी) देना होगा।

यह अधिनियम सरकारों द्वारा प्रकाशित पुस्तकों पर भी लागू होता है यदि वह केवल सरकारी उपयोग के लिए न हों।

२. औषधि और चमत्कारिक उपचार (आक्षेपणीय विज्ञापन) अधिनियम, १९५४

इस अधिनियम का उद्देश्य लोगों को तथाकथित चमत्कारी दवाओं और उपचारों जैसे मंत्र-तंत्र, कवच और जादू-टोने के प्रयोग के संभावित दुष्प्रभावों से बचाना है। इसमें कुछ प्रकार के विज्ञापनों को नियंत्रित करने और कुछ प्रयोजनों की कथित औषधियों के विज्ञापनों पर रोक लगाने के उपबन्ध किए गए हैं। उच्चतम न्यायालय ने ऐसे विज्ञापनों पर प्रतिबन्ध लगाना वैध ठहराया है और यह मत व्यक्त किया है कि व्यापारिक लाभ की वस्तुओं के विज्ञापनों को अभिव्यक्ति की स्वतन्त्रता के आधार पर नियंत्रणों से पूर्णतः मुक्त नहीं रखा जा सकता है।

'चमत्कारिक उपचार' में ऐसे तिलिस्मे, मंत्र, कवच, किसी प्रकार के अन्य जादू-टोने आते हैं जिनके बारे में यह दावा किया जाए कि उनमें मनुष्यों या पशुओं के रोगों के निदान, रोगों से मुक्ति, रोगों में कमी या रोगों के इलाज या उन्हें रोकने की, या मनुष्यों अथवा पशुओं के शरीर की संरचना या किसी अंग की क्रियाओं को प्रभावित करने की अद्भुत शक्तियाँ हैं।

इस अधिनियम की धारा ३ के अन्तर्गत किसी ऐसे विज्ञापन के प्रकाशन में लगा होना अपराध है जिससे यह धारणा बनती हो या यह प्रकल्पित हो कि इस औषधि को (१) स्त्रियों का गर्भपात कराने या गर्भधारण को रोकने, (२) यौन आनन्द के लिए व्यक्तियों की क्षमता बनाये रखने या बढ़ाने, (३) स्त्रियों के ऋतुस्राव (मासिक धर्म) के विकारों को ठीक करने के लिए प्रयोग में लाई जा सकती है। विधेयक की अनुसूची में दिए किसी रोग, विकार या दशा के निदान, रोगमुक्ति, उसमें कमी करने या उसकी चिकित्सा या निवारण करने के लिए भी किसी औषधि का प्रयोग इंगित करनेवाले विज्ञापन के प्रकाशन में भाग लेना अपराध है। अनुसूची में कैंसर, मधुमेह, अंधापन, स्त्री-रोग, हृदय रोग, लकवा, प्लेग, चेचक आदि ५४ प्रकार के रोग, विकार या दशाओं को शामिल किया गया है। अन्य रोगों, विकारों या दशाओं के सम्बन्ध में विज्ञापनों को भी नियम बनाकर अपराध करार दिया जा सकता है।

लेकिन, ऐसे किसी रोग, विकार या दशा के बारे में ही नियम बनाये जा सकते हैं जिसके लिए किसी पंजीकृत चिकित्सक से परामर्श करना अपेक्षित है या जिसके लिए आमतौर से कोई मान्य इलाज नहीं है। साथ ही, औषधि और प्रसाधन सामग्री अधिनियम, १९४० के अधीन गठित औषधि सलाहकार बोर्ड से या सरकार

उचित समझे तो यूनानी या आयुर्वेदिक चिकित्सा-पद्धतियों के विशेषज्ञों अथवा अनुभवप्राप्त व्यक्तयों से परामर्श के बाद ही ये नियम बनाए जा सकते हैं ।

धारा ४ के अन्तर्गत उस विज्ञापन के प्रकाशन में भाग लेना अपराध है : (१) जिससे विज्ञापित औषधि के सम्बन्ध में कोई झूठी धारणा सीधे या अप्रत्यक्ष रूप से बनती हो, (२) उस औषधि के लिए कोई झूठा दावा किया गया है, या (३) जो महत्वपूर्ण बातों में झूठा या भ्रामक हो ।

चमत्कारी उपचार करने का धंधा करनेवालों या जिनका ऐसा धंधा करना तात्पर्यित है, द्वारा ऐसे विज्ञापनों के प्रकाशन में भाग लेना धारा ५ में अपराध है जिनको धारा ३ में कहे गये रोगों, विकारों या दशाओं के चमत्कारी उपचार का सीधा या अप्रत्यक्ष दावा किया गया हो ।

ऐसे दस्तावेजों का आयात-निर्यात भी अपराध है जिनमें उपर्युक्त तीनों धाराओं में निर्दिष्ट प्रकार का कोई विज्ञापन हो । (धारा ६)

दण्ड—इस कानून या इसके अधीन बनाये गए नियमों का उल्लंघन करनेवालों को प्रथम दोषसिद्धि पर छह मास तक के कारावास या जुर्माने या दोनों का दण्ड दिया जा सकता है । फिर से सिद्धदोष होने पर एक वर्ष तक के कारावास या जुर्माने या दोनों से दण्डित किया जा सकता है ।

उस स्थान की, जहाँ इस अधिनियम के उपबन्धों से सम्बद्ध कोई अपराध किया गया हो या किया जा रहा हो, राज्य सरकार द्वारा प्राधिकृत अधिकारी तलाशी ले सकता है । इस कानून के उपबन्धों का उल्लंघन करनेवाले विज्ञापनों को कब्जे में लिया जा सकता है । तलाशी और जब्ती के बारे में यथाशक्य वही उपबन्ध लागू होते हैं जैसे दण्ड प्रक्रिया संहिता की धारा ९८ में निहित हैं । जब्ती करने वाले अधिकारी के लिए आवश्यक है कि वह यथाशक्य शीघ्र इसकी सूचना किसी मजिस्ट्रेट को दे और कब्जे में ली गई वस्तु को रखने के सम्बन्ध में उसके आदेश प्राप्त करे ।

इस अधिनियम के किसी उपबन्ध का किसी कम्पनी द्वारा उल्लंघन किए जाने पर उस कम्पनी और अपराध के समय उसके भारसाधक या जिम्मेदार व्यक्तियों को दण्डित किया जा सकता है । यदि ऐसा कोई व्यक्ति यह सिद्ध कर दे कि अपराध उसकी जानकारी में नहीं हुआ या उसने अपराध को रोकने के लिए सम्यक् तत्परता बरती थी तो उसे दण्डित नहीं किया जाएगा । किन्तु यह साबित होने पर कि अपराध कम्पनी के किसी निदेशक (भागीदार), प्रबन्धक, सचिव या अन्य अधिकारी की मौन सहमति से किया गया है तो उन्हे अपराध का दोषी समझा जाएगा और ये दण्ड के भागी होंगे । न्यायालय कब्जे में ली गई वस्तु या दस्तावेज सरकार के पक्ष में जब्त करने का आदेश भी दे सकता है ।

इस अधिनियम के अधीन दण्डनीय हर अपराध संज्ञेय है अर्थात् पुलिस किसी की शिकायत के बगैर अपनी ओर से कार्रवाई करती है । लेकिन, मामले की सुनवाई प्रेंसीडेंसी मजिस्ट्रेट या प्रथम श्रेणी मजिस्ट्रेट से नीचे की किसी अदालत में नहीं हो सकती है ।

पंजीकृत चिकित्सकों द्वारा धारा ३, अनुसूची या इस अधिनियम के अधीन बनाये गये नियमों में उल्लिखित किसी रोग, विकार या दशा के उपचार के लिए अपने परिसरों में प्रदर्शित किसी सूचना-पट या सूचना पर इस अधिनियम की कोई बात लागू नहीं होगी । इसके अलावा धारा ३ में उल्लिखित किसी विषय पर वैज्ञानिक अथवा सामाजिक दृष्टिकोण से सद्‌भावनापूर्वक लिखी गई किसी कृति या पुस्तक, किसी औषधि के सम्बन्ध में किसी पंजीकृत चिकित्सक को गप्त रूप से भेजे गये विज्ञापन, किसी औषधि के सम्बन्ध में सरकार द्वारा मुद्रित या प्रकाशित विज्ञापनों या किसी औषधि के सम्बन्ध में औषधि और चमत्कारिक उपचार (आक्षेपणीय विज्ञापन) संशोधन अधिनियम, १९६३ के लागू होने से पहले सरकार द्वारा दी गई पूर्व-मंजूरी से मुद्रित या प्रकाशित विज्ञापनों पर भी इस विधेयक की कोई बात लागू नहीं होगी । (सरकार चाहे तो लिखित कारण देकर तथा सम्बद्ध व्यक्ति को सुनवाई का अवसर देने के बाद मंजूरी को वापस ले सकती है ।)

धारा १५ में केन्द्रीय सरकार को अधिकार दिया गया है कि वह लोकहित में अपेक्षित समझे तो किसी औषधि या औषधि सम्बन्धी विज्ञापनों के किसी वर्ग को इस अधिनियम के उपबन्ध लागू करने से छूट दे सकती है ।

३. पंजाब विशेष शक्तियाँ (प्रेस) अधिनियम, १९५६

यह उन अधिनियमों में है जिन पर उच्चतम न्यायालय ने अपने निर्णयों से प्रेस की स्वतन्त्रता के विषय में बुनियादी सिद्धान्तों का प्रतिपादन किया है । १९५७ का वीरेन्द्र बनाम पंजाब राज्य का (१९५८ एस० सी० आर० ३०८) महत्वपूर्ण निर्णय इसी अधिनियम को चुनौती दिये जाने पर दिया गया था । इस अधिनियम के उपबन्धों का सरकार ने कई बार उपयोग किया है । १९८४ में इसी का सहारा लेकर पंजाब और चण्डीगढ़ में प्रेस पर पूर्व-सेंसरशिप लागू किया गया था जिसका प्रेस के कई भागों में विरोध हुआ । वैसे तो यह अधिनियम पंजाब के लिए है लेकिन इसका पंजाब के बाहर के पत्रों पर भी प्रभाव पड़ता है इसलिये एक राज्य कानून होने के बावजूद इसका अखिल भारतीय महत्व है ।

अधिनियम की धारा २ के अन्तर्गत राज्य सरकार या इस विषय में प्राधिकृत कोई प्राधिकरण साम्प्रदायिक सद्‌भाव पर प्रतिकूल असर डालनेवाली ऐसी किसी गतिविधि को, जो सार्वजनिक व्यवस्था को प्रभावित करती हो या प्रभावित कर सकती हो, रोकने या उससे निपटने के उद्देश्य से किसी खास विषय या विषय वर्ग पर किसी दस्तावेज या दस्तावेजों के वर्ग के या समाचारपत्रों या पत्रिकाओं में मुद्रण या प्रकाशन पर प्रतिबन्ध लगा सकता है ।

किन्तु, यह प्रतिबन्ध एक साथ दो मास से अधिक समय तक लागू नहीं रह सकता है । दूसरी शर्त यह है कि जिस व्यक्ति के खिलाफ आदेश जारी किया गया हो वह आदेश के दस दिनों के अन्दर इसके विरुद्ध राज्य सरकार को आवेदन कर सकता है । राज्य सरकार इसपर विचार करने पर उचित समझे तो आदेश को

संशोधित कर सकती है या उसकी पुष्टि कर सकती है अथवा इसे रद्द कर सकती है ।

धारा ३ राज्य सरकार या उसके द्वारा इस विषय में प्राधिकृत प्राधिकरण को अधिकार देती है कि उपर्युक्त उद्देश्यों से यदि वह आवश्यक समझे तो बाहर के किसी समाचारपत्र, पत्रिका, पत्रक या अन्य प्रकार के प्रकाशन के पंजाब में लाने पर प्रतिबन्ध लगा सकता है ।

इस प्रकार राज्य सरकार अधिनियम की इन दोनों धाराओं का एक साथ उपयोग करके सार्वजनिक व्यवस्था को प्रभावित करनेवाले किसी साम्प्रदायिक मसले पर लोगों को स्थिति जानने से रोक सकती है चूंकि धारा २ के अधीन ऐसी बातों को स्थानीय पत्र नहीं छाप सकेंगे और धारा ३ के अधीन ऐसे कदम उठाये जा सकते हैं ताकि बाहर के अखबारों से मिलनेवाली जानकारी भी बन्द हो जाए ।

वीरेन्द्र बनाम पंजाब राज्य के मामले में उच्चतम न्यायालय ने मूल अधिनियम की धारा २ को इस आधार पर अवैध करार दिया था कि उसमें प्रतिबन्ध की अधिकतम अवधि का उपबन्ध नहीं था । उच्चतम न्यायालय ने यह सिद्धान्त भी प्रतिपादित किया कि सरकारी आदेश से प्रभावित व्यक्तियों को सुनवाई का अवसर दिया जाना चाहिए ।

धारा २ के अन्तर्गत कार्रवाई करने से पूर्व मुद्रक, प्रकाशक या संपादक को लिखित आदेश दिया जाना आवश्यक है । धारा ३ के अन्तर्गत बाहरी प्रकाशनों के पंजाब में प्रवेश को प्रतिषिद्ध करने के लिए आवश्यक है कि इसके लिए अधिसूचना जारी की जाए । इसके बाद ही कार्रवाई की जा सकती है, अन्यथा नहीं ।

४. सीमा-शुल्क अधिनियम, १९६२

इस अधिनियम के अन्तर्गत अन्य प्रतिषिद्ध वस्तुओं की तरह प्रतिबन्धित समाचारपत्रों, पत्रिकाओं, अन्य दस्तावेजों या पुस्तकों का आयात-निर्यात रोका जा सकता है । आयात या निर्यात की जानेवाली प्रतिबन्धित वस्तु को कस्टम अधिकारी अपने कब्जे में ले सकते हैं । ऐसे व्यक्तियों की तलाशी ली जा सकती है जिन पर प्रतिबन्धित पत्र-पत्रिकाओं, पुस्तकों या अन्य दस्तावेजों को छिपाकर देश में लाने या यहाँ से ले जाने का संदेह हो । सामान के आयात-निर्यात पर लगाई गई रोक से बचकर निकलने की कोशिश करनेवालों को या जिन वस्तुओं को जब्त किया जा सकता है उन्हें ले जाने, हटाने, जमा करने, छिपाने, रखने, बेचने या खरीदने जैसे कार्य से जानते-समझते सम्बद्ध व्यक्तियों को गिरफ्तार किया जा सकता है । प्रतिषिद्ध पत्र-पत्रिकाओं, पुस्तकों या दस्तावेजों को खोज निकालने के लिए परिसरों की तलाशी ली जा सकती है और सामान को कब्जे में लिया जा सकता है ।

बाहर से अनुचित तरीकों से आयात की गई प्रतिषिद्ध वस्तुओं को जब्त किया जा सकता है । इसके अलावा दोषी व्यक्तियों पर वस्तु के मूल्य के पाँच गुना बराबर तक या एक हजार रूपये का, जो भी अधिक हो, जुर्माना किया जा सकता

है। समुचित कस्टम अधिकारी ठीक समझें तो कब्जे में ली गयी वस्तु को, जब्त करने के बदले में, जुर्माना लगाकर छोड़ सकता है। यह जुर्माना वस्तु के बाजार भाव से अधिक नहीं हो सकता है। यह जुर्माना वस्तु पर लगनेवाले शुल्कों और प्रभारों के अतिरिक्त होगा।

प्रतिषिद्ध वस्तु की प्रपंचपूर्ण वंचना करने वाले या वंचना की कोशिश करने या उसे ले जाने, हटाने, जमा करने, छिपाने, रखने, बेचने या खरीदने से जानते-समझते सम्बद्ध होने वाले व्यक्तियों को दो वर्ष तक के कारावास, या जुर्माने या दोनों से दण्डित किया जा सकता है।

५. पुरस्कार प्रतियोगिता अधिनियम, १९५५

यह अधिनियम शब्द पहेलियों (क्रास वर्ड्स) के नाम पर व्यापक स्तर पर प्रचलित जूए के निराकरण के लिए कई राज्य सरकारों के अनुरोध पर केन्द्र ने संसद् में पारित कराया था। ऐसा संविधान के अनुच्छेद २५२ के उपबन्धों के अन्तर्गत किया गया जिसके अनुसार संसद् राज्य अनुसूची में सम्मिलित विषयों पर सम्बद्ध राज्यों की विधानसभाओं द्वारा प्रस्ताव पारित करके अनुरोध करने पर उन राज्यों के लिए कानून बना सकती है। प्रस्ताव पारित करनेवाले राज्य थे—तत्कालीन बम्बई, मद्रास, आन्ध्र प्रदेश, उड़ीसा, उत्तर प्रदेश, हैदराबाद, मध्य भारत, पटियाला और पूर्वी पंजाब राज्य संघ, सौराष्ट्र और सभी भाग 'ग' राज्य।

इस अधिनियम की धारा के अन्तर्गत एक हजार रुपये नकद या अन्य किसी रूप में पुरस्कार देनेवाली अक्षर, शब्द या अंक प्रतियोगिताओं पर रोक लगा दी गयी है। एक हजार रुपये तक की पुरस्कार प्रतियोगिताओं को चलाने के लिए भी लाइसेंस लेना आवश्यक है। (धारा ४)

लाइसेंस प्राप्त करने के लिए निर्धारित फार्म में और निर्धारित फीस के साथ आवेदन करना होता है। लाइसेंस प्राधिकरण संक्षिप्त कारण बताते हुए लाइसेंस देने से इनकार कर सकता है।

धारा ३ (२) (घ) के अन्तर्गत 'पुरस्कार प्रतियोगिता' वह प्रतियोगिता है जिसमें अक्षरों, शब्दों या अंकों के विन्यास (अरेंजमेंट), संयोजन (कम्बीनेशन) या क्रम परिवर्तन के आधार पर किसी पहेली के हल के लिए पुरस्कारों की पेशकश की जाती है, चाहे प्रतियोगिता को वर्ग पहेली (क्रास वर्ड) प्रतियोगिता, लुप्त शब्द (मिसिंग वर्ड) प्रतियोगिता, चित्र प्रतियोगिता या अन्य किसी नाम से पुकारा जाय।

धारा ७ के अन्तर्गत पुरस्कार प्रतियोगिता का सम्वर्द्धन या संचालन करनेवाले के लिए प्रतियोगिता के सिलसिले में हिसाब-किताब रखना और लाइसेंस प्राधिकरण को इसका विवरण भेजना आवश्यक है।

लाइसेंस प्राधिकरण की शर्तों का पालन न किये जाने या हिसाब-किताब न रखने अथवा उसका विवरण दाखिल न किए जाने पर, लाइसेंसधारी को सुनवाई का युक्तियुक्त अवसर देकर और संक्षिप्त कारण बताते हुए, लाइसेंस को स्थगित या रद्द कर सकता है।

एक हजार रुपये से अधिक के पुरस्कारोंवाली प्रतियोगिता का सम्वर्द्धन या संचालन करनेवालों को तीन मास तक का कारावास या एक हजार रुपये तक का जुर्माना या दोनों ही दण्ड दिये जा सकते हैं । हिसाब-किताब न रखने या झूठा हिसाब-किताब रखने या हिसाब का विवरण दाखिल न करने पर एक मास तक का कारावास या पाँच सौ रुपये जुर्माना, या दोनों ही दण्ड भुगतने पड़ सकते हैं । गैर-कानूनी पुरस्कार प्रतियोगिता के सम्वर्द्धन या संचालन के सिलसिले में टिकटें, कूपन, विज्ञापन या सूचियाँ छापने, प्रकाशित करने, बेचने, वितरित करने या अपने पास रखने या औरों से ऐसा करवाने जैसे कार्यों के दोषी व्यक्तियों को तीन मास तक का कारावास या पाँच सौ रुपये जुर्माना या दोनों से ही दण्डित किया जा सकता है । दंड के सभी उपबन्ध कम्पनियों पर भी लागू होते हैं ।

धारा १५ के अन्तर्गत उन समाचारपत्रों या अन्य प्रकाशनों की हर प्रति को, जिसमें गैर-कानूनी पुरस्कार प्रतियोगिता या उसके बारे में कोई विज्ञापन छापा गया हो, राज्य सरकार द्वारा सरकारी गजट में अधिसूचना जारी करके, जब्त किया जा सकता है ।

पुरस्कार प्रतियोगिता चलाने का लाइसेंस देने से इनकार करने या लाइसेंस को रद्द अथवा मुअत्तल करने के लाइसेंस प्राधिकरण के निर्णय के विरुद्ध राज्य सरकार से अपील की जा सकती है जिसका निर्णय अन्तिम होगा ।

६. आपराधिक विधि संशोधन अधिनियम, १९६१

इस अधिनियम का उद्देश्य पाकिस्तान और चीन की सीमा के निकटवर्ती भारतीय क्षेत्रों में चल रही भारत की सुरक्षा और अखण्डता को दुष्प्रभावित करनेवाली गतिविधियों को रोकना था ।

इसकी धारा २ के अन्तर्गत यह व्यवस्था है कि जो कोई भारत की क्षेत्रीय अखण्डता या सीमाओं के बारे में बोलकर या लिखकर या संकेतों से या दृश्यरुपणों से या किसी अन्य तरीके से ऐसा प्रश्न उठाता है जो भारत की रक्षा और सुरक्षा के हितों पर प्रतिकूल असर डाले या डाल सकता हो, उसे तीन वर्ष तक का कारावास या जुर्माने या दोनों से दण्डित किया जा सकता है ।

इस प्रकार देश की सीमाओं को चुनौती देनेवाले लेखों, समाचारों आदि का प्रकाशन दण्डनीय है ।

धारा ३ के अन्तर्गत उन लोगों को भी यही दण्ड दिए जा सकते हैं जो भारत सरकार द्वारा अधिसूचित इलाकों में ऐसे वक्तव्य, अफवाहें या रिपोर्टें तैयार करें, प्रकाशित करें या प्रसारित करें जो वहाँ सार्वजनिक व्यवस्था कायम रखने, आवश्यक वस्तुओं की सप्लाई और सेवाएँ चालू रखने या भारत की रक्षा या सुरक्षा के हितों पर प्रतिकूल असर डालें या डालनेवाली हों ।

अधिसूचित क्षेत्रों में बाहरी लोगों के प्रवेश पर रोक लगाई जा सकती है । इसका उल्लंघन करने वालों को एक वर्ष तक का कारावास या जुर्माना, या दोनों दण्ड दिये जा सकते हैं ।

धारा ४ के अन्तर्गत उन समाचारपत्रों, पुस्तकों या अन्य दस्तावेजों को जब्त करने या उन्हें पाने के लिए किसी स्थान की तलाशी ली जा सकती है जिनका प्रकाशन धारा २ और ३ के अधीन दण्डनीय है। अर्थात् ऐसे समाचारपत्रों, पुस्तकों या अन्य दस्तावेजों को जब्त किया जा सकता है या उन्हें प्राप्त करने के लिए किसी परिसर की तलाशी ली जा सकती है जिनमें भारत की क्षेत्रीय अखण्डता या सीमाओं की ओर ऐसी उँगली उठाई गई हो जो भारत की रक्षा और सुरक्षा के हितों पर प्रतिकूल प्रभाव डाले या डाल सके और जिसे सरकार द्वारा अधिसूचित क्षेत्रों में तैयार किया जाए या प्रकाशित किया जाए या प्रसारित किया जाए जो सार्वजनिक व्यवस्था, आवश्यक वस्तुओं की आपूर्ति या सेवाओं के संचालन तथा भारत की रक्षा या सुरक्षा के हितों पर प्रतिकूल प्रभाव डाले या डाल सके।

समाचारपत्रों, पुस्तकों या अन्य दस्तावेजों की जब्ती के आदेशों को दो मास के अन्दर उच्च न्यायालय में चुनौती दी जा सकती है।

७. हिन्दू विवाह अधिनियम, १९५५

हिन्दू विवाह अधिनियम, १९५५ के अधीन बन्द कमरे में हुई न्यायिक कार्यवाही के विषय में न्यायालय की अनुमति के बिना कुछ भी मुद्रित या प्रकाशित करना अपराध है। ऐसा करनेवाले को एक हजार रुपये तक का जुर्माना हो सकता है।

अधिनयम की धारा २२ में उपबन्ध है कि यदि मुकदमे का कोई पक्ष चाहे कि कार्यवाही बन्द अदालत में हो और अदालत इसे ठीक समझे तो ऐसी कार्यवाही बन्द अदालत में संचालित होगी।

इसका उद्देश्य पति-पत्नी, बच्चों और परिवार के सदस्यों को अनावश्यक परेशानी और बदनामी से बचाना तथा मुकदमे के सही निर्णय के लिए सब संगत तथ्यों को निःसंकोच सामने आने देना है। खुली अदालत में अनेक संवेदनशील और गोपनीय पारिवारिक बातें इस डर से नहीं कही जा पातीं कि इनका पत्रों में प्रकाशन होने से उनकी बदनामी होगी।

८. बाल अधिनियम, १९६०

इस अधिनियम की धारा ३६ (१) के अन्तर्गत समाचारपत्रों और पत्रिकाओं पर किसी बच्चे के बारे में चल रही जाँच के सिलसिले में बच्चे का नाम, पता, उसके स्कूल का नाम या ऐसा विवरण जिससे उसकी पहचान हो सके, प्रकाशित करना या उसकी तसवीर छापना वर्जित है। यदि जाँच करनेवाला प्राधिकरण बच्चे की पहचान का प्रकटीकरण उसके हित में समझे तो वह लिखित कारण देते हुए इसकी अनुमति दे सकता है।

जाँच प्राधिकरण की अनुमति के बिना बच्चे की पहचान प्रकट करनेवाली कोई बात प्रकाशित करने पर दोषी व्यक्ति को एक हजार रूपये तक का जुर्माना हो सकता है।

उपर्युक्त प्रावधान का उद्देश्य बाल अपराधी को बदनामी से बचाना है । बाल अपराधियों को इस तरह सजा दी जाती है कि उनकी आदतें सुधरें और वे अच्छे नागरिक बन सकें । इसलिये अपराधियों के रूप में उनकी पहचान प्रकट करना उचित नहीं माना गया है ।

९. परमाणु शक्ति अधिनियम, १९६२

यदि भारत सरकार परमाणु शक्ति के किसी वर्तमान या प्रस्तावित प्लांट, उसके प्रयोजन तथा परिचालन के तरीके या उसकी किसी प्रक्रिया के इस्तेमाल के बारे में जानकारी प्रकट करने पर निर्बन्धन लगा दे तो ऐसी सूचना प्रकट करने या पाने की कोशिश करनेवाले व्यक्ति को एक वर्ष तक का कारावास या जुर्माना या दोनों ही दण्ड दिए जा सकते हैं ।

१०. विधि विरुद्ध क्रियाकलाप (निवारण) अधिनियम, १९६७

इस अधिनियम की धारा १३ के अधीन उस व्यक्ति को जो किसी गैर-कानूनी क्रिया किए जाने का पक्ष लेता है, उसे करने को प्रेरित करता है, उसके लिए सलाह देता है या उसे किए जाने को उकसाता है, सात वर्ष तक के कारावास या जुर्माने से दण्डित किया जा सकता है । गैर-कानूनी घोषित किये गए किसी संगठन की विधि विरुद्ध गतिविधियों में किसी प्रकार की सहायता करनेवाले व्यक्ति को पाँच वर्ष तक का कारावास या जुर्माना या दोनों दण्ड दिए जा सकते हैं । इस अधिनियम के अधीन दण्डनीय अपराध संज्ञेय हैं अर्थात् पुलिस इनके सम्बन्ध में अपनी ओर से कार्रवाई कर सकती है ।

धारा २ (च) के अन्तर्गत विधि विरुद्ध क्रिया की परिभाषा यह है—

विधि विरुद्ध क्रिया किसी व्यष्टि (इंडिविजुअल) या संगम (एसोसिएशन, संगठन) द्वारा (चाहे कोई कार्य करके, या बोले गए या लिखे गए शब्दों द्वारा, या संकेतों द्वारा, या दृश्यरूपण द्वारा अथवा अन्यथा) की गई कोई ऐसी कार्रवाई अभिप्रेत है—

(१) जो किसी भी आधार पर, चाहे वह कुछ भी हो, भारत के राज्य क्षेत्र के किसी भाग का अध्यर्पण (सेशन) या भारत के राज्यक्षेत्र के किसी भाग का संघ से विलग हो जाना घटित करने के लिए आशयित (इंटेंडिड) है या उसके लिए किसी दावे का समर्थन करती है, या जो ऐसा अध्यर्पण या विलग हो जाना घटित करने के लिए किसी व्यष्टि या व्यष्टियों के समूह को उद्दीप्त करती है ।

(२) जिससे भारत की प्रभुता और प्रादेशिक अखण्डता का अनअंगीकरण होता है या उन पर आक्षेप होता है या जो उन्हें विच्छिन्न करती है या विच्छिन्न करने के लिए आशयित है ।

धारा २ (छ) के अन्तर्गत 'विधि विरुद्ध संगम' से ऐसा संगम अभिप्रेत है,—(१) जिसका उद्देश्य कोई विधि विरुद्ध क्रिया है या कोई विधि विरुद्ध क्रिया करने के लिए व्यक्तियों को प्रोत्साहित करना है या उसकी सहायता करना है अथवा जिसके सदस्य ऐसी क्रिया करते हैं; अथवा

(२) जिसका उद्देश्य भारतीय दण्ड संहिता की धारा १५३ क या धारा १५३ ख के अधीन दण्डनीय कोई कार्य है या जो कोई ऐसा कार्य करने के लिए व्यक्तियों को प्रोत्साहित करता है या उनकी सहायता करता है अथवा जिसके सदस्य कोई ऐसा कार्य करते हैं । (यह उपखण्ड जम्मू-कश्मीर राज्य पर लागू नहीं होता है ।)

इस अधिनियम का उद्देश्य अलगाववादी संगठनों और तत्त्वों की गतिविधियों से निपटना है।

११. नाटच प्रदर्शन अधिनियम, १८७६

इस अधिनियम में शासन को ऐसे नाटकों के सार्वजनिक प्रदर्शन पर रोक लगाने का अधिकार दिया गया है जो उसकी राय में कलंकात्मक (स्कैंडलस), मानहानिकारक, राजद्रोहात्मक या अश्लील हों । इसके अन्तर्गत जारी आदेशों का उल्लंघन करनेवालों को तीन मास तक का कारावास या जुर्माना या दोनों ही दण्ड दिये जा सकते हैं ।

अधिनियम की धारा ३ में उपबन्ध है कि जब कभी राज्य सरकार की यह राय हो कि किसी सार्वजनिक स्थान [ऐसा भवन या अहाता, जिसमें जनता शुल्क देकर प्रदर्शन देखने के लिए जाने दी जाती है] में प्रदर्शित या प्रदर्शित किया ही जानेवाला कोई खेल, मूक अभिनय या अन्य नाटक कलंकात्मक या मानहानिकारक स्वरूप का है, या उससे वैध सरकार के प्रति अप्रीति (डिसएफेक्शन) की भावनाएँ उभड़ सकती हों अथवा प्रदर्शन में उपस्थित व्यक्तियों का उससे दुराचारी या भ्रष्ट होना संभावित हो तो प्रदर्शन पर प्रतिषेध लगाया जा सकता है ।

रोक का आदेश प्रतिषिद्ध प्रदर्शन में ही भाग लेने वाले किसी व्यक्ति, प्रदर्शन के स्थान के मालिक या जिसके कब्जे में वह स्थान हो उस पर तामील किया जा सकता है । जो व्यक्ति ऐसे आदेश की अवज्ञा करते हुए कोई कार्य करता है या इसे जान-बूझकर होने देता है उसे मजिस्ट्रेट के समक्ष दोषी सिद्ध होने पर दण्डित किया जा सकता है । प्रदर्शन के संचालन में सहायता देनेवाले व्यक्तियों और दर्शकों को भी दण्डित किया जा सकता है ।

धारा ७ के अन्तर्गत नाटक के रचयिता, स्वत्वाधारी या मुद्रक से या स्थान के स्वामी या अधिभोगी को प्रदर्शित किए जाने वाले नाटक के बारे में जानकारी देने के लिए बाध्य किया जा सकता है । यदि वह जानकारी न दे तो यह समझा जाएगा कि उसने भारतीय दण्ड संहिता की धारा १७६ के अधीन अपराध किया है ।

यह कानून धार्मिक यात्राओं या उस प्रकार के प्रदर्शनों पर लागू नहीं होता ।

यद्यपि इस कानून का सीधा सम्बन्ध प्रेस से नहीं है फिर भी इससे किसी नाटक का मुद्रक प्रभावित हो सकता है । वैसे, इसका सम्बन्ध अभिव्यक्ति के एक माध्यम से तो है ही । इसलिये, हमने इसे प्रेस-विधि के अन्तर्गत रखा है ।

■

अध्याय १३

भारतीय प्रेस-विधि का संक्षिप्त इतिहास

भारत में पत्रकारिता पर शासकीय अंकुश और दबाव उसके जन्म के साथ ही आरम्भ हो गए थे। प्रारम्भ में विदेशी शासकों के इन कृत्यों का शिकार स्वयं विदेशियों द्वारा संचालित पत्र बने, किन्तु कालांतर में उनका सारा कोप भारतीय पत्रों और पत्रकारों पर घनीभूत रूप में उतरा। भाषायी प्रेस को तो अंग्रेजों ने अपने लिए और भी ज्यादा खतरनाक माना, इसलिए उसे रौंदने के लिए उन्होंने एक विशेष कानून-वर्नाकुलर प्रेस एक्ट—भी बनाया। यह बात और है कि यह कानून भारी विरोध के सामने अधिक समय तक टिक नहीं पाया।

प्रारम्भिक अंग्रेज शासक भारत में प्रेस की कल्पना से भी मानो इतने आतंकित अथवा आशंकित थे कि उन्होंने विलियम बोल्ट नामक यूरोपीय को पत्र प्रकाशित करने की न केवल अनुमति नहीं दी बल्कि उसे भारत छोड़कर चले जाने का आदेश भी दिया। बोल्ट ने, जो ईस्ट इण्डिया कम्पनी का कर्मचारी था, १७६६ में कलकत्ता में काउंसिल हाउस के दरवाजे पर एक नोटिस चिपकाया। इसमें उसने लोगों को छापाखाने और अखबारों की स्थापना की वांछनीयता बताई। उसने लिखा कि उसके पास हस्तलिखित रूप में ऐसी बहुत सी चीजें हैं जो हर व्यक्ति के लिए गहरा महत्त्व रखती हैं। जो कोई व्यक्ति कौतूहलवश या अधिक अच्छे इरादों से इन्हें देखना चाहे, मेरे निवास पर आकर देख सकता है।

कम्पनी के निदेशक मण्डल ने बोल्ट पर निजी व्यापार करने का आरोप लगाते हुए उसकी निन्दा की। इस पर उसने कम्पनी से इस्तीफा दे दिया। शासकों ने बोल्ट को १८ अप्रैल, १७६७ को निर्देश दिया कि वह आगामी जुलाई में छूटने वाले पहले जहाज से बंगाल छोड़कर मद्रास चला जाय, जहाँ से सितम्बर में यूरोप के लिए रास्ता नाप ले।

भारत में पहला पत्र इस घटना के कोई तेरह वर्ष बाद २९ जनवरी, १७८० को कलकत्ता में प्रकाशित हुआ। चार पृष्ठों के इस पत्र का सम्पादन और प्रकाशन जेम्स आगस्टस हिक्की नामक व्यक्ति ने 'बेंगाल गैजेट ऑर कैलकटा जनरल एडवरटाइजर' के नाम से किया। इसे आम तौर पर 'हिक्कीज जर्नल' कहा गया है। बोल्ट की तरह हिक्की भी कम्पनी का एक असंतुष्ट कर्मचारी था। उन दिनों ईस्ट इण्डिया कम्पनी के अफसरों ने निजी व्यापार चलाकर तथा अन्य तरीकों से भारी लूट मचा रखी थी। हिक्की ने इसका भण्डाफोड़ करना शुरू किया किन्तु उसकी भाषा गैर-जिम्मेदार, कठोर तथा निन्दात्मक रहती थी। वह लोगों के निजी

जीवन पर टिप्पणी करता था। उसने तत्कालीन गवर्नर जनरल लॉर्ड हेस्टिंग्स और उनकी पत्नी तथा मुख्य न्यायाधीश सर एलिजा इम्पी के बारे में चरित्रहननकारी बातें लिखीं। इस पर उसे मानहानि के दोष में भारी जुर्माने चुकाने पड़े तथा जेल के सीखचों के अन्दर बन्द रहना पड़ा। उसके पत्र को डाक से भेजने की सुविधा वापस ले ली गई। पर उसने अपना यह काम नहीं छोड़ा। अन्ततः वह भारी दुःख और दारिद्रय में फंसकर पूरी तरह से टूट गया।

ठीक उसी साल वी० मेसिंक और पीटर रीड ने मिलकर 'इण्डिया गैजेट' निकाला। पर उन्होंने गवर्नर जनरल से न सिर्फ इसकी मंजूरी ही पहले ले ली बल्कि यह विश्वास भी दिलाया कि वे गर्वनर जनरल के विनियमों (रेगूलेशंस) का पालन करेंगे। इससे उन पर हिक्की जैसी कोई विपदा नहीं आई। बाद में प्रकाशित पत्रों ने भी सरकार से बचकर चलने का रास्ता अपनाया, फिर भी कई पत्रों और पत्रकारों को इसका कोपभाजन बनना पड़ा। १७९१ में 'बेंगाल जर्नल' के सम्पादक विलियम डूएन ने जब एक प्रमुख फ्रांसीसी के हवाले से यह छापा कि लॉर्ड कार्नवालिस मराठों के साथ युद्ध में मारे गए तो उसे इस पत्र के सम्पादक-पद से हाथ धोना पड़ा। इस पर उसने एक अलग पत्र शुरू किया। लेकिन, अधिकारियों ने उसे माफ नहीं किया। उसके घर पर दो बार छापे मारे गए। एक बार जब उसने गवर्नर जनरल सर जॉन शोर से मुलाकात का अनुरोध किया तो सर जॉन ने उसे आने का बुलावा तो दिया पर गवर्नमेंट हाउस में पहुँचते ही उसे गिरफ्तार करा दिया। उसे और उसके द्वारा गोद लिये तीन अनाथ बच्चों को जहाज में बिठाकर विदा कर दिया गया। उसकी पीछे छूटी सम्पत्ति का मुआवजा भी नहीं दिया गया।

भारतीय पत्रकारिता के पहले १९ वर्षों के दौरान कोई प्रेस-कानून नहीं था। कम्पनी जिससे या जिसके पत्र से नाराज होती उसे पहले डाक की सुविधाओं से वंचित कर देती; अधिक नाराज होती तो पत्र को पूर्व सेंसरशिप के लिए भेजने का आदेश देती। और ज्यादा नाराज होने पर सम्पादक को वापस यूरोप भेज देती।

उन दिनों कम्पनी के अधिकारी एक-दूसरे के विरुद्ध अन्दर की बातें पत्रों के जरिए उछालते थे। गवर्नर जनरल की परिषद् के प्रस्ताव और कार्य-विवरण तथा सैनिक गुप्त बातें भी प्रकाशित की जातीं। इस पर कम्पनी सरकार ने १७८५ में आम आदेश (जनरल आर्डर) जारी करके परिषद् के निर्णयों और प्रस्तावों को प्रकाशित करने पर प्रतिबंध लगा दिया। यद्यपि पहला औपचारिक प्रेस कानून बाद में लागू हुआ, भारत में प्रेस पर आम रोक का सिलसिला इस आदेश के साथ आरम्भ हो गया था। मद्रास में १७९५ में 'मद्रास गजट' नामक पत्र पर सेंसरशिप लगाया गया। उसे आदेश दिया गया कि वह सरकार के आम आदेशों को प्रकाशित करने से पहले उन्हें जाँच के लिए सेना-सचिव के समक्ष पेश करे।

गवर्नर जनरल की ओर से पहले सांविधिक विनियम (स्टेच्यूटरी रेगूलेशंस) १३ मई, १७९९ को जारी किए गए। लॉर्ड वेल्जली के इन विनियमों से पत्रों पर प्रकाशन पूर्व सेंसरशिप लगा दिया गया। इन विनियमों में समाचारपत्रों के

लिए यह अनिवार्य बना दिया गया कि वे पत्र में उसके मुद्रक, सम्पादक और स्वामी के नाम छापें तथा प्रकाशित की जानेवाली सारी सामग्री जाँच के लिए सरकार के सचिव के सामने पेश करें । इनका उल्लंघन करनेवालों को तुरन्त भारत से वापस भेजने की सजा रखी गई । सचिव को सेंसर के अधिकार दिए गए ।

लॉर्ड हेस्टिंग्स ने, जो लॉर्ड मिंटो के बाद गवर्नर जनरल बने थे, प्रकाशन पूर्व सेंसरशिप हटा दिया और १७९९ के विनियमों को १८१८ में पूरी तरह से समाप्त कर दिया । इस अवधि में एक महत्त्वपूर्ण घटना यह घटी कि हीटली नामक व्यक्ति ने जिसका पिता ब्रिटिश और माँ भारतीय थी, अपने पत्र 'मॉर्निंग पोस्ट' की प्रतियाँ मुख्य सचिव को सेंसरशिप के लिए पेश करने से इस आधार पर इनकार कर दिया कि वह भारतीय माँ से जन्मे होने के कारण भारत का मूल निवासी है, अतः १७९९ के विनियम उस पर लागू नहीं होते । हीटली ने ऐसा तब किया जब तत्कालीन कार्यवाहक मुख्य सचिव ने 'मार्निंग पोस्ट' के एक लेख के कुछ अंश काटने चाहे । इसी के बाद लॉर्ड हेस्टिंग्स ने १९ अगस्त, १८१८ को प्रेस सेंसरशिप के विनियमों को खत्म करके सम्पादकों पर यह जिम्मेदारी डाल दी कि वे सरकार की सत्ता को प्रभावित करनेवाली या लोकहित के लिए हानिकर बातें नहीं लिखेंगे ।

यह स्थिति पाँच साल तक चली । किन्तु अगले गवर्नर जनरल जॉन एडम ने, जो प्रेस के कट्टर विरोधी थे, १८२३ में 'प्रेस अध्यादेश' (प्रेस आर्डिनेंस) जारी करके अखबारों पर लाइसेंस प्रणाली लागू कर दी । इस अध्यादेश से समाचारपत्रों में वाणिज्यिक विषयों को छोड़कर बाकी सामग्री के प्रकाशन के लिए लाइसेंस लेना अनिवार्य कर दिया गया । लाइसेंस के लिए आवेदन देना पड़ता था जिससे पत्र और छापेखाने का नाम और अन्य विवरण देने होते थे । इस तरह के प्रावधान बम्बई प्रेसिडेंसी में १८२५ और १८२७ में लागू किए गए ।

इस अध्यादेश के अनुसार लाइसेंस के बगैर कोई पत्र, पुस्तक या विज्ञापन प्रकाशित करनेवाले को एक हजार रुपए के जुर्माने या छह मास के कारावास का दण्ड दिया जा सकता था । सरकार छापाखाने पर कब्जा कर सकती थी और उसे जब्त कर सकती थी । कोई मजिस्ट्रेट तलाशी का आदेश भी दे सकता था ।

तब तक बंगाल में भाषायी पत्रों का प्रकाशन आरम्भ हो चुका था । और इन्हीं के पत्रकारों ने इस अध्यादेश का प्रिवी काउंसिल तक में विरोध किया । राजा राममोहन राय, द्वारकानाथ टैगोर और गौरीचरण बनर्जी ने ३१ मार्च, १८२३ को उच्चतम न्यायालय को, जहाँ अध्यादेश का पंजीकरण होना था, एक संयुक्त ज्ञापन भेजकर इसका प्रतिरोध किया । ज्ञापन में उन्होंने कहा कि यह अध्यादेश प्रेस की स्वतंत्रता को समाप्त किए दे रहा है । राजा राममोहन राय ने तो विरोधस्वरूप अपना साप्ताहिक पत्र 'मिरातुल अखबार' ४ अप्रैल, १८२३ को बन्द ही कर दिया । उच्चतम न्यायालय ने इन भारतीयों के विरोध को अस्वीकार करते हुए अध्यादेश का पंजीकरण कर दिया । इस पर राजा राममोहन राय ने प्रिवी काउंसिल में अपील की । किन्तु, प्रिवी काउंसिल ने २६ नवम्बर को इस अपील को रद्द कर दिया ।

यद्यपि भारतीय भाषायी पत्रों का दमन करनेवाला कुख्यात वर्नाकुलर प्रेस ऐक्ट ५५ वर्ष बाद १८७८ में बनाया गया, पर उस कानून की नींव इस अध्यादेश से रख दी गयी थी। इस अध्यादेश का प्रयोग मुख्यतः भारतीयों के स्वामित्व में प्रकाशित भारतीय भाषाओं के पत्रों के विरुद्ध किया गया। अंग्रेजों के केवल दो अखबारों—'कैलकटा जर्नल' और 'कैलकटा क्रॉनिकल' के ही लाइसेंस रद्द किए गए।

सौभाग्य से लॉर्ड विलियम बैंटिंक और सर चार्ल्स मेट्कॉफ प्रेस की स्वतंत्रता के प्रति उदार विचार रखते थे। सर चार्ल्स ने गवर्नर जनरल बनने पर १८३५ में १८२३ का अध्यादेश और बम्बई के १८२५ और १८२७ के विनियम निरस्त कर दिए।

इनकी जगह पर उन्होंने नया कानून बनाया जिसे 'मेटकॉफ एक्ट' कहा जाता है। इसमें पत्र-पत्रिकाओं के मुद्रकों और प्रकाशकों द्वारा मुद्रण और प्रकाशन का स्थान सही-सही घोषित करने का प्रावधान रखा गया। घोषणा के बाद प्रकाशित हर पत्र या पुस्तक पर उसके मुद्रक और प्रकाशक का नाम तथा प्रकाशन का स्थान लिखना भी जरूरी कर दिया गया। उल्लंघन करनेवाले को पाँच हजार रुपये तक का जुर्माना और दो साल तक के कारावास का दण्ड दिया जा सकता था।

यह कानून १८३५ से १८५७ में स्वतंत्रता की पहली लड़ाई के समय तक लागू रहा। इस अवधि में भारतीय प्रेस का तेजी से विकास हुआ, विशेषकर भारतीय भाषाओं के पत्रों का। इनका ओज और प्रभाव भी बढ़ता गया। यहाँ तक कि जब १८५७ का विद्रोह हुआ तो तत्कालीन गवर्नर जनरल लॉर्ड कैनिंग समेत अनेक प्रभावशाली अंग्रेज शासकों और पत्रकारों ने माना कि यह भारतीयों द्वारा संचालित प्रेस द्वारा प्रचारित विचारों का प्रतिफल है।

लॉर्ड कैनिंग ने १३ जून १८५७ को नया प्रेस अधिनियम लागू किया। इससे १८२३ की लाइसेंस प्रणाली को पत्रों पर फिर थोप दिया गया। पर इसके प्रावधान उस कानून से भी अधिक कठोर बना दिए गए तथा ज्यादा कड़ाई से लागू किए गए। फलतः अनेक भाषायी पत्र बन्द हो गए।

१८५७ के कानून के द्वारा सरकार से लायसेंस लिए बिना छापाखाना रखने या इस्तेमाल करने पर रोक लगा दी गई सरकार ने इसका प्रयोग छापेखाने न खोलने देने या पहले से चले आ रहे छापेखानों को बन्द करने के लिए किया। इस कानून से सरकार ने किसी पत्र या पुस्तक या अन्य छपित सामग्री के प्रकाशन या प्रसारण पर प्रतिबंध लगाने की कानूनी शक्ति प्राप्त कर ली। लायसेंस देने की शर्तें इतनी कठोर रखी गईं कि सरकार की मामूली आलोचना करने पर भी पत्रों का निकलना असंभव हो गया। द्वारकानाथ टैगोर और कुछ अन्य लोगों द्वारा संचालित 'बेंगाल हरकारु' का लायसेंस २४ सितम्बर, १८५७ को रद्द कर दिया गया। 'दूरबीन', 'सुल्तानुल अखबार' और 'समाचार सुधावर्षण' पर राजद्रोह का मुकदमा चलाकर उच्चतम न्यायालय में घसीटा गया। 'दूरबीन' और 'सुल्तानुल अखबार' ने माफी माँग ली और उन्हें छोड़ दिया गया। 'समाचार सुधावर्षण' ने

कहा कि उसने कोई गलती नहीं की । किन्तु अदालत ने उसे दोषमुक्त कर दिया । 'गुलशने नौबहार' के छापेखाने पर सरकार ने कब्जा कर लिया जिससे यह पत्र बन्द हो गया । कई अन्य पत्रों को इस कानून से दबा दिया गया । हालाँकि इस कानून को यूरोपीय और और भारतीय दोनों प्रकार के सम्पादकों और प्रकाशकों पर लागू किया गया पर इसका मुख्य शिकार भारतीय पत्र बने । इस कानून के पीछे शासकों की मंशा भी यही थी ।

१८६० में लॉर्ड मैकाले द्वारा तैयार की गई भारतीय दण्ड संहिता (इण्डियन पीनल कोड) प्रवर्तित हुई । यद्यपि यह संहिता प्रेस के खिलाफ नहीं थी, फिर भी इसमें अन्य बातों के अलावा मानहानि, अश्लीलता जैसी बातें थीं जिनसे पत्रकारों को बचकर चलने की आवश्यकता है ।

१८७० में लॉर्ड मेयो के गवर्नर जनरल के कार्यकाल में इस संहिता में धारा १२४ 'क' जोड़ी गई जिसमें विद्रोहात्मक भाषणों और लेखों के खिलाफ कार्रवाई का प्रावधान किया गया ।

१८६७ में प्रेस और पुस्तक रजिस्ट्रीकरण अधिनियभ बनाया गया । यह प्रेस संबंधी ऐसा सबसे पुराना कानून है जो आज भी कुछ संशोधनों के साथ चल रहा है । न्यायालय के निर्णयों के अनुसार इसका प्रयोजन प्रेस पर नियंत्रण नहीं, छापेखानों और समाचारपत्रों को विनियमित करना और उनका रिकार्ड रखना आदि है ।

जैसा कि पहले कहा गया है अंग्रेज सरकार अन्य बातों के अलावा भाषायी पत्रों को १८५७ के प्रथम स्वतंत्रता-संग्राम की वैचारिक भूमि तैयार करने के लिए जिम्मेदार मानती थी । जैसे-जैसे भाषायी पत्रों का प्रभाव बढ़ता गया उसके मन में इनके प्रति भय और आशंकाएँ गहरी होती गईं । विदेशी शासकों ने भाषायी पत्रों के स्वर और तेवर को अपने लिए खतरनाक मानकर उन्हें दबाने के लिए १८७८ में एक विशेष कानून—वर्नाकुलर प्रेस एक्ट— बना डाला । लार्ड लिटन द्वारा १३ मार्च, १८७८ को लागू किए गए इस कानून के अन्तर्गत सरकार भारतीय भाषाओं के पत्रों के सम्पादकों को यह जमानत देने को कह सकती थी कि वे उसके प्रति अप्रीति फैलानेवाली कोई बात नहीं छापेंगे । प्रकाशित की जानेवाली सामग्री के प्रूफ सेंसर करने के लिए दाखिल करने का आदेश भी वह उन्हें दे सकती थी । इस कानून का भारत में तो जबर्दस्त विरोध हुआ ही, ग्लैडस्टोन तक ने, जो बाद में प्रधानमन्त्री बने, इसके खिलाफ ब्रिटेन के 'हाउस ऑफ कॉमंस' में आवाज उठाई ।

कलकत्ता के 'अमृत बाजार पत्रिका' ने, जो उस समय अंग्रेजी और बंगला में द्विभाषी रूप में छपता था, शासकों को धता बताने के लिए रातोरात अपने को केवल अंग्रेजी पत्र के रूप में बदल लिया ताकि इस कानून के अधीन इस पर कार्रवाई नहीं की जा सके । इस काले कानून से सरकार ने अदालत से आदेश लिए बिना भाषाई पत्रों और छापेखानों के परिसरों में घुसने और तलाशी लेने के वारंट जारी करनें का अधिकार खुद ले लिया । पत्रों से प्रतिभूति (सिक्यूरिटी) माँगी और जब्त

की जा सकती थी। तथाकथित आपत्तिजनक सामग्री को भी जब्त किया जा सकता था।

१८८० में ग्लैडस्टोन के सत्ता में आने पर स्थिति बदल गई। नये गवर्नर जनरल लॉर्ड रिपन ने उनकी सरकार के कहने पर वर्नाकुलर प्रेस एक्ट को १८८१ में निरस्त कर दिया।

१८६८ में भारतीय दंड संहिता में संशोधन करके, अन्य विषयों के अलावा, संशोधित धारा १२४ क जोड़ी गई जिससे राजद्रोह के अपराध को और कड़ा बना दिया गया, धारा १५३क जोड़कर विभिन्न वर्गों में शत्रुता बढ़ानेवाले भाषणों और लेखन के लिए दंड का प्रावधान किया गया तथा लोकरिष्टि (पब्लिक मिसचीफ, सार्वजनिक शरारतकारक) वक्तव्य देने या प्रकाशित करने के सम्बन्ध में धारा ५०५ को बदला गया। ये सब धाराएँ प्रेस को प्रत्यक्ष अथवा परोक्ष रूप से प्रभावित करती हैं।

उसी वर्ष दण्ड प्रक्रिया संहिता कानून बनाया गया जिसमें अन्य बातों के अलावा भारतीय दंड संहिता की धाराओं १२४क, १५३क और २६५क का उल्लंघन करनेवाले प्रकाशनों को कब्जे में लेने या जब्त करने के अधिकार सरकार को दिए गए। इसमें प्रेस को प्रभावित करनेवाले कई अन्य प्रावधान भी हैं। (इनकी चर्चा भारतीय दंड-संहिता और दंड-प्रक्रिया संहिता विषयक अध्याय में की गई है।)

४ दिसम्बर, १६०३ को तत्कालीन भारतीय गुप्त बात अधिनियम, १८८६ में संशोधित करके सिविल बातों को सैनिक और नौ-सैनिक गुप्त बातों के बराबर रख दिया गया। इस प्रकार सरकार द्वारा गुप्त मानी गई असैनिक बातें भी इस कानून के दायरे में आ गईं। इसका उद्देश्य प्रेस के कार्य को कुंठित करना था। जैसा कि स्वाभाविक था, यूरोपीयों तथा भारतीयों, दोनों द्वारा संचालित पत्रों और पत्रकारों ने इसका विरोध किया। इसके बावजूद यह कानून पास कर दिया गया।

क्रान्तिकारियों की गतिविधियों से आतंकित होकर शासकों ने १६०८ में समाचारपत्र (अपराध उद्दीपन) अधिनियम बनाया जिससे उन छापेखानों को कब्जे में लेने का अधिकार मजिस्ट्रेट को दिया गया जहाँ कोई ऐसा पत्र छपा हो जिसमें हत्या या विस्फोटक पदार्थ अधिनियम के अधीन किसी अपराध को उकसानेवाली कोई बात लिखी गई हो।

१६१० में इससे भी कहीं अधिक कड़ा कानून—भारतीय प्रेस एक्ट—लागू किया गया। इसके शीर्षक में ही स्पष्ट कर दिया गया कि यह अधिनियम प्रेस पर 'बेहतर नियन्त्रण' करने के लिए बनाया गया था। इससे बंगभंग-आन्दोलन की आवाज दबाने का प्रयास किया गया। इस कानून के अन्तर्गत इन पत्रों से भारी धनराशि के निक्षेप (डिपाजिट) माँगे और जब्त किये गये जिनसे सरकार के अनुसार राजद्रोह, हत्या या विस्फोटक पदार्थ अधिनियम के अधीन किसी अपराध को उकसाने की बातें होती थीं। अनेक हिन्दी पत्र भी इसके बार-बार शिकार बनाए गए। १६१३ में इस कानून को और कठोर बना दिया गया। इसके दूसरे साल विश्व-युद्ध शुरू होने पर १६१४ में भारत रक्षा विनियम जारी किए गए जिन्होंने प्रेस पर कई

प्रकार के अंकुश लगाए । इनके अधीन सरकार ने पत्रों को सेंसर किया और उसकी दृष्टि में जो बातें आपत्तिजनक थीं उन्हें नहीं छापने दिया ।

१६२१ में एक पुनरीक्षण समिति गठित की गई जिसकी सिफारिशों पर समाचारपत्र (अपराध उद्दीपन) अधिनियम, १६०८ और भारतीय प्रेस अधिनियम, १६१० को १६२२ में समाप्त कर दिया गया ।

दूसरे साल शासकीय गुप्त बात अधिनियम, १६२३ बनाया गया । (इसकी विस्तृत चर्चा अलग अध्याय में की गई है ।)

१६३० में सविनय अवज्ञा आन्दोलन के प्रभाव को देखते हुए भारतीय प्रेस अध्यादेश जारी कर दिया गया । इसे १६३१ में भारतीय प्रेस (आपातकालीन शक्तियाँ) अधिनियम के रूप में प्रवर्तित किया गया । १६३२ में आपराधिक विधि संशोधन अधिनियम के जरिए इसे और व्यापक बना दिया गया । इसे पहले तो अस्थायी कानून बताया गया था किन्तु १६३५ में स्थायी कर दिया गया ।

इस संशोधित कानून के अधीन मजिस्ट्रेटों को उन प्रेसों से जिनका इस्तेमाल कुछ प्रकार की सामग्री के मुद्रण या प्रकाशन से किया जा रहा हो, पाँच सौ रुपये से दो हजार रुपये की प्रतिभूति (सिक्यूरिटी) मांगने और जब्त करने की शक्ति दी गई । पहली प्रतिभूति जब्त होने पर दस हजार रुपये से एक लाख रुपए तक की दूसरी प्रतिभूति माँगी जा सकती थी । तीसरी बार अपराध करने पर छापेखाने को जब्त किया जा सकता था ।

जिन बातों को छापना या प्रकाशित करना इस कानून में अपराध बताया गया उनमें से कुछ इस प्रकार थीं—

(क) हत्या या अन्य कोई संज्ञेय अपराध, जिसमें हिंसा की गई हो, के लिए उकसाती या प्रोत्साहित करती हो या जिसमें ऐसा करने की प्रवृत्ति हो;

(ख) ऐसे किसी अपराध या कथित अपराधी का प्रत्यक्ष या परोक्ष रूप से अनुमोदन या सराहना करती हो; या

(ग) किसी सैनिक या पुलिसकर्मी को सम्राट् के प्रति निष्ठा छोड़ने या कर्तव्य निर्वहन करने से विचलित करती हो; या

(घ) सम्राट् और सरकार व न्यायपालिका के प्रति अप्रीति पैदा करती हो; या

(ङ) किसी व्यक्ति को प्रतिभूति (सिक्यूरिटी) देने से रोकने के लिए उसे भयभीत या परेशान करती हो; या

(च) किसी व्यक्ति को न्याय-प्रशासन में, या कानून व व्यवस्था बनाए रखने के काम में बाधा डालने के लिए, या अपराध करने के लिए, या सरकार को कर, लगान, शुल्क आदि न देने के लिए, प्रोत्साहित करती अथवा उकसाती हो; या

(छ) किसी लोकसेवक या स्थानीय निकाय के सेवक को कोई ऐसा कार्य, जो उसके लोक-कार्यों से सम्बद्ध हो, न करने या उसमें विलम्ब करने या पद से इस्तीफा देने के लिए उत्प्रेरित करती हो; या

(ज) विभिन्न वर्गों के बीच शत्रुता या घृणा की भावना सम्वर्द्धित करती हो; या

(झ) सम्राट् के सशस्त्र बलों या पुलिस में भरती पर या ऐसे किसी बल के प्रशिक्षण, अनुशासन या प्रशासन पर प्रतिकूल प्रभाव डालती हो ।

इस प्रकार यह कानून जनमत का गला घोंटने के लिए बनाया गया था और उसका व्यापक इस्तेमाल करके समाचारपत्रों और पत्रकारों को बहुत प्रपीड़ित किया गया ।

मार्च १९४७ में भारत सरकार ने प्रेस-विधि जाँच समिति की स्थापना की जिसे संविधान सभा द्वारा तैयार किए गए मौलिक अधिकारों के प्रकाश में प्रेस-कानूनों का पुनरीक्षण करने को कहा गया । इस समिति ने अन्य बातों के अलावा प्रेस (आपातकालीन शक्तियाँ) अधिनियम, १९३१ को निरस्त करने और इसकी कुछ बातों को साधारण कानून में शामिल करने की सिफारिश की ।

इस पर प्रेस (आक्षेपणीय सामग्री) अधिनियम, १९५१ बनाया गया जो १९३१ के कानून से मुख्यतः इस मानी में भिन्न था कि इसके अन्तर्गत कार्रवाई न्यायिक निर्णयों के आधार पर ही की जा सकती थी । इसमें यह व्यवस्था रखी गई कि इसके प्रावधानों का उल्लंघन करनेवालों से प्रतिभूति (सिक्यूरिटी) माँगने से पूर्व उनके विरुद्ध शिकायत की जाँच सत्र न्यायाधीश करेगा । प्रभावित व्यक्तियों को यह माँग करने का अधिकार होगा कि फैसला जूरी की सहायता से किया जाय । साथ ही, उन्हें सत्र न्यायाधीश के फैसले के विरुद्ध उच्च न्यायालय में अपील करने का अधिकार भी दिया गया । विभिन्न प्रेस-संगठनों ने इस कानून का भी जोरदार विरोध किया । उनका मत था कि प्रेस के विरुद्ध विशेष कानून नहीं होने चाहिए । अगर पत्र या पत्रकारों के खिलाफ किसी अपराध के लिए कोई कार्रवाई की जानी जरूरी हो तो वह सामान्य कानूनों के अधीन होनी चाहिए ।

इस अधिनियम के अन्तर्गत सरकार को छापेखानों और अखबारों से सिक्यूरिटी माँगने और उसे जब्त करने या पुनः सिक्यूरिटी माँगने का अधिकार था । वह कतिपय प्रकाशनों को जब्त घोषित कर सकती थी । कतिपय प्रकाशनों के विदेशों से आए पैकटों को रोक सकती थी । कतिपय दस्तावेजों को डाक से भेजना बंद कर सकती थी । अनधिकृत समाचारपत्रों को कब्जे में ले सकती थी और उन्हें नष्ट कर सकती थी और जिन छापेखानों की घोषणा किए बिना उनमें ऐसे पत्र प्रकाशित हुए हों उन छापेखानों को अपने कब्जे में कर सकती थी या जब्त कर सकती थी ।

इस कानून में ऐसी सामग्री को आक्षेपणीय घोषित किया गया जिससे निम्नलिखित के होने की संभावना हो—

(क) वैध सरकार को उलटने या कमजोर करने के प्रयोजन से हिंसा या तोड़फोड़ करने के लिए किसी व्यक्ति को उद्दीप्त या प्रोत्साहित करना; या,

(ख) किसी व्यक्ति को हत्या, तोड़फोड़ या हिंसात्मक अपराध के लिए उद्दीप्त या प्रोत्साहित करना; या,

(ग) किसी व्यक्ति को खाद्यान्न या अन्य आवश्यक जिंसों की आपूर्ति और वितरण में बाधा डालने के लिए उद्दीपन या प्रोत्साहित करना; या,

(घ) केन्द्रीय सशस्त्र बलों या पुलिस बलों के किसी सदस्य को निष्ठा या कर्तव्य से विचलित करना या इन बलों में भरती होनेवालों पर प्रतिकूल प्रभाव डालना; या,

(ङ) विभिन्न वर्गों के लोगों में एक-दूसरे के प्रति शत्रुता या घृणा की भावनाएँ पैदा करना; या,

(च) ऐसी बातें लिखना जो घोर अशोभनीय या अति निंदात्मक या भद्दी या भयदोहन के लिए आशयित हों ।

स्पष्ट है कि इस कानून और १६३१ के कानून की मुख्य बातें बहुत-कुछ समान थीं । किन्तु इसे दो वर्ष के लिए अस्थायी अधिनियम के रूप में प्रवर्तित किया गया जब कि १६३१ का कानून स्थायी बना दिया गया था । १६५१ के कानून का भी प्रेस के समस्त वर्गों ने जबर्दस्त विरोध किया । १६५२ में स्थापित प्रथम प्रेस-आयोग ने इस पर विचार किया । आयोग के बहुसंख्यक सदस्य इस मत के थे कि यदि प्रस्तावित प्रेस परिषद् अपने उद्देश्यों में पूरी उतरी तो दो वर्ष बाद इस अधिनियम को निरस्त कर दिया जाए, जबकि अन्य सदस्य, जो अल्पमत में थे, इसे तुरन्त निरस्त किए जाने के पक्ष में थे । सरकार ने अधिनियम लागू रहने की अवधि फरवरी १६५६ तक बढ़ा दी जिसके बाद इसे अपनेआप समाप्त होने दिया । १६५७ में इस कानून को निरस्तीकरण अधिनियम द्वारा औपचारिक रूप से निरस्त कर दिया गया ।

१६५५ में श्रमजीवी पत्रकार (सेवा की शर्तें) और प्रकीर्ण उपबन्ध विधेयक पारित हुआ । इससे पत्रकारों के लिए सेवा और वेतन-भत्तों सम्बन्धी रक्षोपाय कानूनी तौर पर किए गए । इसी कानून के अधीन पत्रकारों और गैर पत्रकार अखबारी कर्मचारियों के वेतन-भत्तों की सिफारिश करने के लिए वेतन बोर्ड या वेतन न्यायाधिकरण गठित किए जाते हैं ।

१६५६ में समाचार पत्र (मूल्य एवं पृष्ठ) अधिनियम बनाया गया । इसके अधीन केन्द्रीय सरकार ने दैनिक समाचारपत्र (मूल्य एवं पृष्ठ) आदेश, १६६० जारी किया जिसके अन्तर्गत समाचारपत्रों के लिए यह अनिवार्य कर दिया गया कि उनके पृष्ठों की संख्या जितनी अधिक हो उन्हें अपना दाम भी उतना ज्यादा रखना होगा । लेकिन उच्चतम न्यायालय ने इस कानून को १६६२ में इस आधार पर गैर-संवैधानिक करार देकर रद्द कर दिया कि इससे अभिव्यक्ति के मूल अधिकार का उल्लंघन होता है ।

१६६१ में आपराधिक विधि संशोधन विधेयक से राज्य की सुरक्षा और लोक-व्यवस्था को कायम रखने के घोषित आधार पर अभिव्यक्ति के, एकत्र होने के, और चलने-फिरने के अधिकारों पर कुछ निर्बन्धन लगाए गए ।

भारत-चीन युद्ध होने पर १६६२ में भारत रक्षा अधिनियम लागू किया गया जिसमें कुछ प्रकार की आपत्तिजनक सामग्री के प्रकाशन पर रोक लगाने, छापेखानों से सिक्यूरिटी माँगने और जब्त करने तथा सिक्यूरिटी जब्त किए जाने के बाद भी ऐसी सामग्री प्रकाशित करनेवाले प्रेसों को बन्द करने की शक्तियाँ सरकार ने अपने हाथ में लीं ।

१६६५ में भारतीय प्रेस परिषद् अधिनियम पारित करके देश में पहली बार इस परिषद् की स्थापना की गई । परिषद् पर प्रेस की स्वतंत्रता और प्रेस का स्तर ऊँचा बनाए रखने का दोहरा दायित्व डाला गया ।

१६७१ में बंग्लादेश-युद्ध के समय बाह्य आपातस्थिति की घोषणा होने पर भारत रक्षा अधिनियम को पहले से अधिक कठोर उपबन्धों के साथ लागू किया गया । २६ जून, १६७५ को आन्तरिक आपातस्थिति घोषित करने के साथ ही सरकार ने समाचारपत्रों पर एक कठोर सेंसरशिप आदेश लागू कर दिया । इसे २२मार्च, १६७७ को वापस लिया गया ।

दिसम्बर १६७५ को एक और प्रेस (आक्षेपणीय सामग्री प्रकाशन निवारण) अधिनियम बनाया गया जिसके प्रावधान १६५१ के आक्षेपणीय सामग्री अधिनियम के लगभग समान थे । दूसरी ओर प्रेस परिषद् कानून को ही निरस्त करके परिषद् को खत्म कर दिया गया । किन्तु, १६७७ में केन्द्र में सत्ता-परिवर्तन होने पर पहले कानून को ६ अप्रैल, १६७७ को रद्द कर दिया गया और प्रेस परिषद् की पुनः स्थापना के लिए ७ सितम्बर, १६७८ को नया प्रेस परिषद् अधिनियम बनाया गया ।

१६७८ में ही प्रेस के संवैधानिक अधिकारों का विधायिका के क्षेत्र में विस्तार किया गया । संविधान (४४वाँ संशोधन) अधिनियम पारित करके संविधान में ३६१क अनुच्छेद जोड़ा गया । इससे प्रेस को यह अधिकार मिल गया कि यदि वह संसद् और विधानमण्डलों की कार्यवाही का सारतः सही और दुर्भावनारहित प्रकाशन करता है, तो उसके खिलाफ किसी अदालत में कोई कार्रवाई नहीं की जा सकेगी ।

यह अवश्य उल्लेखनीय है कि १६५६ में संसदीय कार्यवाही के प्रकाशन के संरक्षण का कानून बनाया गया था जो 'फिरोज गांधी एक्ट' के नाम से विख्यात हुआ । किन्तु, उसके प्रावधान केवल संसद् की कार्यवाही पर लागू होते थे । साथ ही उनमें संरक्षण का दायरा अनुच्छेद ३६१क की अपेक्षा सीमित था । केन्द्रीय सरकार ने उस अधिनियम को भी आन्तरिक आपातस्थिति के दौरान निरस्त कर दिया था ।

१६८० के दशक में प्रेस की स्वतंत्रता को कुछ मानो मे न्यून करने के प्रयास केन्द्र तथा कुछ राज्य सरकारों ने पुनः किए । किन्तु सम्पूर्ण प्रेस जगत के संकल्पबद्ध प्रतिरोध के सामने वे सफल नही हो सके ।

पहले बिहार के जगन्नाथ मिश्र सरकार ने भारतीय दंड संहिता में धारा २६२क जोड़कर अश्लीलता और अशिष्टता के अपराध को ऐसा नया आयाम देने की

कोशिश की जिससे राजनीतिज्ञों और लोकसेवकों की आलोचना करना और उनके दुष्कृत्यों को उजागर करना दंड पाए बिना असम्भव हो जाना। फिर १९८८ में राजीव गांधी के शासन में केन्द्रीय सरकार ने मानहानि सम्बन्धी एक अत्यन्त दमनकारी और अलोकतांत्रिक विधेयक संसद में प्रस्तुत किया। इन दोनों विधेयकों के खिलाफ सारे देश में अभूतपूर्व विरोध प्रदर्शन हुए। बुद्धिजीवी वर्ग ने भी इसमें समाचारपत्रों और पत्रकरों का साथ दिया। फलतः बिहार सरकार ने अपने विधेयक को समाप्त होने दिया, और केन्द्रीय सरकार ने अपना बिल वापस ले लिया।

केन्द्रीय सरकार ने प्रेस और पुस्तक रजिस्ट्रीकरण अधिनियम, १८६७ में भी कुछ ऐसे संशोधन करने का विधेयक संसद में रखा जिसकी अनेक धाराओं को भारतीय प्रेस परिषद् ने भी अवांछनीय करार दिया। इसे भी सरकार ने बाद में वापस ले लिया।

■

अध्याय १४

सूत्रों की गोपनीयता

पत्रकारों की जानकारी के स्रोतों की गोपनीयता बनाए रखने के दो मुख्य आधार हैं—नैतिक और व्यावहारिक । दोनों ही प्रेस पर अपने उन स्रोतों को प्रकट न करने का दायित्व डालते हैं जो गुप्त रहना चाहते हैं । यदि कोई व्यक्ति पत्रकार या समाचारपत्र को इस आधार पर विश्वास में लेकर महत्वपूर्ण सूचनाएँ दे कि उसका नाम प्रकट नहीं किया जाएगा तो पत्रकार और पत्रों का यह नैतिक कर्तव्य है कि वह हर हालत में उसे गुप्त रखें, भले ही इसके लिए उन्हें कितना ही जोखिम क्यों न उठाना पड़े ।

इसका व्यावहारिक पहलू यह है कि यदि एक बार किसी स्रोत के साथ विश्वासघात होता है तो वह सदा को चुप हो जायेगा । अगर बहुत लोगों के साथ अक्सर ऐसा होने लगा तो महत्वपूर्ण समाचारों के स्रोत कालान्तर में बिल्कुल शुष्क हो जायेंगे ।

इस कारण अधिसंख्य पत्रकार इसे एक अक्षुण्ण सिद्धान्त मानते हैं कि उन्हें अपने गुप्त स्रोत प्रकट नहीं करने चाहिए और यह मांग करते हैं कि उन्हें स्रोत बताने के लिए कभी और किसी भी मंच पर, वह अदालत ही क्यों न हो, बाध्य न किया जाए । यह सिद्धान्त समाचारपत्रों और पत्रकार-संगठनों की लिखित-अलिखित आचार संहिताओं का अभिन्न अंग बन चुका है ।

किन्तु सूत्रों की गोपनीयता का मतलब यह नहीं है कि समाचारों के स्रोत कभी बताए ही नहीं जाएं । वास्तव में, अधिसंख्य समाचारों के स्रोतों का उल्लेख समाचार के शुरू में ही कर दिया जाता है, जैसे अमुक मन्त्री, नेता अधिकारी या दस्तावेज के अनुसार ऐसा करना समाचार की विश्वसनीयता स्थापित करने के लिए भी ठीक रहता है । वास्तव में स्रोतों का उल्लेख करना समाचार लिखने का एक महत्त्वपूर्ण नियम है, और न लिखना अपवाद है । किन्तु यह अपवाद कतिपय परिस्थितियों में सामान्य नियम से कहीं अधिक महत्व का होता है । सूचना देने वाले अक्सर कुछ निजी कारणों से या लोकहित में अपने को गुप्त रखना चाहते है । हो सकता है कि सूचना देने वाले का नाम प्रकट हो जाने से वह किसी बड़े जोखिम में फंस जाए । स्पष्ट है कि इन परिस्थितियों में सूत्रों की गोपनीयता बनाए रखना हर हालत में अपेक्षित है ।

कानूनी अवधारणा

विधि की मान्यता के अनुसार हर व्यक्ति का यह दायित्व है कि वह किसी मामले से सम्बद्ध सभी संगत तथ्यों पर साक्ष्य दे और अदालत द्वारा पूछे गए सभी सवालों का जवाब दे। इसे न्यायिक प्रशासन के हित में आवश्यक माना जाता है लेकिन इसके कुछ अपवाद हो सकते हैं।

भारतीय विधि प्रणाली के अन्तर्गत देश की अदालतें किसी मामले में जिन प्रश्नों को संगत मानें उनके बारे में जिस किसी के पास आवश्यक जानकारी हो उसे यह जानकारी देने को बाध्य कर सकती हैं। अगर किसी कानून में किसी व्यक्ति या वर्ग या संस्था की गोपनीयता बनाए रखने का विशेषाधिकार दिया गया हो तो उसे कोई जानकारी या जानकारी का स्रोत बताने को मजबूर नहीं किया जा सकता। ऐसा ही अधिकार पत्रकारों को प्रेस परिषद् अधिनियम में दिया गया है।

इसके पीछे मूल विचार यह है कि "जनता को हर व्यक्ति के साक्ष्य का अधिकार है।" विधि आयोग (६६वीं रिपोर्ट, पृ० ६२७) के अनुसार यह मत कानून की इस परम्परागत मान्यता पर आधारित है या समाज के हित में है कि किसी मुकदमे या छानबीन से जुड़े विवादग्रस्त मुद्दों के समाधान या सही निष्कर्षों पर पहुँचने के लिए हर व्यक्ति से संगत तथ्य प्राप्त किये जाएं।

इंग्लैण्ड में सन् १६१२ से लार्ड बेकन ने एक फैसले में कहा था हर नागरिक की यह अनिवार्य जिम्मेदारी है कि वह अपना सारा ज्ञान और यहां तक कि अनुसंधान के बारे में भी जानकारी और उसके सूत्र राजा को बताए। अमेरिका के सर्वोच्च न्यायालय ने १६७३ में इस पुरातन सिद्धान्त को दोहराया कि ग्रेंड जूरी को उस साक्ष्य को छोड़कर, जो संविधान, सामान्य विधि या कानूनी विशेषाधिकारों द्वारा रक्षित है, सभी साक्ष्य प्राप्त करने का अधिकार है।

भारत में भी इस सिद्धान्त को मोटे तौर पर अपनाया गया है। भारतीय साक्ष्य अधिनियम, १८८२ के अन्तर्गत अदालतें ऐसे हर व्यक्ति को जिसका दिमाग ठीक है सभी संगत सवालों का जवाब देने को बाध्य कर सकतीं है। इसमें कुछ कानूनी अपवाद हैं और एक संवैधानिक गारंटी भी। संवैधानिक गारंटी यह है कि किसी व्यक्ति को अपने खिलाफ गवाह बनने को बाध्य नहीं किया जा सकता है। [अनुच्छेद २० (३)] भारतीय साक्ष्य अधिनियम निम्नलिखित अपवादों को भी मान्यता देता है—

(क) जजों का आचरण और उन्हें जज के रूप में प्राप्त जानकारी,

(ख) पति-पत्नी द्वारा विवाह के सम्बन्ध में एक दूसरे से कही गई बातें,

(ग) राज्य की गोपनीयता,

(घ) वकील और मुवक्किल के बीच हुआ विचार-विमर्श,

(च) सम्पत्ति के स्वामित्व सम्बन्धी कुछ दस्तावेज, और

(छ) कुछ ऐसे विशिष्ट विषय जिनसे व्यक्ति अपराध के अभियोग में फंसता है।

इन अपवादों के पीछे विचार यह है कि कतिपय सम्बन्ध-विशेष सुचारु रूप से चलते रहे, जैसे पारिवारिक सम्बन्ध ।

उपर्युक्त से स्पष्ट है कि भारतीय साक्ष्य विधि में पत्रकारों को अपने सूत्र प्रकट करने से इनकार करने की उन्मुक्ति प्राप्त नहीं है । यदि अदालत का यह मत हो कि पत्रकारों द्वारा उनके किसी समाचार का सूत्र बताना किसी मुकदमे के निर्णय के लिए आवश्यक है तो पत्रकार न्यायालय की मानहानि के परिणामों का जोखिम उठाकर ही इसे बताने से इनकार कर सकते हैं ।

जेल जाना पसन्द

भारत की तरह जिन अन्य देशों में सामान्य विधि का पालन होता है और जिसके अन्तर्गत पत्रकारों को उन्मुक्ति प्राप्त नहीं हैं, वहां कई पत्रकारों ने अपने सूत्र बताने की अपेक्षा जेल जाना पसन्द किया है । १६६३ में इंगलैण्ड में सूत्र न बताने पर दो पत्रकारों को जेल भेज दिया गया । एक पत्रकार इसलिये बच गया कि जिस व्यक्ति ने उसे जानकारी दी थी वह स्वयं उसे बचाने के लिए प्रकट हो गया । १६७५ में वहां एक पत्रकार को इस अपराध में ५०० पौंड जुर्माना किया गया । एक सम्पादक ने ब्रिटिश लोकसभा (हाउस ऑफ कामन्स) की विशेषाधिकार समिति को उस सांसद का नाम बताने से इनकार कर दिया था जो उसके पत्र में निरन्तर लिखता था । इस तरह उसने सूत्रों की गोपनीयता कायम रखने के सिद्धान्त की रक्षा में खुद एक बड़ा जोखिम उठाने का फैसला किया । किन्तु, संसद ने उसे मुक्त कर दिया । अमेरिका में एक पत्रकार को जानकारी के स्रोत बताने से इनकार करने पर ४० दिन जेल में बिताने पड़े और एक अन्य को ४२ दिन । (ऐसे कई और उदाहरण है जब पत्रकारों ने सूत्र बताने के बजाय जेल जाना पसंद किया । भारत में विपिनचन्द्र पाल को अदालत में यह बताने से इनकार करने पर छह मास की जेल हुई कि श्री अरविन्द पर जिस लेख को लेकर राजद्रोह का मुकदमा चला था, उसका लेखक कौन था । श्री अरविन्द को इस प्रकरण मे बरी कर दिया गया था । इसी तरह 'हितबादी' के संपादक काली प्रसन्न काव्य विशारद ने मानहानि के एक मामले में नौ महीनों की कैद काटी लेकिन अदालत को यह बताने से इनकार कर दिया था कि उनके पत्र में छपी कथित आपत्तिजनक कविता का रचयिता कौन था ।)

कुछ जज ऐसे हुए हैं जो सूत्र न बताने के पत्रकारों के किसी भी दावे को स्वीकार करने को तैयार नहीं थे । इंगलैण्ड के एक जज लार्ड एम्सली ने कहा था कि जो कोई गवाह, चाहे वह पत्रकार हो, अदालत में किसी उचित और संगत सवाल का जवाब देने से इनकार करेगा उसे समझ लेना चाहिए कि वह अदालत की मानहानि का दोषी है और उसे कड़ी सजा हो सकती है । कुछ अन्य जजों ने भी ऐसा ही रुख अपनाया है । १६७३ में उपस्थित एक मामले में एक जज ने निर्णय दिया कि "राज्य के हित में ऐसी असाधारण परिस्थितियां विद्यमान हो सकती हैं जिनके सामने निजी, व्यावसायिक और शेष सभी हितों को झुकना होगा । जानकारी देने वाले का अपना कानूनी दायित्व है कि वह

राज्य के हित में सामने आकर अदालत की सहायता करे । आप कैसे कह सकते हैं कि एक नागरिक के रूप में राज्य के हित के लिए अपने सब हितों को बलिदान करके अपना कर्त्तव्य निभाने से आपका अपमान होगा ?"

इंग्लैण्ड शासकीय गुप्तबात कानून के अन्तर्गत अपराधों के बारे में कोई भी जानकारी रखने वाले हर व्यक्ति को इन्सपेक्टर या उससे उच्च ओहदे के किसी भी पुलिस अधिकारी के समक्ष इसे प्रकट करना उसकी कानूनी जिम्मेदारी है ।

फिर भी, व्यावहारिक स्थिति यह है कि ब्रिटेन की अदालतें पत्रकारों को सूत्र बताने के लिए सामान्यत: बाध्य नहीं करतीं । उनका यह रुख रहता है कि हालांकि पत्रकार सूत्र बताने से उन्मुक्ति का कानूनी दावा नहीं कर सकता है फिर भी उसे उसी हालत में जानकारी देने को मजबूर किया जाना चाहिए जब जज को यकीन हो जाए कि इस जानकारी को हासिल करना विचारणीय मामले में समुचित न्याय करने के लिए न सिर्फ संगत ही है बल्कि नितान्त आवश्यक भी है । अगर यह लगे कि जानकारी और सूत्र प्रकट होने से लोक कल्याण होने के बजाय उसकी हानि होगी तो पत्रकार को इसे प्रकट करने के लिए बाध्य न किया जाए । भारत में भी इस विचार को मोटे तौर पर अपनाया गया है ।

ब्रिटिश संसद ने इस सिलसिले में कुछ समय पूर्व बड़ा उदार दृष्टिकोण अपनाया है । उसने न्यायालय अवमानना अधिनियम १९८१ की धारा १० में यह उपबन्ध किया है कि कोई भी न्यायालय तब तक किसी व्यक्ति को उस प्रकाशन के सूत्र प्रकट करने को नहीं कहेगा, और प्रकट करने से इनकार करने वाले को मानहानि का दोषी नहीं माना जाएगा, जिसके प्रकाशन के लिए यह व्यक्ति जिम्मेदार हो, जब तक न्यायालय को इस बात के लिए संतुष्टि न हो जाए कि सूत्र का उद्घाटन होना न्याय या राष्ट्रीय सुरक्षा के हित में या अशान्ति अथवा अपराध को रोकने के लिए आवश्यक है ।

उल्लेखनीय है कि फिलिमोर समिति (१९७४) ने, जिसकी सिफारिशों के आधार पर न्यायालय की अवमानना के ब्रिटिश कानून में १९८१ में संशोधन किया गया था, इस उपबन्ध की सिफारिश नहीं की थी । न ही सरकार द्वारा संसद में प्रस्तुत विधेयक के प्रारूप में इसे शामिल किया गया था । लेकिन, ब्रिटिश लोकसभा ने विधेयक पर विचार के दौरान इस धारा को खुद कानून में जोड़ने का निर्णय किया । कनाडा की प्रस्तावित साक्ष्य संहिता में यह उपबन्ध है कि किसी व्यावसायिक व्यक्ति को अपने सूत्रों की गोपनीयता रखने का विशेषाधिकार होगा यदि उसे गुप्त रखने से न्याय प्रशासन के हित की तुलनामें अधिक जनहित होता हो ।

अमेरिका में स्थिति

अमेरिका में स्थिति ज्यादा रोचक है । वहां के संविधान में किए गये प्रथम संशोधन में उपबन्ध है कि कांग्रेस (संसद) प्रेस की स्वतन्त्रता को घटाने वाला कोई कानून नहीं बनाएगी । इस प्रावधान के संदर्भ में वहां के उच्चतम न्यायालय ने १९७० में तीन मामलों पर विचार करके निर्णय दिया कि यह संशोधन पत्रकारों

को अपने सूत्र गोपनीय रखने का पूर्ण अधिकार नहीं देता। फिर भी, कम से कम दो अमेरिकी राज्यों—न्यूयार्क और अलाबामा-ने कानून बनाकर पत्रकारों को अपने स्रोत न प्रकट करने की पूर्ण उन्मुक्ति दे रखी है। ये कानून "शील्ड कानूनों" के अन्तर्गत आते हैं। इस तरह का सबसे पहला कानून १८९६ में मैरीलैंड राज्य में बना था।

कुछ अमेरिकी राज्यों में अखबारों व दूरदर्शन केन्द्रों (अमेरिका में "वॉयस ऑफ अमेरिका" को छोड़कर बाकी सब संचार माध्यम गैर सरकारी हैं।) को कुछ में इनके अलावा पत्रकारों, संवाद समितियों को भी तथा कुछ मे लोक संचार के अन्य सभी माध्यमों को उन्मुक्ति प्राप्त है। इसी तरह कुछ राज्यों; जैसे—न्यूयार्क में, सिर्फ व्यावसायिक संवाददाताओं और रेडियो-दूरदर्शन के न्यूज-कास्टरों के लिए उन्मुक्ति के उपबन्ध हैं। कुछ में संपादकों, लेखकों और प्रकाशकों को भी उन्मुक्ति दी गई है। अन्य कुछ राज्यों में यह उन सबको प्राप्त है जिनका काम सूचनाएं संकलित और संपादित करना है। कुछ अमेरिकी राज्यों के कानून पत्रकारों द्वारा या व्यावसायिक कार्य के सिलसिले में प्राप्त सभी सूचनाओं की रक्षा करते हैं, पर कुछ अप्रकाशित सूचनाओं की भी।

अमेरिकी अदालतें पत्रकारों को सूत्र बताने के लिए प्रायः बाध्य नहीं करतीं। संघीय अदालतों के अनेक फैसले हैं जिनमें उन्होंने निचली अदालतों द्वारा पत्रकारों को जानकारी देने के लिए बाध्य किये जाने को अवैध घोषित किया है। लेकिन एक मामला है जिसमें निचली अदालत का निर्णय उचित करार दिया गया है। इस मामले में संघीय अदालत का मत था कि चूंकि सम्बद्ध मुकदमा पूरी तौर से गोपनीय सूत्रों के प्रकटीकरण पर निर्भर है इसलिये न्याय करने के लिए यह अनिवार्य है कि इससे जुड़े सूत्रों को प्रकट किया जाए।

अमेरिकी अदालतों ने अपने फैसलों में इन मोटे सिद्धान्तों का निरुपण किया है,—

१. पत्रकार या अखबार किसी मुकदमे में सीधे वादी-प्रतिवादी न हों तो उन्हें किसी सूचना का स्रोत बताने को नहीं कहा जा सकता, भले ही उसे सम्बद्ध घटना या तथ्य की सीधी जानकारी हो।

२. अगर यह सिद्ध न हो सके कि मांगे गए दस्तावेजों और चीजों का मामले से महत्वपूर्ण सम्बन्ध है तो उन्हें प्रकट करने के लिए पत्रकारों को बाध्य नहीं किया जा सकता है।

३. मांगी गई सूचना मुकदमे के सिलसिले में संगत हो तो भी उसे प्रकट करने को पत्रकारों व पत्रों से तब तक नहीं कहा जा सकता है जब तक न्यायिक विवाद तय करने के लिए उसे अनिवार्य न पाया जाए।

४. मानहानि के मामलों में पत्रकारों को सूत्र बताने पर मजबूर नहीं किया जा सकता है बशर्ते (क) वादी यह सिद्ध कर देवे कि सूत्र के प्रकटीकरण से आवश्यक साक्ष्य के बाहर आने की भारी संभावना है, और (ख) जानकारी के अन्य

सभी स्रोतों की खोज पहले कर ली गयी हो, अर्थात् जानकारी प्राप्त करने का और कोई रास्ता न बचा हो ।

अमेरिकी सरकार ने भी यह सिद्धान्त अपनाया है कि जब तक साक्ष्य एकत्र करने के अन्य सभी स्रोतों का प्रयोग न कर लिया जाए तब तक संवाददाताओं से उनके सूत्र या दस्तावेज प्रकट करने को न कहा जाए । अगर कोई सरकारी वकील ऐसा करना अनिवार्य समझे तो अटार्नी जनरल से इसकी पूर्व अनुमति लेनी होगी । अमेरिका के संघीय न्याय विभाग ने १९७७ में इस संबंध में सरकारी वकीलों को मार्ग निर्देशक जारी किए थे ।

वहां का जनमत भी इस पक्ष में है कि पत्रकारों को सूत्र बताने के लिए मजबूर नहीं किया जाना चाहिए, भले ही अदालतें निष्पक्ष न्याय के लिए सूत्रों की जानकारी पाना आवश्यक समझें । इस संबंध में १९७९ में किए गए एक सर्वेक्षण में ७० प्रतिशत लोगों ने ऐसा ही मत प्रकट किया था । विपरीत मत व्यक्त करने वालों की संख्या २९ प्रतिशत थी । शेष लोग तटस्थ रहे ।

दोनो भारतीय प्रेस आयोगों व भारतीय प्रेस परिषद् ने भी सूत्रों की गोपनीयता के प्रश्न पर विचार किया है । दूसरे प्रेस आयोग का विचार था कि पत्रकारों को अपनी सूचनाओं के स्रोत प्रकट करने से पूर्ण उन्मुक्ति प्राप्त नहीं है । फिर भी, उसने स्वीकार किया है कि जनहित में सूचना के मुक्त प्रवाह को व्यापक मान्यता मिलनी चाहिए । पर लोकहित का महत्त्व विभिन्न मामलों में भिन्न-भिन्न रहेगा । न्यायालयों को किसी मामले पर विचार करते समय सूचना के स्रोतों की गोपनीयता की रक्षा और न्याय-निर्णय में जानकारी के स्रोत जानने की आवश्यकता के बीच यह तोलना होगा कि ज्यादा लोकहित किससे होता है ।

किन्तु, प्रेस परिषद् प्रेस आयोग के इस विचार से पूर्णतः सहमत नहीं है । उसका मत है कि प्रेस परिषद् अधिनियम, १९७८ में सूचना के स्रोतों की रक्षा का जो सिद्धान्त शामिल किया गया है उससे इस विषय में बहुत अच्छी शुरुआत हुई है । अतः इस सिद्धान्त को कुछ अपवादों के साथ सर्वव्यापी बनाया जा सकता है । अति गंभीर मामलों में ही न्यायिक अधिकारियों को पत्रकारों, संपादकों, समाचार पत्रों या उनसे सम्बद्ध अधिकारियों को किसी समाचार विशेष या टिप्पणी के स्रोत प्रकट करने के लिए बाध्य करने का अधिकार दिया चाहिए ।

इस तरह प्रेस आयोग और प्रेस परिषद् दोनों ने ही पत्रकारों के सूचना-स्रोतों की रक्षा करने के सिद्धान्त को तो मान्य किया है लेकिन उन्हें स्रोत बताने से पूर्णतः उन्मुक्त करने के मत का समर्थन नहीं किया । इसका कारण वह यह मानते हैं कि किसी विशेष मामले में न्याय करते समय स्रोतों के प्रकटीकरण से ज्यादा लोकहित हो सकता है । लेकिन, प्रेस परिषद् ने इसे एक अपवाद के रूप में ही माना है । इसलिये उसने प्रकटीकरण के अत्यन्त आवश्यक होने पर ही इसके लिए पत्रकारों को किसी न्यायिक अधिकारी द्वारा बाध्य किए जाने की बात स्वीकार की है ।

प्रेस परिषद् अधिनियम, १९७८ की धारा १५ (२) में व्यवस्था है कि किसी समाचारपत्र, संवाद समिति, संपादक या पत्रकार को किसी समाचार या सूचना का

स्रोत प्रकट करने के लिए परिषद् के समक्ष विवश नहीं किया जाएगा। इस प्रकार प्रेस परिषद् कानून में सूत्र बताने के सिलसिले में पत्रकारों की उन्मुक्ति का सिद्धान्त स्वीकार किया गया है। किन्तु, यह उन्मुक्ति परिषद् के समक्ष लागू होती है न्यायालयों के समक्ष नहीं।

विधि आयोग ने भी इस विषय को महत्व देते हुए अपनी पहल पर १९८३-८४ में इसका अध्ययन किया। उसने विभिन्न संस्थाओं से सुझाव आमंत्रित किए और फिर सभी पहलुओं पर विचार करके यह सिफारिश की कि पत्रकारों को अदालतों के समक्ष अपने सूत्र प्रकट न करने का विशेषाधिकार होना चाहिए, किन्तु निर्बाध विशेषाधिकार नहीं। अदालत को सूत्रों व सूचनाओं की गोपनीयता की रक्षा की आवश्यकता को न्याय के हित व राष्ट्रीय सुरक्षा, और अशान्ति तथा अपराध रोकने की जरूरत के विरुद्ध तौल कर मामले में उचित फैसला करना चाहिए।

आयोग ने इस उद्देश्य से भारतीय साक्ष्य कानून, १९७२ की धारा १३२ में संशोधन करके यह प्रावधान करने की सिफारिश की है कि "कोई अदालत उस व्यक्ति को जो किसी बात के प्रकाशन के लिए जिम्मेदार हो, जानकारी का सूत्र बताने के लिए बाध्य नहीं करेगी अगर यह जानकारी इस स्पष्ट समझौते या अन्तर्निहित शर्त पर दी गई हो कि सूत्र को गुप्त रखा जाएगा।"

पत्रकारों की एक दो संस्थाओं ने भी इस पर विचार करके अपने मत व्यक्त किए हैं। जैसे एन० यू० जे० (आई) अर्थात नेशनल यूनियन ऑफ जर्नलिस्ट्स (इण्डिया) ने १९८४ में अपने एक प्रस्ताव में पूर्ण उन्मुक्ति की मांग की।

यह सही है कि सबको निष्पक्ष और उचित न्याय मिलना चाहिए और साक्ष्य पर आधारित न्याय प्रणाली में इस बात का निश्चय ही महत्व है कि न्यायाधीश के समक्ष सब प्रकार की सम्भव जानकारी आए ताकि वह उचित निर्णय कर सके। लेकिन पत्रकार और समाचारपत्र अपने सूत्रों की गोपनीयता का दावा निजी हित में नहीं सार्वजनिक हित में करते हैं। इस सिद्धान्त में समाज का व्यापक हित निहित है। इसके अभाव में जनता का जानने का अधिकार प्रभावित होता है क्योंकि इसके उल्लंघन से यदि सूचनाओं के स्रोत ही सूखने लगेंगे तो पत्रकार जनता को जानकारी कैसे दे सकेंगे? इस तरह इस सिद्धान्त के पालन से व्यापक लोकहित होता है। इसके विपरीत ऐसे मामले बिरले ही होंगे जिनमें सूत्रों की गोपनीयता के कारण सचमुच उचित न्याय नहीं हो पाएगा।

जो हो, अगर वकील को मुवक्किल के साथ, और डाक्टर को मरीज के साथ हुई बातें प्रकट करने के लिए बाध्य नहीं किया जा सकता है तो फिर पत्रकारों को भी गोपनीय जानकारी और उसके सूत्र प्रकट करने को मजबूर नहीं किया जाना चाहिए। इस उन्मुक्ति का पत्रकारों का दावा व्यापक लोकहित पर आधारित है इसलिए कोई कारण नहीं है कि इसे कानूनी तौर पर स्वीकार न किया जाए। इस पहलू पर गंभीरता से विचार किया जाना चाहिए।

■

अध्याय १५

सूचनाधिकार सम्बन्धी कानून

अवधारणा

तीसरे अध्याय में हमने लोक प्रशासन और शासकीय कामकाज में खुलेपन की आवश्यकता की संक्षिप्त चर्चा की थी। इस अध्याय में हम इस दिशा में हुए कतिपय प्रयासों का विवेचन करेंगे तथा क्या किया गया है, इस पर विचार करेंगे।

अब यह मत व्यापक पैमाने पर स्वीकार किया जाने लगा है कि शासनतंत्र को जनता के प्रति जवाबदेह, कुशल और ईमानदार बनाने के लिए तथा लोकतंत्र में जनसामान्य द्वारा सही फैसले करने के लिए जरूरी है कि गोपनीयता के नकारात्मक दस्तूर को खत्म करके लोगों को जानने का सकारात्मक अधिकार दिया जाना चाहिए।

उन्हें सरकारी कामकाज के तौर–तरीकों, किए गये निर्णयों, निर्णयों के पीछे तर्कों और निर्णय करने की प्रक्रियाओं का पता रहना चाहिए। चूँकि विकास के नाम पर सारा काम जनता के धन से होता है और उसका घोषित उद्देश्य जनकल्याण होता है, इसलिए जनता को हर स्तर पर चलने वाली विकास योजनाओं के ब्योरों, उनके क्रियान्वयन की स्थिति और स्वीकृत धन के व्यय के हिसाब–किताब की जानकारी होनी चाहिए।

इसके लिए आवश्यक है कि कानून के जरिए एक ओर शासन–प्रशासन पर यह जिम्मेदारी डाली जाए कि वह ऐसी तमाम जानकारियाँ प्रकाशित करे और दूसरी ओर जनता को उन्हें जानने और माँगने का अधिकार हो। यह देखा गया है कि जहाँ कहीं गोपनीयता को कतिपय विशिष्ट विषयों में एक अपरिहार्य अपवाद के रूप में ही तथा अत्यन्त सीमित मात्रा में स्वीकार किया जाता है वहाँ लोकतन्त्र मजबूत हुआ; शासकीय निरंकुशता खत्म हुई; मानवाधिकारों का उल्लंघन रुका है; अन्याय करने की गुंजाइश नहीं रही; राज्य के प्रति लोकविश्वास और सम्मान बढ़ा है और स्वयं राज्य के अधिकारियों में आत्मविश्वास की वृद्धि हुई है।

विगत चार दशकों से अनेक देश खुलेपन की ओर बढ़े हैं। जनता को सूचना 'दिए जाने की वांछनीयता' की अवधारणा का स्थान हर व्यक्ति द्वारा 'सूचना पाने के अधिकार' ने ले लिया है। पहले यह सरकार का विशेषाधिकार था कि वह जो जानकारी देना चाहे वही देवे। अब उसका यह कर्तव्य है कि उससे जो जानकारी माँगी जाए उसे वह उपलब्ध कराये। केवल वही जानकारी प्रकट करने से वह इनकार कर सकती है जिसकी अनुमति कानून द्वारा वर्जित हो।

सूचना के अधिकार की इस सर्वमान्य हो रही नई अवधारणा के कुछ पहलू हैं, जिन्हें इसे पूर्णतः सार्थक बनाने के लिए अपनाया जाना ही चाहिए। सबसे पहले तो यह सामान्य घोषणा की जानी चाहिए कि सरकारी दस्तावेजों और रिकार्डों को देखने या उनकी प्रतियाँ पाने की प्रत्येक नागरिक को स्वतंत्रता रहेगी। सरकार इन तक उसकी पहुँच की पूरी व्यवस्था करेगी। यह पहुँच कुछ विशिष्ट दस्तावेजों या उन सूचनाओं तक सीमित नहीं होगी जिनसे नागरिक का व्यक्तिगत वास्ता होगा। यह पहुँच कानून सम्मत अपवादों को छोड़कर सब प्रकार और महत्व के दस्तावेजों, रिकार्डों और सूचनाओं तक होगी।

जिन जानकारियों को प्रकट करना राज्य की सुरक्षा या लोकहित में रोका जा सकता हो, उनका कानून के द्वारा स्पष्ट उल्लेख होना चाहिए। यह भी स्पष्ट किया जाना चाहिए कि ऐसी सूचनाओं को किस अवधि तक प्रकट नहीं किया जा सकता है। इसके अलावा रोके जाने वाले दस्तावेजों के उन अंशों को प्रकट करने का प्रावधान होना चाहिए जिन्हें 'गोपनीय' नहीं माना जा सकता है।

इस बात की भी साफ–साफ व्यवस्था होनी चाहिए कि माँगी गई जानकारी उपलब्ध कराने की कानूनी जिम्मेदारी किस अधिकारी की होगी और उसे कितनी सीमित अवधि में जानकारी दे देनी होगी। यदि जानकारी रोकी जाती है तो उसका लिखित कारण दिया जाना चाहिए। सम्बद्ध नागरिक को इसके खिलाफ अपील करने का अधिकार होना चाहिए। अपील का निपटान भी निर्धारित अवधि में किया जाना चाहिए। अमेरिका में जिला अदालतें अन्य मामलों पर ऐसी अपीलों को वरीयता देकर उन्हें सुनती है।

यह प्रावधान भी होना चाहिए कि यदि कोई अधिकारी जानकारी उपलब्ध कराने में अनुचित तरीके से इनकार करता है, उसमें बाधा डालता है या अनावश्यक विलम्ब करता है तो उस पर जुर्माना किया जा सकता है या अन्य तरीकों से दण्डित किया जा सकता है। यदि सूचना पाने को इच्छुक आवेदक अपील जीत जाता है तो उसे अपील का खर्च वसूलने का हक होना चाहिए।

सूचना के अधिकार को सार्थक बनाने के लिए अनिवार्य है कि सरकार अपने सब दस्तावेजों और रिकार्डों का ईमानदारी और निष्पक्षता से तथा आधुनिक तकनीकों के आधार पर, सही और सुलभ वर्गीकरण करे ताकि नागरिक को पता रहे कि कौन सी जानकारी कहाँ से मिलेगी। इसके लिए उच्चाधिकार प्राप्त स्वायत्त आयोग होने चाहिए। यह फैसला सरकार मनमाने तौर पर नहीं कर सकती कि किन दस्तावेजों और रिकार्डों को सार्वजनिक माना जाए और किन्हें नहीं।

प्रारम्भिक प्रयास

१९७० के दशक से भारतीय प्रेस से यह आवाज उठती रही है कि भारत में गोपनीयता का कानून खत्म किया जाए या उसमें आमूल संशोधन किया जाए, तथा सूचना के अधिकार का कानून बनाया जाए। दूसरे प्रेस आयोग ने इस विचार का

समर्थन किया था। भारतीय प्रेस आयोग ने भी १९९० में कहा था कि ऐसा अधिनियम शीघ्र बनाया जाना चाहिए।

लेकिन, १९९० से लेकर १९९६ तक यह मामला ठण्डे बस्ते में पड़ा रहा। इस कालावधि में अनेक महाघोटाले होते रहे जो मुख्यतः अदालत के हस्तक्षेप के फलस्वरूप उजागर हुए। इनसे खुलेपन की आवश्यकता और अधिक रेखांकित हुई। १९९६ के लोकसभा चुनावों में कुछ दलों ने इसके लिए अपनी प्रतिबद्धता घोषित की और इसे अपने घोषणापत्रों में शामिल किया।

भारतीय प्रेस परिषद ने उसी साल अनेक प्रतिष्ठित पत्रकारों, न्यायविदों, विद्वानों, सामाजिक कार्यकर्ताओं और राजनेताओं के सहयोग से पुनः पहल की और गहन विचार–विमर्श के बाद सूचना के अधिकार के एक विधेयक का प्रारूप तैयार किया। बाद में राष्ट्रीय ग्रामीण विकास संस्थान, हैदराबाद के तत्वावधान में आयोजित एक कार्यशाला में इस प्रारूप में कुछ और संशोधन करके उसे अन्तिम रूप दिया गया। फिर इसे कानून बनाने के लिए सरकार के पास भेजा गया। सरकार ने इसे ज्यों–का–त्यों स्वीकार नहीं किया, न ही अपनी ओर से इसमें कोई फेरबदल करके इसे संसद में पेश करने की अगली कार्यवाही की। पर, उसने उपभोक्ता हितों की संरक्षक गैर–सरकारी संस्था के निदेशक और अवकाशप्राप्त प्रशासनिक सेवा अधिकारी श्री एच०डी० शौरी की अध्यक्षता में एक नौ–सदस्यीय समिति का गठन करके उसे आवश्यक सिफारिशें करने को कहा।

शौरी समिति ने प्रेस परिषद के प्रारूप को आधार मानकर गोपनीयता और सूचना स्वातंत्र्य के सम्पूर्ण मसले पर विचार किया और सम्भावित विधेयक का अपना मसौदा पेश किया। साथ ही उसने शासकीय गुप्त बात अधिनियम, १९२३ भारतीय साक्ष्य अधिनियम, १८७२ की धाराओं १२३ और १२४ तथा केन्द्रीय सिविल सेवाएँ (आचरण) नियम, १९६४ में आनुषंगिक संशोधनों की सिफारिशें भी कीं। इन दोनों प्रारूपों व अन्य संस्तुतियों पर कोई फैसला होने से पहले ही केन्द्रीय सरकार का पतन हो गया और १९९० की तरह इस बार भी यह कानून बनने से रह गया। फिर भी, इस कार्य को उस दिशा में एक महत्वपूर्ण प्रगति माना जाना चाहिए।

प्रेस परिषद द्वारा तैयार किए गये विधेयक के मुख्य प्रावधान इस प्रकार थे—

१. कानून को 'सूचना का अधिकार अधिनियम' कहा जायेगा।

२. सूचना से वह सामग्री अथवा सूचना अभिप्रेत है जो कि एक लोक प्राधिकारी (पब्लिक अथारिटी) के कार्यों, प्रशासन अथवा आचरण से सम्बद्ध है जिसके बारे में जनता को जानने का अधिकार है और इसमें लोक–प्राधिकारी के कार्यों से सम्बद्ध कोई दस्तावेज अथवा रिकार्ड शामिल है।

३. लोक–प्राधिकारियों में संसद, भारत सरकार, राज्य सरकारें, विधान मण्डल तथा स्थानीय अथवा प्राधिकारी शामिल किए गए हैं। इनके अलावा वे सब

कम्पनियाँ, निगम, न्यास, फर्में, सोसायटियाँ और सहकारी समितियाँ शामिल होंगी जो जनहित को प्रभावित करती हैं, फिर वे चाहे सरकारी हों या निजी व्यक्तियों अथवा संस्थानों के नियंत्रण में हों।

४. सूचना के अधिकार से सूचना तक पहुँचने का अधिकार अभिप्रेत है और उसमें किसी लोक-प्राधिकारी का निरीक्षण और उनके दस्तावेजों अथवा रिकार्डों से टिप्पणियाँ और उद्धरण तथा उनकी प्रमाणित प्रतियाँ प्राप्त करना शामिल है।

५. प्रत्येक नागरिक को लोक-प्राधिकारी से सूचना प्राप्त करने का अधिकार होगा। प्रत्येक लोक-प्राधिकारी का यह कर्तव्य होगा कि वह इसके पूरे रिकार्ड रखें जो कि समुचित तालिकाबद्ध और सूचीबद्ध हों।

६. ऐसी सूचना जिसके प्रकटीकरण से भारत की एकता और प्रभुता, राज्य की सुरक्षा, अन्य देशों के साथ मित्रतापूर्ण सम्बन्धों, लोक व्यवस्था और किसी अपराध की जाँच-पड़ताल पर प्रतिकूल प्रभाव पड़े अथवा जिससे अपराध उद्दीपन हो, लोक-प्राधिकारी लिखित रूप में कारण देते हुए प्रकट करने से इनकार कर सकेगा।

७. व्यक्तिगत या ऐसी अन्य सूचना भी रोकी जा सकेगी जिसका सार्वजनिक गतिविधि से सम्बन्ध न हो अथवा जिसमें जनता का हित जुड़ा न हो या जिससे व्यक्ति के एकान्त में स्पष्ट और अवांछनीय अनधिकार अतिक्रमण होता हो। कानून द्वारा सुरक्षित व्यापार और वाणिज्य सम्बन्धी गोपनीयता बनाई रखी जा सकेगी। किन्तु, कोई लोक-प्राधिकारी किसी व्यक्ति को ऐसी सूचना पाने के अधिकार से वंचित नहीं करेगा जो कि उसके प्राण और दैहिक स्वतंत्रता को प्रभावित करती हो।

८. प्राण और दैहिक स्वतंत्रता से सम्बद्ध सूचना ४८ घण्टे के अन्दर दी जाएगी और अन्य सूचनाएँ ३० दिनों के भीतर।

९. लोक-प्राधिकरण को कोई दस्तावेज देने के लिए शुल्क लेने का अधिकार होगा परन्तु इस शर्त पर कि यह शुल्क दस्तावेज की कीमत या दस्तावेज देने की कीमत से अधिक न हो।

१०. सूचना देने से इनकार करने के कारण लिखित में दिये जाएँगे।

११. इनकार किए जाने के खिलाफ क्षेत्र के प्रमुख सिविल न्यायाधीश के सम्मुख अपील की जा सकेगी। अपील इनकार किए जाने के १५ दिनों के अन्दर की जानी चाहिए। सिविल न्यायाधीश इसे कारण देते हुए ३० दिनों के अन्दर निपटाएगा।

१२. यदि सूचना निर्धारित समय के अन्दर नहीं दी जाती तो सूचना देने के लिए जिम्मेदार व्यक्ति पर उस दिन के पश्चात जिस दिन वह दी जानी चाहिए थी, हर दिन के लिए ५० रुपये का जुर्माना निजी तौर पर लगाया जाएगा। सूचना न देने या झूठी सूचना देने पर उस पर एक हजार से पाँच हजार रुपये तक जुर्माना किया जा सकेगा।

१३. सूचना के अधिकार के संवर्द्धन के लिए राष्ट्रीय और राज्य स्तरों पर सूचना स्वातंत्र्य परिषदें होंगी।

शौरी समिति के विधेयक में प्रेस परिषद द्वारा प्रस्तुत विधेयक का ढाँचा मोटे तौर पर कायम रखा गया है, परन्तु कई महत्वपूर्ण प्रावधानों को बदल दिया गया है। इससे उसके द्वारा प्रस्तुत विधेयक कम प्रभावी हो गया है।

इस समिति ने विधेयक का नाम "सूचना की स्वतंत्रता विधेयक" प्रस्तावित किया है। हम समझते हैं कि 'सूचना का अधिकार अधिनियम' कहना ज्यादा समीचीन है क्योंकि सूचना का अधिकार दिए जाने पर सूचना प्रदान करने की सकारात्मक कानूनी जिम्मेदारी शासकों पर आ जाती है। वैसे, वैचारिक दृष्टि से दोनों में बहुत बड़ा अंतर नहीं है।

वाजपेयी सरकार द्वारा २००२ में प्रस्तुत और २००३ में संसद से पारित कराए गए विधेयक का नामकरण "सूचना–स्वातंत्र्य अधिनियम, २००२" किया गया था, किन्तु इसके स्थान पर मनमोहन सिंह सरकार ने २००५ में जो विधेयक पास कराया उसका नाम "सूचना का अधिकार अधिनियम, २००५" रखा गया।

इस विधेयक के अन्तर्गत उन्हीं कम्पनियों, निगमों, न्यासों, फर्मों, सोसायटियों या सहकारी संस्थाओं को सूचना देने की बाध्यता होती जो सरकार के नियंत्रण में होतीं या जिन्हें सरकारी कोष से काफी धन मिल रहा होता। इस प्रकार अधिसंख्य विदेशी और भारतीय कम्पनियाँ इसके दायरे से बाहर रहतीं। इस विधेयक में सूचना न देने का दायरा परिषद के प्रारूप की तुलना में बहुत बढ़ा दिया गया है, यहाँ तक कि लोक–प्राधिकारों के कर्मियों के प्रबन्धन और परिचालन के बारे में सूचना देने से भी इनकार किया जा सकता था। इसके अलावा एक धारा के अन्तर्गत लोक–प्राधिकार ऐसी जानकारी का प्रकटीकरण भी रोक सकता था जिससे उसकी दृष्टि में कोई लोक हित नहीं होता। ऐसी सूचना देने से भी मना किया जा सकता था जिसे एकत्र करने में प्राधिकारी के अनुपातत: ज्यादा संसाधन व्यय होते या जिससे उसके कामकाज में प्रतिकूल प्रभावकारी हस्तक्षेप होता।

सूचना देने के लिए जिम्मेदार व्यक्ति लिखित कारण बताकर सूचना देने के लिए 30 दिन का अतिरिक्त समय ले सकता था। सूचना न देने के खिलाफ आवेदक विभागाध्यक्ष के समक्ष प्रार्थनापत्र पेश कर सकता था। विभागाध्यक्ष 30 दिनों के अन्दर निर्णय देता। विभागाध्यक्ष के फैसले के खिलाफ उपभोक्ता संरक्षण अधिनियम, १९८६ के अन्तर्गत स्थापित जिला उपभोक्ता फोरम में अपील की जा सकती थी। अपील ३० दिनों के भीतर की जा सकती थी और उसका निपटान भी ३० दिनों में होता। उसके ऊपर प्रदेश और फिर राष्ट्रीय उपभोक्ता आयोगों में अपीलें हो सकती थीं। आयोग भी तीस–तीस दिनों में उनका फैसला करते।

इस तरह शौरी समिति द्वारा सुझाई गई अपील की प्रक्रिया ज्यादा लम्बी थी। साथ ही ग्रामीण क्षेत्रों के अपीलकर्ताओं को अपील के लिए जिला मुख्यालयों के

चक्कर लगाने पड़ते। इसलिए स्थानीय सिविल अदालत में अपील का प्रावधान बेहतर था।

शौरी समिति के प्रारूप में एक बड़ी कमी यह भी थी कि इसमें सूचना न देने वाले व्यक्तियों को इसके लिए निजी तौर पर दण्ड का भागी नहीं बनाया गया था।

इस समिति ने शासकीय गुप्तबात अधिनियम, १९२३ की धारा पाँच में एक ''स्पष्टीकरण'' जोड़ने की सिफारिश की थी जिससे ''सरकारी गुप्तबात'' परिभाषित की गई थी। यद्यपि यह पर्याप्त नहीं थी फिर भी स्वागतयोग्य संस्तुति थी। भारतीय साक्ष्य अधिनियम, १८७२ की धाराओं १२३ और १२४ में ऐसे संशोधन सुझाए गये थे जिनसे सरकारी कर्मियों को सूचना स्वातंत्र्य अधिनियम के अनुसार काम करने की क्षमता प्राप्त होती। इसी उद्देश्य से केन्द्रीय सिविल सेवाएँ (आचरण) नियम, १९६४ में संशोधनों की सिफारिशें की गई थीं।

शौरी समिति में, जिसे कार्यकारी दल का नाम दिया गया था, अध्यक्ष के अलावा न्यायालय के वरिष्ठ अधिवक्ता श्री सोली सोराबजी, सूचना और प्रसारण मंत्रालय में प्रधान सूचनाधिकारी तथा भारत सरकार के विभिन्न मंत्रालयों व विभागों के संयुक्त सचिव पद के सात अन्य अधिकारी शामिल थे।

समिति ने कहा कि सूचना की स्वतंत्रता का कानून न सिर्फ बनाया जाना व्यावहारिक है बल्कि अत्यन्त आवश्यक है। ऐसा कानून सारे देश में समान रूप से लागू होना चाहिए। इसलिए, इसे संसद बनाए। यद्यपि तमिलनाडु और गोवा राज्यों ने अपने यहाँ सूचनाधिकार सम्बन्धी कानून बनाए हैं (जिनके प्रावधनों की कई दृष्टियों से कड़ी आलोचना हुई है) तथापि शौरी समिति का कहना था कि यह विषय राज्यसूची में शामिल नहीं है। उस सूची में इस विषय से सम्बद्ध कोई प्रविष्टि नहीं है। यह संघसूची की प्रविष्टि ९७ में आता है, अतः इस मामले में कानून बनाने में संसद सक्षम है।

विश्व परिदृश्य

अब इस विषय में विश्व के परिदृश्य पर संक्षेप में दृष्टिपात किया जाए। इस सदी के तीसरे दशक तक कल्याणकारी राज्य के नाम पर लोगों के जीवन में सरकारों के दखल बहुत बढ़ते जाने पर विश्व में खुली सरकारों की माँग जोर से उठने लगी थी। १९४८ में संयुक्त राष्ट्रसंघ के मानवाधिकार सम्मेलन में सूचना पाने और देने को एक मानव अधिकार के रूप में अपनाया गया। इसके बाद सूचनाओं तक पहुँच के अधिकार का विचार और मुखर हो गया। फलतः कुछ देशों ने सूचना स्वातंत्र्य के कानून बनाने की बात सोचनी शुरू की।

फिनलैण्ड में १९५१ में 'सरकारी दस्तावेजों का सार्वजनिक स्वरूप' कानून (पब्लिक कैरेक्टर ऑफ ऑफिशियल डाकुमेण्ट्स एक्ट) बनाया गया। दो अन्य स्कैडेनिवाई देशों—नार्वे और डेनमार्क—ने भी १९७० में इसी प्रकार के कानून बनाए।

अमेरिकी कांग्रेस ने १९६६ में ऐतिहासिक सूचना स्वातंत्र्य अधिनियम पारित किया, जो चार जुलाई, १९६७ को लागू हुआ। १९७४ में इसे और प्रभावशाली बनाया गया, जिससे लोगों की सरकारी दस्तावेजों और रिकार्डों तक पहुँच और सुगम हो गई। अब जानने की आवश्यकता की अवधारणा का स्थान जानने के अधिकार ने पूरी तौर से ले लिया। १९७६ और १९८३ में किए गए संशोधनों से इसे और पुष्ट किया गया।

इस कानून का उद्देश्य सरकारी क्रियाकलाप के सम्पूर्ण प्रकटीकरण को शसन का सामान्य दर्शन बनाना घोषित किया गया। इसके अन्तर्गत किसी को भी, कुछ स्पष्टतः निर्धारित अपवादों को छोड़कर, सारे सरकारी दस्तावेजों औररिकार्डों की प्रतियाँ पाने का अधिकार प्राप्त हो गया। अपवादों का सम्बन्ध देश की प्रतिरक्षा विदेशी सम्बन्ध, व्यापारिक गोपन, व्यक्ति के एकान्तता के अधिकार को भंग करने वाली सूचनाओं और अपराधों की छानबीन जैसे विषयों से है।

प्रशासन के खुलेपन पर अमेरिका में दो अन्य महत्वपूर्ण कानून बनाए गये हैं। इनमें से एक—एकान्तता (प्राइवेसी) अधिनियम, १९७४—नागरिकों को सरकारी एजेंसियों द्वारा उनके बारे में बनाई गई फाइलों को देखने का अधिकार देता है। दूसरे– गवर्नमेण्ट इन द सनशाइन एक्ट, १९७६—में यह प्रावधान किया गया है कि संघीय सरकार की विनियमनकारी एजेंसियों और कानूनी प्राधिकरणों की बैठकें और सुनवाइयाँ खुले में होंगी जहाँ जनता उपस्थित रह सकेगी, ताकि उसे पता रहे कि विभिन्न मामलों में फैसले किस आधार पर हो रहे हैं। इस प्रकार इन तीनों कानूनों के सम्मिलित प्रभाव से अमेरिकी प्रशासन का विशाल क्षेत्र जनता की सीधी पहुँच के दायरे में आ गया है।

फ्रांस ने १९७८ में 'प्रशासनिक दस्तावेजों तक पहुँच की स्वतंत्रता का अधिकार' कानून बनाया। इसके प्रावधानों पर समुचित काल के लिए वहाँ एक आयोग की स्थापना भी की गई है।

आस्ट्रेलिया और कनाडा ने १९८२ और न्यूजीलैण्ड ने १९८३ में सरकारी सूचनाओं तक पहुँच के अधिकार के कानून प्रवर्तित किए। उन सब में गोपनीयता को अपवाद और खुलेपन को नियम बनाया गया। ब्रिटेन ने अपने शासकीय गुप्तबात कानून १९८३ में उदार संशोधन करके इस दिशा में प्रभावी कदम उठाया।

दक्षिण अफ्रीका के नए संविधान में ही सूचना का अधिकार शामिल कर दिया गया है। हाल में पाकिस्तान में सूचना स्वातंत्र्य अध्यादेश जारी किया गया और मलेशिया में कम्प्यूटर पर लोकप्रशासन के कामकाज की सूचना प्रणाली शुरू की गई है।

■

परिशिष्ट

परिशिष्ट एक

भारत का संविधान

स्वातंत्र्य-अधिकार

अनुच्छेद १६ (१) सब नागरिकों को—

(क) वाक्-स्वातंत्र्य और अभिव्यक्ति-स्वातंत्र्य का,

(छ) कोई वृत्ति, उपजीविका, व्यापार या कारबार करने का अधिकार होगा ।

(२) खण्ड (१) के उपखण्ड (क) की कोई बात उक्त उपखण्ड द्वारा दिये गए अधिकारों के प्रयोग पर राज्य की सुरक्षा, विदेशी राज्यों के साथ मैत्रीपूर्ण संबन्धों, सार्वजनिक व्यवस्था, शिष्टाचार या सदाचार के हितों में या न्यायालय-अवमान, मानहानि या अपराध उद्दीपन के संबन्ध में युक्तियुक्त निर्बन्धन जहाँ तक कोई वर्तमान विधि लगाती हो वहाँ तक उसके प्रवर्तन पर प्रभाव अथवा वैसे निर्बन्धन लगानेवाली कोई विधि बनाने में राज्य के लिए कोई रुकावट न डालेगी ।

---

(६) उक्त खण्ड के उपखण्ड (छ) की कोई बात उक्त खण्ड द्वारा दिये गए अधिकार के प्रयोग पर साधारण जनता के हितों में युक्तियुक्त निर्बन्धन जहाँ तक कोई वर्तमान विधि लगाती है वहाँ तक उसके प्रवर्तन पर प्रभाव अथवा वैसे निर्बन्धन लगानेवाली कोई विधि बनाने में राज्य के लिए रुकावट न डालेगी तथा विशेषतः उक्त उपखण्ड की कोई बात—

(१) कोई वृत्ति, उपजीविका, व्यापार या कारबार करने के लिए आवश्यक वृत्तिक या शिल्पिक अहर्ताओं से, या

(२) राज्य के द्वारा अथवा राज्य के स्वामित्वाधीन या नियंत्रणाधीनवाले निगम द्वारा कोई व्यापार, कारबार, उद्योग या सेवा नागरिकों का पूर्णतः या आंशिक अपवर्जन करके या अन्यथा चलाने से, जहाँ तक कोई वर्तमान विधि संबन्ध रखती है वहाँ तक उसके प्रवर्तन पर प्रभाव अथवा सम्बन्ध रखनेवाली किसी विधि को बनाने में राज्य के लिए रुकावट न डालेगी ।

■

परिशिष्ट दो

प्रेस परिषद् अधिनियम, १९७८

भारत में प्रेस की स्वतन्त्रता और समाचारपत्रों तथा समाचार एजेंसियों के स्तर को बनाये रखने और उनमें सुधार करने के प्रयोजन के लिए एक प्रेस परिषद् की स्थापना के लिए अधिनियम ।

भारत गणराज्य के उन्तीसवें वर्ष में संसद् द्वारा निम्नलिखित रूप में यह अधिनियमित है—

अध्याय १

प्रारम्भिक

१. संक्षिप्त नाम और विस्तार

(१) इस अधिनियम का संक्षिप्त नाम प्रेस परिषद् अधिनियम, १९७८ है ।

(२) इसका विस्तार सम्पूर्ण भारत पर है ।

२. परिभाषाएँ

इस अधिनियम में जब तक कि संदर्भ से अन्यथा अपेक्षित न हो—

(क) 'अध्यक्ष' से परिषद् का अध्यक्ष अभिप्रेत है,

(ख) 'परिषद्' से धारा ४ के अधीन स्थापित भारतीय प्रेस परिषद् अभिप्रेत है,

(ग) 'सदस्य' से परिषद् का सदस्य अभिप्रेत है । इसके अन्तर्गत उसका अध्यक्ष भी है,

(घ) 'विहित' से इस अधिनियम के अधीन बनाये गये नियमों द्वारा विहित अभिप्रेत है,

(ङ) 'संपादक' और 'समाचारपत्र' पदों में वही अर्थ है जो प्रेस और पुस्तक रजिस्ट्रीकरण अधिनियम, १८६७ में है और 'श्रमजीवी पत्रकार' पद का वही अर्थ है जो श्रमजीवी पत्रकार और अन्य

समाचारपत्र कर्मचारी (सेवा की शर्तें) और प्रकीर्ण उपबन्ध अधिनियम, १९५५ में है ।

(१८६७ का २५, १९५५ का ४५)

३. उन अधिनियमितियों के सम्बन्ध में अर्थान्वयन का नियम जिनका विस्तार जम्मू-काश्मीर और सिक्किम राज्यों पर नहीं है ।

इस अधिनियम में किसी ऐसी विधि के प्रति निर्देश का, जो जम्मू-काश्मीर अथवा सिक्किम राज्यों में प्रवृत्त नहीं है, ऐसे राज्य के सम्बन्ध में अर्थान्वयन ऐसे राज्य में प्रवृत्त तत्स्थानी विधि के प्रति निर्देश से, यदि कोई हो, किया जाएगा ।

अध्याय २

प्रेस परिषद् की स्थापना

५. परिषद् की संरचना

(१) परिषद् एक अध्यक्ष और अट्ठाइस अन्य सदस्यों से मिलकर बनेगी ।

(२) अध्यक्ष, ऐसा व्यक्ति होगा जो समिति द्वारा नामनिर्दिष्ट किया जाएगा और यह समिति राज्यसभा के सभापति, लोकसभा के अध्यक्ष और उपधारा (६) के अधीन परिषद् के सदस्यों द्वारा निर्वाचित एक व्यक्ति से मिलकर बनेगी और इस प्रकार किया गया नामनिर्देशन उस तारीख से प्रभावी होगा जिसको केन्द्रीय सरकार द्वारा राजपत्र में अधिसूचित किया जाता है ।

(३) अन्य सदस्यों में से—

(क) तेरह श्रमजीवी पत्रकार, ऐसी प्रक्रिया के अनुसरण में नामनिर्दिष्ट किये जायेंगे जो विहित की जाए, जिनमें से छह समाचारपत्रों के संपादक होंगे और शेष सात संपादकों से भिन्न श्रमजीवी पत्रकार होंगे, किन्तु भारतीय भाषाओं में प्रकाशित समाचारपत्रों के सम्बन्ध में ऐसे संपादकों की और संपादकों से भिन्न ऐसे श्रमजीवी पत्रकारों की संख्या क्रमशः तीन और चार से कम नहीं होगी,

(ख) छह उन व्यक्तियों में से, जो समाचारपत्रों के स्वामी हों या समाचारपत्रों के प्रबंध का कारोबार करते हों, ऐसी प्रक्रिया के

अनुसरण में नामनिर्दिष्ट किये जायेंगे जो विहित किये जाएँ, किन्तु यह इस प्रकार किया जाएगा कि बड़े समाचारपत्रों, मध्यम समाचारपत्रों और छोटे समाचारपत्रों के प्रत्येक प्रवर्ग में से दो प्रतिनिधि होंगे ।

(ग) एक उन व्यक्तियों में से, जो समाचार एजेंसियों का प्रबन्ध करते हों, ऐसी प्रक्रिया के अनुसरण में नामनिर्दिष्ट किया जाएगा जो विहित की जाए,

(घ) तीन ऐसे व्यक्ति होंगे, जिन्हें शिक्षा और विज्ञान, विधि और साहित्य तथा संस्कृति के बारे मे विशेष ज्ञान या व्यावहारिक अनुभव हो और इनमें से क्रमशः एक विश्वविद्यालय अनुदान आयोग द्वारा, एक भारत की विधिज्ञ परिषद् द्वारा और एक साहित्य अकादमी द्वारा नामनिर्दिष्ट किया जाएगा,

(ङ) पाँच संसद्-सदस्य होंगे जिनमें से तीन लोकसभा के अध्यक्ष द्वारा लोकसभा के सद्स्यों में से नामनिर्दिष्ट किए जाएँगे और दो राज्य-सभा के सभापति द्वारा राज्यसभा के सदस्यों में से नामनिर्दिष्ट किये जाएँगे,

परन्तु कोई श्रमजीवी पत्रकार, जो किसी समाचारपत्र का स्वामी हो या उसके प्रबन्ध का कारोबार करता हो, खण्ड (क) के अधीन नामनिर्देशन का पात्र न होगा,

परन्तु यह और कि खण्ड (क) और (ख) के अधीन नामनिर्देशन इस प्रकार किए जाएँगे कि नामनिर्देशित व्यक्तियों में से एक से अधिक ऐसे व्यक्ति हों जो किसी समाचारपत्र में या एक ही नियन्त्रण या प्रबन्ध के अधीन समाचारपत्रों के किसी समूह में हितबद्ध हों ।

स्पष्टीकरण : खण्ड (ख) के प्रयोजनों के लिए कोई 'समाचारपत्र'—

(i) 'बड़ा समाचारपत्र' समझा जाएगा यदि उसके सभी संस्करणों का कुल परिचलन हर एक अंक की पचास हजार प्रतियों से अधिक का हो ।

(ii) 'मध्य समाचारपत्र' समझा जाएगा यदि उसके सभी संस्करणों का कुल परिचलन हर एक अंक की पन्द्रह हजार प्रतियों से अधिक का हो, किन्तु पचास हजार प्रतियों से अधिक का न हो ।

(iii) 'छोटा समाचारपत्र' समझा जाएगा यदि उसके सभी संस्करणों का कुल परिचलन हर एक अंक की पन्द्रह हजार प्रतियों से अधिक का न हो ।

(४) उपधारा (३) के खण्ड (क), खण्ड (ख) या खण्ड (ग) के अधीन कोई नामनिर्देशन करने के पूर्व, प्रथम परिषद् की दशा से केन्द्रीय सरकार, और **किसी**

पश्चात्वर्ती परिषद् की दशा में पूर्ववर्ती परिषद् का निवृत होनेवाला अध्यक्ष, उक्त खण्ड (क), खण्ड (ख) या खण्ड (ग) में निर्दिष्ट प्रवर्गों के व्यक्तियों के ऐसे संगमों से, जो प्रथम परिषद् की दशा में, केन्द्रीय सरकार द्वारा और पश्चात्वर्ती परिषदों की दशा में स्वयं परिषद् द्वारा इस निमित्त अधिसूचित किए जाएँ, नामनिर्दिष्ट किए जानेवाले सदस्यों की दुगुनी संख्या के नामों के पैनल विहित रीति से आमन्त्रित करेगा।

परन्तु जहाँ उक्त खंण्ड (ग) में निर्दिष्ट प्रवर्ग के व्यक्तियों का कोई संगम नहीं है, वहाँ ऐसी समाचार एजेंसियों से, जो उर्पयुक्त रूप से अधिसूचित की जाए, नामों के पैनल आमंत्रित किये जायेंगे ।

(५) केन्द्रीय सरकार उपधारा (३) के अधीन सदस्यों के रूप में नामनिर्दिष्ट, व्यक्तियों के नाम, राजपत्र में अधिसूचित करेगी और ऐसा प्रत्येक नामनिर्देशन उस तारीख से प्रभावी होगा जिसको वह अधिसूचित किया जाता है ।

(६) उपधारा (५) के अधीन अधिसूचित परिषद् के सदस्य उपधारा (२) में निर्दिष्ट समिति का सदस्य होने के लिए एक व्यक्ति को अपने में से ऐसी प्रक्रिया के अनुसरण में निर्वाचित करेंगे जो विहित की जाए और ऐसे निर्वाचन के प्रयोजन के लिए परिषद् के सदस्यों के अधिवेशन का सभापतित्व वह व्यक्ति करेगा जो उनके द्वारा अपने में से चुना गया हो—

६. सदस्यों की पदावधि और निवृत्ति

(१) इस धारा में जैसा उपबंधित है उसके सिवाय और अन्य सदस्य तीन वर्ष की अवधि के लिए पद धारण करेंगे ।

परन्तु अध्यक्ष, ऐसा पद, धारा ५ के उपबंधों के अनुसरण में परिषद् के पुनर्गठित होने तक या छह मास की अवधि के लिए, इनमें से जो भी पूर्वतर हो धारण करते रहेंगे ।

(२) यदि धारा ५ की उपधारा (३) के खण्ड (क), खण्ड (ख) या खण्ड (ग) के अधीन सदस्य के रूप में नामनिर्दिष्ट व्यक्ति धारा १४ की उपधारा (१) के उपबंधों के अधीन परिनिन्दित किया जाता है तो वह परिषद् का सदस्य नहीं रहेगा ।

(३) धारा ५ की उपधारा (३) के खण्ड (ङ) के अधीन नामनिर्दिष्ट सदस्य की पदावधि उसी समय समात्त हो जाएगी जब वह उस सदन का सदस्य न रह जाय जिससे वह नामनिर्दिष्ट किया गया था ।

(४) यदि कोई सदस्य किसी ऐसे प्रतिहेतु के बिना, जो परिषद् की राय में पर्यात्त हो, परिषद् के तीन क्रमवर्ती अधिवेशनों में अनुपस्थित रहता है तो यह समझा जाएगा कि उसने अपना स्थान रिक्त कर दिया है ।

(५) अध्यक्ष केन्द्रीय सरकार को लिखित सूचना देकर अपना पद त्याग सकेगा और कोई भी अन्य सदस्य, अध्यक्ष को लिखित सूचना देकर अपना पद त्याग सकेगा और ऐसा त्याग-पत्र, यथास्थिति, केन्द्रीय सरकार या अध्यक्ष द्वारा स्वीकार कर लिये जाने पर यह समझा जाएगा, कि यथास्थिति, अध्यक्ष या सदस्य ने अपना पद त्याग दिया है ।

(६) उपधारा (२), उपधारा (३), उपधारा (४) या उपधारा (५) के अधीन या अन्यथा होनेवाली कोई रिक्ति, यथाशक्य शीघ्र, उसी रीति से नामनिर्देशन द्वारा भरी जाएगी जिस रीति से पद रिक्त करनेवाले सदस्य को नामनिर्दिष्ट किया गया था । और इस प्रकार नामनिर्दिष्ट सदस्य, उस शेष अवधि के लिए पद धारण करेगा जिसके लिए वह सदस्य जिसके स्थान पर वह नामनिर्दिष्ट किया गया है, पद धारण करता ।

(७) निवृत्त होनेवाला सदस्य अधिक-से-अधिक एक पदावधि के लिए पुनः नामनिर्देशित किए जाने का पात्र होगा ।

सदस्यों की सेवा की शर्तें

७. (१) अध्यक्ष पूर्णकालिक अधिकारी होगा और उसे ऐसा वेतन दिया जाएगा जो केन्द्रीय सरकार ठीक समझे, और अन्य सदस्य परिषद् के अधिवेशनों में हाजिर होने के लिए ऐसे भत्ते या फीस प्राप्त करेंगे जो विहित की जाए ।

(२) उपधारा (१) के उपबन्धों के अधीन रहते हुए, सदस्यों की सेवा की शर्तें ऐसी होंगी जो विहित की जाएँ ।

(३) इसके द्वारा यह घोषित किया जाता है कि परिषद् के सदस्य का पद उसके धारक को संसद् के दोनों में से किसी भी सदन का सदस्य चुने जाने या रहने के लिए निरहित नहीं करेगा ।

परिषद् की समितियाँ

८. (१) परिषद् इस अधिनियम के अधीन अपने कृत्यों के पालन के प्रयोजन के लिए अपने सदस्यों में से साधारण या विशेष प्रयोजनों के लिए ऐसी समितियों का गठन कर सकेगी जैसी वह आवश्यक समझे और इस प्रकार गठित प्रत्येक समिति ऐसे कृत्यों का पालन करेगी जो परिषद् उसे सौंपे ।

(२) परिषद् को उतनी संख्या में, जितनी वह ठीक समझे, ऐसे अन्य व्यक्तियों को, जो परिषद् के सदस्य नहीं है, उपधारा (१) के अधीन गठित किसी समिति के सदस्यों के रूप में सहयोजित करने की शक्ति होगी ।

(३) किसी भी ऐसे सदस्य को उस समिति के किसी भी अधिवेशन में, जिसमें उसे इस प्रकार सहयोजित किया गया है, हाजिर होने का और वहाँ पर चर्चा में भाग लेने का अधिकार होगा, किन्तु उसे मतदान का अधिकार नहीं होगा और वह किसी अन्य प्रयोजन के लिए सदस्य नहीं होगा ।

अध्याय ३

परिषद् की शक्तियाँ और कृत्य

परिषद् के उद्देश्य और कृत्य

१३. (१) परिषद् के उद्देश्य भारत में प्रेस की स्वतंत्रता और समाचारपत्रों तथा समाचार एजेंसियों के स्तर बनाये रखना तथा उनमें सुधार करना होगा।

(२) परिषद् अपने उद्देश्यों को अग्रसर करने के लिए निम्नलिखित कृत्यों का पालन कर सकेगी, अर्थात्—

(क) समाचारपत्रों तथा समाचार एजेंसियों द्वारा अपनी स्वतन्त्रता बनाए रखने में उनकी सहायता करना,

(ख) समाचारपत्रों, समाचार एजेंसियों और पत्रकारों के लिए उच्च वृत्तिक स्तर के अनुसार एक आचारसंहिता बनाना,

(ग) यह सुनिश्चित करना कि समाचारपत्रों, समाचार एजेंसियों और पत्रकारों की ओर से लोकरुचि के उच्चस्तर बनाए रखे जाएँ, और नागरिक अधिकारों और उत्तरदायित्वों दोनों की सम्यक् भावना का पोषण करना,

(घ) उन सब व्यक्तियों में जो पत्रकारिता की वृत्ति में लगे हुए हैं उत्तर-दायित्व और लोक-सेवा की भावना प्रोत्साहित करना,

(ङ) ऐसी किसी भी बात पर जिससे लोक-हित और लोक महत्व के समाचार के प्रदाय और प्रसार का निर्बन्धन सम्भाव्य हो, विचार करते रहना,

(च) भारत में किसी समाचारपत्र या समाचार एजेंसियों द्वारा किसी विदेशी स्रोत से प्राप्त सहायता के मामलों का, जिनके अन्तर्गत वे मामले भी हैं जो केन्द्रीय सरकार द्वारा उसे निर्देशित किए जाएँ या किसी व्यक्ति, व्यक्तियों के संगम या अन्य संगठन द्वारा उसकी जानकारी में लाये जाएँ, पुनर्वलोकन करते रहना,

परन्तु इस खण्ड की कोई बात भारत के किसी भी समाचारपत्र या समाचार एजेंसी द्वारा किसी विदेशी स्रोत से प्राप्त सहायता के किसी मामले में किसी अन्य ऐसी रीति से जो केन्द्रीय सरकार ठीक समझे, कार्यवाही करने से केन्द्रीय सरकार को प्रवारित न करेगी,

(छ) विदेशी समाचारपत्रों के, जिनके अन्तर्गत किसी राजदूतावास द्वारा या भारत में विदेशी राज्य के किसी प्रतिनिधि द्वारा निकाली गई

पत्रिकाएँ भी हैं, अध्ययन का भार अपने ऊपर लेना, उनका परिचलन और प्रभाव,

स्पष्टीकरण—इस खण्ड के प्रयोजन के लिए, 'विदेशी राज्य' पद का वही अर्थ होगा जो सिविल प्रक्रिया संहिता, १९०८ की धारा ८७ (क) में हैं,

(१९०८ का ५)

(ज) समाचारपत्र निकालने या उनके प्रकाशन में या समाचार एजेंसियों में लगे हुए व्यक्तियों के सभी वर्गों में उचित कृत्यिक सम्बन्ध की अभिवृद्धि करना,

परन्तु इस खण्ड की कोई बात परिषद् पर उन विवादों की बाबत कोई कृत्य सौंपनेवाली नहीं समझी जाएगी जहाँ औद्योगिक विवाद अधिनियम, १९४७ लागू है,

(१९४७ का १४)

(झ) समाचारपत्रों और समाचार एजेंसियों के स्वामित्व के संकेन्द्रण या उनके अन्य पहलुओं से सम्बद्ध ऐसी घटना पर निगाह रखना जिनका प्रेस की स्वतन्त्रता पर प्रभाव पड़ सकता हो,

(ञ) ऐसे अध्ययन कार्य हाथ में लेना जो परिषद् को सौंपे जाएँ और किसी ऐसे विषय के बारे में अपनी राय प्रकट करना, जो केन्द्रीय सरकार द्वारा उसे निर्दिष्ट किया जाए,

(ट) ऐसे अन्य कार्य करना जो उपयुक्त कृत्यों के निर्वहन के आनुषंगिक या साधक हों,

परिनिन्दा करने की शक्ति

१४. (१) जहाँ परिषद् को, उससे किये गये परिवाद के प्राप्त होने पर या अन्यथा, यह विश्वास करने का कारण हो कि किसी समाचारपत्र या समाचार एजेंसी ने पत्रकारिता सदाचार या लोक-रुचि के स्तर का अतिवर्तन किया है या किसी संपादक या श्रमजीवी पत्रकार ने कोई वृत्तिक अवचार किया है, वहाँ परिषद् सम्बद्ध समाचारपत्र या समाचार एजेंसी, संपादक या पत्रकार को सुनवाई का अवसर देने के पश्चात् उस रीति से जाँच कर सकेगी जो इस अधिनियम के अधीन बनाये गये विनियमों द्वारा उपबन्धित हों और यदि उसका समाधान हो जाता है कि ऐसा करना आवश्यक है तो, वह ऐसे कारणों से, जो लेखबद्ध किये जायेंगे, यथास्थित उस समाचारपत्र, समाचार एजेंसी, संपादक या पत्रकार को चेतावनी दे सकेगी, उसकी भर्त्सना कर सकेगी या उसकी परिनिन्दा कर सकेगी, या उस संपादक या पत्रकार के आचरण का अनुमोदन कर सकेगी।

परन्तु यदि अध्यक्ष की राय में जाँच करने के लिए कोई पर्याप्त आधार नहीं है तो परिषद् किसी परिवाद का संज्ञान नहीं कर सकेगी।

(२) यदि परिषद् की यह राय है कि लोकहित में ऐसा करना आवश्यक या समीचीन है, तो वह किसी समाचारपत्र से यह अपेक्षा कर सकेगी कि वह समाचारपत्र, या समाचार एजेंसी, संपादक या उसमें कार्य करने वाले पत्रकार के विरुद्ध इस धारा के अधीन किसी जाँच से सम्बद्ध किन्हीं विशिष्टियों को, जिनके अन्तर्गत उस समाचारपत्र, समाचार एजेंसी, संपादक या पत्रकार का नाम भी है, उसमें ऐसी रीति से जैसी परिषद् ठीक समझे, प्रकाशित करे ।

(३) उपधारा (१) की किसी भी बात से यह नहीं समझा जाएगा कि वह परिषद को किसी ऐसे मामले में जाँच करने की शक्ति प्रदान करती है जिसके बारे में कोई कार्यवाही किसी न्यायालय में लम्बित हो ।

(४) यथास्थिति, उपधारा (१) या उपधारा (२) के अधीन परिषद् का विनिश्चय अन्तिम होगा और उसे किसी भी न्यायालय में प्रश्नगत नहीं किया जाएगा ।

परिषद् की साधारण शक्तियाँ

१५. (१) इस अधिनियम के अधीन अपने कृत्यों के पालन या कोई जाँच करने के प्रयोजन के लिए परिषद् की निम्नलिखित बातों के बारे में सम्पूर्ण भारत में वे ही शक्तियाँ होंगी जो वाद का विचारण करते समय सिविल न्यायालय में सिविल प्रक्रिया संहिता, १९०८ के अधीन निहित है, अर्थात्—

(१९०८ का ५)

(क) व्यक्तियों को समन करना और हाजिर कराना तथा उनकी शपथ पर परीक्षा करना,

(ख) दस्तावेजों का प्रकटीकरण और उनका निरीक्षण,

(ग) साक्ष्य का शपथ-पत्र पर लिया जाना,

(घ) किसी न्यायालय या कार्यालय से किसी लोक अभिलेख या उसकी प्रतिलिपियों की अध्यपेक्षा करना,

(ङ) साक्षियों का दस्तावेजों की परीक्षा के लिए कमीशन निकालना,

(च) कोई अन्य विषय, जो विहित किया जाए ।

(२) उपधारा (१) की कोई बात किसी समाचारपत्र, समाचार एजेंसी, संपादक या पत्रकार को, उस समाचारपत्र द्वारा प्रकाशित या उस समाचार एजेंसी, संपादक या पत्रकार द्वारा प्राप्त या रिपोर्ट किए गए किसी समाचार या सूचना का स्रोत प्रकट करने के लिए विवश करनेवाली नहीं समझी जाएगी ।

(३) परिषद् द्वारा की गई प्रत्येक जाँच भारतीय दण्ड संहिता की धारा १९३ और धारा २२८ के अर्थ में न्यायिक कार्यवाही समझी जाएगी ।

(१८६० का ४५)

(४) यदि परिषद् अपने उद्देश्यों को क्रियान्वित करने के प्रयोजन के लिए या अधिनियम के अधीन अपने कृत्यों का पालन करने के लिए आवश्यकता समझती है तो वह अपने किसी विनिश्चय में या रिपोर्ट में किसी प्राधिकरण के, जिसके

अन्तर्गत सरकार भी है, आचरण के सम्बन्ध में ऐसा मत प्रकट कर सकेगी जो वह ठीक समझे ।

फीस का उद्ग्रहण

१६. (१) परिषद् इस अधिनियम के अधीन अपने कृत्यों का पालन करने के प्रयोजन के लिए ऐसी दर पर और ऐसी रीति से जो विहित की जाए, रजिस्ट्रीकृत समाचारपत्रों/समाचार एजेंसियों को उद्गृहीत कर सकेगी और विभिन्न समाचारपत्रों के लिए विभिन्न दरें, उनके प्रचार और अन्य बातों को ध्यान में रखते हुए विहित की जा सकेंगी ।

परिषद् को संदाय

१७. केन्द्रीय सरकार, संसद् द्वारा इस निमित्त विधि द्वारा किये गये संयक विनियोग के पश्चात्, परिषद् की ऐसी धनराशियों का संदाय अनुदानों के रूप में कर सकेगी जो केन्द्रीय सरकार इस अधिनियम के अधीन परिषद् के कृत्यों के पालन के लिए आवश्यक समझें ।

बजट

१९. प्रत्येक वर्ष में परिषद् ऐसे प्ररूप में और ऐसे समय पर, जो विहित किया जाए, आगामी वित्तीय वर्ष के बारे मे एक बजट तैयार करेगी, जिसमें प्राक्कलित आय और व्यय दर्शित होंगे और उसकी प्रतियाँ केन्द्रीय सरकार को अग्रप्रेषित की जाएँगी ।

वार्षिक रिपोर्ट

२०. परिषद् प्रत्येक वर्ष एक बार ऐसे प्ररूप में और ऐसे समय पर, जो विहित किया जाय, एक वार्षिक रिपोर्ट तैयार करेगी, जिसमें पूर्व वर्ष में किए गए अपने कार्यकलापों का संक्षेप और समाचारपत्रों तथा समाचार एजेंसियों के स्तर और उन पर प्रभाव डालनेवाली बातों का लेखा होगा और उसकी प्रतियाँ धारा २२ के अधीन विहित अपरीक्षित लेखा विवरण सहित केन्द्रीय सरकार को अग्रप्रेषित की जाएँगी और वह सरकार उन्हें संसद् के दोनों सदनों के समक्ष रखवाएगी ।

अन्तरिम रिपोर्ट

२१. धारा २० के उपबन्धों पर प्रतिकूल प्रभाव डाले बिना परिषद् एक वर्ष में किसी भी समय , उस वर्ष के दौरान अपने ऐसे क्रियाकलापों का संक्षेप देते हुए रिपोर्ट तैयार कर सकेगी जिन्हें वह लोक-महत्व का समझे और उसकी प्रतियाँ

केन्द्रीय सरकार को अग्रप्रेषित की जाएँगी और सरकार उन्हें संसद् के दोनों सदनों के समक्ष रखवाएगी ।

अध्याय ४

प्रकीर्ण

सद्भावपूर्वक की गई कार्रवाई के लिए संरक्षण

२३. (१) कोई भी वाद या अन्य विधिक कार्यवाही किसी भी ऐसी बात के बारे में, जो इस अधिनियम के अधीन सद्भावपूर्वक की गई हो या की जाने के लिए आशयित हो, परिषद् या उसके किसी भी सदस्य या परिषद् के निदेश के अधीन कार्य करनेवाले किसी भी व्यक्ति के विरुद्ध न होगी ।

(२) कोई भी वाद या अन्य विधिक कार्यवाही किसी समाचारपत्र में परिषद् के प्राधिकार से प्रकाशित किसी भी विषय के बारे में उस समाचारपत्र के विरुद्ध नहीं होगी ।

सदस्य आदि लोकसेवक होंगे

२४. परिषद् का प्रत्येक सदस्य और परिषद् द्वारा नियुक्त प्रत्येक अधिकारी या अन्य कर्मचारी भारतीय दण्ड संहिता की धारा २१ के अर्थ मे लोकसेवक समझा जाएगा ।

(१८६० का ४५)

नियम बनाने की शक्ति

२५. केन्द्रीय सरकार इस अधिनियम के प्रयोजनों को कार्यान्वित करने के लिए नियम राजपत्र में अधिसूचना द्वारा बना सकेगी ।

परन्तु जब परिषद् स्थापित कर दी गई हो तब ऐसे कोई भी नियम परिषद् से परामर्श किए बिना नहीं बनाए जाएँगे ।

---

(३) इस धारा के अधीन बनाया गया प्रत्येक नियम, बनाए जाने के पश्चात्, यथाशीघ्र संसद् के प्रत्येक सदन के समक्ष, जब वह सत्र में हो, कुल तीस दिन की अवधि के लिए रखा जाएगा । यह अवधि एक सत्र में अथवा दो या अधिक अनुक्रमिक सत्रों में पूरी हो सकेगी । यदि उस सत्र के या पूर्वोक्त अनुक्रमिक सत्रों के ठीक बाद के सत्र के अवसान के पूर्व दोनों सदन उस नियम में कोई परिवर्तन करने के लिए सहमत हो जाएँ तो तत्पश्चात् वह ऐसे परिवर्तित रूप में ही प्रभावी होगा । यदि उक्त अवसान के पूर्व दोनों सदन सहमत हो जाएँ कि वह नियम नहीं बनाया जाना चाहिए तो तत्पश्चात् वह निष्प्रभाव हो जाएगा । किन्तु नियम के ऐसे परिवर्तित या निष्प्रभाव होने से उसके अधीन पहले की गयी किसी बात की विधिमान्यता पर प्रतिकूल प्रभाव नहीं पड़ेगा ।

२६. विनियम बनाने की शक्ति

परिषद् निम्नलिखित के लिए ऐसे विनियम बना सकेगी जो इस अधिनियम तथा इसके अधीन बनाए नियमों के असंगत न हों, अर्थात्—

(क) परिषद् या उसकी किसी समिति के अधिवेशनों और उनमें कामकाज की प्रक्रिया की धारा ६ के अधीन विनियमन,

(ख) परिषद् द्वारा नियुक्त किए गए कर्मचारियों की सेवा के निबन्धनों और शर्तों का धारा ११ की उपधारा (२) के अधीन विनिर्देशन,

(ग) इस अधिनियम के अधीन कोई भी जाँच करने की रीति का विनियमन,

(घ) ऐसी शर्तों के अधीन हुए जिन्हें वह अधिरोपित करना ठीक समझे, परिषद् के अध्यक्ष या सचिव को धारा १८ की उपधारा (३) के अधीन अपनी शक्तियों में से किसीका प्रत्यायोजन,

(ङ) कोई अन्य विषय जिसके लिए इस अधिनियम के अधीन विनियमों द्वारा उपबन्ध किया जा सकता है,

परन्तु खण्ड (ख) के अधीन बनाये गए विनियम केन्द्रीय सरकार के पूर्व अनुमोदन से ही बनाए जाएँगे ।

(१८६७ के अधिनियम २५ का संशोधन)

२७. प्रेस और पुस्तक रजिस्ट्रीकरण अधिनियम १८६७ की धारा ८ ग की उपधारा (१) में, 'केन्द्रीय सरकार द्वारा नियुक्त किए जानेवाले अध्यक्ष तथा एक अन्य सदस्य से मिलकर बनेगा' शब्दों के स्थान पर 'प्रेस परिषद् द्वारा अपने सदस्यों में से नामनिर्दिष्ट किए जाने वाले अध्यक्ष तथा एक अन्य सदस्य से मिलकर बनेगा' शब्द और अंक रखे जाएँगे ।

■

परिशिष्ट तीन

श्रमजीवी पत्रकार और अन्य समाचारपत्र-कर्मचारी (सेवा की शर्तें) और प्रकीर्ण उपबन्ध अधिनियम, १९५५

(१९५५ का अधिनियम सं० ४५)

समाचारपत्र-स्थापनों में नियोजित श्रमजीवी पत्रकारों तथा अन्य व्यक्तियों की कतिपय सेवा की शर्तों को विनियमित करने के लिए अधिनियम

भारत गणराज्य के छठे वर्ष में संसद् निम्नलिखित रूप में यह अधिनियमित हो—

अध्याय १

प्रारम्भिक

१. (१) यह अधिनियम श्रमजीवी पत्रकार और अन्य समाचारपत्र कर्मचारी (सेवा की शर्तें) और प्रकीर्ण उपबन्ध अधिनियम, १९५५ कहा जा सकेगा ।

(२) इसका विस्तार सम्पूर्ण भारत पर है ।

२. इस अधिनियम में, जब तक कि सन्दर्भ से अन्यथा अपेक्षित न हो—

(क) 'बोर्ड' से अभिप्रेत है—

[i] श्रमजीवी पत्रकारों के सम्बन्ध में धारा ९ के अधीन गठित मजदूरी बोर्ड, और

[ii] पत्रकारों से भिन्न समाचारपत्र-कर्मचारियों के सम्बन्ध में धारा १३ ग के अधीन गठित मजदूरी बोर्ड,

(ख) 'समाचारपत्र' से ऐसी कोई छपी हुई नियतकालिक कृति अभिप्रेत है जिसमें सार्वजनिक समाचार या सार्वजनिक समाचारों पर टीका-टिप्पणियाँ हों और इसके अन्तर्गत छपी हुई नियतकालिक कृति का ऐसा अन्य वर्ग भी है जो केन्द्रीय सरकार द्वारा शासकीय राजपत्र में समय-समय पर इस निमित्त अधिसूचित किया जाए,

(ग) 'समाचारपत्र-कर्मचारी, से कोई श्रमजीवी पत्रकार अभिप्रेत है और इसके अन्तर्गत कोई ऐसा अन्य व्यक्ति भी है जो किसी समाचारपत्र-स्थापन में या उसके सम्बन्ध में किसी काम को करने के लिए नियोजित किया जाए,

(घ) 'समाचारपत्र-स्थापन' से एक या अधिक समाचारपत्रों के उत्पादन या प्रकाशन के लिए अथवा कोई समाचार एजेंसी या सिंडीकेट चलाने के लिए किसी व्यक्ति या व्यक्तियों के निकाय के, चाहे वह निगमित हो या न हो, नियन्त्रण के अधीन कोई स्थापन अभिप्रेत है,

(घघ) 'पत्रकारों से भिन्न समाचारपत्र-कर्मचारी' से कोई ऐसा व्यक्ति अभिप्रेत है जो किसी समाचारपत्र-स्थापन में या उसके सम्बन्ध में किसी काम को करने के लिए नियोजित किया जाता है किन्तु इसके अन्तर्गत ऐसा कोई व्यक्ति नहीं है जो—

[i] श्रमजीवी पत्रकार है, या

[ii] मुख्य रूप से प्रबन्धकीय या प्रशासकीय हैसियत में नियोजित है, या

[iii] पर्यविक्षकीय हैसियत में नियोजित होते हुए या तो अपने पद से संलग्न कर्तव्यों की प्रकृति के कारण या अपने में निहित शक्तियों के कारण ऐसे कृत्यों का पालन करता है जो मुख्यतः प्रबन्धक प्रकृति के हैं,

(ङ) 'विहित' से इस अधिनियम के अधीन बनाए गए नियमों द्वारा विहित अभिप्रेत है,

(च) 'श्रमजीवी पत्रकार' से कोई ऐसा व्यक्ति अभिप्रेत है, जिसका मुख्य व्यवसाय पत्रकार का है और जो किसी समाचारपत्र-स्थापन में या उसके सम्बन्ध में इस हैसियत में नियोजित है और उसके अन्तर्गत संपादक, अग्रलेख-लेखक, समाचार-संपादक, उप-संपादक, फीचर-लेखक, प्रकाशन-विवेचक, रिपोर्टर, संवाददाता, व्यंग्यचित्रकार, समाचार-फोटोग्राफर और प्रूफरीडर भी हैं, किन्तु ऐसा कोई व्यक्ति इसके अन्तर्गत नहीं है जो—

[i] मुख्य रूप से प्रबन्धकीय या प्रशासकीय हैसियत में नियोजित है, या

[ii] पर्यविक्षकीय हैसियत में नियोजित होते हुए या तो अपने पद से संलग्न कर्तव्यों की प्रकृति के कारण या अपने में निहित शक्तियों के कारण ऐसे कृत्यों का पालन करता है जो मुख्यतः प्रबन्धकीय प्रकृति के हैं,

(छ) ऐसे सब शब्दों और पदों के, जो इस अधिनियम में प्रयुक्त किए गए हैं किन्तु परिभाषित नहीं किए गए हैं और औद्योगिक विवाद अधिनियम, १९४७ में परिभाषित किए गए हैं वे ही अर्थ होंगे जो उन्हें उस अधिनियम में क्रमशः दिए गए हैं।

अध्याय २

श्रमजीवी पत्रकार

३.(१) तत्समय यथा प्रवृत्त औद्योगिक विवाद अधिनियम, १९४७ के उपबन्ध उपधारा (२) में विनिर्दिष्ट उपान्तर के अध्यधीन रहते हुए श्रमजीवी पत्रकारों को या उनके सम्बन्ध में वैसे ही लागू होंगे जैसे वे उन व्यक्तियों को या उनके सम्बन्ध में लागू होते हैं जो उस अधिनियम के अर्थ में कर्मकार हैं।

(२) श्रमजीवी पत्रकारों के सम्बन्ध में लागू होने में पूर्वोक्त अधिनियम की धारा २५च का ऐसा अर्थ लगाया जाएगा मानो उसके खण्ड (क) में, कर्मकार की छँटनी के सम्बन्ध में उसमें निर्दिष्ट सूचना की कालावधि के स्थान पर, श्रमजीवी पत्रकार की छँटनी के सम्बन्ध में सूचना की निम्नलिखित कालावधियाँ रख दी गई हों, अर्थात्—

(क) सम्पादक की दशा में, छह मास, और

(ख) किसी अन्य श्रमजीवी पत्रकार की दशा में, तीन मास।

४. जहाँ १९५४ को जुलाई के १४वें दिन और १९५५ के मार्च के १२वें दिन के बीच किसी समय किसी श्रमजीवी पत्रकार की छँटनी की गई है वहाँ वह नियोजक से निम्नलिखित पाने का हकदार होगा—

(क) एक मास की मजदूरी, उस दर पर, जिसके लिए वह अपनी छँटनी से ठीक पहले हकदार था, तब के सिवा जब कि ऐसी छँटनी से पूर्व उसे एक मास की लिखित सूचना दे दी गई थी, तथा

(ख) प्रतिकर, जो उस नियोजक के अधीन सेवा के प्रत्येक संपूरित वर्ष या उसके छह मास से अधिक के किसी भाग के लिए पन्द्रह दिन के औसत वेतन के बराबर होगा।

५. (१) जहाँ—

(क) कोई श्रमजीवी पत्रकार, चाहे इस अधिनियम के प्रारम्भ से पूर्व या पश्चात् किसी समाचारपत्र-स्थापन में लगातार तीन वर्ष से अन्यून समय तक सेवा में रहा है, और —

[i] उस समाचारपत्र-स्थापन के संबन्ध में उसकी सेवाओं की नियोजक द्वारा समाप्ति, अनुशासनिक कार्यवाही के तौर पर दिये गये दण्ड से भिन्न किसी भी कारण से की जाती है, या

[ii] वह अधिवर्षिता की आयु का होने पर सेवा से निवृत हो जाता है, अथवा

(ख) कोई श्रमजीवी पत्रकार, चाहे इस अधिनियम के प्रारम्भ से पूर्व या पश्चात्, किसी समाचारपत्र-स्थापन में लगातार दस वर्ष से अन्यून समय तक सेवा में रहा है और वह उस समाचारपत्र-स्थापन में सेवा से अन्तःकरण से भिन्न किसी भी आधार पर १६६१ की जुलाई के प्रथम दिन को या उसके पश्चात् स्वेच्छया पद-त्याग कर देता है, या

(ग) कोई श्रमजीवी पत्रकार, चाहे इस अधिनियम के प्रारम्भ से पूर्व या पश्चात्, किसी समाचारपत्र-स्थापन में, लगातार तीन वर्ष से अन्यून समय तक सेवा में रहा है और वह उस स्थापन में सेवा से, अन्तःकरण के आधार पर१६६१ की जुलाई के प्रथम दिन को या उसके पश्चात् स्वेच्छया पद-त्याग कर देता है, या

(घ) कोई श्रमजीवी पत्रकार, किसी समाचारपत्र-स्थापन में सेवा के दौरान मर जाता है, वहाँ उस श्रमजीवी पत्रकार को, या उसकी मृत्यु की दशा में, यथास्थिति, उसके नामनिर्देशिती या नामनिर्देशितियों को या यदि उस श्रमजीवी पत्रकार की मृत्यु के समय कोई नामनिर्देशन प्रवृत्त न हो तो उसके कुटुम्ब को, ऐसी समाप्ति, निवृत्ति, पद-त्याग या मृत्यु पर, उस स्थापन के सम्बन्ध में नियोजक द्वारा ऐसा उपदान, जो सेवा के प्रत्येक सम्पूरित वर्ष या उसके छह मास से अधिक के किसी भाग के लिए पन्द्रह दिन के औसत वेतन के बराबर होगा, औद्योगिक विवाद अधिनियम, १६४७ के अधीन प्रोद्भूत होनेवाले किन्हीं फायदों या अधिकारों पर प्रतिकूल प्रभाव डाले बिना, संदत्त किया जाएगा—

परन्तु खण्ड (ख) में निर्दिष्ट श्रमजीवी पत्रकार की दशा में उपदान की कुल रकम जो उसको संदेय होगी साढ़े बारह मास के औसत वेतन से अधिक नहीं होगी—

परन्तु यह और कि जहाँ कोई श्रमजीवी पत्रकार किसी ऐसे समाचारपत्र-स्थापन में नियोजित है जिसने इस अधिनियम के प्रारम्भ से ठीक पहले के बारह मास के किसी दिन छह से अनधिक श्रमजीवी पत्रकार नियोजित थे वहाँ ऐसे समाचारपत्र-स्थापन में नियोजित किसी श्रमजीवी पत्रकार को ऐसे प्रारम्भ से पूर्व सेवा की किसी कालावधि के लिए संदेय उपदान, सेवा के प्रत्येक सम्पूरित वर्ष या उसके छह मास से अधिक के किसी भाग के लिए पन्द्रह दिन के औसत वेतन के बराबर नहीं होगा किन्तु निम्नलिखित के बराबर होगा—

(क) सेवा के प्रत्येक संपूरित वर्ष या उसके छह मास से अधिक के किसी भी भाग के लिए तीन दिन का औसत वेतन, यदि ऐसी पिछली सेवा की कालावधि पाँच वर्ष से अधिक नहीं है,

(ख) सेवा के प्रत्येक संपूरित वर्ष या उसके छह मास से अधिक के किसी भाग के लिए पाँच दिन का औसत वेतन, यदि ऐसी पिछली सेवा की कालावधि पाँच वर्ष से अधिक है किन्तु दस वर्ष से अधिक नहीं है, तथा

(ग) सेवा के प्रत्येक संपूरित वर्ष या उसके छह मास से अधिक के किसी भाग के लिए सात दिन का औसत वेतन, यदि ऐसी पिछली सेवा की कालावधि दस वर्ष से अधिक है ।

स्पष्टीकरण—इस उपधारा और धारा १७ की उपधारा (१) के प्रयोजनों के लिए 'कुटुम्ब' से अभिप्रेत है—

(i) पुरुष श्रमजीवी पत्रकार की दशा में, उसकी विधवा, बच्चे, चाहे विवाहित हों या अविवाहित, और उसके आश्रित माता-पिता और उसके मृत पुत्र की विधवा और बच्चे,

परन्तु किसी विधवा को श्रमजीवी पत्रकार के कुटुम्ब का सदस्य नहीं समझा जाएगा यदि उसकी मृत्यु के समय वह उसके द्वारा भरण-पोषण की वैध रूप से हकदार नहीं थी,

(ii) महिला श्रमजीवी पत्रकार की दशा में, उसका पति, बच्चे, चाहे विवाहित हों या अविवाहित, और श्रमजीवी पत्रकार के या उसके पति के आश्रित माता-पिता, और उसके मृत पुत्र की विधवा और बच्चे,

परन्तु यदि श्रमजीवी पत्रकार ने अपने पति को कुटुम्ब से अपवर्जित करने की अपनी इच्छा अभिव्यक्त की है तो पति और पति के आश्रित माता-पिता उस श्रमजीवी पत्रकार के कुटुम्ब के भाग नहीं समझे जायेंगे,

और उपर्युक्त दोनों ही दशाओं में, यदि श्रमजीवी पत्रकार के या श्रमजीवी पत्रकार के मृत पुत्र के बच्चे को किसी अन्य व्यक्ति द्वारा दत्तक ले लिया गया है और यदि दत्तकग्रहीता की स्वीय विधि के अधीन, दत्तकग्रहण वैध रूप से मान्य है तो ऐसा बच्चा उस श्रमजीवी पत्रकार के कुटुम्ब का सदस्य नहीं समझा जाएगा ।

(२) इस बाबत कोई विवाद कि क्या किसी श्रमजीवी पत्रकार ने अपने अंतःकरण के आधार पर किसी समाचारपत्र-स्थापन में सेवा से स्वेच्छा पदत्याग कर दिया है, औद्योगिक विवाद अधिनियम, १९४७ या किसी राज्य में प्रवृत्त औद्योगिक विवादों की जाँच-पड़ताल और निपटारे से सम्बद्ध किसी तत्समान विधि के अर्थ में औद्योगिक विवाद समझा जाएगा ।

(३) जहाँ कोई नामनिर्देशिती अवयस्क है और उपधारा (१) के अधीन उपदान उसकी अवयस्कता के दौरान संदेय हो गया है वहाँ वह धारा ५क की उपधारा (३) के अधीन नियुक्त व्यक्ति को संदत्त किया जाएगा—

परन्तु जहाँ ऐसा कोई व्यक्ति नहीं है वहाँ संदाय सक्षम न्यायालय द्वारा नियुक्त; अवयस्क की सम्पत्ति के किसी संरक्षक को या जहाँ ऐसा कोई संरक्षक

नियुक्त नहीं किया गया है वहाँ अवयस्क के माता-पिता में से किसी को या जहाँ माता-पिता में से कोई भी जीवित नहीं है वहाँ अवयस्क के किसी अन्य संरक्षक को किया जाएगा—

परन्तु यह और कि जहाँ उपदान दो या अधिक नामनिर्देशितियों को संदेय है और उनमें से कोई एक मर जाता है वहाँ उपदान उत्तरजीवी नामनिर्देशिती या नामनिर्देशितियों को संदत्त किया जाएगा ।

५क. (१) तत्समय प्रवृत्त किसी विधि में, या वसीयत द्वारा अथवा अन्यथा किये गए किसी व्ययन में, श्रमजीवी पत्रकार को संदेय किसी उपदान की बाबत किसी बात के होते हुए भी, जहाँ किसी श्रमजीवी पत्रकार को तत्समय देय उपदान का संदाय प्राप्त करने का अधिकार किसी व्यक्ति को प्रदत्त करना विहित रीति से किये गये किसी नामनिर्देशन से तात्पर्यित है वहाँ नामनिर्देशिती, उस श्रमजीवी पत्रकार की मृत्यु पर, अन्य सब व्यक्तियों का अपवर्जन करके उस उपदान का और उसकी बाबत देय राशि का संदाय प्राप्त करने का हकदार होगा जब तक कि वह नामनिर्देशन विहित रीति से परिवर्तित नहीं कर दिया जाता या रद्द नहीं कर दिया जाता ।

(२) उपधारा (१) में निर्दिष्ट नामनिर्देशन उस दशा में शून्य हो जाएगा जिसमें नामनिर्देशिती की मृत्यु या जहाँ दो या अधिक नामनिर्देशिती हों वहाँ सब नामनिर्देशितियों की मृत्यु, नामनिर्देशन करनेवाले श्रमजीवी पत्रकार से पहले हो जाती है ।

(३) जहाँ नामनिर्देशिती अवयस्क है, वहाँ नामनिर्देशन करनेवाले श्रमजीवी पत्रकार के लिए यह विधिपूर्ण होगा कि वह नामनिर्देशिती की अवयस्कता के दौरान अपनी मृत्यु हो जाने की दशा में उपदान प्राप्त करने के लिए किसी व्यक्ति को विहित रीति से नियुक्त कर दे ।

६. (१) किन्हीं नियमों के, जो इस अधिनियम के अधीन बनाये जाएँ, अध्यधीन रहते हुए, किसी भी श्रमजीवी पत्रकार से यह अपेक्षा नहीं की जाएगी या उसे इस बात की इजाजत नहीं होगी कि वह किसी समाचारपत्र-स्थापन में लगातार चार सप्ताहों की किसी कालावधि के दौरान, भोजन के समयों को छोड़कर, एक सौ चवालीस घंटों से अधिक के लिए काम करे ।

(२) प्रत्येक श्रमजीवी पत्रकार को, लगातार सात दिनों की किसी कालावधि के दौरान, लगातार चौबीस घंटों से अन्यून कालावधि के लिए विश्राम अनुज्ञात किया जाएगा जिसमें रात के १० बजे और सबेरे के ६ बजे के बीच की कालावधि सम्मिलित है ।

स्पष्टीकरण—इस धारा के प्रयोजनों के लिए 'सप्ताह' से शनिवार की मध्य रात्रि से आरम्भ होनेवाली सात दिन की कालावधि अभिप्रेत है ।

७. ऐसे अवकाश दिनों, आकस्मिक छुट्टी या अन्य प्रकार की छुट्टियों पर, जैसी विहित की जाएँ, प्रतिकूल प्रभाव डाले बिना, प्रत्येक श्रमजीवी पत्रकार निम्नलिखित का हकदार होगा—

(क) कर्तव्य पर व्यतीत कालावधि के एक बटा ग्यारह से अन्यून के लिए पूरी मजदूरी पर उपार्जित छुट्टी ।

(ख) सेवा की कालावधि के एक बटा अठारह से अन्यून के लिए आधी मजदूरी पर चिकित्सीय प्रमाणपत्र पर छुट्टी ।

८. (१) केन्द्रीय सरकार, इसमें इसके पश्चात् उपबन्धित रीति से—

(क) श्रमजीवी पत्रकारों के लिए मजदूरी की दरें नियत कर सकेगी,

(ख) इस धारा के अधीन नियत या श्रमजीवी पत्रकार (मजदूरी दर नियतन) अधिनियम, १९५८ की धारा ६ के अधीन दिए गए आदेश में विनिर्दिष्ट मजदूरी की दरों को ऐसे अन्तरालों पर, जैसे वह ठीक समझे, समय-समय पर पुनरीक्षित कर सकेगी ।

(२) श्रमजीवी पत्रकारों के लिए मजदूरी की दरें केन्द्रीय सरकार द्वारा कालानुपाती काम के लिए और मात्रानुपाती काम के लिए नियत या पुनरीक्षित की जा सकेंगी ।

९. इस अधिनियम के अधीन श्रमजीवी पत्रकारों के लिए मजदूरी की दरों को नियत या पुनरीक्षित करने के प्रयोजन के लिए केन्द्रीय सरकार, जैसे और जब आवश्यक हो, एक मजदूरी बोर्ड गठित करेगी, जिसमें निम्नलिखित होंगे—

(क) समाचारपत्र-स्थापनों के संबन्ध में नियोजकों का प्रतिनिधित्व करने वाले दो व्यक्ति,

(ख) श्रमजीवी पत्रकारों का प्रतिनिधित्व करने वाले दो व्यक्ति,

(ग) तीन स्वतन्त्र व्यक्ति, जिनमें से एक व्यक्ति ऐसा होगा जो किसी उच्च न्यायालय का या उच्चतम न्यायालय का न्यायाधीश है या रहा है और जो उस सरकार द्वारा बोर्ड का अध्यक्ष नियुक्त किया जाएगा ।

१०. (१) बोर्ड, ऐसी रीति से, जैसी वह ठीक समझे, प्रकाशित सूचना द्वारा, समाचारपत्र-स्थापनों और श्रमजीवी पत्रकारों तथा श्रमजीवी पत्रकारों की मजदूरी की दरों को नियत और पुनरीक्षित करने में हितबद्ध अन्य व्यक्तियों से अपेक्षा करेगा कि वे मजदूरी की दरों के सम्बन्ध में, जो श्रमजीवी पत्रकारों के लिए इस अधिनियम के अधीन नियत या पुनरीक्षित की जा सकती है, ऐसे अभ्यावेदन करें जैसे वे ठीक समझें ।

(२) ऐसा हर अभ्यावेदन लिखित रूप में होगा और ऐसी कालावधि के अन्दर किया जाएगा जो बोर्ड सूचना में विनिर्दिष्ट करे तथा उसमें मजदूरी की ऐसी दरें कथित होंगी जो अभ्यावेदन करने वाले व्यक्ति की राय में, नियोजक की उन्हे संदाय करने की सामर्थ्य को या किन्हीं ऐसी अन्य परिस्थितियों को जो अभ्यावेदन करनेवाले

व्यक्ति को अपने अभ्यावेदन के सम्बन्ध में सुसंगत प्रतीत हों ध्यान में रखते हुए युक्तियुक्त होंगी ।

(३) बोर्ड, पूर्वोक्त अभ्यावेदनों पर, यदि कोई हों, विचार करेगा और अपने समक्ष रखी गयी सामग्री की परीक्षा करने के पश्चात् श्रमजीवी पत्रकारों के लिए मजदूरी की दरें नियत या पुनरीक्षित करने के लिए केन्द्रीय सरकार से ऐसी सिफारिशें करेगा जैसी वह ठीक समझे, और ऐसी किसी सिफारिश में चाहे भविष्यलक्षी रूप से अथवा भूतलक्षी रूप से, वह तारीख विनिर्दिष्ट हो सकेगी जिससे मजदूरी की वे दरें प्रभावशाली होनी चाहिए ।

(४) केन्द्रीय सरकार से कोई सिफारिश करने में बोर्ड, निर्वाह-व्यय का, सदृश नियोजन के लिए विद्यमान मजदूरी की दरों का, देश के विभिन्न प्रदेशों में समाचारपत्र-उद्योग सम्बद्ध परिस्थितियों का और किन्हीं अन्य परिस्थितियों का, जो बोर्ड को सुसंगत प्रतीत हों, ध्यान रखेगा ।

११. (१) उपधारा (२) के उपबन्धों के अध्यधीन रहते हुए बोर्ड, उन सब शक्तियों का या उनमें से किन्हीं का प्रयोग कर सकेगा जिनका प्रयोग औद्योगिक विवाद अधिनियम, १९४७ के अधीन गठित औद्योगिक अधिकरण उसको निर्दिष्ट औद्योगिक विवाद के न्याय-निर्णयन के लिए करता है और उसे इस अधिनियम और तदधीन बनाए गए नियमों में, यदि कोई हों, अन्तर्विष्ट उपबन्धों के अध्यधीन रहते हुए अपनी प्रक्रिया स्वयं विनियमित करने की शक्ति होगी ।

(२) बोर्ड से किए गए अभ्यावेदन और साक्ष्य के रूप में उसे दी गई दस्तावेजें, मामले में हितबद्ध किसी व्यक्ति द्वारा, ऐसी फीस लेने पर, जैसी विहित की जाए, निरीक्षण के लिए खुली रहेंगी ।

(३) यदि किसी कारण बोर्ड के अध्यक्ष या किसी अन्य सदस्य के पद में रिक्ति होती है तो केन्द्रीय सरकार उस रिक्ति की पूर्ति धारा ९ के उपबन्धों के अनुसार उस पर किसी अन्य व्यक्ति को नियुक्त करके करेगी और किसी भी कार्यवाही को ऐसे पुनर्गठित बोर्ड के समक्ष उस प्रक्रम से जारी रखा जा सकेगा जिस पर वह रिक्ति हुई थी ।

१२. (१) बोर्ड की सिफारिशों की प्राप्ति के पश्चात् यथाशक्य शीघ्र केन्द्रीय सरकार, सिफारिशों के निबन्धनों के अनुसार या ऐसे उपान्तरों के अध्यधीन, यदि कोई हों, जैसे वह ठीक समझे और जो उपान्तर ऐसे होंगे जो केन्द्रीय सरकार की राय में सिफारिशों के स्वरूप में महत्वपूर्ण परिवर्तन नहीं करते, आदेश करेगी ।

(२) उपधारा (१) में किसी बात के होते हुए भी केन्द्रीय सरकार, यदि वह ठीक समझती है—

(क) सिफारिशों में उपधारा (१) में निर्दिष्ट प्रकार के उपान्तर न होने वाले ऐसे उपान्तर कर सकेगी जैसे वह ठीक समझे,

परन्तु ऐसा कोई उपान्तर करने से पूर्व केन्द्रीय सरकार उन सब व्यक्तियों को, जिन पर उनका प्रभाव पड़ना संभाव्य हो, ऐसी रीति से, जैसी विहित की जाए, सूचना दिलवाएगी और उन

अभ्यावेदनों पर विचार करेगी जो वे लिखित रूप में इस निमित्त करें, अथवा

(ख) सिफारिशों या उनके किसी भाग को बोर्ड को निर्देशित कर सकेगी जिस दशा में केन्द्रीय सरकार उसकी अतिरिक्त सिफारिशों पर विचार करेगी और या तो सिफारिशो के निबन्धनों के अनुसार या उपधारा (१) में निर्दिष्ट प्रकार के ऐसे उपान्तरों के सहित, जैसे वह ठीक समझे, आदेश करेगी ।

(३) केन्द्रीय सरकार द्वारा इस धारा के अधीन किया गया प्रत्येक आदेश, बोर्ड की उस आदेश से सम्बद्ध सिफारिशों के साथ शासकीय राजपत्र में प्रकाशित किया जाएगा और वह आदेश प्रकाशन की तारीख को या चाहे भविष्यलक्षी रूप से अथवा भूतलक्षी रूप से ऐसी तारीख को, जैसी आदेश में विनिर्दिष्ट की जाए, प्रवर्तन में आएगा ।

१३. धारा १२ के अधीन केन्द्रीय सरकार के आदेश के प्रवर्तन में आने पर, प्रत्येक श्रमजीवी पत्रकार इस बात का हकदार होगा कि उसे उसके नियोजक द्वारा उस दर पर मजदूरी दी जाए जो आदेश में विनिर्दिष्ट मजदूरी की दर से किसी भी दशा में कम न होगी ।

१३ क. (१) इस अधिनियम में किसी बात के होते हुए भी, जहाँ केन्द्रीय सरकार की यह राय है कि ऐसा करना आवश्यक है वहाँ वह बोर्ड से परामर्श के पश्चात् शासकीय राजपत्र में अधिसूचना द्वारा, श्रमजीवी पत्रकारों के लिए मजदूरी की अन्तरिम दरें नियत कर सकेगी ।

(२) ऐसे नियत मजदूरी की अन्तरिम दरें समाचारपत्र-स्थापनों के संबन्ध में सब नियोजकों पर आबद्धकर होंगी और प्रत्येक श्रमजीवी पत्रकार इस बात का हकदार होगा कि उसे उस दर पर मजदूरी दी जाए जो उपधारा (१) के अधीन नियत मजदूरी की अन्तरिम दरों से किसी भी दशा में कम नहीं होगी ।

(३) उपधारा (१) के अधीन नियत मजदूरी की अन्तरिम दरें, धारा १२ के अधीन केन्द्रीय सरकार के आदेश के प्रवर्तन में आने तक प्रवृत्त रहेंगी ।

अध्याय २क

पत्रकारों से भिन्न समाचारपत्र-कर्मचारी

१३ख. (१) केन्द्रीय सरकार, इसमें इसके पश्चात् उपबंधित रीति से—

(क) पत्रकारों से भिन्न समाचारपत्र-कर्मचारियों के लिए गजदूरी की दरें नियत कर सकेगी, और

(ख) इस धारा के अधीन नियत मजदूरी की दरों को ऐसे अन्तरालों पर, जैसे वह ठीक समझे, सगय-समय पर पुनरीक्षित कर सकेगी ।

(२) पत्रकारों से भिन्न समाचारपत्र-कर्मचारियों के लिए मजदूरी की दरें केन्द्रीय सरकार द्वारा कालानुपाती काम के लिए और मात्रानुपाती काम के लिए नियत या पुनरीक्षित की जा सकेंगी ।

१३ग. इस अधिनियम के अधीन पत्रकारों से भिन्न समाचारपत्र-कर्मचारियों के लिए मजदूरी की दरों को नियत या पुनरीक्षित करने के प्रयोजन के लिए केन्द्रीय सरकार, जैसे और जब आवश्यक हो, एक मजदूरी बोर्ड गठित करेगी जिसमें निम्नलिखित होंगे—

(क) समाचारपत्र-स्थापनों के संबंध में नियोजकों का प्रतिनिधित्व करनेवाले दो व्यक्ति,

(ख) पत्रकारों से भिन्न समाचारपत्र-कर्मचारियों का प्रतिनिधित्व करने वाले दो व्यक्ति, और

(ग) तीन स्वतन्त्र व्यक्ति, जिनमें से एक व्यक्ति ऐसा होगा जो किसी उच्च न्यायालय का या उच्चतम न्यायालय का न्यायाधीश है या रहा है और जो उस सरकार द्वारा बोर्ड का अध्यक्ष नियुक्त किया जाएगा ।

१३घ. धारा १० से लेकर धारा १३क तक के उपबन्ध, धारा १३ग के अधीन गठित बोर्ड, केन्द्रीय सरकार और पत्रकारों से भिन्न समाचारपत्र-कर्मचारियों को और उनके संबन्ध में इन उपान्तरों के अधीन लागू होंगे कि—

(क) उनमें बोर्ड और श्रमजीवी पत्रकारों के प्रति निर्देशों का, जहाँ कहीं भी वे आते हैं, यह अर्थ किया जाएगा कि वे क्रमशः धारा १३ग के अधीन गठित बोर्ड के और पत्रकारों से भिन्न समाचारपत्र-कर्मचारियों के प्रति निर्देश हैं,

(ख) धारा ११ की उपधारा (३) में धारा ९ के प्रति निर्देशों का यह अर्थ किया जाएगा कि वे धारा १३ग के प्रति निर्देश है, और

(ग) धारा १३ और धारा १३क में धारा १२ के प्रति निर्देशों का यह अर्थ किया जाएगा कि वे इस धारा के साथ पठित धारा १२ के प्रति निर्देश हैं ।

अध्याय ३

कतिपय अधिनियमों का समाचारपत्र-कर्मचारियों पर लागू होना

१४. तत्समय यथा प्रवृत्त औद्योगिक नियोजन (स्थायी आदेश) अधिनियम, १९४६ के उपबन्ध हर ऐसे समाचारपत्र-स्थापन को, जिसमें बीस या अधिक समाचारपत्र-कर्मचारी नियोजित हैं या पूर्वगामी बारह मास के किसी भी दिन नियोजित थे, ऐसे लागू होंगे मानो ऐसा समाचारपत्र-स्थापन ऐसी औद्योगिक स्थापन है जिसको पूर्वोक्त अधिनियम उसकी धारा १ की उपधारा (३) के अधीन अधिसूचना

द्वारा लागू किया गया है और मानो समाचारपत्र-कर्मचारी उस अधिनियम के अर्थ में कर्मकार हैं ।

१५. तत्समय यथा प्रवृत्त कर्मचारी भविष्य-निधि और प्रकीर्ण उपबन्ध अधिनियम, १९५२ हर ऐसे समाचारपत्र-स्थापन को, जिसमें किसी भी दिन बीस या अधिक व्यक्ति नियोजित हैं, ऐसे लागू होगा मानो ऐसा समाचारपत्र-स्थापन ऐसा कारखाना है जिसको पूर्वोक्त अधिनियम उसकी धारा १ की उपधारा (३) के अधीन केन्द्रीय सरकार की अधिसूचना द्वारा लागू किया गया है और मानो समाचारपत्र-कर्मचारी उस अधिनियम के अर्थ में कर्मचारी है ।

अध्याय ४

प्रकीर्ण

१६. (१) इस अधिनियम के उपबन्ध, किसी अन्य विधि में या इस अधिनियम के प्रारंभ से पूर्व या पश्चात् किए गए किसी अधिनिर्णय, करार या सेवा संविदा के निबन्धनों में अन्तर्विष्ट उससे असंगत किसी बात के होते हुए भी, प्रभावी होंगे ।

परन्तु जहाँ कोई समाचारपत्र-कर्मचारी ऐसे किसी अधिनिर्णय, करार या सेवा संविदा के अधीन या अन्यथा, किसी विषय के सम्बन्ध में ऐसे फायदों का हकदार है जो उसके लिए उनसे अधिक अनुकूल हैं जिनका वह इस अधिनियम के अधीन हकदार है तो वह समाचारपत्र-कर्मचारी उस विषय के सम्बन्ध में उन अधिक अनुकूल फायदों का इस बात के होते हुए भी हकदार बना रहेगा कि वह अन्य विषयों के सम्बन्ध में फायदे इस अधिनियम के अधीन प्राप्त करता है ।

(२) इस अधिनियम की किसी बात का यह अर्थ नहीं लगाया जाएगा कि वह किसी समाचारपत्र-कर्मचारी को किसी विषय के सम्बन्ध में उसके ऐसे अधिकार या विशेषाधिकार, जो उसके लिए उनसे अधिक अनुकूल है जिनका वह इस अधिनियम के अधीन हकदार है, अनुदत्त कराने के लिए किसी नियोजक के साथ कोई करार करने से रोकती है ।

१७. (१) जहाँ किसी नियोजक द्वारा किसी समाचारपत्र-कर्मचारी को इस अधिनियम के अधीन कोई रकम देय है वहाँ समाचारपत्र-कर्मचारी स्वयं या इस निमित्त लिखित रूप में उसके द्वारा प्राधिकृत कोई व्यक्ति अथवा उस कर्मचारी की मृत्यु हो जाने की दशा में उसके कुटुम्ब का कोई सदस्य, वसूली के किसी अन्य अंग पर प्रतिकूल प्रभाव डाले बिना, उसकी देय रकम की वसूली के लिए राज्य सरकार से आवेदन कर सकेगा और यदि राज्य सरकार का या ऐसे प्राधिकारी का, जिसे राज्य सरकार इस निमित्त विनिर्दिष्ट करे, समाधान हो जाता है कि कोई रकम वैसे देय है तो वह उस रकम के लिए एक प्रमाणपत्र कलक्टर को भेजेगा और

कलक्टर उस रकम को उसी रीति से वसूली के करने के लिए कार्रवाई करेगा जिसमें भू-राजस्व की बकाया वसूल की जाती है ।

(२) यदि किसी समाचारपत्र-कर्मचारी को उसके नियोजक से इस अधिनियम के अधीन देय रकम की बाबत कोई प्रश्न पैदा हो तो राज्य सरकार, स्वप्रेरणा से या उसको आवेदन किए जाने पर, उस प्रश्न को औद्योगिक विवाद अधिनियम, १९४७ के अधीन या उस राज्य में वृत्त औद्योगिक विवादों की जाँच-पड़ताल और निपटारे से सम्बद्ध किसी तत्समान विधि के अधीन उस द्वारा गठित किसी श्रम न्यायालय को निर्देशित कर सकेगी और उक्त अधिनियम या विधि उस श्रम न्यायालय के सम्बन्ध में ऐसे प्रभाव होंगे मानो ऐसा निर्देशित प्रश्न उस अधिनियम या विधि के अधीन न्यायनिर्णयन के लिए उस श्रम न्यायालय को निर्देशित विषय हों ।

(३) श्रम न्यायालय का विनिश्चय उस द्वारा उस राज्य सरकार को भेजा जाएगा जिसने निर्देश किया और ऐसी कोई रकम जिसे श्रम न्यायालय ने देय पाया हो उपधारा (१) में उपबन्धित रीति से वसूल की जा सकेगी ।

१७क. समाचारपत्र-स्थापन के सम्बन्ध में प्रत्येक नियोजक ऐसे रजिस्टर, अभिलेख और मस्टररोल जैसे विहित किए जाएँ और ऐसी रीति से, जैसी विहित की जाए, तैयार करेगा और बचाए रखेगा ।

१७ख. (१) राज्य सरकार, शासकीय राजपत्र में अधिसूचना द्वारा, ऐसे व्यक्तियों की, जिन्हें वह ठीक समझे, इस अधिनियम के प्रयोजनों के लिए निरीक्षक नियुक्त कर सकेगी और उन स्थानीय सीमाओं को परिनिश्चित कर सकेगी जिनके अन्दर वे अपने कृत्यों का प्रयोग करेंगे ।

(२) उपधारा (१) के अधीन नियुक्त निरीक्षक यह अभिनिश्चत करने के प्रयोजन के लिए कि क्या इस अधिनियम के या श्रमजीवी पत्रकार (मजदूरी दर नियतन) अधिनियम, १९५८ के उपबन्धों में से किन्हीं का किसी समाचारपत्र-स्थापन के सम्बन्ध में पालन किया गया है—

(क) किसी नियोजक से ऐसी जानकारी देने की अपेक्षा कर सकेगा जैसी वह आवश्यक समझे,

(ख) किसी समाचारपत्र-स्थापन में या उससे सम्बद्ध किसी परिसर में उचित समय पर प्रवेश कर सकेगा और किसी व्यक्ति से जो वहाँ का भारसाधक पाया जाए, किन्हीं लेखाओं, पुस्तकों, रजिस्टरों और उस स्थापन में व्यक्तियों के नियोजन या मजदूरी के संदाय से सम्बद्ध अन्य दस्तावेजों की परीक्षा के लिए अपने समक्ष पेश करने की अपेक्षा कर सकेगा,

(ग) पूर्वोक्त प्रयोजनों में से किसी से सुसंगत किसी विषय के बारे में नियोजक की, उसके अभिकर्ता या सेवक की या किसी अन्य व्यक्ति की जो उस समाचारपत्र-स्थापन का या उससे सम्बद्ध किसी परिसर का भारसाधक पाया जाए या किसी ऐसे व्यक्ति की, जिसके बारे

में निरीक्षक के पास यह विश्वास करने का युक्तियुक्त हेतुक है कि वह उस स्थापन में कर्मचारी है या रहा है, परीक्षा कर सकेगा,

(घ) उस समाचारपत्र-स्थापन के सम्बन्ध में रखी गई किसी पुस्तक, रजिस्टर या अन्य दस्तावेजों की नकलें बना सकेगा या उनसे उद्धरण ले सकेगा,

(ङ) ऐसी अन्य शक्तियों का प्रयोग कर सकेगा जैसी विहित की जाएँ ।

(३) प्रत्येक निरीक्षक भारतीय दंड संहिता के अर्थ में लोकसेवक समझा जाएगा ।

(४) कोई दस्तावेज या चीज पेश करने के लिए या जानकारी देने के लिए निरीक्षक द्वारा उपधारा (२) के अधीन अपेक्षित कोई व्यक्ति ऐसा करने के लिए वैध रूप से आबद्ध होगा ।

१८. (१) यदि कोई नियोजक इस अधिनियम या तदधीन बनाए गए किसी नियम या आदेश के उपबन्धों में से किसी का उल्लंघन करेगा तो वह जुर्माने से, जो दो सौ रुपये तक का हो सकेगा, दण्डनीय होगा ।

(१क) जो कोई, इस अधिनियम के अधीन किसी अपराध के लिए सिद्धदोष ठहराए जाने पर, उसी उपबन्ध का उल्लंघन करनेवाले किसी अपराध के लिए पुनः सिद्धदोष ठहराया जाएगा वह जुर्माने से, जो पाँच सौ रूपये तक का हो सकेगा, दंडनीय होगा ।

(१ख) जहाँ कोई अपराध किसी कम्पनी द्वारा किया गया है वहाँ हर व्यक्ति, जो ऐसे अपराध के किये जाने के समय उस कम्पनी के कारबार के संचालन के लिए उस कंपनी का भारसाधक और उसके प्रति उत्तरदायी था और साथ ही वह कम्पनी भी ऐसे अपराध के दोषी समझे जाएँगे तथा तदनुसार अपने विरुद्ध कार्यवाही किये जाने और दण्डित किये जाने के भागी होंगे,

परन्तु इस उपधारा की कोई भी बात ऐसे किसी व्यक्ति को इस धारा में उपबंधित किसी दण्ड का भागी नहीं बनाएगी यदि वह यह साबित कर दे कि अपराध उसकी जानकारी के बिना किया गया था या उसने ऐसे अपराध का निवारण करने के लिए सब सम्यक् तत्परता बरती थी ।

(१ग) उपधारा (१ख) में किसी बात के होते हुए भी, जहाँ इस धारा के अधीन कोई अपराध किसी कम्पनी द्वारा किया गया हो तथा यह साबित हो कि वह अपराध कम्पनी के किसी निदेशक, प्रबन्धक, सचिव या अन्य अधिकारी की सम्मति या मौनानुकूलता से किया गया है, या उसकी ओर से हुई किसी घोर उपेक्षा के कारण हुआ माना जा सकता है वहाँ ऐसा निदेशक, प्रबन्धक, सचिव या अन्य अधिकारी भी उस अपराध का दोषी समझा जाएगा तथा तदनुसार अपने विरुद्ध कार्यवाही किये जाने और दण्डित किये जाने का भागी होगा ।

(१घ) इस धारा के प्रयोजनों के लिए—

(क) 'कम्पनी' से कोई निगमित निकाय अभिप्रेत है और इसके अन्तर्गत फर्म या व्यष्टियों का अन्य संगम भी है, तथा

(ख) फर्म के संबंध में 'निदेशक' से उस फर्म का भागीदार अभिप्रेत है ।

(२) प्रेसिडेंसी मजिस्ट्रेट या प्रथम वर्ग मजिस्ट्रेट के न्यायालय से अवर कोई भी न्यायालय, इस धारा के अधीन दण्डनीय अपराध का विचारण नहीं करेगा ।

(३) कोई न्यायालय इस धारा के अधीन अपराध का संज्ञान उस दशा के सिवा नहीं करेगा जिसमें उसके लिए परिवाद उस तारीख से जिस तारीख को उस अपराध का किया जाना अभिकथित है छह मास के अन्दर कर दिया जाता है ।

१९. बोर्ड के अध्यक्ष या किसी अन्य सदस्य के या इस अधिनियम के अधीन नियुक्त किसी निरीक्षक के विरुद्ध कोई वाद, अभियोजन या अन्य विधिक कार्यवाही किसी ऐसी बात के लिए नहीं हो सकेगी जो सदभावपूर्वक की गई है या की जानी आशयित है ।

१९क. बोर्ड के किसी भी कार्य या कार्यवाही को केवल इस आधार पर प्रश्नगत नहीं किया जाएगा कि बोर्ड में कोई रिक्ति या उसके गठन में कोई त्रुटि विद्यमान है ।

१९ख. इस अधिनियम या श्रमजीवी पत्रकार (मजदूरी दर नियतन) अधिनियम, १९५८ की कोई भी बात किसी ऐसे समाचारपत्र-कर्मचारी को लागू नहीं होगी जो सरकार का ऐसा कर्मचारी है जिसे मौलिक और अनुपूरक नियम, सिविल सेवा (वर्गीकरण, नियन्त्रण और अपील) नियम, सिविल सेवाएँ (अस्थायी सेवा) नियम, पुनरीक्षित छुट्टी नियम, सिविल सेवा विनियम, रक्षा सेवाओं में सिविलियन (वर्गीकरण, नियंत्रण और अपील) नियम, या भारतीय रेल स्थापन संहिता या कोई अन्य नियम या विनियम जो शासकीय राजपत्र में इस निमित्त केन्द्रीय सरकार द्वारा अधिसूचित किए जाएँ, लागू होते हैं ।

२०. (१) केन्द्रीय सरकार इस अधिनियम के प्रयोजनों के कार्यान्वित करने के लिए नियम, शासकीय राजपत्र में अधिसूचना द्वारा बना सकेगी ।

(२) विशिष्टतया और पूर्वगामी शक्ति की व्यापकता पर प्रतिकूल प्रभाव डाले बिना ऐसे नियम निम्नलिखित विषयों में से सब या किसी के लिए उपबन्ध कर सकेंगे, अर्थात्—

(क) श्रमजीवी पत्रकारों को उपदान का संदाय,

(ख) श्रमजीवी पत्रकारों के काम के घंटे,

(ग) अवकाश दिन, उपार्जित छुट्टी, चिकित्सीय प्रमाणपत्र पर छुट्टी, आकस्मिक छुट्टी या किसी अन्य प्रकार की छुट्टी जो श्रमजीवी पत्रकारों के लिए अनुज्ञेय हो,

(घ) प्रक्रिया जिसका अनुसरण बोर्ड द्वारा इस अधिनियम के अधीन अपने कृत्यों के निर्वहन में किया जाना है,

(ङ) नामनिर्देशनों का प्ररूप, और रीति, जिसमें नामनिर्देशन किए जा सकेंगे,

(च) रीति जिसमें कोई व्यक्ति धारा ५ क की उपधारा (३) के प्रयोजनों के लिए नियुक्त किया जा सकेगा,

(छ) नामनिर्देशनों में फेरफार या उसका रद्द किया जाना,

(ज) धारा १२ की उपधारा (२) के खण्ड (क) के अधीन सूचना देने की रीति,

(झ) रजिस्टर, अभिलेख और मस्टररोल जो समाचारपत्र-स्थापनों द्वारा तैयार किये और रखे जाने हैं, प्ररूप जिनमें वे तैयार किये और रखे जाने चाहिए और विशिष्टियाँ जो उनमें प्रविष्ट की जानी हों,

(ञ) शक्तियाँ जो निरीक्षक द्वारा प्रयुक्त की जा सकेंगी,

(ट) कोई अन्य विषय जो विहित किया जाना है या किया जाय ।

(३) इस धारा के अधीन बनाया गया प्रत्येक नियम बनाए जाने के पश्चात् यथाशीघ्र संसद् के प्रत्येक सदन के समक्ष, जब वह सत्र में हो, तीस दिन की अवधि के लिए रखा जाएगा । यह अवधि एक सत्र में या अथवा दो या अधिक आनुक्रमिक सत्रों में पूरी हो सकेगी यदि उस सत्र के या पूर्वोक्त आनुक्रमिक सत्रों के ठीक बाद के सत्र के अवसान के पूर्व दोनों सदन उस नियम में कोई परिवर्तन करने के लिए सहमत हो जाएँ तो तत्पश्चात् वह ऐसे परिवर्तित रूप में ही प्रभावी होगा । यदि उक्त अवसान के पूर्व दोनों सदन सहमत हो जाएँ कि वह नियम नहीं बनाया जाना चाहिए तो तत्पश्चात् वह निष्प्रभाव हो जाएगा । किन्तु नियम के ऐसे परिवर्तित या निष्प्रभाव होने से उसके अधीन पहले की गई किसी बात की विधिमान्यता पर प्रतिकूल प्रभाव नहीं पड़ेगा ।

२१. (१९५५ के अधिनियम सं० १ का निरसन) निरसन और संशोधन अधिनियम १९६० (१९६०, का अधिनियम सं० ५८) की धारा २ तथा अनुसूची १ द्वारा निरसित ।

■

परिशिष्ट चार

प्रतिलिप्यधिकार अधिनियम, १९५७

(१९५७ का अधिनियम सं० १४)

प्रतिलिप्यधिकार से सम्बद्ध विधि को संशोधित और समेकित करने के लिए अधिनियम

अध्याय १

प्रारम्भिक

१. (१) यह अधिनियम प्रतिलिप्यधिकार अधिनियम, १९५७ कहा जा सकेगा।

(२) इसका विस्तार सम्पूर्ण भारत पर है।

(३) यह उस तारीख को प्रवृत्त होगा जिसे केन्द्रीय सरकार शासकीय राजपत्र में अधिसूचना द्वारा नियत करे।

२. इस अधिनियम में जब तक कि संदर्भ से अन्यथा अपेक्षित न हो—

(क) 'अनुकूल' से अभिप्रेत है—

(१) किसी नाट्यकृति के सम्बन्ध में उस कृति का अ-नाट्यकृति में संपरिवर्तन,

(२) किसी साहित्यिक कृति या कलात्मक कृति के संबंध में उस कृति का सार्वजनिक प्रस्तुतीकरण के रूप में या अन्यथा नाट्यकृति में संपरिवर्तन,

(३) किसी साहित्यिक या नाट्यकृति के संबंध में उस कृति का कोई संक्षेपण या उस कृति का कोई रूपान्तर जिसमें कथा या घटनाक्रम को पूर्णतः या मुख्यतः ऐसे चित्रों के माध्यम से दर्शाया जाता है जो किसी पुस्तक या समाचारपत्र, पत्रिका या वैसी ही सामयिकी में पुनरुत्पादन के लिए उपयुक्त प्रकार के हों, और

(४) किसी संगीतात्मक कृति के सम्बन्ध में उस कृति का कोई विन्यास या प्रतिलेखन,

(ख) 'वास्तु कलाकृति' से ऐसा कोई भवन या संरचना जिसका स्वरूप या जिसकी डिजाइन कलात्मक हो अथवा ऐसे भवन या संरचना के लिए कोई माडल अभिप्रेत है,

(ग) 'कलात्मक कृति' से अभिप्रेत है—

(१) कोई रंगचित्र, मूर्ति, रेखाचित्र (जिसके अन्तर्गत आरेख, मानचित्र, चार्ट या रेखांक भी हैं), कोई उत्कीर्णन या फोटोग्राफ, चाहे ऐसी किसी कृति में कलात्मक गुण हो या न हो,

(२) कोई वास्तु कलाकृति, और

(३) कलात्मक शिल्पकारिता की कोई अन्य कृति,

(घ) 'रचयिता' से अभिप्रेत है—

(१) किसी साहित्यिक या नाट्यकृति के संबन्ध में उस कृति का रचयिता,

(२) किसी संगीतात्मक कृति के संबंध में, संगीतकार,

(३) फोटोग्राफ से भिन्न किसी कलात्मक कृति के संबन्ध में, कलाकार,

(४) किसी फोटोग्राफ के संबंध में, फोटोग्राफ खींचनेवाला व्यक्ति,

(५) किसी चलचित्र फिल्म के सम्बन्ध में, उसके पूरा किए जाने के समय फिल्म का स्वामी, और

(६) किसी रिकार्ड के सम्बन्ध में, मूल प्लेट का, जिससे रिकार्ड बनाया जाता है उस प्लेट के बनाए जाने के समय स्वामी,

(ङ) 'कलैण्डर वर्ष' से जनवरी के प्रथम दिन को प्रारम्भ होनेवाला वर्ष अभिप्रेत है,

---

(ज) 'अनन्य अनुज्ञप्ति' से ऐसी अनुज्ञप्ति अभिप्रेत है जो अनुज्ञप्तिधारी को या अनुज्ञप्तिधारी और उसके द्वारा प्राधिकृत व्यक्तियों को (प्रतिलिप्यधिकार के स्वामी सहित), सभी अन्य व्यक्तियों का अपवर्जन करके ऐसा कोई अधिकार प्रदत्त करती है जो किसी कृति में प्रतिलिप्यधिकार में समाविष्ट है तथा 'अनन्य अनुज्ञप्तिधारी' का अर्थ तदनुकूल लगाया जाएगा,

---

(ट) 'सरकारी कृति' से ऐसी कृति अभिप्रेत है जो निम्नलिखित द्वारा या उनके निदेश या नियंत्रण के अधीन बनाई या प्रकाशित की जाती है—

(१) सरकार या सरकार का कोई विभाग,
(२) भारत में कोई विधान-मण्डल,
(३) भारत में कोई न्यायालय, अधिकरण या अन्य न्यायिक प्राधिकारी,

(ठ) 'भारतीय कृति' से ऐसी साहित्यिक, नाट्य या संगीतात्मक कृति अभिप्रेत है जिसका रचयिता भारत का नागरिक है,

(ङ) 'अतिलंघनकारी प्रति' से अभिप्रेत है—

(१) किन्हीं साहित्यिक, नाट्य, संगीतात्मक या कलात्मक कृति के संबन्ध में उसका पुनरुत्पादन जो चलचित्र फिल्म के रूप में से भिन्न हो,

---

(ण) 'साहित्यिक कृति' के अन्तर्गत सारणियाँ और संकलन भी है,

(न) 'प्लेट' के अन्तर्गत है कोई स्टीरियोटाइप या अन्य प्लेट, पत्थर, ब्लाक, साँचा, मैट्रिक्स, अन्तरक, नेगेटिव या अन्य युक्ति, जो किसी कृति के मुद्रण या उसकी प्रतियाँ पुनरुत्पादित करने के लिए प्रयुक्त की जाती है या प्रयुक्त किए जाने के लिए आशयित है तथा कोई मैट्रिक्स या अन्य साधित्र जिससे कृति की श्राव्य प्रस्तुति के लिए रिकार्ड बनाए जाते हैं या बनाए जाने आशयित हैं,

(प) 'विहित' से इस अधिनियम के अधीन बनाए गए नियमों द्वारा विहित अभिप्रेत है,

---

(म) 'कृति' से निम्नलिखित कृतियों में से कोई भी अभिप्रेत है, अर्थात्—

(१) साहित्यिक, नाट्य, संगीतात्मक या कलात्मक कृति,

(य) 'संयुक्त रचयिताओं की कृति' से दो या अधिक रचयिताओं के सहयोग से उत्पादित ऐसी कृति अभिप्रेत है जिसमें एक रचयिता का योगदान अन्य रचयिताओं के योगदान से सुभिन्न नहीं है,

३. इस अधिनियम के प्रयोजनों के लिए 'प्रकाशन' से अभिप्रेत है—

(क) साहित्यिक, नाट्य, संगीतात्मक या कलात्मक कृति की दशा में उस कृति की प्रतियों का पर्याप्त परिमाण में जनता को उपलब्ध कराना,

---

किन्तु इस अधिनियम में अन्यथा स्पष्टतः उपबंधित के सिवा निम्नलिखित इसके अन्तर्गत नहीं है—

(१) साहित्यिक, नाट्य या संगीतात्मक कृति की दशा में, ऐसी कृति का ध्वन्यंकन करने वाले रिकार्ड उपलभ्य कराना,

---

---

४. यदि कोई कृति प्रकाशित की जाती है या सार्वजनिक रूप से प्रस्तुत की जाती है तो उस दशा के सिवा जिसमें वह प्रतिलिप्यधिकार के अतिलंघन से सम्बद्ध हो, उस प्रतिलिप्यधिकार के स्वामी की अनुज्ञप्ति के बिना प्रकाशित या सार्वजनिक रुप से प्रस्तुत किया गया नहीं समझा जाएगा ।

५. भारत में प्रकाशित किसी कृति को इस बात के होते हुए भी कि वह साथ ही साथ किसी अन्य देश में भी प्रकाशित की गई है, इस अधिनियम के प्रयोजनों के लिए भारत में पहले प्रकाशित समझा जाएगा जब तक कि ऐसा अन्य देश ऐसी कृति के लिए प्रतिलिप्यधिकार की लघुतर अवधि उपबंधित नहीं करता और कोई कृति भारत में और अन्य देश में साथ ही साथ प्रकाशित हुई समझी जाएगी यदि भारत में प्रकाशन और ऐसे अन्य देश में प्रकाशन के बीच का समय तीस दिन से या ऐसी अन्य कालावधि से अधिक नहीं है जैसी केन्द्रीय सरकार, किसी विनिर्दिष्ट देश के सम्बन्ध में, अवधारित करे ।

६. यदि कोई प्रश्न उठाता है कि—

(क) क्या धारा ३ के प्रयोजनों के लिए, किसी साहित्यिक, नाट्य, संगीतात्मक या कलात्मक कृति अथवा रिकार्डों की प्रतियाँ पर्याप्त परिमाण में जनता को उपलभ्य कराई गई हैं, या

(ख) क्या धारा ५ के प्रयोजनों के लिए, किसी कृति के लिए प्रतिलिप्यधिकार की अवधि किसी अन्य देश में उस अवधि से लघुतर है जो उस कृति के सम्बन्ध में इस अधिनियम के अधीन उपबंधित है,

तो वह धारा ११ के अधीन गठित प्रतिलिप्यधिकार बोर्ड को निर्देशित किया जाएगा जिसका उस पर विनिश्चय अन्तिम होगा ।

७. जहाँ किसी अप्रकाशित कृति की दशा में उस कृति का रचनाकाल काफी विस्तृत है वहाँ उस कृति का रचयिता इस अधिनियम के प्रयोजनों के लिए उस देश का नागरिक या वहाँ अधिवसित समझा जाएगा जिसका नागरिक या जिसमें अधिवसित वह उस काल के किसी पर्याप्त भाग के दौरान रहा था ।

८. इस अधिनियम के प्रयोजनों के लिए कोई निगमित निकाय भारत में अधिवसित समझा जाएगा यदि वह भारत में प्रवृत्त किसी विधि के अधीन निगमित है ।

अध्याय २

प्रतिलिप्यधिकार कार्यालय और प्रतिलिप्यधिकार बोर्ड

९. (१) इस अधिनियम के प्रयोजनों के लिए एक कार्यालय स्थापित किया जाएगा जो प्रतिलिप्यधिकार कार्यालय कहलाएगा ।

(२) प्रतिलिप्यधिकार कार्यालय, प्रतिलिप्यधिकार रजिस्ट्रार के प्रत्यक्ष नियंत्रण के अधीन होगा जो केन्द्रीय सरकार के अधीक्षण और निदेशन के अधीन कार्य करेगा ।

---

१०. (१) केन्द्रीय सरकार एक प्रतिलिप्यधिकार रजिस्ट्रार नियुक्त करेगी और एक या अधिक प्रतिलिप्यधिकार उप-रजिस्ट्रार नियुक्त कर सकेगी ।

---

११. (१) इस अधिनियम के प्रारंभ के पश्चात् यथाशक्य शीघ्र, केन्द्रीय सरकार प्रतिलिप्यधिकार बोर्ड कहलाया जाने वाला एक बोर्ड गठित करेगी जिसमें एक अध्यक्ष तथा कम-से-कम दो और अधिक-से-अधिक आठ अन्य सदस्य होंगे ।

(२) प्रतिलिप्यधिकार बोर्ड का अध्यक्ष और अन्य सदस्य, ऐसी कालावधि के लिए और ऐसे निबंधनों और शर्तों पर पद धारण करेंगे जैसे विहित किए जाएँ ।

(३) प्रतिलिप्यधिकार बोर्ड का अध्यक्ष ऐसा व्यक्ति होगा जो उच्चतम न्यायालय या किसी उच्च न्यायालय का न्यायाधीश है या रह चुका है अथवा उच्च न्यायालय का न्यायाधीश नियुक्त किए जाने के लिए अर्ह है ।

(४) प्रतिलिप्यधिकार रजिस्ट्रार, प्रतिलिप्यधिकार बोर्ड का सचिव होगा और ऐसे कृत्यों का पालन करेगा जिसे विहित किया जाए ।

१२. (१) प्रतिलिप्यधिकार बोर्ड को, किन्हीं ऐसे नियमों के अध्यधीन जो इस अधिनियम के अधीन बनाये जाएँ अपनी प्रक्रिया को स्वयं विनियमित करने की

शक्ति होगी जिसके अन्तर्गत उसकी बैठकों के स्थान और समय नियत करना भी है ।

परन्तु प्रतिलिप्यधिकार बोर्ड, इस अधिनियम के अधीन अपने समक्ष संस्थित किसी कार्यवाही को मामूली तौर पर उस अंचल में सुनेगा जिसमें कार्यवाही के संस्थित किए जाने के समय वह व्यक्ति, जो कार्यवाही संस्थित करता है, वास्तव में और स्वेच्छया निवास करता है या कारबार चलाता है, अथवा अभिलाभके लिए वैयक्तिक रूप से काम करता है ।

स्पष्टीकरण—इस उपधारा में 'अंचल' से राज्य पुनर्गठन अधिनियम, १९५६ की धारा १५ में विनिर्दिष्ट अंचल अभिप्रेत है ।

(२) प्रतिलिप्यधिकार बोर्ड अपनी शक्तियों और कृत्यों का प्रयोग और निर्वहन ऐसी न्यायपीठों के माध्यम से कर सकेगा जो प्रतिलिप्यधिकार बोर्ड के अध्यक्ष द्वारा उसके सदस्यों में से गठित की जाएँ और ऐसी हर एक न्यायपीठ में कम-से-कम तीन सदस्य होंगे ।

(३) यदि प्रतिलिप्यधिकार बोर्ड के या उसकी किसी न्यायपीठ के सदस्यों में किसी ऐसे मामले की बाबत जो उसके समक्ष इस अधिनियम के अधीन विनिश्चय के लिए आए, मतभेद हो तो बहुसंख्या की राय अभिभावी होगी ।

परन्तु जहाँ ऐसी बहुसंख्या न हो वहाँ—

(i) यदि अध्यक्ष उन सदस्यों में एक था जिन्होंने मामले की सुनवाई की थी तो अध्यक्ष की राय अभिभावी होगी,

(ii) यदि अध्यक्ष उन सदस्यों में एक नहीं था जिन्होंने मामले की सुनवाई की थी तो वह मामला उसकी राय के लिए उसे निर्देशित किया जाएगा और वह राय अविभावी होगी ।

---

(५) प्रतिलिप्यधिकार बोर्ड का कोई सदस्य किसी ऐसे मामले की बाबत जिसमें उसका वैयक्तिक हित है बोर्ड के समक्ष किसी कार्यवाही में भाग नहीं लेगा ।

---

(७) प्रतिलिप्यधिकार बोर्ड को, दण्ड प्रक्रिया संहिता, १८९८ की धारा ४८० और ४८२ के प्रयोजनों के लिए सिविल न्यायालय समझा जाएगा तथा बोर्ड के समक्ष सभी कार्यवाहियाँ भारतीय दण्ड संहिता की धारा १९३ और २२८ के अर्थ में न्यायिक कार्यवाहियाँ समझी जाएँगी ।

अध्याय ३

प्रतिलिप्यधिकार

१३. (१) इस धारा के उपबन्धों और इस अधिनियम के अन्य उपबंधो के अध्यधीन रहते हुए निम्नलिखित वर्गों की कृतियों में प्रतिलिप्यधिकार का अस्तित्व समस्त भारत में होगा, अर्थात्—

(क) मौलिक साहित्यिक, नाट्य, संगीतात्मक और कलात्मक कृतियाँ,

(ख) चलचित्र फिल्म, और

(ग) रिकार्ड ।

(२) उपधारा (१) में विनिर्दिष्ट किसी कृति में, जो ऐसी कृति से भिन्न हो, जिसको धारा ४० या धारा ४१ के उपबन्ध लागू होते हैं, प्रतिलिप्यधिकार तब तक अस्तित्व में नहीं होगा जब तक कि—

(i) प्रकाशित कृति की दशा में, वह कृति भारत में पहले प्रकाशित नहीं की जाती या जहाँ कृति भारत के बाहर पहले प्रकाशित की जाती है वहाँ उसका रचयिता ऐसे प्रकाशन की तारीख को अथवा उस दशा में, जिसमें रचयिता उस तारीख को मर चुका है अपनी मृत्यु के समय भारत का नागरिक न रहा हो ।

स्पष्टीकरण : संयुक्त रचयिताओं की कृति की दशा में, इस उपधारा में विनिर्दिष्ट प्रतिलिप्यधिकार प्रदत्त करनेवाली शर्तें उस कृति के सब रचयिताओं को पूरी करनी होंगी ।

(३) प्रतिलिप्यधिकार का अस्तित्व निम्नलिखित में नहीं होगा—

(ख) किसी साहित्यिक, नाट्य या संगीतात्मक कृति की बाबत बनाया गया कोई रिकार्ड यदि उस रिकार्ड के बनाने में ऐसी कृति में प्रतिलिप्यधिकार का अतिलंघन हुआ हो ।

---

१४. (१) इस अधिनियम के प्रयोजनों के लिए 'प्रतिलिप्यधिकार' से अभिप्रेत है इस अधिनियम के आधार पर और इसके उपबन्धों के अध्यधीन निम्नलिखित का अनन्य अधिकार—

(क) किसी साहित्यिक, नाट्य या संगीतात्मक कृति की दशा में, निम्नलिखित कार्यों में से किसी को करना या उसका किया जाना प्राधिकृत करना, अर्थात्—

(१) कृति को किसी सारवान् के रूप में पुनरुत्पादित करना,

(२) कृति को प्रकाशित करना,

(३) कृति को सार्वजनिक रूप से प्रस्तुत करना,

(४) कृति का कोई भाषान्तर उत्पादित, पुनरुत्पादित, प्रस्तुत या प्रकाशित करना,

(५) कृति के संबंध में कोई चलचित्र फिल्म या रिकार्ड बनाना,

(६) कृति को रेडियो-विसारण द्वारा संसूचित करना अथवा कृति के रेडियो-विसारण को लाउड-स्पीकर या ऐसे ही किसी अन्य उपकरण द्वारा सार्वजनिक रूप से संसूचित करना,

(७) कृति का कोई अनुकूलन करना,

(८) कृति के भाषान्तर या अनुकूलन के संबंध में ऐसे कार्यों में से कोई करना जो कृति के संबंध में खण्ड (१) से (६) तक में विनिर्दिष्ट है ।

---

(२) उपधारा (१) में किसी कृति के संबंध में किसी कार्य के लिए जाने या उसके भाषान्तर अथवा अनुकूलन के प्रति किसी निर्देश के अन्तर्गत उसके पर्याप्त भाग के संबंध में उस कार्य के लिए जाने के प्रति निर्देश भी होगा ।

---

१६. कोई व्यक्ति किसी कृति में, चाहे वह प्रकाशित हो या अप्रकाशित हो, प्रतिलिप्यधिकार या वैसे ही किसी अधिकार का हकदार इस अधिनियम के या किसी अन्य तत्समय प्रवृत्त विधि के उपबंधों के अनुसार होने से अन्यथा नहीं होगा, किन्तु इस धारा की किसी बात का यह अर्थ नहीं लगाया जाएगा कि वह किसी न्यास या विश्वास के भंग को अवरुद्ध करने के किसी अधिकार या अधिकारिता को निराकृत करती है ।

अध्याय ४

प्रतिलिप्यधिकार का स्वामित्व और स्वामी के अधिकार

१७. इस अधिनियम के उपबन्धों के अध्यधीन रहते हुए किसी कृति का रचयिता उसमें प्रतिलिप्यधिकार का प्रथम स्वामी होगा—

परन्तु—

(क) किसी ऐसी साहित्यिक, नाट्य या कलात्मक कृति की दशा में,जो उसके रचयिता द्वारा किसी समाचारपत्र, पत्रिका या वैसी ही सामयिकी के स्वत्वधारी द्वारा, सेवा या शिक्षुता की संविदा के अधीन उसके नियोजन के अनुक्रम में किसी समाचारपत्र, पत्रिका या वैसी ही सामयिकी में प्रकाशन के प्रयोज़नार्थ बनायी गई हो, उक्त स्वत्वधारी तत्प्रतिकूल किसी करार के अभाव में, उस कृति में प्रतिलिप्यधिकार का प्रथम स्वामी होगा जहाँ तक कि प्रतिलिप्यधिकार उस कृति के किसी समाचारपत्र, पत्रिका या वैसी ही सामयिकी में प्रकाशन से अथवा उसके वैसे प्रकाशन के प्रयोजनार्थ उस कृति के पुनरुत्पादन से संबद्ध है, किन्तु अन्य सब बातों के लिए रचयिता कृति में प्रतिलिप्यधिकार का प्रथम स्वामी होगा,

(ख) खण्ड (क) के उपबंधों के अध्यधीन यह है कि किसी व्यक्ति के अनुरोध पर मूल्यवान् प्रतिफल के लिए खींचे गये फोटोग्राफ या बनाए गए रंगचित्र या चित्र या उत्कीर्ण या चलचित्र फिल्म की दशा में ऐसा व्यक्ति, तत्प्रतिफल किसी करार के अभाव में, उसमें प्रतिलिप्यधिकार का प्रथम स्वामी होगा,

(ग) सेवा या शिक्षुता की संविदा के अधीन रचयिता के नियोजन के दौरान बनायी गई किसी कृति की दशा में जिसको खण्ड (क) या खण्ड (ख) लागू नहीं होता नियोजक, तत्प्रतिकूल किसी करार के अभाव में, उसमें प्रतिलिप्यधिकार का प्रथम स्वामी होगा,

(घ) किसी सरकारी कृति की दशा में, सरकार, तत्प्रतिकूल किसी करार के अभाव में, उसमें प्रतिलिप्यधिकार की प्रथम स्वामी होगी,

(ङ) ऐसी कृति की दशा में जिसको धारा ४१ के उपबन्ध लागू होते हैं, संबद्ध अन्तर्राष्ट्रीय संगठन उसमें प्रतिलिप्यधिकार का प्रथम स्वामी होगा ।

१८. (१) किसी विद्यमान कृति में प्रतिलिप्यधिकार का स्वामी या किसी भावी कृति में प्रतिलिप्यधिकार का होनेवाला स्वामी, प्रतिलिप्यधिकार को या तो पूर्णतः या

भागतः और या तो सामान्यता या निर्बन्धनों के अध्यधीन और या तो प्रतिलिप्यधिकार की सम्पूर्ण अवधि या उसके किसी भागके लिए, किसी व्यक्ति को समनुदेशित कर सकेगा,

परन्तु किसी भावी कृति के प्रतिलिप्यधिकार के समनुदेश की दशा में, समनुदेशन तभी प्रभावशील होगा जब कृति अस्तित्व में आ जाए ।

(२) जहाँ किसी प्रतिलिप्यधिकार का समनुदेशिती उस प्रतिलिप्यधिकार में समाविष्ट किसी अधिकार का हकदार हो जाता है वहाँ ऐसे समनुदेशित अधिकारों के बारे में समनुदेशिती को समनुदेशित न किए गए अधिकारों के बारे में समनुदेशक को इस अधिनियम के प्रयोजनों के लिए प्रतिलिप्यधिकार का स्वामी माना जाएगा और इस अधिनियम के उपबन्ध तदनुसार प्रभावी होंगे ।

(३) इस धारा में, किसी भावी कृति में प्रतिलिप्यधिकार के बारे में 'समनुदेशिती' पद के अन्तर्गत समनुदेशिती का विधिक प्रतिनिधि है, यदि समनुदेशिती उस कृति के अस्तित्व में आने से पहले मर जाता है ।

१९. किसी कृति में प्रतिलिप्यधिकार का कोई समनुदेशन तब तक विधिमान्य नहीं होगा जब तक वह लिखित रूप में और समनुदेशिती द्वारा या उसके सम्यक्तः प्राधिकृत अभिकर्ता द्वारा हस्ताक्षरित न हो ।

२०. जहाँ किसी वसीयत के अधीन, कोई व्यक्ति किसी साहित्यिक, नाट्य या संगीतात्मक कृति की पांडुलिपि का या किसी कलात्मक कृति का हकदार है और वह कृति वसीयतकर्ता की मृत्यु से पहले प्रकाशित नहीं हुई थी वहाँ उस वसीयत का, जब तक कि वसीयतकर्ता के विल या उसके किसी क्रोड़पत्र से तत्प्रतिकूल आशय प्रतीत न हो, यह अर्थ लगाया जाएगा कि उस कृति में प्रतिलिप्यधिकार वहाँ तक उसके अन्तर्गत है जहाँ तक कि वसीयतकर्ता अपनी मृत्यु से ठीक पहले उस प्रतिलिप्यधिकार का स्वामी था ।

स्पष्टीकरण—इस धारा में 'पांडुलिपि' से कृति को सन्निविष्ट करनेवाली मूल दस्तावेज अभिप्रेत है चाहे वह हाथ से लिखी हो या न हो ।

२१. (१) किसी कृति का रचयिता, उस कृति में प्रतिलिप्यधिकार में समाविष्ट सब अधिकारों या उनमें से किन्हीं को, प्रतिलिप्यधिकार रजिस्ट्रार को विहित प्ररूप में सूचना देकर, त्याग सकेगा और तब ऐसे अधिकार, उपधारा (३) के उपबन्धों के अध्यधीन, सूचना की तारीख से अस्तित्व में नहीं रहेंगे ।

(२) उपधारा (१) के अधीन सूचना मिलने पर प्रतिलिप्यधिकार रजिस्ट्रार उसे शासकीय राजपत्र में और ऐसी अन्य रीति से, जैसी वह ठीक समझे, प्रकाशित कराएगा ।

(३) किसी कृति में प्रतिलिप्यधिकार में समाविष्ट सब अधिकारों या उनमें से किन्हीं का त्याग, ऐसे किन्हीं अधिकारों को प्रभावित नहीं करेगा जिनका अस्तित्व उपधारा [१] में निर्दिष्ट सूचना की तारीख को किसी व्यक्ति के पक्ष में हो ।

अध्याय ५

प्रतिलिप्यधिकार की अवधि

२२. इसमें इसके पश्चात् अन्यथा उपबन्धित के सिवा यह है कि रचयिता के जीवनकाल में प्रकाशित किसी साहित्यिक, नाट्य, संगीतात्मक या कलात्मक कृति में (जो फोटोग्राफ से भिन्न हो) प्रतिलिप्यधिकार उस वर्ष के जिसमें रचयिता की मृत्यु हुई हो ठीक आगामी कलैण्डर वर्ष के आरम्भ से पचास वर्ष तक अस्तित्व में रहेगा।

स्पष्टीकरण—इस धारा में रचयिता के प्रति निर्देशों का अर्थ, संयुक्त रचयिताओं की कृति की दशा में, उस रचयिता के प्रति निर्देश लगाया जाएगा जिसकी मृत्यु सबसे अन्त में होती है।

२३. (१) अनाम या छद्मनाम से प्रकाशित किसी साहित्यिक, नाट्य, संगीतात्मक या कलात्मक कृति की दशा में (जो फोटोग्राफ से भिन्न हो), प्रतिलिप्यधिकार उस वर्ष के जिसमें कृति प्रथम बार प्रकाशित की जाती है, ठीक आगामी कलैण्डर वर्ष के आरम्भ से पचास वर्ष तक अस्तित्व में रहेगा,

परन्तु जहाँ रचयिता का वास्तविक परिचय उक्त कालावधि की समाप्ति से पहले ज्ञात हो जाता है वहाँ प्रतिलिप्यधिकार, उस वर्ष के जिसमें रचयिता की मृत्यु हुई हो ठीक आगामी कलैण्डर वर्ष के आरम्भ से पचास वर्ष तक अस्तित्व में रहेगा।

(२) उपधारा (१) में रचयिता के प्रति निर्देशों का अर्थ, अनाम संयुक्त रचयिताओं की कृति की दशा मे—

(क) जहाँ रचयिताओं में से एक का वास्तविक परिचय ज्ञात हो जाता है वहाँ उस रचयिता के प्रति लगाया जाएगा,

(ख) जहाँ एक से अधिक रचयिताओं के वास्तविक परिचय ज्ञात हो जाते हैं, वहाँ रचयिताओं में से उस रचयिता के प्रति लगाया जाएगा जिसकी मृत्यु सबसे अन्त में होती है।

(३) उपधारा (१) में रचयिता के प्रति निर्देशों का अर्थ, छद्मनामवाली संयुक्त रचयिताओं की कृति की दशा में—

(क) जहाँ रचयिताओं में से एक या अधिक के (न कि सबके) नाम छद्मनाम हैं और उसका या उनके वास्तविक परिचय ज्ञात नहीं होते हैं, वहाँ उस रचयिता के प्रति लगाया जाएगा जिसका नाम छद्मनाम नहीं है या यदि रचयिताओं में से दो या अधिक के नाम छद्मनाम नहीं हैं तो उनमें से ऐसे रचयिता के प्रति लगाया जाएगा जिसकी मृत्यु सबसे अन्त में होती है,

(ख) जहाँ रचयिताओं में से एक या अधिक के (न कि सबके) नाम छद्मनाम हैं और उनमें से एक या अधिक के वास्तविक परिचय ज्ञात हो जाते हैं वहाँ ऐसे रचयिताओं में से जिनके नाम छद्मनाम नहीं हैं और ऐसे रचयिताओं में से जिनके नाम छद्मनाम हैं और ज्ञात हो जाते हैं, उस रचयिता के प्रति लगाया जाएगा जिसकी मृत्यु सबसे अन्त में होती है, और

(ग) जहाँ सभी रचयिताओं के नाम छद्मनाम हैं और उनमें से एक का वास्तविक परिचय ज्ञात हो जाता है वहाँ उस रचयिता के प्रति लगाया जाएगा जिसका वास्तविक परिचय ज्ञात हो जाता है या यदि ऐसे रचयिताओं में से दो या अधिक से वास्तविक परिचय ज्ञात हो जाते हैं तो उनमें से ऐसे रचयिता के प्रति लगाया जाएगा जिसकी मृत्यु सबसे अन्त में होती है ।

स्पष्टीकरण—इस धारा के प्रयोजनों के लिए, किसी रचयिता का वास्तविक परिचय उस दशा में ज्ञात हुआ समझा जाएगा जिसमें रचयिता का वास्तविक परिचय या तो रचयिता और प्रकाशक दोनों के द्वारा सार्वजनिक रूप से ज्ञात किया जाता है या उस रचयिता द्वारा अन्यथा प्रतिलिप्यधिकार बोर्ड को समाधानप्रद रूप से सिद्ध कर दिया जाता है ।

२४. (१) किसी साहित्यिक, नाट्य या संगीतात्मक कृति या उत्कीर्णन की दशा में जिसमें प्रतिलिप्यधिकार रचयिता की मृत्यु की तारीख को या किसी ऐसी संयुक्त रचयिताओं की कृति की दशा में उस रचयिता की जिसकी मृत्यु सबसे अन्त में होती है, मृत्यु की तारीख को या उससे ठीक पहले अस्तित्व में है किन्तु जिसका या जिसके किसी अनुकूलन का प्रकाशन उस तारीख से पहले नहीं किया गया है, प्रतिलिप्यधिकार उस वर्ष के, जिसमें कृति प्रथम बार प्रकाशित की जाती है, ठीक आगामी कलैण्डर वर्ष के आरम्भ से या जहाँ कृति के किसी अनुकूलन का प्रकाशन किसी पूर्वतर वर्ष में होता है, उस वर्ष के ठीक आगामी कलैण्डर वर्ष के आरम्भ से पचास वर्ष तक अस्तित्व में रहेगा ।

(२) इस धारा के प्रयोजनों के लिए कोई साहित्यिक, नाट्य या संगीतात्मक कृति या ऐसी किसी कृति का कोई अनुकूलन प्रकाशित हुआ समझा जाएगा यदि उसे सार्वजनिक रूप से प्रस्तुत किया गया है या यदि उस कृति के संबन्ध में बनाए गए कोई रिकार्ड सार्वजनिक रूप से विक्रीत किए गए हैं या सार्वजनिक रूप से विक्रय के लिए प्रस्थापित किए गए हैं ।

२५. फोटोग्राफ की दशा में, प्रतिलिप्यधिकार उस वर्ष के, जिसमें फोटोग्राफ प्रकाशित किया जाता है, ठीक आगामी कलैण्डर वर्ष के आरम्भ से पचास वर्ष तक अस्तित्व में रहेगा ।

२८. सरकारी कृति की दशा में, जहाँ उसमें प्रतिलिप्यधिकार की प्रथम स्वामी सरकार है वहाँ प्रतिलिप्यधिकार उस वर्ष के, जिसमें कृति प्रथम बार प्रकाशित की जाती है, ठीक आगामी कलैण्डर वर्ष के आरम्भ से पचास वर्ष तक अस्तित्व में रहेगा ।

२६. किसी अन्तर्राष्ट्रीय संगठन की कृति की दशा में, जिसको धारा ४१ के उपबन्ध लागू होते हैं, प्रतिलिप्यधिकार उस वर्ष के, जिसमें कृति प्रथम बार प्रकाशित की जाती है, ठीक आगामी कलैण्डर वर्ष के प्रारम्भ से पचास वर्ष तक अस्तित्व में रहेगा ।

अध्याय ६

अनुज्ञप्तियाँ

३०. किसी विद्यमान कृति में प्रतिलिप्यधिकार का स्वामी या किसी भावी कृति में प्रतिलिप्यधिकार का होने वाला स्वामी अपने द्वारा या अपने सम्यक्तः प्राधिकृत अभिकर्ता द्वारा हस्ताक्षरित लिखित अनुज्ञप्ति से उस अधिकार में किसी हित का अनुदान कर सकेगा,

परन्तु किसी भावी कृति में प्रतिलिप्यधिकार से संबद्ध अनुज्ञप्ति की दशा में, वह अनुज्ञप्ति तभी प्रभावशील होगी जब तक कृति अस्तित्व में आ जाए ।

स्पष्टीकरण—जहाँ कोई व्यक्ति जिसे किसी भावी कृति में प्रतिलिप्यधिकार से सम्बद्ध अनुज्ञप्ति इस धारा के अधीन अनुदत्त की गई है, उस कृति के अस्तित्व में आने से पहले मर जाता है वहाँ उसके विधिक प्रतिनिधि, अनुज्ञप्ति में तत्प्रतिकूल किसी उपबन्ध के अभाव में, उस अनुज्ञप्ति के फायदे के हकदार होंगे ।

३१. (१) यदि किसी भारतीय कृति में जो प्रकाशित की जा चुकी है या सार्वजनिक रूप से प्रस्तुत की जा चुकी है, प्रतिलिप्यधिकार की अवधि के दौरान किसी समय प्रतिलिप्यधिकार बोर्ड को परिवाद कियाजाता है कि उस कृति में प्रतिलिप्यधिकार के स्वामी ने—

(क) उस कृति का पुनः प्रकाशन करने या पुनः प्रकाशन की अनुज्ञा देने से इन्कार कर दिया है या उस कृति को सार्वजनिक रूप से प्रस्तुत करने की अनुज्ञा देने से इन्कार कर दिया है और ऐसे इन्कार के कारण वह कृति जनता से रोक ली गई है, अथवा

तो प्रतिलिप्यधिकार बोर्ड, उस कृति में प्रतिलिप्यधिकार के स्वामी को सुनवाई का युक्तियुक्त अवसर देने के पश्चात् और ऐसी जाँच जैसी वह आवश्यक समझे करने के पश्चात् यदि उसका समाधान हो जाता है कि ऐसे इन्कार करने के आधार युक्तियुक्त नहीं हैं, प्रतिलिप्यधिकार रजिस्ट्रार को निदेश दे सकेगा कि वह परिवादी को यथास्थिति उस कृति को पुनः प्रकाशित करने, उस कृति को सार्वजनिक रूप से प्रस्तुत करने या उस कृति को रेडियो-विसारण द्वारा सार्वजनिक रूप से संसूचित करने की अनुज्ञा, प्रतिलिप्यधिकार के स्वामी को ऐसे प्रतिकर का संदाय होने पर और ऐसे अन्य निबन्धनों और शर्तों के अध्यधीन अनुदत्त करे जैसे प्रतिलिप्यधिकार बोर्ड अवधारित करे, और तब प्रतिलिप्यधिकार रजिस्ट्रार, प्रतिलिप्यधिकार बोर्ड के निदेशों के अनुसार परिवादी को अनुज्ञप्ति, ऐसी फीस के लिए जाने पर, जैसी विहित की जाए, अनुदत्त करेगा ।

---

३२. (१) कोई व्यक्ति किसी साहित्यिक या नाट्य कृति का कोई भाषान्तर उत्पादित और प्रकाशित करने की अनुज्ञप्ति के लिए प्रतिलिप्यधिकार बोर्ड को आवेदन कर सकेगा,

(२) ऐसा प्रत्येक आवेदन ऐसे प्ररूप में किया जाएगा जैसा विहित किया जाए और उसमें कृति के भाषान्तर की प्रति की प्रस्थापित फुटकर कीमत कथित होगी ।

(३) इस धारा के अधीन अनुज्ञप्ति के लिए प्रत्येक आवेदक अपने आवेदन के साथ प्रतिलिप्यधिकार रजिस्ट्रार के पास ऐसी फीस जमा करेगा जैसी विहित की जाए ।

(४) जहाँ इस धारा के अधीन प्रतिलिप्यधिकार बोर्ड को आवेदन किया जाता है, वहाँ वह ऐसी जाँच करने के पश्चात् जैसी विहित की जाए, आवेदन में उल्लिखित भाषा में कृति का भाषान्तर उत्पादित और प्रकाशित करने की अनुज्ञप्ति, जो अनन्य अनुज्ञप्ति न हो, इस शर्त पर आवेदक को अनुदत्त कर सकेगा कि आवेदक, कृति के भाषान्तर की ऐसी प्रतियों की बाबत जिनका सार्वजनिक विक्रय हुआ है कृति में प्रतिलिप्यधिकार के स्वामी की, ऐसी दर से परिकलित स्वामित्वों का संदाय करेगा जैसी प्रतिलिप्यधिकार बोर्ड प्रत्येक मामले की परिस्थितियों में विहित रीति से अवधारित करे,

परन्तु ऐसी कोई अनुज्ञप्ति उस दशा के सिवा अनुदत्त नहीं की जाएगी जिसमें—

(क) आवेदन में उल्लिखित भाषा में कृति का भाषान्तर, कृति में प्रतिलिप्यधिकार के स्वामी या उस द्वारा प्राधिकृत किसी व्यक्ति द्वारा, उस कृति के प्रथम प्रकाशन से सात वर्ष के अन्दर प्रकाशित नहीं

किया गया है या यदि कोई भाषान्तर ऐसे प्रकाशित किया गया है तो वह अप्राप्य हो गया है,

(ख) आवेदक ने प्रतिलिप्यधिकार बोर्ड को समाधानप्रद रूप में साबित कर दिया है कि उसने प्रतिलिप्यधिकार के स्वामी से ऐसा भाषान्तर उत्पादित और प्रकाशित करने के प्राधिकार के लिए निवेदन किया था और उसे प्राधिकार देने से इन्कार कर दिया गया था या कि वह प्रतिलिप्यधिकार के स्वामी का पता लगाने में असमर्थ था,

(ग) जहाँ आवेदक प्रतिलिप्यधिकार के स्वामी का पता लगाने में असमर्थ था, उसने ऐसे प्राधिकार के लिए अपने निवेदन की एक प्रति उस प्रकाशक को जिसका नाम कृति से प्रकट होता है, अनुज्ञप्ति के लिए आवेदन से कम-से-कम दो मास पहले भेज दी थी,

(घ) प्रतिलिप्यधिकार बोर्ड का समाधान हो जाता है कि आवेदक कृति का सही भाषान्तर उत्पादित और प्रकाशित करने के लिए सक्षम है और उसके पास प्रतिलिप्यधिकार के स्वामी को उन स्वामित्यों का संदाय करने के साधन हैं जो उसे इस धारा के अधीन संदेय हैं,

(ङ) रचयिता ने कृति की प्रतियाँ परिचलन से वापस नहीं ले ली हैं, और

(च) कृति में प्रतिलिप्यधिकार के स्वामी को, जहाँ कहीं साध्य हो, सुनवाई का अवसर दिया जाता है ।

अध्याय ९

अन्तर्राष्ट्रीय प्रतिलिप्यधिकार

४०. केन्द्रीय सरकार शासकीय राजपत्र में प्रकाशित आदेश द्वारा निदेश दे सकेगी कि इस अधिनियम के सब या कोई उपबन्ध—

(क) भारत के बाहर किसी राज्यक्षेत्र में, जिससे आदेश संबद्ध है प्रथम बार प्रकाशित कृतियों को उसी प्रकार लागू होंगे मानो वे भारत के अन्दर प्रथम बार प्रकाशित की गई हों,

(ख) ऐसी अप्रकाशित कृतियों या उनके किसी वर्ग को, जिनके रचयिता कृति के बनाए जाने के समय किसी ऐसे विदेश के प्रजाजन या नागरिक थे जिससे आदेश संबद्ध है, उसी प्रकार लागू होंगे मानो वे रचयिता भारत के नागरिक रहे हों,

(ग) भारत के बाहर किसी राज्यक्षेत्र में, जिससे आदेश संबद्ध है, अधिवास की बाबत उसी प्रकार लागू होंगे मानो वह अधिवास भारत में हो,

(घ) किसी ऐसी कृति को, जिसका रचयिता उसके प्रथम बार प्रकाशन की तारीख को, या उस दशा में जिसमें रचयिता उस तारीख को मर चुका था, अपनी मृत्यु के समय ऐसे विदेश का प्रजाजन या नागरिक था, जिससे आदेश संबद्ध है, उसी प्रकार लागू होंगे मानो वह रचयिता उस तारीख को या उस समय भारत का नागरिक रहा हो,

और तब इस इस अध्याय के और आदेश के उपबंधों के अध्यधीन, यह अधिनियम तदनुसार लागू होगा,

परन्तु यह कि—

(१) किसी विदेश के सम्बन्ध में (जो ऐसे देश से भिन्न हो जिसके साथ भारत ने कोई संधि की है या जो प्रतिलिप्यधिकार से संबद्ध ऐसे अभिसमय का पक्षकार है जिसका भारत भी पक्षकार है) इस धारा के अधीन कोई आदेश करने से पूर्व केन्द्रीय सरकार अपना समाधान कर लेगी कि उस विदेश ने ऐसे उपबन्ध, यदि कोई हों, जैसे इस अधिनियम के उपबन्धों के अधीन प्रतिलिप्यधिकार की हकदार कृतियों के उस देश में संरक्षण के लिए अपेक्षित करना केन्द्रीय सरकार की राय में समीचीन प्रतीत हो, कर लिए हैं या करने का वचनबंध किया है,

(२) आदेश में यह उपबन्ध हो सकेगा कि इस अधिनियम के उपबंध या तो साधारणतया या कृतियों के ऐसे वर्गों या मामलों के ऐसे वर्गों के संबन्ध में जैसे आदेश में विनिर्दिष्ट किए जाएँ, लागू होंगे,

(३) आदेश में यह उपबंध हो सकेगा कि भारत में प्रतिलिप्यधिकार की अवधि उस देश की, जिससे आदेश संबद्ध है, विधि द्वारा प्रदत्त अवधि से अधिक नहीं होगी ।

(४) आदेश में यह उपबंध हो सकेगा कि इस अधिनियम द्वारा प्रदत्त अधिकारों का उपभोग ऐसी शर्तों पर और औपचारिकताओं की, यदि कोई हों, पूर्ति के अध्यधीन होगा जैसी आदेश द्वारा विहित की जाएँ,

(५) प्रतिलिप्यधिकार के स्वामित्व के बारे में इस अधिनियम के उपबंधों को लागू करने में आदेश द्वारा ऐसे अपवाद और उपान्तर किए जा सकेगें जैसा उस विदेश की विधि को ध्यान में रखते हुए आवश्यक प्रतीत हों,

(६) आदेश में यह उपबंध हो सकेगा कि यह अधिनियम या इसका कोई भाग आदेश के प्रारंभ से पूर्व बनायी गई कृतियों को लागू नहीं होगा या कि यह अधिनियम या उसका कोई भाग आदेश के प्रारंभ से पूर्व प्रथम बार प्रकाशित कृतियों को लागू नहीं होगा ।

४१. (१) जहाँ—

(क) कोई कृति किसी ऐसे संगठन के द्वारा जिसको यह धारा लागू होती है या उसके निर्देश या नियन्त्रण के अधीन बनाई जाती है या प्रथम बार प्रकाशित की जाती है, और

(ख) उस कृति के यथास्थिति बनाए जाने या प्रथम बार प्रकाशन के समय भारत में कोई प्रतिलिप्यधिकार इस धारा से पृथक् रूप में नहीं होगा, और

(ग) या तो—

(१ कृति का यथापूर्वोक्त प्रकाशन रचयिता के साथ उस निमित्त किए गए किसी ऐसे करार के अनुसरण में किया जाता है, जो कृति में किसी प्रतिलिप्यधिकार को, यदि कोई हो, रचयिता के लिए आरक्षित नहीं करता है, या

(२) धारा १७ के अधीन कृति में कोई प्रतिलिप्यधिकार उस संगठन को होगा, वहाँ इस धारा के आधार पर उसे उस कृति में प्रतिलिप्यधिकार समस्त भारत में होगा ।

(२) किसी संगठन को जिसको यह धारा लागू होती है और जिससे सम्बद्ध समय पर निगमित निकाय का विधिक सामर्थ्य नहीं था, प्रतिलिप्यधिकार को धारण, व्यवहृत और प्रवर्तित करने के प्रयोजनों के लिए, तथा प्रतिलिप्यधिकार के सम्बन्ध में सब विधिक कार्यवाहियों की बाबत निगमित निकाय का विधिक सामर्थ्य होगा और सब सम्बद्ध समयों पर हुआ समझा जाएगा ।

(३) जिन संगठनों को यह धारा लागू होती है, वे संगठन हैं जिन्हें केन्द्रीय सरकार शासकीय राजपत्र में प्रकाशित आदेश द्वारा ऐसे संगठन घोषित करे जिनके एक या अधिक प्रभुत्वसम्पन्न राज्य या उनकी सरकारें सदस्य हैं और जिनके बारे में यह समीचीन है कि यह धारा लागू हो ।

४२. यदि केन्द्रीय सरकार को प्रतीत होता है कि कोई विदेश भारतीय रचयिताओं की कृति को यथोचित संरक्षा नहीं देता है या उसने वैसा करने का वचनबन्ध नहीं किया तो केन्द्रीय सरकार शासकीय राजपत्र में प्रकाशित आदेश द्वारा निदेश दे सकेगी कि इस अधिनियम के ऐसे उपबन्ध जो भारत में प्रथम बार प्रकाशित कृतियों को प्रतिलिप्यधिकार प्रदत्त करते हैं, आदेश में विनिर्दिष्ट तारीख के पश्चात् प्रकाशित ऐसी कृतियों को लागू नहीं होंगे जिनके रचयिता तब वे ऐसे विदेश के प्रजाजन या नागरिक हैं और भारत में अधिवसित नहीं हैं और उपबन्ध ऐसी कृतियों को लागू नहीं होंगे ।

४३ इस अध्याय के अधीन केन्द्रीय सरकार द्वारा किया गया प्रत्येक आदेश, किए जाने के पश्चात् यथाशक्य शीघ्र संसद् के दोनों सदनों के समक्ष रखा जाएगा और ऐसे उपान्तरों के अध्यधीन होगा जैसे संसद् उस सत्र के जिसमें वह ऐसे रखा जाता है या उसके ठीक पश्चात्वर्ती सत्र के दौरान करें ।

अध्याय १०

प्रतिलिप्यधिकार रजिस्ट्रीकरण

४४. प्रतिलिप्यधिकार कार्यालय में विहित प्ररूप में एक रजिस्टर रखा जाएगा जो प्रतिलिप्यधिकारों का रजिस्टर कहलाएगा और जिसमें कृतियों के नाम या शीर्षक और रचयिताओं, प्रकाशकों तथा प्रतिलिप्यधिकार के स्वामियों के नाम और पते तथा ऐसी अन्य विशिष्टियाँ, जैसी विहित की जाएँ, दर्ज की जा सकेंगी।

४५. (१) किसी कृति का रचयिता या प्रकाशक, अथवा उसमें प्रतिलिप्यधिकार का स्वामी या अन्य हितबद्ध व्यक्ति, प्रतिलिप्यधिकारों के रजिस्टर में उस कृति की विशिष्टियों को दर्ज करने के लिए विहित प्ररूप में और विहित फीस के साथ आवेदन प्रतिलिप्यधिकार रजिस्ट्रार को कर सकेगा।

---

४८. प्रतिलिप्यधिकार का रजिस्टर उसमें दर्ज विशिष्टियों या प्रथमदृष्टया साक्ष्य होगा और उसमें की किन्हीं प्रविष्टियों की नकलें या उसमें से उद्धरण होनी तात्पर्यित दस्तावेजें, जो प्रतिलिप्यधिकार रजिस्ट्रार द्वारा प्रमाणित और प्रतिलिप्यधिकार कार्यालय की मुद्रा से मुद्रांकित हों सब न्यायालयों में, अतिरिक्त सबूत या मूल की पेशी के बिना, साक्ष्य में ग्राह्य होंगी।

४९. प्रतिलिप्यधिकार रजिस्ट्रार विहित मामलों में और विहित शर्तों के अध्यधीन, प्रतिलिप्यधिकारों के रजिस्टर में—

(क) किसी नाम, पते या विशिष्टि में किसी गलती को ठीक करके, या

(ख) किसी ऐसी अन्य गलती को जो उसमें आकस्मिक भूल या लोप से हो गई हो, ठीक करके,

संशोधन या परिवर्तन कर सकेगा।

५०. प्रतिलिप्यधिकार बोर्ड, प्रतिलिप्यधिकार रजिस्ट्रार के या किसी व्यथित व्यक्ति के आवेदन पर प्रतिलिप्यधिकारों के रजिस्टर में—

(क) कोई ऐसी प्रविष्टि करके जो रजिस्टर में करनी गलती से रह गई हो, या

(ख) रजिस्टर में गलती से की गई या रह गई किसी प्रविष्टि को निकाल कर, या

(ग) रजिस्टर में किसी गलती या त्रुटि को ठीक करके,

परिशोधन का आदेश दे सकेगा।

अध्याय ११

प्रतिलिप्यधिकार का अतिलंघन

५१. किसी कृति में प्रतिलिप्यधिकार का अतिलंघन हुआ समझा जाएगा—

(क) जब कोई व्यक्ति प्रतिलिप्यधिकार के स्वामी या प्रतिलिप्यधिकार रजिस्ट्रार द्वारा इस अधिनियम के अधीन अनुदत्त अनुज्ञप्ति के बिना या ऐसे अनुदत्त अनुज्ञप्ति की शर्तों का अथवा इस अधिनियम के अधीन सक्षम प्राधिकारी द्वारा अधिरोपित किसी शर्त का उल्लंघन करके—

(१) कोई ऐसी बात करता है जिसे करने का अनन्य अधिकार इस अधिनियम द्वारा प्रतिलिप्यधिकार के स्वामी को प्रदत्त है, या

(ख) जब कोई व्यक्ति उस कृति की अतिलंघनकारी प्रतियाँ—

(१) विक्रय या भाड़े के लिए बनाता है, या विक्रीत करता है या भाड़े पर देता है, या व्यापार के तौर पर संप्रदर्शित करता है या विक्रय या भाड़े के लिए प्रस्थापित करता है, या

(२) व्यापार के प्रयोजन के लिए या इतने परिमाण में वितरित करता है जिससे प्रतिलिप्यधिकार के स्वामी पर प्रतिकूल प्रभाव पड़ता है, या

(३) व्यापार के तौर पर सार्वजनिक रूप से प्रदर्शित करता है, या

(४) भारत में आयात करता है (जो आयातकर्ता के निजी और घरेलू प्रयोग के लिए नहीं है ।)

स्पष्टीकरण—इस धारा के प्रयोजनों के लिए किसी साहित्यिक, नाट्य, संगीतात्मक या कलात्मक कृति के चलचित्र फिल्म के रूप में पुनरुत्पादन को 'अतिलंघनकारी प्रति' समझा जाएगा ।

५२. (१) निम्नलिखित कार्यों से प्रतिलिप्यधिकार का अतिलंघन नहीं होगा, अर्थात्—

(क) किसी साहित्यिक, नाट्य, संगीतात्मक या कलात्मक कृति का—

(१) अनुसन्धान या निजी अध्ययन के प्रयोजनों के लिए,

(२) उस कृति का या किसी अन्य कृति की समालोचना या समीक्षा के प्रयोजनों के लिए,

उचित प्रयोग;

(ख) किसी साहित्यिक, नाट्य, संगीतात्मक या कलात्मक कृति का सामयिक घटनाओं की रिपोर्ट देने के प्रयोजन के लिए—

(१) किसी समाचारपत्र, पत्रिका या वैसी ही सामयिकी में, अथवा

(२) रेडियो-विसारण द्वारा या चलचित्र फिल्म में या फोटोग्राफों के माध्यम से,

उचित प्रयोग;

(ग) किसी न्यायिक कार्यवाही के प्रयोजन के लिए या किसी न्यायिक कार्यवाही की रिपोर्ट देने के प्रयोजन के लिए किसी साहित्यिक, नाट्य, संगीतात्मक या कलात्मक कृति या पुनरुत्पादन,

(घ) किसी विधानमण्डल के सचिवालय द्वारा या जहाँ विधानमण्डल में दो सदन हों वहाँ विधानमण्डल के किसी भी सदन के सचिवालय द्वारा तैयार की गई किसी कृति में किसी साहित्यिक, नाट्य, संगीतात्मक या कलात्मक कृति का पुनरुत्पादन या प्रकाशन जो उस विधानमण्डल के सदस्यों के ही उपयोग के लिए हो,

(ङ) तत्समय प्रवृत्त किसी विधि के अनुसार बनायी गई या प्रदाय की गई किसी प्रमाणित प्रति में किसी साहित्यिक, नाट्य या संगीतात्मक कृति का पुनरुत्पादन,

(च) किसी प्रकाशित साहित्यिक या नाट्य कृति से किसी यथोचित उद्धरण का जनता में पठन या सुपठन,

(छ) मुख्यतः प्रतिलिप्यधिकाररहित सामग्री के संकलन में, जो शिक्षा-संस्थाओं के उपयोग के लिए सदभावपूर्णतया आशयित है और शीर्षक में तथा प्रकाशक द्वारा या उसकी ओर से निकाले गए किसी विज्ञापन में वैसे वर्णित हैं, ऐसे प्रकाशित साहित्यिक, या नाट्य कृतियों में से जो स्वयं शिक्षा-संस्थाओं के उपयोग के लिए प्रकाशित नहीं है, और जिनमें प्रतिलिप्यधिकार अस्तित्व में है, लघु-लेखांशों का प्रकाशन,

परन्तु तब जब कि उसी रचयिता की कृतियों में से उसी प्रकाशक द्वारा पाँच वर्ष की किसी कालावधि के दौरान दो से अधिक ऐसे लेखांश प्रकाशित नहीं किए जाते हैं ।

स्पष्टीकरण—संयुक्त रचयिताओं की कृति की दशा में इस खण्ड में कृतियों से लेखांशो के प्रति निदेशों के अंतर्गत उन लेखांशों के किसी एक या अधिक रचयिताओं की, अथवा किसी अन्य व्यक्ति के सहयोग से उन रचयिताओं में से एक या अधिक रचयिताओं की कृतियों से लेखांशों के प्रति निर्देश होंगे,

(ज) किसी साहित्यिक, नाट्य, संगीतात्मक या कलात्मक कृति का—

(१) किसी शिक्षक या विद्यार्थी द्वारा प्रशिक्षण के अनुक्रम में पुनरुत्पादन,अथवा

(२) किसी परीक्षा में उत्तर दिए जानेवाले प्रश्नों के भागरूप पुनरुत्पादन, अथवा

(३) ऐसे प्रश्नों के उत्तरों में पुनरुत्पादन,

(झ) किसी शिक्षा-संस्था के क्रियाकलाप के अनुक्रम में उस संख्या के कर्मचारीवृन्द और विद्यार्थियों द्वारा किसी साहित्यिक, नाट्य या संगीतात्मक कृति का अथवा किसी चलचित्र फिल्म या किसी रिकार्ड का प्रस्तुतीकरण यदि दर्शक समूह ऐसे कर्मचारीवृन्द और विद्यार्थियों, विद्यार्थियों के माता-पिता और संरक्षकों तथा उन संस्था के क्रियाकलाप से प्रत्यक्ष रूप से सम्बद्ध व्यक्तियों तक सीमित है ।

(ठ) किसी अव्यवसायी क्लब या सोसाइटी द्वारा किसी साहित्यिक, नाट्य या संगीतात्मक कृति का प्रस्तुतीकरण; यदि ऐसा प्रस्तुतीकरण ऐसे दर्शकगण के समक्ष किया जाता है जो उसके लिए कोई संदाय नहीं करता या किसी धार्मिक संस्था के फायदे के लिए किया जाता है,

(ड) सामयिक, आर्थिक, राजनैतिक, सामाजिक या धार्मिक विषयों पर किसी लेख का किसी समाचारपत्र, पत्रिका या अन्य सामयिकी में पुनरुत्पादन, जब तक कि ऐसे लेख के रचयिता ने ऐसे पुनरुत्पादन का अधिकार अपने लिए अभिव्यक्त रूप से आरक्षित न कर लिया हो,

(ढ) ऐसे व्याख्यान की, जिसकी सार्वजनिक रूप से वाक्-प्रस्तुति की गई हो, रिपोर्ट का किसी समाचारपत्र, पत्रिका या अन्य सामयिकी में प्रकाशन,

(ण) किसी पुस्तक की (जिसके अन्तर्गत, पुस्तिका, संगीतपत्रक, मानचित्र, चार्ट या रेखांक भी है), किसी सार्वजनिक पुस्तकालय के भारसाधक व्यक्ति द्वारा या उसके निदेश के अधीन तीन से अनधिक प्रतियाँ उस पुस्तकालय के प्रयोग के लिए बनाना यदि ऐसी पुस्तक भारत में विक्रय के लिए उपलब्ध नहीं है,

(त) किसी ऐसे पुस्तकालय, संग्रहालय या अन्य संस्था में, जिसमें जनता की पहुँच है, रखी हुई किसी अप्रकाशित साहित्यिक, नाट्य या संगीतात्मक कृति का, अनुसंधान, या निजी अध्ययन के प्रयोजन के लिए अथवा प्रकाशन की दृष्टि से पुनरुत्पादन:

परन्तु जहाँ किसी ऐसी कृति के रचयिता का या संयुक्त रचयिताओं की कृति की दशा में रचयिताओं में से किसी का वास्तविक परिचय, यथास्थिति, पुस्तकालय, संग्रहालय या अन्य संस्था को ज्ञात है वहाँ इस खण्ड के उपबंध केवल तभी लागू होंगे जब कि ऐसा पुनरुत्पादन, रचयिता की मृत्यु की तारीख से या संयुक्त रचयिताओं की कृति की दशा में उस रचयिता की, जिसका वास्तविक परिचय ज्ञात है मृत्यु से या यदि एक से अधिक रचयिताओं का वास्तविक परिचय ज्ञात है तो उनमें से ऐसे रचयिता की जिसकी मृत्यु सबसे अन्त में होती है मृत्यु के ५० वर्ष से आगे किसी समय किया जाता है,

(थ) निम्नलिखित का पुनरुत्पादन या प्रकाशन—

(१) किसी विधान-मण्डल के अधिनियम से भिन्न कोई विषय जो किसी शासकीय राजपत्र में प्रकाशित किया गया है,

(२) किसी विधान-मण्डल का कोई अधिनियम इस शर्त के अध्यधीन कि ऐसे अधिनियम का पुनरुत्पादन या प्रकाशन उस पर किसी टीका-टिप्पणी या किसी अन्य मौलिक विषय के सहित किया जाता है,

(३) सरकार द्वारा नियुक्त किसी समिति, आयोग, परिषद्, बोर्ड या वैसे ही किसी अन्य निकाय की रिपोर्ट, यदि ऐसी रिपोर्ट विधानमण्डल के पटल पर रख दी गई है तब के सिवा जब कि ऐसी रिपोर्ट का पुनरुत्पादन या प्रकाशन सरकार द्वारा प्रतिषिद्ध किया गया है,

(४) किसी न्यायालय, अधिकरण या अन्य न्यायिक प्राधिकारी का कोई निर्णय या आदेश तब के सिवा जब कि ऐसे निर्णय या आदेश का पुनरुत्पादन या प्रकाशन, यथास्थिति, ऐसे न्यायालय अधिकरण या अन्य न्यायिक प्राधिकारी द्वारा प्रतिषिद्ध कर दिया गया है,

(द) किसी विधान-मण्डल के अधिनियम और तदधीन बनाए गए किन्हीं नियमों या आदेशों के किसी भारतीय भाषा में भाषान्तर का उत्पादन या प्रकाशन—

(१) यदि ऐसे अधिनियम या नियमों या आदेशों या उस भाषा में कोई भाषान्तर सरकार द्वारा पहले उत्पादित या प्रकाशित नहीं किया गया है, या

(२) जहाँ ऐसे अधिनियम या नियमों या आदेशों का उस भाषा में कोई भाषान्तर सरकार द्वारा उत्पादित या प्रकाशित किया गया है, यदि वह भाषान्तर जनता में विक्रय के लिए उपलब्ध नहीं है—

परन्तु यह तब जब कि ऐसे भाषान्तर में किसी प्रमुख स्थान पर इस बात का कथन अन्तर्विष्ट है कि वह भाषान्तर सरकार द्वारा प्राधिकृत नहीं है या अधिप्रमाणित रूप में स्वीकृत नहीं है,

---

---

५३. (१) प्रतिलिप्यधिकार रजिस्ट्रार, किसी कृति में प्रतिलिप्यधिकार के स्वामी द्वारा या उसके सम्यक्तः प्राधिकृत अभिकर्ता द्वारा आवेदन पर और विहित फीस के संदाय पर, ऐसी जाँच करने के पश्चात्, जैसी वह ठीक समझे, आदेश दे सकेगा कि उस कृति की भारत के बाहर बनाई गई प्रतियाँ, जो यदि भारत में बनायी जातीं तो प्रतिलिप्यधिकार का अतिलंघन करती, आयात नहीं की जायेंगी।

(२) इस अधिनियम के अधीन बनाये गये किन्हीं नियमों के अध्यधीन, प्रतिलिप्यधिकार रजिस्ट्रार या इस निमित्त उस द्वारा प्राधिकृत कोई व्यक्ति, किसी पोत, डाक या परिसर में, जिसमें ऐसी कोई प्रतियाँ, जैसी उपधारा (१) में निर्दिष्ट हैं, पायी जाएँ, प्रवेश कर सकेगा और ऐसी प्रतियों की जाँच कर सकेगा।

(३) ऐसी सब प्रतियाँ जिनको उपधारा (१) के अधीन किया गया कोई आदेश लागू होता है ऐसा माल समझी जाएँगी जिनका आयात सागर सीमा शुल्क अधिनियम, १८७८ की धारा १९ के अधीन प्रतिषिद्ध या निर्बन्धित कर दिया गया है, और उस अधिनियम के सब उपबन्ध तदनुसार प्रभावी होंगे—

परन्तु उक्त अधिनियम के उपबन्धों के अधीन अधिहृत सब ऐसी प्रतियाँ सरकार में निहित नहीं होंगी किन्तु उस कृति में प्रतिलिप्यधिकार के स्वामी को दे दी जाएँगी।

अध्याय १२

सिविल उपचार

५४. इस अध्याय के प्रयोजनों के लिए, जब तक सन्दर्भ से अन्यथा अपेक्षित न हो 'प्रतिलिप्यधिकार का स्वामी' पद के अन्तर्गत निम्नलिखित भी होंगे—

(क) कोई अनन्य अनुज्ञप्तिधारी;

(ख) किसी अनाम या छद्मनामवाली साहित्यिक, नाट्य, संगीतात्मक या कलात्मक कृति की दशा में उस कृति का प्रकाशक जब तक कि रचयिता का वास्तविक परिचय अथवा ऐसी किसी अनाम संयुक्त रचयिताओं की कृति या ऐसे नामों से प्रकाशित जो सब छद्मनाम

हों संयुक्त रचयिताओं की कृति की दशा में रचयिताओं में से किसी का वास्तविक परिचय रचयिता और प्रकाशक द्वारा सार्वजनिक रूप से ज्ञात नहीं कर दिया जाता या अन्यथा उस रचयिता या उसके विधिक प्रतिनिधियों द्वारा प्रतिलिप्यधिकार बोर्ड को समाधानप्रद रूप में सिद्ध नहीं कर दिया जाता ।

५५. (१) जहाँ किसी कृति में प्रतिलिप्यधिकार का अतिलंघन किया गया हो वहाँ प्रतिलिप्यधिकार का स्वामी, इस अधिनियम द्वारा अन्यथा उपबन्धित के सिवा व्यादेश, नुकसानी, हिसाब पाने या अन्यथा सब ऐसे उपचारों का हकदार होगा जैसे अधिकार के अतिलंघन के लिए विधि द्वारा प्रदत्त हों या किए जाएँ—

परन्तु यदि प्रतिवादी साबित कर दे कि अतिलंघन की तारीख को उसे यह ज्ञात नहीं था और उसके पास यह विश्वास करने का कोई युक्तियुक्त आधार नहीं था कि उस कृति में प्रतिलिप्यधिकार अस्तित्व में है तो वादी अतिलंघन की बाबत व्यादेश और अतिलंघनकारी प्रतियों के विक्रय से प्रतिवादी को प्राप्त सम्पूर्ण लाभों की या उनके किसी भाग को जैसा भी न्यायालय उन परिस्थितियों में उचित समझे, डिक्री से भिन्न किसी उपचार का हकदार नहीं होगा ।

(२) जहाँ किसी साहित्यिक, नाट्य, संगीतात्मक या कलात्मक कृति की दशा में, कोई नाम, जो यथास्थिति, रचयिता या प्रकाशक का नाम होना तात्पर्यित है, यथा प्रकाशित कृति की प्रतियों में दर्शित है अथवा किसी कलात्मक कृति की दशा में, जब वह बनायी गई थी उसमें दर्शित था वहाँ उस व्यक्ति के बारे में, जिसका नाम ऐसे दर्शित है या था, ऐसी कृति में प्रतिलिप्यधिकार के अतिलंघन से सम्बद्ध किसी कार्यवाही में, जब तक तत्प्रतिकूल साबित नहीं कर दिया जाता, यह उपधारित किया जाएगा कि वह, यथास्थिति, उस कृति का रचयिता या प्रकाशक है ।

(३) प्रतिलिप्यधिकार के अतिलंघन की बाबत किन्हीं कार्यवाहियों में सब पक्षकारों के खर्चे न्यायालय के विवेकानुसार निर्णीत होंगे ।

५६. इस अधिनियम के उपबंधों के अध्यधीन रहते हुए जहाँ किसी कृति में प्रतिलिप्यधिकार समाविष्ट करनेवाले विभिन्न अधिकारों के स्वामी विभिन्न व्यक्ति हों वहाँ ऐसे किसी अधिकार का स्वामी उस अधिकार के विस्तार तक उन उपचारों का हकदार होगा जो इस अधिनियम द्वारा उपबंधित है और ऐसे अधिकार को व्यक्तिगत रूप से, किसी वाद, अनुयोजन या अन्य कार्यवाही द्वारा, किसी अन्य अधिकार के स्वामी को उस वाद, अनुयोजन या कार्यवाही में पक्षकार बनाये बिना, प्रवर्तित करा सकेगा ।

५७. (१) रचयिता के प्रतिलिप्यधिकार से पृथक् रूप में और उक्त प्रतिलिप्यधिकार के पूर्णतः या भागतः समनुदेशन के पश्चात् भी, किसी कृति के रचयिता को उस कृति का रचयिता होने का दावा करने का अधिकार तथा निम्नलिखित को अवरुद्ध करने तथा उनके बारे में नुकसानी का दावा करने का भी अधिकार होगा—

(क) उक्त कृति को किसी प्रकार विरूपित करना, विकृत करना या अन्यथा उपान्तरित करना, अथवा

(ख) उक्त कृति के सम्बन्ध में कोई अन्य कार्य जिसका उसकी प्रतिष्ठा या ख्याति पर प्रतिकूल प्रभाव पड़ सकता हो।

(२) उपधारा (१) द्वारा किसी कृति के रचयिता को प्रदत्त कोई अधिकार, जो उस कृति का रचयिता होने का दावा करने के अधिकार से भिन्न हो, उस रचयिता के विधिक प्रतिनिधियों द्वारा भी प्रयुक्त किया जा सकेगा।

५८. किसी कृति की, जिसमें प्रतिलिप्यधिकार अस्तित्व में है, अतिलंघनकारी सब प्रतियाँ और ऐसी अतिलंघनकारी प्रतियों को बनाने में प्रयुक्त या प्रयुक्त किए जाने के लिए आशयित सब प्लेटें, प्रतिलिप्यधिकार के स्वामी की सम्पत्ति समझी जाएँगी, जो उनका कब्जा पाने के लिए या उनके संपरिवर्तन के सम्बन्ध में तदनुसार कार्यवाही कर सकेगा—

परन्तु प्रतिलिप्यधिकार का स्वामी किन्हीं अतिलंघनकारी प्रतियों के संपरिवर्तन के संबन्ध में किसी उपचार का हकदार नहीं होगा, यदि विपक्षी साबित कर दे कि—

(क) उसे यह ज्ञात नहीं था और उसके पास यह विश्वास करने का युक्तियुक्त आधार नहीं था कि उस कृति में, जिसकी ऐसी प्रतियाँ अतिलंघनकारी प्रतियाँ होनी अभिकथित हैं, प्रतिलिप्यधिकार अस्तित्व में था, अथवा

(ख) उसके पास यह विश्वास करने के युक्तियुक्त आधार थे कि ऐसी प्रतियों या प्लेटों से किसी कृति में प्रतिलिप्यधिकार का अतिलंघन नहीं होता।

---

६०. जहाँ किसी कृति में प्रतिलिप्यधिकार का स्वामी होने का दावा करनेवाला कोई व्यक्ति, किसी अन्य व्यक्ति को प्रतिलिप्यधिकार के अभिकथित अतिलंघन की बाबत किन्हीं विधिक कार्यवाहियों या उनकी बाबत दायित्व की धमकी परिपत्रों, विज्ञापनों द्वारा या अन्यथा देता है वहाँ उस द्वारा व्यथित कोई व्यक्ति विनिर्दिष्ट अनुतोष अधिनियम, १८७७ की धारा ४२ में किसी बात के होते हुए भी ऐसा घोषणात्मक वाद ला सकेगा कि अभिकथित अतिलंघन जिससे धमकियाँ सम्बद्ध हैं, वास्तव में ऐसी धमकियाँ देने वाले व्यक्ति के किन्हीं विधिक अधिकारों का अतिलंघन नहीं था और ऐसे किसी वाद में—

(क) ऐसी धमकियों के जारी रहने के विरुद्ध व्यादेश प्राप्त कर सकेगा, और

(ख) ऐसी नुकसानी, यदि कोई हो, जो उसने ऐसी धमकियों के कारण उठाई हो, वसूल कर सकेगा—

परन्तु यह धारा लागू नहीं होगी यदि ऐसी धमकियाँ देनेवाला व्यक्ति अपने द्वारा दावाकृत प्रतिलिप्यधिकार के अतिलंघन के लिए कार्यवाही, सम्यक् तत्परता से प्रारम्भ कर देता है और चलाता है।

६१. (१) प्रतिलिप्यधिकार के अतिलंघन की बाबत किसी अनन्य अनुज्ञप्तिधारी द्वारा संस्थित प्रत्येक सिविल वाद या अन्य कार्यवाही में, प्रतिलिप्यधिकार का स्वामी, जब तक कि न्यायालय अन्यथा निदेश न दे, एक प्रतिवादी बनाया जाएगा और जहाँ ऐसा स्वामी प्रतिवादी बनाया जाता है वहाँ उसे अनन्य अनुज्ञप्तिधारी के दावे का विरोध करने का अधिकार होगा ।

(२) जहाँ प्रतिलिप्यधिकार के अतिलंघन की बाबत किसी अनन्य अनुज्ञप्तिधारी द्वारा संस्थित कोई सिविल वाद या अन्य कार्यवाही सफल हो जाती है वहाँ उसी वाद हेतुक की बाबत कोई नया वाद या अन्य कार्यवाही प्रतिलिप्यधिकार के स्वामी की ओर से नहीं होगी ।

६२. (१) किसी कृति में प्रतिलिप्यधिकार के अतिलंघन या इस अधिनियम द्वारा प्रदत्त किसी अन्य अधिकार के अतिलंघन की बाबत इस अध्याय के अधीन उत्पन्न होनेवाला प्रत्येक वाद या अन्य सिविल कार्यवाही, अधिकारिता रखनेवाले जिला न्यायालय में लाई जाएगी ।

(२) सिविल प्रक्रिया संहिता, १६०८ या तत्समय प्रवृत्त किसी अन्य विधि में किसी बात के होते हुए भी, उपधारा (१) के प्रयोजनों के लिए 'अधिकारिता रखनेवाले जिला न्यायालय' के अन्तर्गत, ऐसा जिला न्यायालय होगा जिसकी अधिकारिता की स्थानीय सीमाओं के अन्दर, उस वाद या अन्य कार्यवाही के लाए जाने के समय वह व्यक्ति जो वह वाद या अन्य कार्यवाही लाया था अथवा जहाँ एक से अधिक ऐसे व्यक्ति हों, वहाँ उनमें से कोई वास्तव में और स्वेच्छया निवास करता है या कारबार चलाता है अथवा अभिलाभ के लिए वैयक्तिक रूप से काम करता है ।

अध्याय १३

अपराध

६३. कोई व्यक्ति जो—

(क) किसी कृति में प्रतिलिप्यधिकार का, या

(ख) इस अधिनियम द्वारा प्रदत्त किसी अन्य अधिकार का,

जान-बूझ कर अतिलघन करेगा या अतिलंघन दुष्प्रेरित करेगा, वह कारावास से, जो एक वर्ष तक का हो सकेगा, या जुर्माने से, अथवा दोनों से, दण्डनीय होगा ।

स्पष्टीकरण—किसी भवन या अन्य संरचना का सन्निर्माण, जो किसी अन्य कृति में प्रतिलिप्यधिकार का अतिलंघन करता है या यदि पूरा कर लिया जाए तो अतिलंघन करेगा, इस धारा के अधीन अपराध नहीं होगा ।

६४. (१) जहाँ किसी कृति में प्रतितिप्यधिकार के अतिलंघन की बाबत धारा ६३ के अधीन किसी अपराध का किसी मजिस्ट्रेट ने संज्ञान कर लिया हो वहाँ किसी पुलिस अधिकारी के लिए, जो उप-निरीक्षक की पंक्ति से नीचे का न हो, यह विधिपूर्ण होगा कि वह उस कृति की उन सब प्रतियों को, जहाँ भी वे पाई

जाएँ, जो उस कृति की अतिलंघनकारी प्रतियाँ प्रतीत हों, मजिस्ट्रेट से वारंट के बिना अभिगृहीत कर ले तथा ऐसे अभिगृहीत सब प्रतियाँ यथासाध्य शीघ्रता से मजिस्ट्रेट के समक्ष पेश की जाएँगी ।

(२) उपधारा (१) के अधीन अभिगृहीत किसी कृति की किन्हीं प्रतियों में हित रखनेवाला कोई व्यक्ति, ऐसे अभिग्रहण से पन्द्रह दिन के अन्दर, ऐसी प्रतियों के उसको लौटाए जाने के लिए मजिस्ट्रेट से आवेदन कर सकेगा और मजिस्ट्रेट, आवेदक और परिवादी को सुनने तथा ऐसी अतिरिक्त जाँच, जैसी आवश्यक हो, करने के पश्चात् आवेदन पर ऐसा आदेश देगा जैसा वह ठीक समझे ।

६५. कोई व्यक्ति जो किसी ऐसी कृति की, जिसमें प्रतिलिप्यधिकार अस्तित्व में है अतिलंघनकारी प्रतियाँ बनाने के प्रयोजन के लिए जान-बूझ कर कोई प्लेट बनाएगा या अपने कब्जे में रखेगा, वह कारावास से, जो एक वर्ष तक का हो सकेगा, या जुर्माने से, अथवा दोनों से, दण्डनीय होगा ।

६६. इस अधिनियम के अधीन किसी अपराध का विचारण करनेवाला न्यायालय, चाहे अभिकथित अपराधी सिद्धदोष हुआ हो या न हुआ हो, यह आदेश दे सकेगा कि अभिकथित अपराधी के कब्जे में की कृति की सब प्रतियाँ या सब प्लेटें जो उसे अतिलंघनकारी प्रतियाँ या अतिलंघनकारी प्रतियाँ बनाने के प्रयोजन के लिए प्लेटें प्रतीत हों प्रतिलिप्यधिकारी के स्वामी को दे दी जाएँ ।

६७. कोई व्यक्ति जो—

(क) इस अधिनियम के अधीन रखे गए प्रतिलिप्यधिकारों के रजिस्टर में कोई मिथ्या प्रविष्टि करेगा या करायेगा, या

(ख) ऐसा लेख बनायेगा या बनवाएगा जिसका ऐसे रजिस्टर में की किसी प्रविष्टि का नकल होना मिथ्या रूप से तात्पर्यित हो, या

(ग) किसी ऐसी प्रविष्टि या लेख को, उसका मिथ्या होना जानते हुए, साक्ष्य के रूप में पेश करेगा या पेश कराएगा अथवा देगा या दिलवाएगा,

वह कारावास से, जो एक वर्ष तक का हो सकेगा, या जुर्माने से, अथवा दोनों से, दण्डनीय होगा ।

६८. कोई व्यक्ति जो—

(क) इस अधिनियम के उपबन्धों के निष्पादन में किसी प्राधिकारी या अधिकारी को प्रवचित करने की दृष्टि से, या

(ख) इस अधिनियम या तदधीन किसी विषय के सम्बन्ध में किसी बात के किए जाने या उसके लोप का उपापन करने या उस पर असर डालने की दृष्टि से,

कोई मिथ्या कथन का व्यपदेशन यह जानते हुए करेगा कि वह मिथ्या है, वह कारावास से, जो एक वर्ष तक का हो सकेगा, या जुर्माने से, अथवा दोनों से, दण्डनीय होगा ।

६९. (१) जहाँ इस अधिनियम के अधीन कोई अपराध किसी कम्पनी द्वारा किया गया हो वहाँ हर व्यक्ति, जो उस अ५राध के लिए जाने के समय उस कम्पनी

के कारबार के संचालन के लिए उस कम्पनी का भारसाधक और उसके प्रति उत्तरदायी था, और साथ ही वह कम्पनी भी, ऐसे अपराध के दोषी समझे जाएँगे तथा तदनुसार अपने विरुद्ध कार्यवाही किए जाने और दण्डित किए जाने के भागी होंगे—

परन्तु इस उपधारा की कोई बात ऐसे किसी व्यक्ति को दण्ड का भागी नहीं बनाएगी यदि वह यह साबित कर दे कि अपराध उसकी जानकारी के बिना किया गया था, या उसने ऐसे अपराध किए जाने का निवारण करने के लिए सब सम्यक् तत्परता बरती थी।

(२) उपधारा (१) में किसी बात के होते हुए भी, जहाँ इस अधिनियम के अधीन कोई अपराध किसी कम्पनी द्वारा किया गया हो तथा यह साबित हो कि वह अपराध कम्पनी के किसी निदेशक, प्रबन्धक, सचिव या अन्य अधिकारी की सम्मति या मौनानुकूलता से किया गया है, या उसकी किसी उपेक्षा के कारण हुआ माना जा सकता है वहाँ ऐसा निदेशक, प्रबन्धक, सचिव या अन्य अधिकारी भी उस अपराध का दोषी समझा जाएगा तथा तदनुसार अपने विरुद्ध कार्यवाही किये जाने और दण्डित किए जाने का भागी होगा।

स्पष्टीकरण—इस धारा के प्रयोजनों के लिए—

(क) 'कम्पनी' से कोई निगमित निकाय अभिप्रेत है और इसके अन्तर्गत फर्म या व्यक्तियों का अन्य संगम भी है, तथा

(ख) फर्म के सम्बन्ध में 'निदेशक' से उस फर्म का भागीदार अभिप्रेत है।

७०. इस अधिनियम के अधीन किसी अपराध का विचारण प्रेसिडेंसी मजिस्ट्रेट या प्रथम वर्ग के मजिस्ट्रेट से अवर न्यायालय नहीं करेगा।

अध्याय १४

अपीलें

७१. धारा ६४ की उपधारा (२) या धारा ६६ के अधीन किए गये किसी आदेश से व्यथित कोई व्यक्ति ऐसे आदेश की तारीख से तीस दिन के अन्दर उस न्यायालय को अपील कर सकेगा जिसको कि आदेश देनेवाले न्यायालय से अपीलें मामूली तौर से की जाती हैं, और ऐसा अपील न्यायालय निदेश दे सकेगा कि अपील के निपटारे के लम्बित रहने तक आदेश का निष्पादन रोक रखा जाए।

७२. (१) प्रतिलिप्यधिकार रजिस्ट्रार के किसी अन्तिम विनिश्चय या आदेश से व्यथित कोई व्यक्ति ऐसे आदेश या विनिश्चय की तारीख से तीन मास के अन्दर प्रतिलिप्यधिकार बोर्ड को अपील कर सकेगा।

(२) प्रतिलिप्यधिकार बोर्ड के किसी ऐसे अन्तिम विनिश्चय या आदेश से व्यथित कोई व्यक्ति जो उपधारा (१) के अधीन अपील में दिया गया विनिश्चय या आदेश न हो, ऐसे विनिश्चय या आदेश की तारीख से तीन मास के अन्दर उस उच्च न्यायालय को अपील कर सकेगा जिसकी अधिकारिता के अन्दर अपीलार्थी वास्तव में और

स्वेच्छया निवास करता है या कारबार चलाता है अथवा अभिलाभ के लिए वैयक्तिक रूप से कार्य करता है—

परन्तु धारा ६ के अधीन प्रतिलिप्यधिकार बोर्ड के विनिश्चय के विरुद्ध कोई ऐसी अपील नहीं होगी

(३) इस धारा के अधीन अपील के लिए उपबन्धित तीन मास की कालावधि परिकलित करने में वह समय अपवर्जित कर दिया जाएगा, जो उस आदेश की प्रमाणित प्रति या उस विनिश्चय का अभिलेख जिसके विरुद्ध अपील की गई है, अनुदत्त करने में लगा हो ।

७३. उच्च न्यायालय धारा ७२ के अधीन उसको की गई अपीलों के सम्बन्ध में अनुसरण की जानेवाली प्रक्रिया के बारे में ऐसे नियम बना सकेगा जो इस अधिनियम से संगत हो ।

अध्याय १५

प्रकीर्ण

---

७५. प्रत्येक आदेश जो किसी धन के संदाय के लिए इस अधिनियम के अधीन प्रतिलिप्यधिकार रजिस्ट्रार या प्रतिलिप्यधिकार बोर्ड द्वारा दिया गया हो या जो प्रतिलिप्यधिकार बोर्ड के ऐसे किसी आदेश के खिलाफ किसी अपील में उच्च न्यायालय द्वारा दिया गया हो, यथास्थिति, प्रतिलिप्यधिकार रजिस्ट्रार, प्रतिलिप्यधिकार बोर्ड या उच्च न्यायालय के रजिस्ट्रार द्वारा जारी किए गए प्रमाण-पत्र पर सिविल न्यायालय की डिक्री समझा जाएगा और उसी रीति से निष्पादनीय होगा जैसा ऐसे न्यायालय की डिक्री ।

---

७६. कोई भी वाद या अन्य विधिक कार्यवाही किसी भी ऐसी बात के बारे में जो इस अधिनियम के अनुसरण में सद्भावपूर्वक की गई हो या की जाने के लिए आशयित हो किसी व्यक्ति के विरुद्ध न होगी ।

---

७८. (१) केन्द्रीय सरकार इस अधिनियम के प्रयोजन को कार्यान्वित करने के लिए नियम शासकीय राजपत्र में अधिसूचना द्वारा बना सकेगी ।

परिशिष्ट चार (क)

प्रतिलिप्यधिकार अधिनियम में संशोधन

प्रतिलिप्यधिकार अधिनियम, १९५७ में कुछ महत्वपूर्ण संशोधन १९८३ और १९८४ में पारित किए गए। १९८३ का संशोधन विधेयक नौ अगस्त, १९८४ को और १९८४ का विधेयक आठ अक्तूबर, १९८४ को लागू हुआ।

१९८३ के संशोधन

१९८३ के संशोधन विधेयक, में अन्य बातों के अलावा, यह प्रावधान किया गया कि किसी कृति का रचयिता यदि प्रतिलिप्यधिकार के समनुदेशन (एसाइन्मेंट) की शर्तों को अपने प्रति कठोर पाता है अथवा यदि प्रकाशक कृति के प्रकाशन में असम्यक भाव से विलम्ब करता है तो रचयिता प्रतिलिप्यधिकार बोर्ड की अनुमति से समनुदेशन को रद्द कर सकता है। समनुदेशन में अन्य बातों के अतिरिक्त यह भी स्पष्टतः दर्शाना होगा कि कौन-से अधिकार समनुदेशित किए जा रहे हैं और कृति का आकार क्या होगा [धारा १९ (२)]

यदि किसी प्रतिलिप्यधिकार के समनुदेशन या समनुदेशन की शर्तों के सम्बन्ध में कोई विवाद उठे तो प्रतिलिप्यधिकार बोर्ड विवाद से सम्बद्ध किसी भी पक्ष से शिकायत मिलने पर उसकी जाँच करके उसपर जैसा उचित समझे वैसा आदेश जारी कर सकता है। आदेशों में प्रतिलिप्यधिकार के स्वामी को समनुदेशन रद्द करने की अनुमति देने या उसे प्राप्य किसी रायल्टी की राशि की वसूली का प्रमाणपत्र जारी करने का आदेश भी हो सकता है। इसके लिए मूल अधिनियम में धारा १९ (अ) जोड़ी गई है।

दूसरे मुख्य संशोधन से यह प्रावधान किया गया है कि कोई व्यक्ति किसी साहित्यिक या नाट्य कृति के रूपान्तरण और प्रकाशन का लायसेंस पाने के लिए प्रतिलिप्यधिकार बोर्ड से उस कृति के पहली बार प्रकाशन के सात वर्ष से पहले आवेदन नहीं कर सकता है। [धारा ३२ (१)]

किन्तु, किसी विदेशी कृति का भारत में आम प्रयोग की भाषा (जैसे, अंग्रेजी) में रूपान्तरण और प्रकाशन करना हो तो यह अवधि तीन वर्ष की होनी चाहिए। ज़िस भाषा में अनुवाद किया जाना है, यदि वह किसी विकसित देश में आम तौर से प्रयुक्त न होती हो (जैसे, कोई भारतीय भाषा) तो यह अवधि एक वर्ष की होगी। शर्त यह है कि अनुवाद और प्रकाशन का प्रयोजन शिक्षा, अध्ययन और गवेषणा होना चाहिए।

विदेशी कृतियों के पुनरुत्पादन के लिए भी प्रतिलिप्यधिकार बोर्ड से आवेदन किया जा सकता है, यदि इसकी प्रतियाँ भारत में सुलभ न हों या इन्हें छह मास तक भारत में बिक्री के लिए जारी न किया गया हो।

प्राकृतिक और भौतिक विज्ञानों, गणित और प्रौद्योगिकी की पुस्तकों के पुनरुत्पादन के लिए उनके प्रथम उत्पादन के तीन वर्ष बाद और कथा-साहित्य, कविता, नाटक, संगीत तथा कला की पुस्तकों के लिए उनके पहली बार उत्पादन के सात वर्ष बाद अनिवार्य लायसेन्स दिया जाएगा । अन्य कृतियों के उत्पादन के लायसेन्स के लिए यह अवधि पांच वर्ष होगी । किन्तु, यह पुनरुत्पादन व्यवस्थित शिक्षण कार्य के लिए ही होना चाहिए ।

एक शर्त यह भी लगाई गई है कि अनिवार्य अनुज्ञप्ति (लायसेन्स) के अधीन रूपान्तरित या पुनरुत्पादित कृतियाँ, कुछ सीमित प्रयोजनों को छोड़कर, दूसरे देशों को निर्यात नहीं की जाएगी । प्रकाशकों को यह भी सुनिश्चित करना होगा कि वे प्रतिलिप्यधिकार के स्वामी को उचित तथा अन्तर्राष्ट्रीय मानकों के अनुसार मुआवजा दें । [धारा ३२ (१ अ)]

यह प्रावधान अन्तरराष्ट्रीय दायित्व पूरा करने के लिए भारतीय प्रतिलिप्यधिकार कानून में सम्मिलित किया है । (धारा ३२ क)

प्रसारण प्राधिकरण भी रूपान्तरण और प्रकाशन का लायसेंस पाने के लिए आवेदन कर सकेंगे । [धारा ३२ (५)]

नई धारा ३१ क जोड़कर ऐसे भारतीय रचयिता की कृतियों के प्रकाशन के लिए अनिवार्य लायसेंस पाने का आवेदन देने सम्बन्धी प्रावधान किया गया है जिसकी मृत्यु हो गई हो या जिसका नाम नहीं मालूम हो अथवा जिसका पता न लगाया जा सकता हो, या किसी कृति के प्रतिलिप्यधिकारी को खोजा न जा सकता हो ।

एक नए प्रावधान से किसी अतिलंघित कृति (सिनेमा फिल्म या रिकार्ड को छोड़कर) की दो प्रतियाँ आयातक के निजी और घरेलू उपयोग के लिए आयात करने की अनुमति दी गई है [धारा ५१ (ख) (iv)]

धारा ७० में संशोधन करके 'प्रेसीडेंसी मजिस्ट्रेट' की जगह 'मेट्रोपोलिटन मजिस्ट्रेट' तथा 'प्रथम दर्जे के मजिस्ट्रेट' की जगह 'प्रथमदर्जे के न्यायिक मजिस्ट्रेट' कर दिया गया है, क्योंकि अब प्रेसीडेंसी और कार्यकारी मजिस्ट्रेटों की व्यवस्था नहीं रही ।

१९८४ के संशोधन

वीडियो चोरी की समस्या से फिल्म उद्योग पर जो संकट आया है उससे निपटने के लिए संसद् ने प्रतिलिप्यधिकार अधिनियम को संशोधित करने का एक और विधेयक १९८४ में पारित किया ।

इसमें वीडियो फिल्मों को सिनेमा फिल्मों के 'सदृश्य' घोषित किया गया है । [धारा २ (च)] के साथ ही 'साहित्यिक कृतियों' की परिभाषा में संकलन (कम्पाइलेशन) और कम्प्यूटर कार्यक्रम (अर्थात् किसी तवे (डिस्क), टेप, छिद्रदार माध्यम और सूचनाओं को संचित करनेवाले किसी अन्य उपकरण पर रिकार्ड

किया गया कार्यक्रम जो यदि किसी कम्प्यूटर या कम्प्यूटर पर आधारित उपकरण में रखा जाए तो किसी सूचना को पुनरुत्पादित कर सकता है) को शामिल कर दिया गया । धारा २ (ण) ।

धारा २ (न) में नेगेटिव के बाद डुप्लिकेटिंग उपकरण को भी जोड़ दिया गया है । एक नई धारा ५२ क जोड़कर रिकार्डों पर, या वीडियो में अथवा उनके डिब्बों पर कुछ आवश्यक जानकारी प्रदर्शित करना अनिवार्य बना दिया गया है । इसका उद्देश्य यह सुनिश्चित करना है कि इनमें किसी प्रतिलिप्यधिकार का उल्लंघन नहीं किया गया है और वीडियों फिल्मों के प्रदर्शन के लिए आवश्यक प्रमाणीकरण करा लिया गया है ।

इस संशोधन विधेयक से प्रतिलिप्यधिकार के अतिलंघन के दण्ड को बहुत कठोर बना दिया गया है । मूल कानून में प्रतिलिप्यधिकार के अतिलंघन पर अधिकाधिक एक वर्ष के कारावास या जुर्माने (जिसकी मात्रा का उल्लेख नहीं किया गया था) या दोनों से दण्डित करने का प्रावधान था । किन्तु, १९८४ के संशोधन विधेयक से पहली बार अपराध पर कारावास की कम-से-कम अवधि छह मास और ज्यादा-से-ज्यादा तीन वर्ष कर दी गई है । जुर्माने की कम-से-कम राशि पचास हजार रुपए निर्धारित की गई है जो तीन लाख रुपए तक बढ़ाई जा सकती है । यदि कम दण्ड देने के पर्याप्त और विशेष कारण हो तो अदालत इनका उल्लेख करते हुए छह मास से कम का कारावास और पचास हजार रुपए से कम का जुर्माना कर सकेगी । (धारा ६३)

अपराध दोहराने वालों को न्यूनतम कारावास, तथा न्यूनतम व अधिकतम जुर्माना, पहली बार के अपराध से दुगुने तक किया जा सकता है । (धारा ६३ क)

अतिलंघनकारी प्रतियाँ बनाने के प्रयोजन से जानबूझकर कोई प्लेट बनाने या अपने कब्जे में रखने वालों के लिए दण्ड को (धारा ६५ के अधीन) एक वर्ष से बढ़ाकर दो वर्ष तक का कारावास और उसके अलावा जुर्माना कर दिया गया है । जुर्माने की राशि अदालत के विवेक पर छोड़ दी गई है ।

रिकार्ड या उसके डिब्बे पर प्रदर्शित की जाने वाली जानकारी इस प्रकार होनी चाहिए—

(क) रिकार्ड बनानेवाले का नाम और पता;

(ख) कृति के प्रतिलिप्यधिकार के स्वामी का नाम और पता, और

(ग) कृति के पहली बार प्रकाशन का वर्ष । [धारा ५२ क (१)]

वीडियो फिल्म में और वीडियो कैसेट पर या कैसेट के डिब्बे पर निम्नलिखित जानकारी प्रदर्शित की जानी चाहिए—

(क) यदि यह ऐसी फिल्म का वीडियो हो जिसके प्रदर्शन के लिए सिनेमा अधिनियम, १९५२ के अन्तर्गत फिल्म प्रमाणीकरण बोर्ड से प्रमाणपत्र लेना आवश्यक है, तो बोर्ड द्वारा जारी प्रमाणपत्र की प्राप्ति;

(ख) वीडियो फिल्म बनाने वाले का नाम और उसके द्वारा यह घोषणा कि उसने कृति में प्रतिलिप्यधिकार के स्वामी से वीडियो फिल्म बनाने के लिए आवश्यक लायसेंस या सहमति प्राप्त कर ली है; और,

(ग) इस कृति के प्रतिलिप्यधिकार के स्वामी का नाम और पता ।

[धारा ५२ क (२)]

इन प्रावधानों का उल्लंघन करनेवालों को तीन वर्ष तक के कारावास और जुर्माने से दण्डित किया जा सकता है । (धारा ६८ क)

■

परिशिष्ट पाँच

न्यायालय अवमान अधिनियम, १९७१

न्यायालयों के अवमान के लिए दण्डित करने के बारे में कुछ न्यायालयों की शक्तियों को परिनिश्चित और परिसीमित करने के लिए और उस सम्बन्ध में उनकी प्रक्रिया को विनियमित करने के लिए अधिनियम

१. (१) इस अधिनियम का संक्षिप्त नाम न्यायालय अवमान अधिनियम, १९७१ है ।

(२) इसका विस्तार सम्पूर्ण भारत पर है—

परन्तु यह जम्मू-कश्मीर राज्य को वहाँ तक के सिवा लागू नहीं होगा जहाँ तक इस अधिनियम के उपबन्धों का सम्बन्ध उच्चतम न्यायालय के अवमान से है ।

२. इस अधिनियम में जब तक कि सन्दर्भ से अन्यथा अपेक्षित न हो—

(क) 'न्यायालय अवमान' से सिविल अवमान अथवा आपराधिक अवमान अभिप्रेत है;

(ख) 'सिविल अवमान' से किसी न्यायालय के किसी निर्णय, डिक्री, निदेश, आदेश, रिट या अन्य आदेशिका की जान-बूझकर अवज्ञा करना अथवा न्यायालय से किए गए किसी वचनबन्ध को जान-बूझकर भंग करना अभिप्रेत है;

(ग) 'आपराधिक अवमान' से किसी भी ऐसी बात का (चाहे बोले गये या लिखे गए शब्दों द्वारा, या संकेतों द्वारा, या दृश्य रूपणों द्वारा, या अन्यथा) प्रकाशन अथवा किसी भी अन्य ऐसे कार्य का करना अभिप्रेत है—

(१) जो किसी न्यायालय को कलंकित करता है या जिसकी प्रवृत्ति उसे कलंकित करने की है अथवा जो उसके प्राधिकार को, अवनत करता है या जिसकी प्रवृत्ति उसे अवनत करने की है, अथवा

(२) जो किसी न्यायिक कार्यवाही के सम्यक् अनुक्रम पर प्रतिकूल प्रभाव डालता है, या उसमें हस्तक्षेप करता है या जिसकी प्रवृत्ति उसमें हस्तक्षेप करने की है; अथवा

(३) जो न्याय प्रशासन में किसी अन्य रीति से हस्तक्षेप करता है या जिसकी प्रवृत्ति उसमें हस्तक्षेप करने की है अथवा जो उसमें बाधा डालता है या जिसकी प्रवृत्ति उसमें बाधा डालने की है;

(घ) 'उच्च न्यायालय' से किसी राज्य अथवा संघ राज्यक्षेत्र के लिए उच्च न्यायालय अभिप्रेत है और किसी संघ राज्यक्षेत्र में न्यायिक आयुक्त का न्यायालय इसके अन्तर्गत है ।

३. (१) कोई व्यक्ति इस आधार पर कि उसने किसी ऐसी बात को (चाहे बोले गये या लिखे गये शब्दों द्वारा या संकेतों द्वारा या दृश्य रूपणों द्वारा या अन्यथा) प्रकाशित किया है जो प्रकाशन के समय लम्बित किसी सिविल या दाण्डिक कार्यवाही के सम्बन्ध में न्याय के अनुक्रम में हस्तक्षेप करती है या जिसकी प्रवृत्ति उसमें हस्तक्षेप करने की है अथवा जो उसमें बाधा डालती है या जिसकी प्रवृत्ति उसमें बाधा डालने की है, उस दशा में न्यायालय अवमान का दोषी नहीं होगा जिसमें उस समय उसके पास यह विश्वास करने के समुचित आधार नहीं थे कि वह कार्यवाही लम्बित थी ।

(२) इस अधिनियम में या तत्समय प्रवृत्त किसी अन्य विधि में किसी प्रतिकूल बात के होते हुए भी, किसी ऐसी सिविल या दाण्डिक कार्यवाही के सम्बन्ध में, जो प्रकाशन के समय लम्बित नहीं है, किसी ऐसी बात के प्रकाशन के बारे में, जो उपधारा (१) में वर्णित है, या नहीं समझा जाएगा कि उससे न्यायालय अवमान होता है ।

(३) कोई भी व्यक्ति इस आधार पर कि उसने ऐसा कोई प्रकाशन वितरित किया है जिसमें कोई ऐसी बात अन्तर्विष्ट है जो उपधारा (१) में वर्णित है, उस दशा में न्यायालय अवमान का दोषी नहीं होगा जिसमें वितरण के समय उसके पास यह विश्वास करने के समुचित आधार नहीं थे कि उसमें यथापूर्वोक्त कोई बात अन्तर्विष्ट थी या उसके अन्तर्विष्ट होने की सम्भावना—

परन्तु यह उपधारा निम्नलिखित के वितरण के बारे में लागू न होगी—

(१) कोई ऐसा प्रकाशन जो प्रेस और पुस्तक रजिस्ट्रीकरण अधिनियम, १८६७ की धारा ३ में अन्तर्विष्ट नियमों के अनुरूप मुद्रित या प्रकाशित न होते हुए अन्यथा मुद्रित या प्रकाशित पुस्तक या कागजपत्र है;

(२) कोई ऐसा प्रकाशन जो उक्त अधिनियम की धारा ५ में अन्तर्विष्ट नियमों के अनुरूप प्रकाशित न होते हुए अन्यथा प्रकाशित समाचारपत्र है ।

स्पष्टीकरण—इस धारा के प्रयोजनों के लिए कोई न्यायिक कार्यवाही—

(क) निम्नलिखित दशाओं में लम्बित कही जाती है—

(क) सिविल कार्यवाही के मामले में जब वह वादपत्र फाइल करके या अन्यथा संस्थित की जाती है,

(ख) दण्ड प्रक्रिया संहिता, १८९८ या किसी अन्य विधि के अधीन किसी दाण्डिक कार्यवाही के मामले में—

(१) जहाँ वह किसी अपराध के किए जाने से सम्बद्ध है वहाँ जब आरोप-पत्र या चालान फाइल किया जाता है अथवा जब अपराधी के विरुद्ध न्यायालय, यथास्थिति, समन या वारंट निकालता है, और

(२) किसी अन्य मामले में जब न्यायालय उस विषय का संज्ञान करता है जिससे कार्यवाही संबद्ध है; और

किसी सिविल या दाण्डिक कार्यवाही के मामले में तब तक लम्बित बनी रही समझी जाएगी जब तक वह सुन नहीं ली जाती और अन्तिम रूप से विनिश्चित नहीं कर दी जाती, अर्थात् उस मामले में जहाँ अपील या पुनरीक्षण हो सकता है, जब तक अपील या पुनरीक्षण को सुन नहीं लिया जाता और अन्तिम रूप से विनिश्चित नहीं कर दिया जाता, या जैसा अपील या पुनरीक्षण न किया जाए वहाँ जब तक उस परिसीमा काल का अवसान नहीं हो जाता जो ऐसी अपील या पुनरीक्षण के लिए विहित है;

(ख) जिसे सुन लिया गया है और अन्तिम रूप से विनिश्चित कर दिया गया है केवल इस बात के ही कारण लम्बित नहीं समझी जाएगी कि उसमें पारित डिक्री, आदेश या दण्डादेश के निष्पादन की कार्यवाही लम्बित है ।

४. धारा ७ में अन्तर्विष्ट उपबन्धों के अधीन रहते हुए यह है कि कोई भी व्यक्ति किसी न्यायिक कार्यवाही या उसके किसी प्रक्रम की उचित और सही रिपोर्ट प्रकाशित करने से न्यायालय अवमान का दोषी न होगा ।

५. कोई भी व्यक्ति किसी मामले के, जिसे सुन लिया गया है और अन्तिम रूप से विनिश्चित कर दिया गया है, गुणागुण पर उचित टीका-टिप्पणी प्रकाशित करने से न्यायालय अवमान का दोषी न होगा ।

६. कोई भी व्यक्ति किसी ऐसे कथन के बारे में जो उसने किसी अधीनस्थ न्यायालय के पीठासीन अधिकारी की बाबत—

(क) किसी अन्य अधीनस्थ न्यायालय से, या

(ख) उच्च न्यायालय से,

जिसके अधीनस्थ वह न्यायालय है, सद्भावपूर्वक किया हो, न्यायालय अवमान का दोषी न होगा ।

स्पष्टीकरण—इस धारा मे 'अधीनस्थ न्यायालय' से किसी उच्च न्यायालय के अधीनस्थ कोई न्यायालय अभिप्रेत है ।

७. (१) इस अधिनियम में किसी बात के होते हुए भी कोई व्यक्ति चेम्बर में या बन्द कमरे में बैठे हुए न्यायालय के समक्ष किसी न्यायिक कार्यवाही की उचित और सही रिपोर्ट प्रकाशित करने से, निम्नलिखित दशाओं के सिवा, न्यायालय अवमान का दोषी न होगा, अर्थात्—

(क) जब प्रकाशन तत्समय प्रवृत्त किसी अधिनियमिति के उपबन्धों के प्रतिकूल है;

(ख) जब न्यायालय, लोक-नीति के आधारों पर या अपने में निहित किसी शक्ति का प्रयोग करते हुए उस कार्यवाही से सम्बद्ध सभी जानकारी का या उस वर्णन की जानकारी का, जो प्रकाशित की जाती है, प्रकाशन स्पष्टतः प्रतिषिद्ध कर देता है;

(ग) जब न्यायालय लोक-व्यवस्था अथवा राज्य की सुरक्षा से सम्बद्ध कारणों से चेम्बर में या बन्द कमरे में बैठता है तब उस कार्यवाही से सम्बद्ध जानकारी का प्रकाशन,

(घ) जब जानकारी किसी ऐसी गुप्त प्रक्रिया, खोज या अविष्कार के सम्बन्ध में है जो कार्यवाही में विवद्यक है ।

(२) उपधारा (१ में) अन्तर्विष्ट उपबंधों पर प्रतिकूल प्रभाव डाले बिना यह है कि कोई भी व्यक्ति चेम्बर में या बन्द कमरे में बैठे हुए न्यायालय द्वारा दिए गए सम्पूर्ण आदेश या उसके किसी भाग का मूल पाठ या उचित और सही सारांश प्रकाशित करने से न्यायालय अवमान का दोषी न होगा जब तक कि न्यायालय ने लोक-नीति के आधारों पर, या लोक-व्यवस्था अथवा राज्य की सुरक्षा से सम्बद्ध कारणों से, या इस आधार पर कि उसमें गुप्त प्रक्रिया, खोज या आविष्कार से सम्बद्ध जानकारी अन्तर्विष्ट है, या अपने में निहित किसी शक्ति का प्रयोग करते हुए, उसका प्रकाशन स्पष्टतः प्रतिषिद्ध नहीं कर दिया है ।

८. इस अधिनियम में अन्तर्विष्ट किसी भी बात का यह अर्थ न लगाया जाएगा कि उसमें यह विवक्षित है कि कोई अन्य ऐसा प्रतिवाद जो न्यायालय अवमान की किन्हीं कार्यवाहियों में विधिमान्य प्रतिवाद होता, केवल इस अधिनियम के उपबन्धों के कारण ही उपलभ्य नहीं रहा है ।

९. इस अधिनियम में अन्तर्विष्ट किसी भी बात का यह अर्थ न लगाया जाएगा कि उसमें यह विवक्षित है कि कोई ऐसी अवज्ञा या ऐसा भंग, प्रकाशन या अन्य कार्य जो इस अधिनियम के अन्यथा न्यायालय अवमान के रूप में दण्डनीय न होता ऐसे दण्डनीय है ।

१०. प्रत्येक उच्च न्यायालय को अपने अधीनस्थ न्यायालयों के अवमान के बारे में वही अधिकारिता, शक्तियाँ और प्राधिकार प्राप्त होंगे और वह उसी प्रक्रिया

और पद्धति के अनुसार उनका प्रयोग करेगा जैसे उसे स्वयं अपने अवमान के बारे में प्राप्त है और जिसके अनुसार वह उनका प्रयोग करता है—

परन्तु कोई भी उच्च न्यायालय अपने अधीनस्थ न्यायालय के बारे में किए गये अभिकथित अवमान का संज्ञान नहीं करेगा जब कि वह अवमान भारतीय दण्ड संहिता के अधीन दण्डनीय अपराध है ।

११. उच्च न्यायालय को अपने या अपने अधीनस्थ किसी न्यायालय के अवमान की जाँच करने और उसका विचारण करने की अधिकारिता होगी चाहे ऐसे अवमान का उसकी अधिकारिता की स्थानीय सीमाओं के भीतर किया जाना अभिकथित हो या बाहर और चाहे वह व्यक्ति जो अवमान का दोषी अभिकथित है ऐसी सीमाओं के भीतर हो या बाहर ।

१२. (१) इस अधिनियम या किसी अन्य विधि में अभिव्यक्त रूप से जैसा अन्यथा उपबन्धित है उसके सिवा न्यायालय अवमान सादे कारावास से, जिसकी अवधि छह मास तक की हो सकेगी, या जुर्माने से, जो दो हजार रुपये तक का हो सकेगा, अथवा दोनों से, दण्डित किया जा सकेगा—

परन्तु न्यायालय को समाधानप्रद रूप से माफी माँगे जाने पर अभियुक्त को उन्मोचित किया जा सकेगा या अधिनिर्णित दण्ड का परिहार किया जा सकेगा ।

स्पष्टीकरण—कोई भी माफी, जो अभियुक्त ने सद्‌भावपूर्वक माँगी है, केवल इस आधार पर नामंजूर नहीं की जाएगी कि वह सापेक्ष अथवा सशर्त है ।

(२) तत्समय प्रवृत्त किसी विधि में किसी बात के होते हुए भी कोई न्यायालय चाहे अपने या अपने अधीनस्थ किसी न्यायालय के अवमान के बारे में उपधारा (१) में विनिर्दिष्ट दण्ड से अधिक दण्ड अधिरोपित नहीं करेगा ।

(३) इस धारा में किसी बात के होते हुए भी जब कोई व्यक्ति सिविल अवमान का दोषी पाया जाता है तब यदि न्यायालय यह समझता है कि जुर्माने से न्याय का उद्देश्य पूरा नहीं होगा और कारावास का दण्ड आवश्यक है, तो वह उसे सादे कारावास से दण्डादिष्ट करने के बजाय यह निदेश देगा कि वह छह मास से अनधिक की इतनी अवधि के लिए, जितनी न्यायालय ठीक समझे, सिविल कारागार में निरुद्ध रखा जाए ।

(४) जहाँ न्यायालय से किए गए वचनबन्ध के बारे में न्यायालय अवमान का दोषी पाया गया व्यक्ति, कोई कम्पनी है, वहाँ प्रत्येक व्यक्ति जो अवमान के किए जाने के समय कम्पनी के कारबार के संचालन के लिए कम्पनी का भारसाधक और उसके प्रति उत्तरदायी था, और साथ ही वह कम्पनी भी, अवमान के लिए दोषी समझे जाएँगे और न्यायालय की इजाजत से, दण्ड का प्रवर्तन, प्रत्येक ऐसे व्यक्ति को सिविल कारागार में निरुद्ध करके किया जा सकेगा—

परन्तु इस उपधारा की कोई बात किसी ऐसे व्यक्ति को दण्ड का भागी नहीं बनाएगी यदि वह साबित कर देता है कि अवमान उसकी जानकारी के बिना

किया गया था अथवा उसने उसका किया जाना निवारित करने के लिए सब सम्यक् तत्परता बरती थी ।

(५) उपधारा (४) में किसी बात के होते हुए भी जहाँ उसमें निर्दिष्ट न्यायालय अवमान किसी कम्पनी द्वारा किया गया है और यह साबित हो जाता है कि वह अवमान कम्पनी के किसी निदेशक, प्रबन्धक, सचिव या अन्य अधिकारी की सम्मति अथवा मौनानुकूलता से किया गया है या उसकी किसी उपेक्षा के कारण हुआ माना जा सकता है, वहाँ ऐसा निदेशक, प्रबन्धक, सचिव या अन्य अधिकारी भी उस अवमान का दोषी समझा जाएगा और न्यायालय की इजाजत से, दण्ड का प्रवर्तन, उस निदेशक, प्रबन्धक, सचिव या अन्य अधिकारी को सिविल कारागार में निरुद्ध करके किया जा सकेगा ।

स्पष्टीकरण—उपधारा (४) और (५) के प्रयोजन के लिए—

(क) 'कम्पनी' से कोई निगमित निकाय अभिप्रेत है और उसके अन्तर्गत फर्म या व्यष्टियों का अन्य संगम भी है; और

(ख) किसी फर्म के सम्बन्ध में, 'निदेशक' से उस फर्म का भागीदार अभिप्रेत है ।

१३. तत्समय प्रवृत्त किसी अवधि में किसी बात के होते हुए भी कोई न्यायालय इस अधिनियम के अधीन न्यायालय अवमान के लिए दण्ड तब तक अधिरोपित नहीं करेगा जब तक उसका यह समाधान नहीं हो जाता कि अवमान ऐसी प्रकृति का है कि वह न्याय के अनुक्रम में पर्याप्त हस्तक्षेप करता है या उसकी प्रवृत्ति पर्याप्त हस्तक्षेप करने की है ।

१४. (१) जब यह अभिकथित किया जाता है या उच्चतम न्यायालय या उच्च न्यायालय को अपने अवलोकन पर यह प्रतीत होता है कि कोई व्यक्ति उसकी उपस्थिति में या उसके सुनते हुए किए गए अवमान का दोषी है तब वह न्यायालय ऐसे व्यक्ति को अभिरक्षा में निरुद्ध करा सकेगा और न्यायालय के उठने से पूर्व उसी दिन किसी भी समय या उसके पश्चात् यथासम्भव शीघ्र—

(क) उसे उस अवमान की लिखित जानकारी कराएगा जिसका उस पर आरोप है;

(ख) उसे आरोप का प्रतिवाद करने का अवसर देगा;

(ग) ऐसा साक्ष्य लेने के पश्चात् जो आवश्यक हो या जो ऐसे व्यक्ति द्वारा दिया जाए और उस व्यक्ति को सुनने के पश्चात्, चाहे तत्काल या स्थगन के पश्चात्, आरोप के मामले का अवधारण करने के लिए अग्रसर होगा; और

(घ) ऐसे व्यक्ति को दण्डित करने या उन्मोचित करने का ऐसा आदेश करेगा जो न्यायसंगत हो ।

(२) उपधारा (१) में किसी बात के होते हुए भी, जहाँ कोई व्यक्ति जिस पर उस उपधारा के अधीन अवमान का आरोप लगाया गया है, चाहे मौखिक रूप से

या लिखित रूप से, आवेदन करता है, कि उसके विरुद्ध आरोप का विचारण उस न्यायाधीश या उन न्यायाधीशों से, जिसकी या जिनकी उपस्थिति में या जिसके या जिनके सुनते हुए अपराध का किया जाना अभिकथित है, भिन्न किसी न्यायाधीश द्वारा किया जाए और न्यायालय की राय है कि ऐसा करना साध्य है और आवेदन को उचित न्याय प्रशासन के हित में मंजूर किया जाना चाहिए तो वह उस मामले को मामले के तथ्यों के कथन सहित मुख्य न्यायमूर्ति के समक्ष ऐसे निदेशों के लिए रखवाएगा जिन्हें वह उसके विचारण की बाबत जारी करना ठीक समझे।

(३) किसी अन्य विधि में किसी बात के होते हुए भी यह है कि उस व्यक्ति के जिस पर उपधारा (१) के अधीन अवमान का आरोप है, उस विचारण में जो उपधारा (२) के अधीन दिए गए निदेश के अनुसरण में उस न्यायाधीश या उन न्यायाधीशों से, जिसकी या जिनकी उपस्थिति में जिसके या जिनके सुनते हुए अपराध का किया जाना अभिकथित है, भिन्न किसी न्यायाधीश द्वारा किया जाता है, यह आवश्यक न होगा कि वह न्यायाधीश या वे न्यायाधीश जिसकी या जिनकी उपस्थिति में या जिसके या जिनके सुनते हुए अपराध का किया जाना अभिकथित है, साक्षी के रूप में उपस्थित हो या उपस्थित हों और उपधारा (२) के अधीन मुख्य न्यायमूर्ति के समक्ष रखा गया कथन मामले में साक्ष्य माना जाएगा।

(४) न्यायालय निदेश दे सकेगा कि वह व्यक्ति जिस पर इस धारा के अधीन अवमान का आरोप है आरोप का अवधारण होने तक ऐसी अभिरक्षा में निरुद्ध रखा जाएगा जैसी वह न्यायालय विनिर्दिष्ट करे—

परन्तु यदि प्रतिभुओं सहित या रहित बन्धपत्र निष्पादित कर दिया जाता है जो उतनी रकम का है जितनी न्यायालय पर्याप्त समझता है और जिसमें यह शर्त है कि वह व्यक्ति जिस पर आरोप है, बन्धपत्र में वर्णित समय और स्थान पर हाजिर होगा और जब तक न्यायालय द्वारा अन्यथा निदेश नहीं दे दिया जाता ऐसे हाजिर होता रहेगा तो उसे जमानत पर छोड़ दिया जाएगा—

परन्तु यह और कि यदि न्यायालय ठीक समझता है तो ऐसे व्यक्ति से जमानत लेने के बजाय उसकी यथापूर्वोक्त हाजिरी के लिए प्रतिभुओं के बिना उसके द्वारा बन्धपत्र निष्पादित किए जाने पर उसे उन्मोचित कर सकेगा।

१५. (१) धारा १४ में निर्दिष्ट अवमान से भिन्न आपराधिक अवमान की दशा में उच्चतम न्यायालय या उच्च न्यायालय या तो स्वप्रेरणा से या—

(क) महाधिवक्ता के, अथवा

(ख) महाधिवक्ता की लिखित सम्मति से किसी अन्य व्यक्ति के, अथवा

(ग) दिल्ली संघ राज्यक्षेत्र के उच्च न्यायालय के सम्बन्ध में, ऐसे विधि अधिकारी के, जिसे केन्द्रीय सरकार, राजपत्र में अधिसूचना द्वारा, इस निमित्त विनिर्दिष्ट करे, या ऐसे विधि अधिकारी की लिखित सम्मति से किसी अन्य व्यक्ति के द्वारा, या किसी संघ राज्यक्षेत्र के सम्बन्ध में ऐसे विधि अधिकारी द्वारा जिसे केन्द्रीय सरकार, राजपत्र

में अधिसूचना द्वारा, इस निमित्त विनिर्दिष्ट करे, किए गए समावेदन पर कार्रवाई कर सकेगा ।

(३) इस धारा के अधीन किए गए प्रत्येक समावेदन या निर्देश में वह अवमान विनिर्दिष्ट होगा जिसका कि वह व्यक्ति, जिस पर आरोप है, दोषी अभिकथित है ।

स्पष्टीकरण—इस धारा में 'महाधिवक्ता' पद से अभिप्रेत है—

(क) उच्चतम न्यायालय के सम्बन्ध में, महान्यायवादी या महासालिसिटर; तथा

(ख) उच्च न्यायालय के सम्बन्ध में राज्य का या उन राज्यों में से किसी का जिनके लिए उच्च न्यायालय स्थापित किया गया है महाधिवक्ता; तथा

(ग) न्यायिक आयुक्त के न्यायालय के सम्बन्ध में ऐसा विधि अधिकारी जिसे, केन्द्रीय सरकार राजपत्र में अधिसूचना द्वारा, इस निमित्त विनिर्दिष्ट करे ।

१६. (१) तत्समय प्रवृत्त किसी विधि के उपबन्धों के अधीन रहते हुए कोई न्यायाधीश, मजिस्ट्रेट या न्यायित्तः कार्य करनेवाला अन्य व्यक्ति भी अपने न्यायालय के या किसी अन्य न्यायालय के अवमान के लिए उसी रीति से दण्डनीय होगा जिससे कोई अन्य व्यक्ति होता है, और इस अधिनियम के उपबन्ध, यावत्शक्य तदनुसार लागू होंगे ।

(२) इस धारा की कोई बात किसी न्यायाधीश, मजिस्ट्रेट या न्यायित्तः कार्य करनेवाले अन्य व्यक्ति द्वारा, किसी अधीनस्थ न्यायालय के आदेश या निर्णय के विरुद्ध उस न्यायाधीश, मजिस्ट्रेट या अन्य व्यक्ति के समक्ष लम्बित किसी अपील अथवा पुनरीक्षण में उस अधीनस्थ न्यायालय की बाबत की गई किन्हीं समुक्तियों या टिप्पणियों को लागू नहीं होगी ।

१७. (१) धारा १५ के अधीन प्रत्येक कार्यवाही की सूचना की तामील उस व्यक्ति पर जिस पर आरोप है, वैयक्तिक रूप से की जाएगी जब तक कि न्यायालय, ऐसे कारणों से जो अभिलिखित किए जाएँगे, अन्यथा निदेश न दे ।

(२) सूचना के साथ निम्नलिखित होंगे—

(क) किसी समावेदन पर प्रारम्भ की गई कार्यवाही की दशा में, समावेदन की प्रतिलिपि तथा उन शपथपत्रों की भी प्रतिलिपियाँ, यदि कोई हों, जिन पर ऐसा समावेदन आधारित है, तथा

(ख) किसी अधीनस्थ न्यायालय द्वारा, किए गए निर्देश पर प्रारम्भ की गई कार्यवाही की दशा में, उस निर्देश की प्रतिलिपि ।

(३) यदि न्यायालय का समाधान हो जाता है कि उस व्यक्ति के, जिस पर धारा १५ के अधीन आरोप है, सूचना की तामील से बचने के लिए फरार होने

या छिप जाने की संभावना है तो वह उसकी उतने मूल्य या रकम की संपत्ति की, जो वह न्यायालय युक्तियुक्त समझे, कुर्की का आदेश कर सकेगा ।

(४) उपधारा (३) के अधीन प्रत्येक कुर्की सिविल प्रक्रिया संहिता, १६०८ में धन के संदाय की डिक्री के निष्पादन में सम्पत्ति की कुर्की के लिए उपबन्धित रीति से क्रियान्वित की जाएगी और यदि ऐसी कुर्की के पश्चात्, आरोपित व्यक्ति उपस्थित हो जाता है और न्यायालय को समाधानप्रद रूप से दर्शित कर देता है कि वह सूचना की तामील से बचने के लिए फरार नहीं हुआ था या छिपा नहीं था तो न्यायालय खर्चे के बारे में या अन्यथा ऐसे निबन्धनों पर, जैसे वह ठीक समझे, उसकी सम्पत्ति को कुर्की से निर्मोचित करने का आदेश देगा ।

(५) कोई व्यक्ति जिस पर धारा १५ के अधीन अवमान का आरोप है अपने प्रतिवाद के समर्थन में शपथपत्र फाइल कर सकेगा, और न्यायालय या तो फाइल किए गए शपथपत्रों पर या ऐसा अतिरिक्त साक्ष्य लेने के पश्चात् जैसा आवश्यक हो, आरोप के विषय को अवधारित कर सकेगा और ऐसा आदेश पारित कर सकेगा जैसा मामले में न्याय के लिए अपेक्षित हो ।

१८. (१) धारा १५ के अधीन के आपराधिक अवमान के प्रत्येक मामले की सुनवाई और अवधारण कम-से-कम दो न्यायाधीशों की न्यायपीठ द्वारा किया जाएगा ।

(२) उपधारा (१) न्यायिक आयुक्त के न्यायालय को लागू न होगी ।

१६. (१) अवमान के लिए दण्डित करने की अपनी अधिकारिता के प्रयोग में उच्च न्यायालय के किसी आदेश या विनिश्चय की साधिकार अपील—

(क) यदि आदेश या विनिश्चय एकल न्यायधीश का है, तो न्यायालय के कम-से-कम दो न्यायाधीशों की न्यायपीठ की होगी;

(ख) यदि आदेश या विनिश्चय न्यायपीठ का है, तो उच्चतम न्यायालय की होगी—

परन्तु यदि आदेश या विनिश्चय किसी संघ के राज्यक्षेत्र के किसी न्यायिक आयुक्त के न्यायालय का है तो ऐसी अपील उच्चतम न्यायालय की होगी ।

(२) किसी अपील के लम्बित रहने पर, अपील न्यायालय आदेश दे सकेगा कि—

(क) उस दण्ड या आदेश का निष्पादन, जिसके विरुद्ध अपील की गई है, निलम्बित कर दिया जाए;

(ख) यदि अपीलार्थी परिरोध में है तो वह जमानत पर छोड़ दिया जाए; और

(ग) अपील की सुनवाई इस बात के होते हुए भी की जाए की अपीलार्थी ने अपने अवमान का मार्जन नहीं किया है ।

(३) यदि किसी आदेश से, जिसके विरुद्ध अपील फाइल की जा सकती है, व्यथित कोई व्यक्ति उच्च न्यायालय का समाधान कर देता है कि वह अपील करने

का आशय रखता है तो उच्च न्यायालय उपधारा (२) द्वारा प्रदत्त सभी शक्तियों का या उनमें से किन्हीं का प्रयोग भी कर सकेगा ।

(४) उपधारा (१) के अधीन अपील, उस आदेश की तारीख से जिसके विरुद्ध अपील की जाती है—

(क) उच्च न्यायालय की किसी न्यायपीठ को अपील की दशा में, तीस दिन के भीतर की जाएगी;

(ख) उच्चतम न्यायालय को अपील की दशा में, साठ दिन के भीतर की जाएगी ।

२०. कोई न्यायालय अवमान के लिए कार्यवाहियाँ, या तो स्वप्रेरणा पर या अन्यथा, उस तारीख से, जिसको अवमान का किया जाना अभिकथित है, एक वर्ष की अवधि के अवसान के पश्चात् नहीं करेगा ।

२१. इस अधिनियम की कोई भी बात न्याय-प्रशासन के लिए किसी विधि के अधीन स्थापित न्याय-पंचायतों या अन्य ग्राम-न्यायालयों के, चाहे वे किसी भी नाम से ज्ञात हों, अवमान को लागू नहीं होगी ।

२२. इस अधिनियम के उपबन्ध, न्यायालयों के अवमान से सम्बद्ध किसी अन्य विधि के उपबन्धों के अतिरिक्त होंगे, न कि उनके अल्पीकारक ।

२३. यथास्थिति, उच्चतम न्यायालय या कोई उच्च न्यायालय किसी ऐसे विषय का उपबन्ध करने के लिए जो उसकी प्रक्रिया से सम्बद्ध हो, ऐसे नियम बना सकेगा जो इस अधिनियम के उपबन्धों से असंगत न हों ।

■

परिशिष्ट छह

प्रेस और पुस्तक रजिस्ट्रीकरण अधिनियम, १८६७

मुद्रणालयों तथा समाचारपत्रों के विनियमन के लिए, भारत में मुद्रित पुस्तकों तथा समाचारपत्रों की प्रतियों के परिरक्षण तथा ऐसी पुस्तकों तथा समाचारपत्रों के रजिस्ट्रीकरण के लिए अधिनियम

मुद्रणालयों तथा समाचारपत्रों के विनियमन के लिए, भारत में मुद्रित प्रत्येक पुस्तक तथा समाचारपत्र की प्रतियों के परिरक्षण के लिए तथा ऐसी पुस्तकों तथा समाचारपत्रों के रजिस्ट्रीकरण के लिए उपबन्ध करना समीचीन है,

भाग १

प्रारम्भिक

१. (१) इस अधिनियम में, जब तक कि कोई बात विषय या सन्दर्भ में विरुद्ध न हो—

'पुस्तक' के अन्तर्गत किसी भी भाषा में प्रत्येक जिल्द, जिल्द का भाग या खण्ड और पुस्तिका और पृथक् रूप से मुद्रित मानचित्र, चार्ट, रेखांकन या स्वरलिपि पत्र है;

'सम्पादक' से वह व्यक्ति अभिप्रेत है, जो उस समग्री के चयन पर नियन्त्रण रखता है, जो किसी समाचारपत्र में प्रकाशित की जाती है;

'मजिस्ट्रेट' से ऐसा व्यक्ति अभिप्रेत है, जो मजिस्ट्रेट की पूरी शक्तियों का प्रयोग करता है और इसके अन्तर्गत 'पुलिस मजिस्ट्रेट' भी है;

'समाचारपत्र' से कोई मुद्रित कालिक कृति अभिप्रेत है जिसमें सार्वजनिक समाचार या सार्वजनिक समाचारों की समीक्षा अन्तर्विष्ट है;

'पत्र' से कोई भी दस्तावेज अभिप्रेत है और इसके अन्तर्गत पुस्तक से भिन्न समाचारपत्र भी है;

'विहित' से केन्द्रीय सरकार द्वारा धारा २०क के अधीन बनाए गए नियमों द्वारा विहित अभिप्रेत है;

'प्रेस रजिस्ट्रार' से धारा १६क के अधीन केन्द्रीय सरकार द्वारा नियुक्त भारत का समाचारपत्र रजिस्ट्रार अभिप्रेत है और इसके अन्तर्गत प्रेस रजिस्ट्रार के सभी कृत्यों या उनमें से किसी को करने के लिए केन्द्रीय सरकार द्वारा नियुक्त कोई अन्य व्यक्ति भी है;

'मुद्रण' के अन्तर्गत चक्रमुद्रण तथा शिलामुद्रण द्वारा मुद्रण भी है;

'रजिस्टर' से धारा १६ख के अधीन रखा गया समाचारपत्रों का रजिस्टर अभिप्रेत है ।

(२) इस अधिनियम में, किसी ऐसी विधि के प्रति, जो जम्मू-कश्मीर राज्य में प्रवृत्त नहीं है, किसी निर्देश का उस राज्य के सम्बन्ध में यह अर्थ लगाया जाएगा कि वह उस राज्य में प्रवृत्त तत्स्थानी विधि के प्रति निर्देश है ।

भाग २

मुद्रणालयों तथा समाचारपत्रों के विषय में

३. भारत में मुद्रित प्रत्येक पुस्तक या पत्र पर मुद्रण का नाम तथा मुद्रण का स्थान और (यदि वह पुस्तक या पत्र प्रकाशित किया जाता है तो) प्रकाशक का नाम तथा प्रकाशन का स्थान साफ-साफ मुद्रित किया जाएगा ।

४. (१) भारत में कोई ऐसा व्यक्ति पुस्तकों या पत्रों के मुद्रण के लिएअपने कब्जे में कोई मुद्रणालय नहीं रखेगा, जिसने जिला, प्रेसिडेंसी या उप-खण्ड मजिस्ट्रेट के समक्ष, जिसकी स्थानीय अधिकारिता में ऐसा मुद्रणालय है, निम्नलिखित घोषणा नहीं की है तथा उस पर हस्ताक्षर नहीं किए हैं—

"मैं क, ख, घोषित करता हूँ कि मेरे पास.............................में मुद्रण के लिए मुद्रणालय है ।"

और उपर्युक्त रिक्त स्थान में, ऐसा मुद्रणालय जहाँ स्थित है उस स्थान के बारे में सही और ठीक ठीक विवरण भरा जाएगा ।

(२) जितनी बार, वह स्थान, जहाँ मुद्रणालय रखा गया है, परिवर्तित किया जाता है, उतनी बार नई घोषणा आवश्यक होगी—

परन्तु जहाँ ऐसा परिवर्तन साठ दिन से अधिक की अवधि के लिए नहीं है और परिवर्तन के पश्चात् मुद्रणालय उपधारा (१) में निर्दिष्ट मजिस्ट्रेट की स्थानीय अधिकारिता में रहता है वहाँ नयी घोषणा की आवश्यकता नहीं होगी, यदि—

(क) परिवर्तन से सम्बद्ध विवरण परिवर्तन के चौबीस घण्टे के भीतर दे दिया जाता है, और

(ख) मुद्रणालय रखनेवाला व्यक्ति वही रहता है।

५. भारत में कोई भी समाचारपत्र, इसमें इसके पश्चात् अधिकथित नियमों के अनुरूप ही प्रकाशित किया जाएगा, अन्यथा नहीं—

(१) धारा ३ के उपबन्धों पर प्रतिकूल प्रभाव डाले बिना, ऐसे प्रत्येक समाचारपत्र की प्रत्येक प्रति पर उसके स्वामी तथा उसके संपादक के नाम तथा उसके प्रकाशन की तारीख भी स्पष्ट मुद्रित होगी।

(२) ऐसे प्रत्येक समाचारपत्र का मुद्रक तथा प्रकाशक व्यक्तिगत रूप से या धारा २० के अधीन बनाए गए नियमों के अनुसार इस निमित्त प्राधिकृत अभिकर्ता की मार्फत, ऐसे जिला, प्रेसिडेंसी या उप-खण्ड मजिस्ट्रेट के समक्ष, जिसकी स्थानीय अधिकारिता में ऐसा समाचारपत्र, मुद्रित या प्रकाशित किया जाएगा, हाजिर होगा और निम्नलिखित घोषणा करेगा तथा उसकी दो प्रतियों पर हस्ताक्षर करेगा—

"मैं, क, ख, घोषित करता हूँ कि मैं......................(स्थान) म, यथास्थिति, मुद्रित या प्रकाशित किए जानेवाले अथवा मुद्रित और प्रकाशित किए जानेवाले..............................नामक समाचारपत्र का मुद्रक (या प्रकाशक, या मुद्रक और प्रकाशक) हूँ।"

और इस घोषणा के प्ररूप की पहली पंक्ति में जहाँ मुद्रण या प्रकाशन किया जाता है उस भवन के बारे में सही-सही और ठीक-ठीक विवरण भरा जाएगा।

(२क) नियम (२) के अधीन की प्रत्येक घोषणा में, समाचारपत्र का नाम, वह भाषा, जिसमें उसका प्रकाशन किया जाना है, तथा उसकी प्रकाशनावधिकता विनिर्दिष्ट की जाएगी और उसमें ऐसी अन्य विशिष्टियाँ भी होंगी, जो विहित की जाएँ।

(२ख) जहाँ नियम (२) के अधीन की घोषणा करनेवाला समाचारपत्र का मुद्रक या प्रकाशक उसका स्वामी नहीं है वहाँ उस घोषणा में स्वामी का नाम विनिर्दिष्ट किया जाएगा और उसके साथ स्वामी का लिखित रूप में ऐसा प्राधिकार भी होगा जिसमें उक्त व्यक्ति को घोषणा करने तथा उस पर हस्ताक्षर करने के लिए प्राधिकृत किया गया है।

(२ग) समाचारपत्र प्रकाशित करने से पूर्व उस समाचारपत्र की बाबत नियम (२) के अधीन घोषणा तथा धारा ६ के अधीन उसका अधिप्रमाणित किया जाना आवश्यक होगा।

(२घ) जहाँ किसी समाचारपत्र के नाम या उसकी भाषा या उसकी प्रकाशन आवधिकता में परिवर्तन किया गया है वहाँ घोषणा प्रभावहीन हो जाएगी और समाचारपत्र के प्रकाशन को चालू करने से पूर्व नई घोषणा आवश्यक होगी।

(२ङ) जितनी बार किसी समाचारपत्र के स्वामित्व में परिवर्तन किया जाता है उतनी बार नई घोषणा आवश्यक होगी।

(३) जितनी बार मुद्रण तथा प्रकाशन के स्थान में परिवर्तन किया जाता है उतनी बार नई घोषणा आवश्यक होगी—

परन्तु जहाँ ऐसा परिवर्तन तीस दिन से अधिक की अवधि के लिए नहीं है और परिवर्तन के पश्चात् मुद्रण अथवा प्रकाशन का स्थान नियम (२) में निर्दिष्ट मजिस्ट्रेट की स्थानीय अधिकारिता में रहता है वहाँ नई घोषणा आवश्यक नहीं होगी यदि—

(क) परिवर्तन के चौबीस घंटे के भीतर परिवर्तन से सम्बद्ध विवरण दे दिया जाता है, और

(ख) समाचारपत्र का मुद्रक या प्रकाशक या मुद्रक और प्रकाशक वही व्यक्ति रहता है।

(४) ऐसा मुद्रक या प्रकाशक, जिसने यथापूर्वोक्त घोषणा की है, नब्बे दिन से अधिक की अवधि के लिए जितनी भी बार भारत से बाहर जाएगा या जहाँ ऐसा मुद्रक या प्रकाशक अशक्तता के कारण या अन्यथा नब्बे दिन से अधिक की अवधि के लिए अपने कर्तव्यों को, ऐसी परिस्थितियों में, जिनमें उसका पद रिक्त नहीं होता है, कार्यान्वित करने में असमर्थ रहेगा वहाँ, उतनी ही बार नई घोषणा आवश्यक होगी।

(५) जहाँ समाचारपत्र के प्रकाशन का आरम्भ—

(क) सप्ताह में एक या एक से अधिक बार प्रकाशित किए जानेवाले समाचारपत्र की दशा में, धारा ६ के अधीन घोषणा के अधिप्रमाणन के छह सप्ताह के भीतर, और

(ख) किसी अन्य समाचारपत्र की दशा में, धारा ६ के अधीन घोषणा के अधिप्रमाणन के तीन मास के भीतर,

नहीं कर दिया जाता वहाँ समाचारपत्र की बाबत की गई प्रत्येक घोषणा शून्य होगी और ऐसी प्रत्येक दशा में समाचारपत्र प्रकाशित किए जाने से पूर्व नई घोषणा आवश्यक होगी।

(६) जहाँ तीन मास की किसी अवधि में कोई दैनिक, त्रि-साप्ताहिक, द्वि-साप्ताहिक, साप्ताहिक या पाक्षिक समाचारपत्र, अपने अंक उतनी संख्या में प्रकाशित करता है, जिनकी संख्या तत्सम्बन्धी घोषणा के अनुसार प्रकाशित होनेवाली संख्या के आधे से कम है वहाँ घोषणा प्रभावहीन हो जाएगी और समाचारपत्र का प्रकाशन जारी रखने से पूर्व नई घोषणा आवश्यक होगी।

(७) जहाँ किसी अन्य समाचारपत्र का प्रकाशन बारह मास से अधिक की अवधि के लिए बन्द हो गया है वहाँ उसके बारे में की गई प्रत्येक घोषणा प्रभावहीन हो जाएगी, और समाचारपत्र के पुनः प्रकाशन से पूर्व नई घोषणा आवश्यक होगी।

(८) किसी समाचारपत्र के बारे में प्रत्येक विद्यमान घोषणा उस मजिस्ट्रेट द्वारा रद्द कर दी जाएगी, जिसके समक्ष उसी समाचारपत्र के बारे में नई घोषणा की जाए और उस पर हस्ताक्षर किए जाएँ—

परन्तु कोई भी व्यक्ति जो मामूली तौर से भारत में निवास नहीं करता है या जिसने भारतीय वयस्कता अधिनियम, १८७५ के अनुसार अथवा जिस विधि से

वह वयस्कता प्राप्तकरने की बाबत शासित होता है उस विधि के अनुसार वयस्कता प्राप्त नहीं की है, इस धारा द्वारा विहित घोषणा करने के लिए न तो अनुज्ञात किया जाएगा और न ही कोई ऐसा व्यक्ति किसी समाचारपत्र का संपादन करेगा ।

---

६. इस प्रकार पूर्वोक्त रूप में की गई तथा हस्ताक्षर की गई प्रत्येक घोषणा की दो मूल प्रतियों में से प्रत्येक प्रति उस मजिस्ट्रेट द्वारा जिसके समक्ष उक्त घोषणा की गई है, हस्ताक्षरित तथा प्राधिकारिक मुद्रा से अभिप्रमाणित की जाएगी—

परन्तु जहाँ किसी समाचारपत्र के बारे में धारा ५ के अधीन कोई घोषणा की गई है तथा उस पर हस्ताक्षर किये गए हैं वहाँ वह घोषणा, उसी व्यक्ति के स्वामित्व के समाचारपत्रों को छोड़कर, इस प्रकार अधिप्रमाणित नहीं की जाएगी जब तक कि मजिस्ट्रेट का, प्रेस रजिस्ट्रार से पूछ-ताछ करने पर, यह समाधान नहीं हो जाता है कि प्रकाशित किए जाने के लिए प्रस्तावित समाचारपत्र का वही नाम या उससे मिलता-जुलता नाम नहीं है जो या तो उसी भाषा में या उसी राज्य में किसी अन्य प्रकाशित समाचारपत्र का है ।

उक्त मूल प्रतियों में से एक मजिस्ट्रेट के कार्यालय के अभिलेखों में रखी जाएगी और दूसरी उच्च न्यायालय के या जहाँ उक्त घोषणा की गई थी, उस स्थान के लिए आरम्भिक अधिकारिता रखनेवाले अन्य प्रधान सिविल न्यायालय के अभिलेखों में रखी जाएगी ।

प्रत्येक मूल प्रति का भारसाधक अधिकारी किसी भी व्यक्ति को, एक रुपया फीस संदाय करने पर, उस मूल प्रति का निरीक्षण करने देगा, और आवेदन करनेवाले किसी व्यक्ति को, दो रुपया फीस संदाय करने पर, उक्त घोषणा की एक प्रति उस न्यायालय की मुद्रा से, जिसकी अभिरक्षा में मूल प्रति है, अनुप्रमाणित करके देगा ।

मजिस्ट्रेट की प्राधिकारिक मुद्रा से अनुप्रमाणित घोषणा की एक प्रति, या घोषणा अधिप्रमाणित करने से इन्कार करनेवाले आदेश की एक प्रति, यथाशक्य शीघ्र, उस व्यक्ति को, जो घोषणा करता है और उस पर हस्ताक्षर करता है, और प्रेस रजिस्ट्रार को भी, भेजी जाएगी ।

७. किसी भी सिविल तथा दाण्डिक विधिक कार्यवाही में, ऐसी घोषणाओं की अधिरक्षा के लिए इस अधिनियम द्वारा सशक्त किए गए किसी न्यायालय की मुद्रा से अनुप्रमाणित यथापूर्वोक्त ऐसी घोषणा की प्रति का, या सम्पादक की दशा में उस समाचारपत्र की प्रति का, जिस पर उसका नाम संपादक के रूप में मुद्रित है, पेश किया जाना (जब तक तत्प्रतिकूल साबित नहीं किया जाता) तब तक ऐसे व्यक्ति के प्रति, जिसका नाम, यथास्थिति, उस घोषणा पर हस्ताक्षरित या उस समाचारपत्र पर मुद्रित है, इस बात का पर्याप्त साक्ष्य माना जाएगा कि वह व्यक्ति ऐसे प्रत्येक समाचारपत्र के प्रत्येक भाग का, जिसका नाम वही है जो उस घोषणा में उल्लिखित

समाचारपत्र का है (उक्त घोषणा के शब्दों के अनुसार) मुद्रक या प्रकाशक, या मुद्रक और प्रकाशक या उस समाचारपत्र के उस अंक के, जिसकी प्रति पेश की गई है, प्रत्येक भाग का सम्पादक था ।

८. यदि किसी व्यक्ति ने किसी समाचारपत्र के बारे में किसी घोषणा पर धारा ५ के अधीन हस्ताक्षर किए हैं और धारा ६ के अधीन मजिस्ट्रेट द्वारा यह घोषणा अधिप्रमाणित की गई है और तत्पश्चात् वह व्यक्ति उस घोषणा में उल्लिखित समाचारपत्र का मुद्रक या प्रकाशक नहीं रह जाता है तो वह किसी जिला, प्रेसिडेंसी या उपखण्ड मजिस्ट्रेट के समक्ष हाजिर होगा और निम्नलिखित घोषणा करेगा तथा उसकी दो प्रतियों पर हस्ताक्षर करेगा—

"मैं, क, ख, घोषित करता हूँ कि मै..................नामक समाचारपत्र का अब मुद्रक या प्रकाशक, अथवा मुद्रक और प्रकाशक नही हूँ ।"

पश्चात्कथित घोषणा की प्रत्येक मूल प्रति उस मजिस्ट्रेट के हस्ताक्षर तथा मुद्रा से अधिप्रमाणित की जाएगी जिसके समक्ष पश्चात्कथित उक्त घोषणा की गई है और पश्चात्कथित उक्त घोषणा की एक मूल प्रति पूर्वकथित घोषणा की प्रत्येक मूल प्रति के साथ फाइल की जाएगी ।

पश्चात्कथित घोषणा की प्रत्येक मूल प्रति का भारसाधक अधिकारी आवेदन करनेवाले किसी व्यक्ति को, एक रुपया फीस संदाय करने पर, उस मूल प्रति का निरीक्षण करने देगा, और आवेदन करनेवाले किसी व्यक्ति को, दो रुपया फीस संदाय करने पर, पश्चात्कथित उक्त मूल घोषणा की एक प्रति उस न्यायालय की मुद्रा से, जिसकी अभिरक्षा में मूल प्रति है, अनुप्रमाणित करके देगा ।

सभी ऐसे विचारणों में, जिनमें पूर्वोक्त अनुप्रमाणित पूर्वकथित घोषणा की प्रति साक्ष्य में रखी जा सकेगी, यह विधिपूर्ण होगा कि पश्चात्कथित घोषणा की पूर्वोक्त अनुप्रमाणित प्रति साक्ष्य में रखी जाए, और वह पूर्वकथित घोषणा इस साक्ष्य के रूप में नहीं ली जाएगी । कि घोषणाकर्ता पश्चात्कथित घोषणा की तारीख के पश्चात् की किसी अवधि में, उसमें उल्लिखित समाचारपत्र का मुद्रक या प्रकाशक था ।

मजिस्ट्रेट की प्राधिकारिक मुद्रा से अनुप्रमाणित पश्चात्कथित घोषणा की प्रति प्रेस रजिस्ट्रार को भेज दी जाएगी ।

८ क. यदि कोई व्यक्ति, जिसका नाम किसी समाचारपत्र की प्रति पर संपादक के रूप में छप गया है, यह दावा करता है कि वह उस अंक का जिस पर उसका नाम इस प्रकार छप गया है, सम्पादक नहीं था, तो वह, उसे यह ज्ञात होने के दो सप्ताह के भीतर कि उसका नाम इस प्रकार छप गया है, किसी जिला, प्रेसिडेंसी या उप-खण्ड मजिस्ट्रेट के समक्ष हाजिर होकर यह घोषणा कर सकता है कि उसका नाम उस अंक में उसके संपादक के रूप में गलती से छप गया था, और यदि उस मजिस्ट्रेट का ऐसी जाँच करने या कराने के पश्चात्, जैसी वह आवश्यक समझे, यह समाधान हो जाता है कि वह घोषणा सही है तो वह तदनुसार प्रमाणित करेगा, और ऐसा प्रमाणपत्र दिए जाने पर धारा ७ के उपबन्ध उस व्यक्ति को, उस समाचारपत्र के उस अंक की बाबत लागू नहीं होंगे ।

किसी भी दशा में मजिस्ट्रेट इस धारा द्वारा अनुज्ञात अवधि को बढ़ा सकता है यदि उसका यह समाधान हो जाता है कि ऐसा व्यक्ति पर्याप्त कारण से उक्त अवधि के भीतर हाजिर होने तथा घोषणा करने से निवारित किया गया था ।

८ख. यदि प्रेस रजिस्ट्रार या किसी अन्य व्यक्ति द्वारा किए गए आवेदन पर अथवा अन्यथा इस अधिनियम के अधीन घोषणा अधिप्रमाणित करने के लिए सशक्त मजिस्ट्रेट की यह राय है कि किसी समाचारपत्र के बारे में की गई कोई घोषणा रद्द की जानी चाहिए तो वह सम्बद्ध व्यक्ति को, प्रस्तावित कार्यवाही के विरुद्ध कारण दर्शित करने या अवसर देने के पश्चात्, उस मामले की जाँच कर सकेगा और यदि ऐसे व्यक्ति द्वारा दिखाए गए कारण पर, यदि कोई हो, विचार करने के पश्चात् तथा उसे सुनवाई का अवसर देने के पश्चात् उसका यह समाधान हो जाता है कि—

(१) वह समाचारपत्र, जिसके बारे में घोषणा की गयी है, इस अधिनियम या उसके अधीन बनाए गए नियमों के उपबन्धों के उल्लंघन में प्रकाशित किया जा रहा है, या

(२) घोषणा में उल्लिखित समाचारपत्र का नाम वही है या उस नाम से मिलता-जुलता है, जो या तो उसी भाषा में या उसी राज्य में प्रकाशित किसी समाचारपत्र का है, या

(३) मुद्रक या प्रकाशक, उस घोषणा में उल्लिखित समाचारपत्र का मुद्रक या प्रकाशक नहीं रह गया है, या

(४) घोषणा, मिथ्या व्यपदेशन पर या किसी सारवान् तथ्य को छिपाकर की गई थी या ऐसी कालिक कृति के बारे में की गई थी, जो समाचारपत्र नहीं है,

तो वह मजिस्ट्रेट आदेश द्वारा, घोषणा रद्द कर सकेगा और आदेश की एक प्रति घोषणा करनेवाले या उस पर हस्ताक्षर करनेवाले व्यक्ति को तथा प्रेस रजिस्ट्रार को भी यथाशक्य शीघ्र भेजेगा ।

८ग. (१) मजिस्ट्रेट के, धारा ६ के अधीन किसी घोषणा को अधिप्रमाणित करने से इन्कार करनेवाले या धारा ८ख के अधीन किसी घोषणा को रद्द करने वाले आदेश से व्यथित कोई व्यक्ति, उस तारीख से साठ दिन के भीतर, जिसको ऐसा आदेश उसे संसूचित किया गया था, मुद्रणालय तथा रजिस्ट्रीकरण अपील बोर्ड नामक अपील बोर्ड को, जो प्रेस परिषद् अधिनियम, १९७८ की धारा ४के अधीन स्थापित भारतीय प्रेस परिषद् द्वारा अपने सदस्यों में से नाम-निर्दिष्ट किए जानेवाले अध्यक्ष तथा एक अन्य सदस्य से मिलकर बनेगा ।

परन्तु अपील बोर्ड उक्त अवधि की समाप्ति के पश्चात् भी अपील ग्रहण कर सकेगा यदि उसका यह समाधान हो जाता है की अपीलार्थी समय पर अपील करने से पर्याप्त कारण से निवारित किया गया था ।

(२) इस धारा के अधीन अपील की प्राप्ति पर, अपील बोर्ड, मजिस्ट्रेट से अभिलेखों को मँगवाने के पश्चात् और ऐसी और जाँच करने के पश्चात्, जैसी

वह ठीक समझता है, उस आदेश को, जिसके विरुद्ध अपील की गई है, पुष्ट, उपांतरित या अपास्त कर सकेगा ।

(३) उपधारा (२) के उपबंधों के अधीन रहते हुए अपील बोर्ड, आदेश द्वारा अपनी पद्धति तथा प्रक्रिया विनियमित कर सकेगा ।

(४) अपील बोर्ड का विनिश्चय अन्तिम होगा ।

भाग ३

पुस्तकों का परिदान

११क. भारत में प्रत्येक समाचारपत्र का मुद्रक ऐसे समाचारपत्र के प्रत्येक अंक की दो प्रतियाँ सरकार को ऐसे स्थान पर तथा उसे ऐसे अधिकारी को जिसके लिए राज्य सरकार राजपत्र में अधिसूचना द्वारा निदेश दे,उसके प्रकाशन के बाद यथाशक्य शीघ्र मुफ्त देगा ।

११ख. ऐसे किन्हीं नियमों के अधीन रहते हुए, जो इस अधिनियम के अन्तर्गत बनाए जाएँ, भारत में प्रत्येक समाचारपत्र का प्रकाशक, प्रेस रजिस्ट्रार को ऐसे समाचारपत्र के प्रत्येक अंक की एक प्रति, उसके प्रकाशन के पश्चात् यथाशक्य शीघ्र, मुफ्त देगा ।

भाग ४

शास्तियाँ

१२. जो कोई इस अधिनियम की धारा ३ में दिए गए नियम के अनुरूप कोई पुस्तक या पत्र मुद्रित या प्रकाशित न करके अन्यथा प्रकाशित करेगा, वह मजिस्ट्रेट के समक्ष दोषसिद्धि पर जुर्माने से, जो दो हजार रुपए से अधिक का नहीं होगा या सादे कारावास से, जिसकी अवधि छह मास से अधिक की नहीं होगी, या दोनों से, दण्डित किया जाएगा ।

१३. जो कोई, पूर्वोक्त कोई मुद्रणालय, इस अधिनियम की धारा ४ में अन्तर्विष्ट उपबन्धों में से किसी के उल्लंघन में, अपने कब्जे में रखेगा, वह मजिस्ट्रेट के समक्ष

दोषसिद्धि पर जुर्माने से, जो दो हजार रुपये से अधिक का नहीं होगा या सादे कारावास से, जिसकी अवधि छह मास से अधिक की नहीं होगी, या दोनों से, दण्डित किया जाएगा ।

१४. कोई ऐसा व्यक्ति, जो इस अधिनियम के प्राधिकार के अधीन कोई घोषणा या अन्य कथन करते हुए ऐसा कथन करेगा जो मिथ्या है और जिसके बारे में वह या तो यह जानता है या विश्वास करता है कि वह मिथ्या है या उसके सही होने के बारे में वह विश्वास नहीं करता है, मजिस्ट्रेट के समक्ष दोषसिद्धि पर जुर्माने से, जो दो हजार रुपये से अधिक का नहीं होगा और कारावास से, जिसकी अवधि छह मास से अधिक की नहीं होगी, दंडित किया जाएगा ।

१५. (१) जो कोई, इसमें इसके पूर्व अधिकथित नियमों का अनुपालन किए बिना किसी समाचारपत्र का संपादन, मुद्रण या प्रकाशन करेगा, या जो कोई यह जानते हुए कि उस समाचारपत्र की बाबत उक्त नियमों का अनुपालन नहीं किया गया है, किसी समाचारपत्र का संपादन, मुद्रण या प्रकाशन करेगा या उसका संपादन, मुद्रण या प्रकाशन करवाएगा, वह, मजिस्ट्रेट के समक्ष दोषसिद्धि पर जुर्माने से, जो दो हजार रुपये से अधिक का नहीं होगा या कारावास से, जिसकी अवधि छह मास से अधिक की नहीं होगी, या दोनों से, दण्डित किया जाएगा ।

(२) जहाँ उपधारा (१) के अधीन किसी समाचारपत्र के सम्बन्ध में कोई अपराध किया गया है वहाँ मजिस्ट्रेट, उक्त उपधारा के अधीन अधिरोपित दण्ड के अतिरिक्त, उस समाचारपत्र की बाबत की गई घोषणा को भी रद्द कर सकेगा ।

१५क. यदि कोई व्यक्ति, जो किसी समाचारपत्र का मुद्रक या प्रकाशक नहीं रह गया है, धारा ८ के अनुपालन में घोषणा करने में असफल रहेगा या घोषणा करने में उपेक्षा करेगा तो वह मजिस्ट्रेट के समक्ष दोषसिद्धि पर जुर्माने से, जो दो सौ रुपये से अधिक का नहीं होगा, दंडनीय होगा ।

१६क. यदि भारत में प्रकाशित किसी समाचारपत्र का कोई मुद्रक धारा ११क के अनुपालन में उसकी प्रतियाँ देने में उपेक्षा करेगा तो वह, उस अधिकारी की, जिसे प्रतियाँ दी जानी चाहिए थीं या इस निमित्त उस अधिकारी द्वारा प्राधिकृत किसी व्यक्ति की शिकायत पर, उस स्थान में, जहाँ समाचारपत्र का मुद्रण किया गया था, अधिकारिता रखनेवाले मजिस्ट्रेट द्वारा दोषसिद्धि पर, जुर्माने से दंडनीय होगा जो प्रत्येक व्यक्तिक्रम के लिए पचास रुपये तक का हो सकेगा ।

१६ख. यदि भारत में प्रकाशित किसी समाचारपत्र का कोई प्रकाशक धारा ११ख के अनुपालन में उसकी प्रतियाँ देने में उपेक्षा करेगा तो वह, प्रेस रजिस्ट्रार की शिकायत पर, उस स्थान में, जहाँ उस समाचारपत्र का मुद्रण किया गया था,

अधिकारिता रखनेवाले मजिस्ट्रेट द्वारा दोषसिद्धि पर, जुर्माने से दंडनीय होगा, जो प्रत्येक व्यतिक्रम के लिए पचास रुपये तक का हो सकेगा ।

१७. धारा १६ के अधीन सरकार के पक्ष में समपहृत कोई भी धनराशि, उस राशि का अवधारण करनेवाले मजिस्ट्रेट या पद में उसके उत्तरवर्ती के अधिपत्र के अधीन जुर्माने के उद्ग्रहण के लिए उस समय प्रवृत्त दंड प्रक्रिया संहिता द्वारा प्राधिकृत रीति से तथा भारतीय दंड संहिता द्वारा विहित अवधि के भीतर, वसूल की जा सकेगी ।

भाग ५ क

समाचारपत्रों का रजिस्ट्रीकरण

१९क. केन्द्रीय सरकार, भारत के समाचारपत्र रजिस्ट्रार और प्रेस रजिस्ट्रार के साधारण अधीक्षण तथा नियंत्रण के अधीन ऐसे अन्य अधिकारी नियुक्त कर सकेगी जो इस अधिनियम द्वारा या उसके अधीन सौंपे गए कृत्य करने के लिए आवश्यक हों और साधारण या विशेष आदेश द्वारा उन कृत्यों के वितरण या आवंटन के लिए उपबन्ध कर सकेगी जो इस अधिनियम के अधीन उन्हें करने हैं ।

१९ख. (१) प्रेस रजिस्ट्रार विहित रीति से समाचारपत्रों का एक रजिस्टर रखेगा ।

(२) रजिस्टर में भारत में प्रकाशित प्रत्येक समाचारपत्र के बारे में जहाँ तक हो सके निम्नलिखित विशिष्टियाँ होंगी, अर्थात्—

(क) समाचारपत्र का नाम,

(ख) वह भाषा, जिसमें समाचारपत्र प्रकाशित किया जाता है,

(ग) समाचारपत्र की प्रकाशन-आवधिकता,

(घ) समाचारपत्र के सम्पादक, मुद्रक तथा प्रकाशक का नाम,

(ङ) मुद्रण तथा प्रकाशन का स्थान,

(च) प्रति सप्ताह पृष्ठों की औसत संख्या,

(छ) वर्ष में प्रकाशन के दिन की संख्या,

(ज) मुद्रित प्रतियों की औसत संख्या, जनता को बेची गई प्रतियों की औसत संख्या और जनता को मुफ्त वितरित की गई प्रतियों की

औसत संख्या, यह औसत अवधि ऐसी के प्रति निर्देश करते हुए संगणित की जाएगी जो विहित की जाए,

(झ) प्रत्येक प्रति की फुटकर विक्रय कीमत,

(ञ) समाचारपत्र के स्वामियों के नाम तथा पते और स्वामित्व में सम्बद्ध ऐसी अन्य विशिष्टियाँ जो विहित की जाएँ,

(ट) ऐसी अन्य विशिष्टियाँ, जो विहित की जाएँ ।

(३) पूर्वोक्त विशिष्टियों की बाबत समय-समय पर जानकारी की प्राप्ति पर प्रेस रजिस्ट्रार रजिस्टर में सुसंगत प्रविष्टियों को दर्ज करवाएगा और उनमें ऐसे आवश्यक परिवर्तन या सुधार कर सकेगा जो रजिस्टर को अद्यतन बनाए रखने के लिए अपेक्षित हों ।

१९.ग मजिस्ट्रेट से किसी समाचारपत्र की बाबत धारा ६ के अधीन घोषणा की प्रति की प्राप्ति पर, और ऐसे समाचारपत्र के प्रकाशन पर, प्रेस रजिस्ट्रार, उसके पश्चात् यथाशक्य शीघ्र, उस समाचारपत्र की बाबत रजिस्ट्रीकरण का प्रमाणपत्र उसके प्रकाशक को जारी करेगा ।

१९घ. प्रत्येक समाचारपत्र के प्रकाशक का यह कर्तव्य होगा कि वह—

(क) प्रेस रजिस्ट्रार को समाचारपत्र की बाबत ऐसे समय पर और धारा १९ख की उपधारा (२) में निर्दिष्ट ऐसी विशिष्टियों सहित, जो विहित की जाएँ, एक वार्षिक विवरण दे,

(ख) समाचारपत्र में ऐसे समय पर और समाचारपत्र के सम्बन्ध में धारा १९ख की उपधारा (२) में निर्दिष्ट ऐसी विशिष्टियाँ प्रकाशित करे जो प्रेस रजिस्ट्रार द्वारा इस निमित्त विनिर्दिष्ट की जाएँ ।

१९ङ. प्रत्येक समाचारपत्र का प्रकाशक प्रेस रजिस्ट्रार को धारा १९ख की उपधारा (२) में निर्दिष्ट विशिष्टियों में से किसी की बाबत ऐसी विवरणियाँ, आँकड़े तथा अन्य जानकारी देगा, जिसकी इस निमित्त प्रेस रजिस्ट्रार समय-समय पर अपेक्षा करे ।

१९च. प्रेस रजिस्ट्रार या उसके द्वारा इस निमित्त लिखित रूप में प्राधिकृत कोई अन्य राजपत्रित अधिकारी इस अधिनियम के अधीन किसी समाचारपत्र से सम्बद्ध किसी जानकारी के संग्रहण के प्रयोजन के लिए किसी भी सुसंगत अभिलेख या दस्तावेज को, जो उसके प्रकाशक के कब्जे में है, देख सकेगा और किसी भी उचित समय पर किसी ऐसे भवन में प्रवेश कर सकेगा जहाँ ऐसा अभिलेख या दस्तावेज होने का उसे विश्वास है और सुसंगत अभिलेखों या दस्तावेजों का निरीक्षण कर सकेगा या उनकी प्रतियाँ ले सकेगा या इस अधिनियम के अधीन दी जाने के लिए अपेक्षित कोई जानकारी प्राप्त करने के लिए आवश्यक प्रश्न पूछ सकेगा ।

१९छ. प्रेस रजिस्ट्रार प्रत्येक वर्ष, ऐसे समय पर और ऐसे प्ररूप में, जो विहित किया जाए, एक वार्षिक रिपोर्ट तैयार करेगा जिसमें भारत में समाचारपत्रों की बाबत पूर्वतन वर्ष के दौरान उसके द्वारा प्राप्त जानकारी का संक्षेप होगा और जिसमें

ऐसे समाचारपत्रों के कार्यचालन का विवरण दिया जाएगा, और उसकी प्रतियाँ केन्द्रीय सरकार को भेजी जाएँगी ।

१९ज. रजिस्टर से किसी उद्धरण की प्रति देने के लिए किसी व्यक्ति के आवेदन पर तथा ऐसी फीस संदाय पर, जो विहित की जाए, प्रेस रजिस्ट्रार ऐसी प्रति आवेदक को, ऐसे प्ररूप में तथा ऐसी रीति से देगा, जो विहित की जाए ।

१९झ. इस अधिनियम तथा उसके अधीन बनाए गए विनियमों के उपबन्धों के अधीन रहते हुए, प्रेस रजिस्ट्रार इस अधिनियम के अधीन की अपनी सभी शक्तियों या उनमें से किसी शक्ति को अपने अधीनस्थ किसी अधिकारी को प्रत्यायोजित कर सकेगा ।

१९ञ. इस अधिनियम के अधीन नियुक्त प्रेस रजिस्ट्रार और सभी अधिकारी भारतीय दण्ड संहिता की धारा २१ के अर्थ में लोकसेवक समझे जाएँगे ।

१९ट. यदि किसी समाचारपत्र का प्रकाशक—

(क) धारा १९घ या धारा १९ङ के उपबन्धों का अनुपालन करने से इन्कार करेगा या उसकी उपेक्षा करेगा, या

(ग) समाचारपत्र में, उस समाचारपत्र से सम्बद्ध कोई ऐसी विशिष्टियाँ धारा १९घ के खण्ड (ख) के अनुसरण में प्रकाशित करेगा, जिसके मिथ्या होने के बारे में विश्वास करने का उसके पास कारण है,

तो वह जुर्माने से, जो पाँच सौ रुपये तक का हो सकेगा, दण्डनीय होगा ।

१९ठ. यदि इस अधिनियम के अधीन जानकारी के संग्रहण के सम्बन्ध में लगा हुआ कोई व्यक्ति इस अधिनियम के अधीन दी गई किसी जानकारी या प्रस्तुत की गई किसी विवरणी की विषय-वस्तु को, इस अधिनियम के अधीन अपने कर्तव्यों के निष्पादन से या इस अधिनियम या भारतीय दण्ड संहिता के अधीन किसी अपराध के अभियोजन के प्रयोजनों से अन्यथा जान-बूझकर प्रकट करेगा तो वह ऐसी अवधि के कारावास से, जो छह मास तक की हो सकेगी, या ऐसे जुर्माने से, जो एक हजार रुपये तक का हो सकेगा, या दोनों से, दण्डनीय होगा ।

भाग ६

प्रकीर्ण

२०. (१) राज्य सरकार, राजपत्र में अधिसूचना द्वारा ऐसे नियम (जो धारा २० क के अधीन केन्द्रीय सरकार द्वारा बनाए गए नियमों से असंगत नहीं है) जो इस अधिनियम के उद्देश्यों को क्रियान्वित करने के लिए आवश्यक या वांछनीय हों, बना सकेगी ।

(२) इस धारा के अधीन राज्य सरकार द्वारा बनाया गया प्रत्येक नियम, बनाए जाने के पश्चात्, यथाशीघ्र, राज्य विधान मण्डल के समक्ष रखा जाएगा ।

(३) धारा २०क की उपधारा (२) में, 'यह अवधि एक सत्र में या दो आनुक्रमिक सत्रों में पूरी हो सकेगी । यदि उस सत्र के, जिसमें वह इस प्रकार रखा गया है, या ठीक बाद के सत्रों के अवसान के पूर्व' शब्दों के स्थान पर 'यह अवधि एक सत्र में अथवा दो या अधिक आनुक्रमिक सत्रों में पूरी हो सकेगी । यदि उस सत्र के या पूर्वोक्त आनुक्रमिक सत्रों के ठीक बाद के सत्र के अवसान के पूर्व' शब्द रखे जाएँगे ।

२०क. (१) केन्द्रीय सरकार, राजपत्र में अधिसूचना द्वारा निम्नलिखित के लिए नियम बना सकेगी—

(क) ऐसी विशिष्टियाँ विहित करना जो धारा ५ के अधीन की गई तथा हस्ताक्षरित घोषणा में दी जा सकेंगी और वह प्ररूप, जिसमें तथा वह रीति जिससे समाचारपत्र के मुद्रक, प्रकाशक, स्वामी तथा सम्पादक के नाम और उसके मुद्रण तथा प्रकाशन का स्थान उस समाचारपत्र की प्रत्येक प्रति पर मुद्रित किए जा सकेंगे;

(ख) वह रीति विहित करना, जिससे मजिस्ट्रेट की प्राधिकारिक मुद्रा से अनुप्रमाणित किसी घोषणा की प्रतियाँ या किसी घोषणा को अधिप्रमाणित करने से इन्कार करनेवाले किसी आदेश की प्रतियाँ घोषणा करनेवाले तथा उस पर हस्ताक्षर करनेवाले व्यक्ति को तथा प्रेस रजिस्ट्रार को भेजी जाएँ;

(ग) वह रीति विहित करना, जिससे किसी समाचारपत्र की प्रतियाँ धारा ११ख के अधीन प्रेस रजिस्ट्रार को भेजी जाएँ;

(घ) वह रीति विहित करना, जिससे धारा १९ख के अधीन रजिस्टर रखा जाए तथा उसमें कौन सी विशिष्टियाँ हों;

(ङ) उन विशिष्टियों को विहित करना, जो प्रेस रजिस्ट्रार को किसी समाचार-पत्र के प्रकाशक द्वारा भेजे जानेवाले वार्षिक विवरण में दी जाएँ;

(च) वह प्ररूप तथा रीति विहित करना, जिससे धारा १९घ के खण्ड (क) के अधीन वार्षिक विवरण या धारा १९ङ के अधीन विवरणी, आँकड़े या अन्य जानकारी प्रेस रजिस्ट्रार को भेजी जाए;

(छ) रजिस्टर से उद्धरण की प्रतियाँ देने के लिए फीस तथा वह रीति विहित करना, जिससे ऐसी प्रतियाँ दी जाएँ;

(ज) वह रीति विहित करना, जिससे किसी समाचारपत्र की बाबत रजिस्ट्रीकरण का प्रमाणपत्र जारी किया जाए;

(झ) वह प्ररूप विहित करना, जिसमें और वह समय विहित करना, जिसके भीतर प्रेस रजिस्ट्रार द्वारा वार्षिक रिपोर्ट तैयार की जाए और केन्द्रीय सरकार को भेजी जाए ।

(२) इस धारा के अधीन बनाया गया प्रत्येक नियम बनाए जाने के पश्चात् यथाशीघ्र संसद् के प्रत्येक सदन के समक्ष, उस समय जब वह सत्र में हो, तीस दिन की अवधि के लिए रखा जाएगा । वह अवधि एक सत्र में या दो आनुक्रमिक सत्रों में पूरी हो सकेगी । यदि उस सत्र के, जिसमें वह इस प्रकार रखा गया है, या ठीक बाद के सत्रों के अवसान के पूर्व दोनों सदन उस नियम में कोई परिवर्तन करने के लिए सहमत हो जाएँ तो तत्पश्चात् वह ऐसे परिवर्तित रूप में ही प्रभावी होगा । यदि उक्त अवसान के पूर्व दोनों सदन सहमत हो जाएँ कि वह नियम नहीं बनाया जाना चाहिए तो तत्पश्चात् वह निष्प्रभाव हो जाएगा । किन्तु नियम के ऐसे परिवर्तित या निष्प्रभाव होने से उसके अधीन पहले की गई किसी बात की विधिमान्यता पर प्रतिकूल प्रभाव नहीं पड़ेगा ।

२०ख. इस अधिनियम के किसी उपबन्ध के अधीन बनाए गए नियमों में यह उपबन्ध हो सकेगा कि उसका कोई उल्लंघन, जुर्माने से, जो एक सौ रुपये तक का हो सकेगा, दंडनीय होगा ।

२१. राज्य सरकार, राजपत्र में अधिसूचना द्वारा, किसी वर्ग की पुस्तकों या पत्रों को इस सम्पूर्ण अधिनियम या उसके किसी भाग या भागों के प्रवर्तन से, अपवर्जित कर सकेगी—

परन्तु समाचारपत्र के किसी वर्ग की बाबत कोई भी ऐसी अधिसूचना केन्द्रीय सरकार से परामर्श किए बिना जारी नहीं की जाएगी ।

२२. इस अधिनियम का विस्तार संपूर्ण भारत पर है ।

■

परिशिष्ट सात

शासकीय गुप्त बात अधिनियम, १९२३

(१९२३ का अधिनियम सं० १९)

शासकीय गुप्त बातों से संबद्ध विधि के समेकन और संशोधन के लिए अधिनियम

१. (१) यह अधिनियम शासकीय गुप्त बात अधिनियम, १९२३ कहा जा सकेगा।

(२) इसका विस्तार सम्पूर्ण भारत पर है और यह सरकार के सेवकों और भारत के नागरिकों को भी जो भारत के बाहर हैं, लागू है।

२. इस अधिनियम में जब तक कि कोई बात विषय या संदर्भ में विरुद्ध न हो—

(१) ऐसे स्थान के प्रति, जो सरकार का है, किसी निर्देश के अन्तर्गत ऐसा स्थान भी है जो सरकार के किसी विभाग के अधिभोग में है, भले ही वह स्थान सरकार मे वास्तविक रूप में निहित हो या न हो;

(२) संसूचित करने या प्राप्त करने के प्रति निर्देश करनेवाले पदों के अन्तर्गत किसी भी प्रकार संसूचित करना या प्राप्त करना है चाहे वह पूर्ण हो या आंशिक और चाहे रेखाचित्र, रेखांक, प्रतिमान, चीज टिप्पण, दस्तावेज या जानकारी को ही अथवा उसके सार, आशय या वर्णन को संसूचित किया गया हो या प्राप्त किया गया हो; किसी रेखाचित्र, रेखांक, प्रतिमान, चीज, टिप्पण या दस्तावेज को अभिप्राप्त करने या प्रतिधृत रखने के प्रति निर्देश करनेवाले पदों के अन्तर्गत किसी रेखाचित्र, रेखांक, प्रतिमान, चीज, टिप्पण या दस्तावेज की पूरी या उसके किसी भाग की नकल करना या नकल करवाना भी है; और किसी रेखाचित्र, रेखांक, प्रतिमान, चीज, टिप्पण या दस्तावेज की संसूचना के प्रति निर्देश करनेवाले पदों के अन्तर्गत उस रेखाचित्र, रेखांक, प्रतिमान, चीज, टिप्पण या दस्तावेज का अन्तरण या प्रेषण भी है;

(३) 'दस्तावेज' के अन्तर्गत दस्तावेज का भाग भी है;

(४) 'प्रतिमान' के अन्तर्गत डिजाइन, पैटर्न और नमूना भी है;

(५) 'युद्ध सामग्री' के अन्तर्गत कोई पूरा पोत, पनडुब्बी, वायुयान, टैंक या सदृश इंजन, आयुध और गोलाबारूद, तारपीडो या सुरंग, जो युद्ध में उपयोग के लिए आशयित है या अनुकूलित हो या उसका कोई भाग तथा ऐसे उपयोग के लिए आशयित, चाहे वास्तविक या प्रस्थापित, कोई अन्य चीज, सामग्री या युक्ति है;

(६) 'सरकार के अधीन पद' के अन्तर्गत सरकार के किसी विभाग में या उसके अधीन कोई पद या नियोजन है;

(७) 'फोटोग्राफ' के अन्तर्गत बिना धुली हुई फिल्म या प्लेट भी है;

(८) 'प्रतिषिद्ध स्थान' से अभिप्रेत है—

(क) कोई रक्षा संकर्म, आयुधशाला, नौसैनिक, सैनिक या वायुसैनिक बल का संस्थापन या आस्थान, सुरंग, सुरंग-क्षेत्र, शिविर, पोत या वायुयान जो सरकार का है, या सरकार के या उसकी ओर से अधिभोग में है, कोई सैनिक तारयन्त्र, या टेलीफोन, जो ऐसे उसका है या उसके अधिभोग में है, कोई बेतार या संकेत स्टेशन या कार्यालय, जो ऐसे उसका है या उसके अधिभोग में है और कोई कारखाना, डाकयार्ड या अन्य स्थान, जो ऐसे उसका है या उसके अभिभोग में है, और जिसका उपयोग किसी युद्ध-सामग्री के या तत्संबंधी किन्हीं रेखाचित्रों, रेखांको, प्रतिमानों या दस्तावेजों के निर्माण, मरम्मत, बनाने का भंडार में रखने के प्रयोजन के लिए या युद्ध के समय किन्हीं उपयोगी धातुओं, तेल या खनिजों के प्राप्त करने के प्रयोजन के लिए किया जाता है;

(ख) कोई ऐसा स्थान, जो सरकार का नहीं है और जहाँ कोई युद्ध-सामग्री या तत्सम्बद्ध कोई रेखाचित्र, प्रतिमान, रेखांक या दस्तावेज सरकार के साथ, या उसकी ओर से किसी व्यक्ति के साथ, संविदा के अधीन या अन्यथा सरकार की ओर से बनाई जा रही, मरम्मत की जा रही या प्राप्त की जा रही या भंडार में रखी जा रही है;

(ग) कोई ऐसा स्थान, जो सरकार का है या सरकार के प्रयोजन के लिए प्रयुक्त किया जा रहा है और जिसकी बाबत केन्द्रीय सरकार ने, इस आधार पर कि उससे सम्बद्ध जानकारी या उसे नुकसान शत्रु को उपयोगी होगा, शासकीय राजपत्र में अधिसूचना द्वारा तत्समय यह घोषित कर दिया है कि वह इस अधिनियम के प्रयोजनों के लिए प्रतिषिद्ध स्थान है और

जहाँ उसकी बाबत अधिसूचना की प्रति अंग्रेजी में और उस स्थान की जन-भाषा में लगा दी गई है;

(घ) कोई रेल, सड़क, मार्ग या जलसरणी या भूमि-मार्ग या जल-मार्ग द्वारा संचार के अन्य साधन (जिनके अन्तर्गत उनके भागरूप या उनसे सम्बद्ध कोई संकर्म या संरचनाएँ भी हैं) या गैस, जल या विद्युत् संकर्मों या सार्वजनिक प्रकार के प्रयोजनों के लिए अन्य संकर्मों के वास्ते प्रयुक्त कोई स्थान या कोई स्थान जहाँ युद्ध-सामग्री या तत्सम्बद्ध कोई रेखाचित्र, प्रतिमान, रेखांक या दस्तावेज सरकार की ओर से बनाए जाने से अन्यथा बनाए जा रहे, मरम्मत किए जा रहे या भंडार में रखे जा रहे हैं, जिसकी बाबत केन्द्रीय सरकार ने इस आधार पर कि उससे संबद्ध जानकारी या उसका विनाश या उसमें बाधा या उसमें हस्तक्षेप शत्रु को उपयोगी होगा, शासकीय राजपत्र में अधिसूचना द्वारा तत्समय यह घोषित कर दिया है कि वह इस अधिनियम के प्रयोजनों के लिए प्रतिषिद्ध स्थान है और जहाँ उसकी बाबत अधिसूचना की प्रति अंग्रेजी में और उस स्थान की जन-भाषा में लगा दी गई है;

(९) 'रेखाचित्र' के अन्तर्गत कोई फोटोग्राफ या किसी स्थान या चीज का प्रतिरूपण करनेवाला अन्य ढंग है; और

(१०) 'पुलिस अधीक्षक' के अन्तर्गत समान या वरिष्ठ पंक्ति का कोई पुलिस अधिकारी और ऐसा कोई व्यक्ति भी है जिसे केन्द्रीय सरकार ने पुलिस अधीक्षक की शक्तियाँ इस अधिनियम के प्रयोजनों के लिए प्रदत्त की हों ।

३. (१) यदि कोई व्यक्ति, राज्य की सुरक्षा या हितों पर प्रतिकूल प्रभाव डालनेवाले किसी प्रयोजन के लिए—

(क) किसी प्रतिषिद्ध स्थान के समीप जाएगा, उसका निरीक्षण करेगा, उस पर से गुजरेगा या उसके निकट होगा या उसमें प्रवेश करेगा; या

(ख) कोई ऐसा रेखाचित्र, रेखांक, प्रतिमान या टिप्पण बनाएगा या करेगा जो शत्रु के लिए प्रत्यक्षतः या परोक्षतः उपयोगी होने के लिए प्रकल्पित है, हो सकता है, या होने के लिए आशयित है; या

(ग) कोई ऐसी गुप्त शासकीय संकेतकी या संकेत शब्द, या कोई ऐसा रेखाचित्र, रेखांक, प्रतिमान, चीज या टिप्पण या अन्य दस्तावेज, या जानकारी अभिप्राप्त, संगृहीत, अभिलिखित, प्रकाशित या किसी अन्य व्यक्ति को संसूचित करेगा जो शत्रु के लिए प्रत्यक्षतः या परोक्षतः उपयोगी होने के लिए प्रकल्पित है, हो सकती है, या होने के लिए आशयित है या जो ऐसे मामले से संबद्ध है जिसके प्रकटन

से भारत की प्रभुता और अखण्डता, राज्य की सुरक्षा या विदेशी राज्यों के साथ मैत्रीपूर्ण संबन्धों के प्रभावित होने की संभाव्यता है;

तो वह कारावास से दण्डनीय होगा, जिसकी अवधि उस दशा में जिसमें वह अपराध किसी रक्षा-संकर्म, आयुधशाला, नौसैनिक, सैनिक या वायुसैनिक बल के स्थापन या आस्थान, सुरंग, सुरंग-क्षेत्र, कारखाने, डाकयार्ड, शिविर, पोत या वायुयान के संबंध में अथवा अन्यथा रूप से सरकार के नौसैनिक, सैनिक या वायुसैनिक बल के कार्यों के संबंध में या किसी गुप्त-शासकीय संकेतकी के संबंध में किया जाता है चौदह वर्ष तक की तथा अन्य मामलों में तीन वर्ष तक की हो सकेगी ।

(२) इस धारा के अधीन दण्डनीय किसी अपराध के लिए अभियोजन पर यह दर्शित करना आवश्यक नहीं होगा कि अभियुक्त व्यक्ति किसी ऐसे विशिष्ट कार्य का दोषी है जिसकी प्रवृत्ति राज्य की सुरक्षा या हितों पर प्रतिकूल प्रभाव डालने का प्रयोजन दर्शित करने की है, और, इस बात के होते हुए भी कि उसके विरुद्ध कोई ऐसा कार्य साबित नहीं होता है उसे सिद्धदोष ठहराया जा सकेगा यदि मामले की परिस्थितियों या उसके आचरण या उसके ज्ञात चरित्र से, जैसा कि साबित हो, यह प्रतीत होता है कि उसका प्रयोजन राज्य की सुरक्षा या हितों पर प्रतिकूल प्रभाव डालनेवाला प्रयोजन था; और यदि, किसी प्रतिषिद्ध स्थान में प्रयुक्त या उससे सम्बद्ध अथवा ऐसे स्थान में कि किसी चीज से सम्बद्ध किसी रेखाचित्र, रेखांक, प्रतिमान, चीज, टिप्पण, दस्तावेज या जानकारी को या किसी गुप्त शासकीय संकेतकी अथवा संकेत-शब्द को विधिपूर्ण प्राधिकार के अधीन कार्य कर रहे व्यक्ति से भिन्न किसी व्यक्ति द्वारा बनाया, अभिप्राप्त, संगृहीत, अभिलिखित, प्रकाशित या संसूचित किया जाता है, और मामले की परिस्थितियों या उसके आचरण या उसके ज्ञात चरित्र से जैसा कि साबित हो यह प्रतीत होता है कि उसका प्रयोजन राज्य की सुरक्षा या हितों पर प्रतिकूल प्रभाव डालनेवाला प्रयोजन था तो ऐसे रेखाचित्र, रेखांक, प्रतिमान, चीज, टिप्पण, दस्तावेज, जानकारी या संकेतकी या संकेत-शब्द की बाबत यह उपधारित किया जाएगा कि उसे राज्य की सुरक्षा या हितों पर प्रतिकूल प्रभाव डालनेवाले प्रयोजन के लिए बनाया, अभिप्राप्त, संगृहीत, अभिलिखित, प्रकाशित या संसूचित किया गया था ।

४. (१) धारा ३ के अधीन किसी अपराध के लिए किसी व्यक्ति के विरुद्ध किन्हीं कार्यवाहियों में यह तथ्य कि वह, चाहे भारत के भीतर या बाहर, किसी विदेशी अभिकर्ता से सम्पर्क करता रहा है या उसने सम्पर्क करने का प्रयत्न किया है इस बात को साबित करने के प्रयोजन के लिए सुसंगत होगा कि उसने, राज्य की सुरक्षा या हितों पर प्रतिकूल प्रभाव डालने के प्रयोजन के लिए ऐसी जानकारी अभिप्राप्त की है या अभिप्राप्त करने का प्रयत्न किया है जो शत्रु के लिए प्रत्यक्षतः या परोक्षतः उपयोगी होने के लिए प्रकल्पित है, हो सकती है या होने के लिए आशयित है ।

(२) इस धारा के प्रयोजन के लिए, किन्तु पूर्वगामी उपबन्ध की व्यापकता पर प्रतिकूल प्रभाव डाले बिना—

(क) किसी व्यक्ति के बारे में यह उपधारणा की जा सकेगी कि वह किसी विदेशी अभिकर्ता से सम्पर्क करता रहा है, यदि—

(१) वह या तो भारत के भीतर या बाहर, किसी विदेशी अभिकर्ता के ठिकाने पर गया है या विदेशी अभिकर्ता के साथ साहचर्य या सहयुक्ति करता रहा है, या

(२) या तो भारत के भीतर या बाहर, किसी विदेशी अभिकर्ता का नाम या पता या उसके बारे में कोई अन्य जानकारी उसकेकब्जे में पाई गई है या उसके द्वारा किसी अन्य व्यक्ति से अभिप्राप्त की गई है;

(ख) 'विदेशी अभिकर्ता' पद के अन्तर्गत कोई ऐसा व्यक्ति भी है जो राज्य की सुरक्षा या हितों पर प्रतिकूल प्रभाव डालनेवाला कोई कार्य भारत के भीतर या बाहर करने के प्रयोजन के लिए प्रत्यक्ष या परोक्ष रूप से किसी विदेशी शक्ति द्वारा नियोजित है या रहा है या जिसकी बाबत यह प्रतीत होता है कि उसके ऐसा होने या रहने का सन्देह करने के लिए युक्तियुक्त आधार है अथवा जिसने किसी विदेशी शक्ति के हित में ऐसा कोई कार्य भारत के भीतर या बाहर किया है या करने का प्रयत्न किया है या उसके ऐसा करने का युक्तियुक्त संदेह है;

(ग) किसी ऐसे पते की बाबत, चाहे वह भारत के भीतर हो या बाहर, जिसके बारे में यह प्रतीत होता है कि उसके किसी विदेशी अभिकर्ता के लिए आशयित संसूचनाओं की प्राप्ति के लिए प्रयुक्त पता होने का संदेह करने के लिए युक्तियुक्त आधार है, अथवा किसी ऐसे पते की बाबत जिसमें कोई विदेशी अभिकर्ता निवास करता है या जिसमें वह संसूचनाएँ देने या प्राप्त करने के प्रयोजन के लिए आता-जाता है या जिसमें वह कोई कारबार करता है, यह उपधारित किया जाएगा कि वह विदेशी अभिकर्ता का पता है और ऐसे पतेवाली संसूचनाएँ विदेशी अभिकर्ता की संसूचनाएँ हैं ।

५. (१) यदि कोई व्यक्ति, जिसके कब्जे या नियंत्रण में कोई ऐसी गुप्त शासकीय संकेतकी या संकेत-शब्द या कोई ऐसा रेखाचित्र, रेखांक, प्रतिमान, चीज, टिप्पण, दस्तावेज या जानकारी है जो किसी प्रतिषिद्ध स्थान से सम्बद्ध या उसमें प्रयुक्त की जाती है या ऐसे स्थान में की किसी चीज से सम्बद्ध है अथवा जिससे शत्रु की प्रत्यक्षतः या परोक्षतः सहायता होनी संभाव्य है, या जो ऐसे मामले से सम्बद्ध है जिसके प्रकटने से भारत की प्रभुता और अखण्डता, राज्य की सुरक्षा या विदेशी राज्यों के साथ मैत्रीपूर्ण सम्बन्धों के प्रभावित होने की संभाव्यता है या जो इस अधिनियम के उल्लंघन में बनाई या अभिप्राप्त की गई है अथवा जो उसे सरकार के अधीन पद धारण करनेवाले किसी व्यक्ति द्वारा विश्वासपूर्वक सौंपी गई है अथवा

जिसकी उसे अभिप्राप्ति या जिस तक उसकी पहुँच उसकी उस स्थिति के कारण हुई जो ऐसे व्यक्ति के रूप में है जो सरकार के अधीन पद धारण करता है या कर चुका है या ऐसे व्यक्ति के रूप में है जो सरकार की ओर से की गई किसी संविदा को धारण करता है या धारण कर चुका है या ऐसे व्यक्ति के रूप में है जो उस किसी व्यक्ति के अधीन नियोजित है या रह चुका है जो ऐसा पद या संविदा धारण करता है या कर चुका है—

(क) उस संकेतकी या संकेत-शब्द, रेखाचित्र, रेखांक, प्रतिमान, चीज, टिप्पण, दस्तावेज या जानकारी की संसूचना उस व्यक्ति से, जिसे उससे संसूचित करने को वह प्राधिकृत है, या किसी न्यायालय से, या उस व्यक्ति से, जिसको राज्य के हितों में, उसे संसूचित करना उसका कर्तव्य है, भिन्न किसी व्यक्ति को जान-बूझकर संसूचित करेगा; या

(ख) अपने कब्जे में की जानकारी का उपयोग किसी विदेशी शक्ति के फायदे के लिए या ऐसी किसी अन्य रीति में करेगा जो राज्य की सुरक्षा पर प्रतिकूल प्रभाव डालनेवाली हो; या

(ग) उस रेखाचित्र, रेखांक, प्रतिमान, चीज, टिप्पण या दस्तावेज को अपने कब्जे या नियंत्रण में प्रतिधृत रखेगा जब कि उसे उसको प्रतिधारित रखने का अधिकार नहीं है या जब कि उसे प्रतिधारित रखना उसके कर्तव्य के प्रतिकूल है या विधिपूर्ण प्राधिकारी द्वारा उसकी वापसी या व्ययन के सम्बन्ध में दिए गए सब निदेशों का अनुवर्तन करने में जान-बूझकर असफल होगा; या

(घ) उस रेखाचित्र, रेखांक, प्रतिमान, चीज, टिप्पण, दस्तावेज, गुप्त शासकीय संकेतकी या संकेत-शब्द या जानकारी की युक्तियुक्त संभाल करने में असफल होगा या ऐसे आचरण करेगा जिससे उसकी सुरक्षा के लिए संकट उत्पन्न हो जाए,

तो वह इस धारा के अधीन अपराध का दोषी होगा।

(२) यदि कोई व्यक्ति किसी गुप्त शासकीय संकेतकी या संकेत-शब्द या किसी रेखाचित्र, रेखांक, प्रतिमान,चीज, टिप्पण, दस्तावेज या जानकारी को स्वेच्छया प्राप्त करेगा जब कि उस समय जब वह उसे प्राप्त करता है वह जानता है या उसके पास यह विश्वास करने का युक्तियुक्त आधार है कि वह संकेतकी, संकेत-शब्द, रेखाचित्र, रेखांक, प्रतिमान, चीज, टिप्पण, दस्तावेज या जानकारी इस अधिनियम के उल्लंघन में संसूचित की गई है तो वह इस अधिनियम के अधीन अपराध का दोषी होगा।

(३) यदि कोई व्यक्ति जिसके कब्जे या नियंत्रण में कोई ऐसा रेखाचित्र, रेखांक, प्रतिमान, चीज, टिप्पण, दस्तावेज या जानकारी है जो युद्ध-सामग्री से सम्बद्ध है उसे प्रत्यक्षतः या परोक्षतः किसी विदेशी शक्ति को, या किसी ऐसी अन्य रीति में

जो राज्य की सुरक्षा या हितों पर प्रतिकूल प्रभाव डालनेवाली हो, संसूचित करेगा तो वह इस धारा के अधीन अपराध का दोषी होगा ।

(४) इस धारा के अधीन अपराध का दोषी व्यक्ति कारावास से, जिसकी अवधि तीन वर्ष तक की हो सकेगी, या जुर्माने से, अथवा दोनों से, दण्डनीय होगा ।

६. (१) यदि कोई व्यक्ति प्रतिषिद्ध स्थान में प्रवेश पाने के या प्रवेश पाने में किसी व्यक्ति को सहायता देने के प्रयोजन के लिए या राज्य की सुरक्षा पर प्रतिकूल प्रभाव डालनेवाले किसी अन्य प्रयोजन के लिए—

(क) किसी नौसैनिक, सैनिक, वायुसैनिक, पुलिस या अन्य शासकीय वर्दी का या उससे लगभग इतनी मिलती-जुलती वर्दी का, कि उससे धोखा हो सकता है, विधिपूर्ण प्राधिकार के बिना उपयोग करेगा या पहनेगा, या अपने को ऐसा व्यक्ति मिथ्यारूपेण व्यपदिष्ट करेगा जो किसी भी ऐसी वर्दी का उपयोग करने या पहनने का हकदार है या हकदार रहा है; या

(ख) मौखिक रूप से या किसी घोषणा या आवेदन में लिखित रूप में, या अपने द्वारा या अपनी ओर से हस्ताक्षरित किसी दस्तावेज में कोई मिथ्या कथन या कोई लोप जान-बूझकर करेगा या करने में मौनानुकूल रहेगा; या

(ग) किसी पासपोर्ट को या किसी नौसैनिक, सैनिक या वायुसैनिक या पुलिस या शासकीय पास, अनुज्ञापत्र, प्रमाणपत्र, अनुज्ञप्ति या उसी प्रकार की अन्य दस्तावेज को (जो एतत्पश्चात् इस धारा में शासकीय दस्तावेज के रूप में निर्दिष्ट है) कूटरचित करेगा, बदलेगा या बिगाड़ेगा या ऐसी किसी कूटरचित, बदली हुई या अनियमित शासकीय दस्तावेज का जान-बूझकर उपयोग करेगा या उसे अपने कब्जे में रखेगा;

(घ) सरकार के अधीन पद धारण करनेवाला, या धारण करनेवाले व्यक्ति के नियोजन में, व्यक्ति होने का या ऐसा व्यक्ति होने का या न होने का, जिसको शासकीय दस्तावेज या गुप्त शासकीय संकेतकी या संकेत-शब्द सम्यक्रूपेण दिया गया या संसूचित किया गया है, प्रतिरूपण करेगा या मिथ्या व्यपदेशन करेगा या किसी शासकीय दस्तावेज, गुप्त शासकीय संकेतकी या संकेत-शब्द को चाहे अपने लिए या किसी अन्य व्यक्ति के लिए अभिप्राप्त करने के आशय से कोई मिथ्या कथन जान-बूझकर करेगा; या

(ङ) किसी ऐसी डाई, मुद्रा या स्टाम्प को जो सरकार के किसी विभाग का या उसके स्वामित्वाधीन हो या जिसका प्रयोग, निर्माण या प्रदाय सरकार के विभाग द्वारा या किसी ऐसी राजनयिक, नौसैनिक, सैनिक या वायुसैनिक प्राधिकारी द्वारा किया जाता हो जो सरकार द्वारा

नियुक्त या उसके प्राधिकार के अधीन कार्यशील हो, सरकार के विभाग या सम्बद्ध प्राधिकारी के प्राधिकार के बिना, अथवा किसी ऐसे डाई, मुद्रा या स्टाम्प से लगभग इतने मिलते-जुलते कि उससे धोखा हो सके किसी डाई, मुद्रा या स्टाम्प को प्रयुक्त करेगा या अपने कब्जे में या नियंत्रणाधीन रखेगा या किसी ऐसे डाई, मुद्रा या स्टाम्प को कूटकृत करेगा अथवा किसी ऐसे कूटकृत डाई, मुद्रा या स्टाम्प को जान-बूझकर प्रयुक्त करेगा या अपने कब्जे में या नियंत्रणाधीन रखेगा;

तो वह इस धारा के अधीन अपराध का दोषी होगा ।

(२) यदि कोई व्यक्ति, राज्य की सुरक्षा पर प्रतिकूल प्रभाव डालनेवाले किसी प्रयोजन के लिए—

(क) किसी शासकीय दस्तावेज को, भले ही वह पूरी अथवा उपयोग के लिए जारी की गई हो या नहीं, प्रतिधारित रखेगा जब कि उसे प्रतिधृत रखने का उसे कोई अधिकार नहीं है, या जब कि उसको प्रधिकृत रखना उसके कर्तव्य के प्रतिकूल है, या सरकार के किसी विभाग या ऐसे विभाग के द्वारा प्राधिकृत किसी व्यक्ति द्वारा उसके लौटाने या व्ययन के सम्बन्ध में दिए गए निदेशों का अनुवर्तन करने में जान-बूझकर असफल रहेगा, या

(ख) केवल अपने प्रयोग के लिए जारी की गई किसी शासकीय दस्तावेज पर कब्जा अन्य व्यक्ति को करने देगा या ऐसे जारी किए गए किसी गुप्त शासकीय संकेतकी या संकेत-शब्द को संसूचित करेगा, या विधिपूर्ण प्राधिकार अथवा प्रतिहेतु के बिना किसी ऐसी शासकीय दस्तावेज या गुप्त शासकीय संकेतकी या संकेत-शब्द को जो उससे भिन्न किसी व्यक्ति के प्रयोग के लिए जारी किया गया हो अपने कब्जे में रखेगा या किसी शासकीय दस्तावेज को पाने पर या अन्यथा अपने कब्जे में लेकर उस व्यक्ति या प्राधिकारी को, जिसके द्वारा या जिसके प्रयोग के लिए वह जारी की गई थी, या किसी पुलिस अधिकारी को उसे प्रत्यावर्तित करने में जान-बूझकर असफल रहेगा , या

(ग) पूर्वोक्त जैसे किसी डाई, मुद्रा या स्टाम्प को विधिपूर्ण प्राधिकार या प्रति हेतु के बिना विनिर्मित करेगा या विक्रय करेगा अथवा विक्रय के लिए अपने कब्जे में रखेगा,

तो वह इस धारा के अधीन अपराध का दोषी होगा ।

(३) इस धारा के अधीन अपराध का दोषी व्यक्ति कारावास से, जिसकी अवधि तीन वर्ष तक की हो सकेगी, या जुर्माने से, अथवा दोनो से, दंडनीय होगा ।

(४) धारा ३ की उपधारा (२) के उपबंध, सरकार के नौसैनिक, सैनिक या वायुसैनिक मामलों से संबद्ध या किसी गुप्त शासकीय संकेतकी से संबद्ध इस धारा के अधीन अपराध के लिए किसी अभियोजन में राज्य की सुरक्षा पर प्रतिकूल प्रभाव डालनेवाले प्रयोजन को साबित करने के प्रयोजनार्थ वैसे ही लागू होंगे जैसे वे उस धारा के अधीन दण्डनीय अपराधों के अभियोजनों में राज्य की सुरक्षा या हितों पर प्रतिकूल प्रभाव डालनेवाले प्रयोजन को साबित करने के लिए लागू होते हैं ।

७. (१) किसी प्रतिषिद्ध स्थान के समीप कोई व्यक्ति किसी पुलिस-अधिकारी, या संघ के सशस्त्र बलों के किसी सदस्य को, जो उस प्रतिषद्ध स्थान के सम्बन्ध में गार्ड, संतरी, पेट्रोल या वैसे ही अन्य कर्तव्य पर लगा हो, बाधित नहीं करेगा, जान-बूझकर मार्ग भ्रष्ट नहीं करेगा या अन्यथा उसके काम में हस्तक्षेप नहीं करेगा या अड़चन नहीं डालेगा ।

(२) यदि कोई व्यक्ति इस धारा के उपबन्धों के उल्लंघन में कार्य करेगा तो वह कारावास से, जिसकी अवधि तीन वर्ष तक की हो सकेगी, या जुर्माने से, अथवा दोनों से, दण्डनीय होगा ।

८ (१) प्रत्येक व्यक्ति का यह कर्तव्य होगा कि वह पुलिस-अधीक्षक को या अन्य पुलिस अधिकारी को, जो निरीक्षक की पंक्ति से नीचे नहीं है और जो इस निमित्त पुलिस के महानिरीक्षक या आयुक्त द्वारा सशक्त किया गया है, या संघ के सशस्त्र बलों के किसी सदस्य को जो गार्ड, संतरी, पैट्रोल या वैसे ही अन्य कर्तव्य पर लगा हो, धारा ३ के अधीन या धारा ६ के साथ पठित धारा ३ के अधीन किसी अपराध से या संदिग्ध अपराध से संबद्ध ऐसी जानकारी, जो उसकी अपनी शक्ति में है, माँग किए जाने पर दे और यदि उससे ऐसी अपेक्षा की जाए तो और उसके युक्तियुक्त व्ययों के निविदान पर, ऐसे युक्तियुक्त समय और स्थान पर हाजिर हो जैसा ऐसी जानकारी देने के प्रयोजन के लिए विनिर्दिष्ट किया जाए ।

(२) यदि कोई व्यक्ति ऐसी जानकारी देने में पूर्वोक्त रूप से हाजिर होने से असफल होगा तो वह कारावास से, जो तीन वर्ष तक का हो सकेगा, या जुर्माने से, अथवा दोनों से, दण्डनीय होगा ।

९. जो कोई व्यक्ति इस अधिनियम के अधीन कोई अपराध करने का प्रयत्न करेगा या उसका किया जाना दुष्प्रेरित करेगा वह ऐसे दण्ड से दण्डनीय होगा और अपने विरुद्ध ऐसी रीति में कार्यवाही किए जाने का भागी होगा मानो उसने ऐसा अपराध किया हो ।

---

११. (१) यदि किसी प्रेसिडेंसी मजिस्ट्रेट, प्रथम वर्ग के मजिस्ट्रेट या उपखण्ड मजिस्ट्रेट का समाधान शपथ पर जानकारी द्वारा करा दिया जाता है कि यह संदेह

किए जाने के लिए युक्तियुक्त आधार है कि इस अधनियम के अधीन अपराध किया जा चुका है या किया ही जानेवाला है, तो वह एक तलाशी वारंट दे सकेगा जो उसमें नामित किसी ऐसे पुलिस-अधिकारी को, जो पुलिस थाने के भारसाधक अधिकारी की पंक्ति से नीचा नहीं है, इसके लिए प्राधिकृत करेगा कि वह किसी भी समय किन्हीं परिसरों या स्थान में, जो वारन्ट में लिखित है, यदि आवश्यक हो तो बलपूर्वक प्रवेश करे और उन परिसरों या स्थान की और वहाँ पाए गए प्रत्येक व्यक्ति की तलाशी ले और कोई रेखाचित्र, रेखांक, प्रतिमान, चीज, टिप्पण या दस्तावेज या वैसी ही कोई वस्तु या ऐसी कोई चीज, जो इस अधिनियम के अधीन ऐसे अपराध का साक्ष्य है जो किया जा चुका है या किया ही जाने वाला है और जो उसे उन परिसरों या स्थान या किसी ऐसे व्यक्ति के पास मिले, और जिसके बारे में या जिसके सम्बन्ध में उसके पास यह संदेह करने का युक्तियुक्त आधार है कि इस अधिनियम के अधीन अपराध किया जा चुका है या किया ही जानेवाला है, अभिगृहीत करे ।

(२) जहाँ किसी पुलिस अधिकारी को, जो अधीक्षक की पंक्ति से नीचा नहीं है, यह प्रतीत होता है कि मामला महान् आपात का है, और राज्य के हितों में अविलम्ब कार्यवाही आवश्यक है, वहाँ वह अपने हस्ताक्षर सहित लिखित आदेश से किसी पुलिस अधिकारी को वैसा ही प्राधिकार दे सकेगा जैसा मजिस्ट्रेट के वारंट के द्वारा इस अपराध के अधीन दिया जा सकता है ।

(३) जहाँ पुलिस अधिकारी द्वारा उपधारा (२) के अधीन कार्यवाही की गई है वहाँ वह यथाशीघ्र ऐसी कार्यवाही की रिपोर्ट, प्रेसिडेंसी नगर में मुख्य प्रेसिडेंसी मजिस्ट्रेट को और ऐसे नगर के बाहर जिला या उपखण्ड मजिस्ट्रेट को देगा ।

१२. दण्ड प्रक्रिया संहिता, १८९८ की धारा ३३७ के उपबन्ध, धारा ३ के अधीन या धारा ५ के अधीन या धारा ७ के अधीन अथवा धारा ९ के साथ पठित, उक्त धारा ३, ५ और ७ में से किसी के अधीन दण्डनीय अपराध के सम्बन्ध में वैसे ही लागू होंगे जैसे वे ऐसी अवधि के लिए जो सात वर्ष तक की हो सकेगी कारावास से दण्डनीय किसी अपराध के सम्बन्ध में लागू होते हैं ।

१३. (१) समुचित सरकार द्वारा इस निमित्त विशेषतया सशक्त प्रथम वर्ग के मजिस्ट्रेट से भिन्न कोई न्यायालय जो जिला या प्रेसिडेंसी मजिस्ट्रेट के न्यायालय के अवर है, इस अधिनियम के अधीन किसी अपराध का विचारण नहीं करेगा ।

परिशिष्ट आठ

भारत रक्षा और आन्तरिक सुरक्षा अधिनियम, १९७१ से उद्धरण

६. इस अधिनियम के प्रवृत्त रहने के दौरान—

(क) धारा ५ के उपधारा (१) में 'ऐसे स्थान में की किसी चीज से सम्बद्ध है' शब्दों के पश्चात् 'अथवा जो भारत रक्षा और आन्तरिक सुरक्षा अधिनियम, १९७१ के अधीन बनाए गए नियमों में यथा परिभाषित संरक्षित क्षेत्र से सम्बद्ध है या उसमें प्रयुक्त की जाती है, या उस क्षेत्र में की किसी चीज से सम्बद्ध है' शब्द तथा अंक अन्तःस्थापित कर दिए गए हों तथा 'अथवा जिससे शत्रु की' शब्दों के स्थान पर 'अथवा जिससे भारत रक्षा और आन्तरिक सुरक्षा अधिनियम, १९७१ में यथापरिभाषित शत्रु की' शब्द और अंक अन्तःस्थापित कर दिए गए हों;

(ख) धारा ५ की उपधारा (४) के स्थान पर निम्नलिखित उपधारा प्रतिस्थापित कर दी गई हो, अर्थात्—

(४) इस धारा के अधीन अपराध का दोषी व्यक्ति कारावास से, जिसकी अवधि पाँच वर्ष तक की हो सकेगी, अथवा यदि ऐसा अपराध भारत पर बाह्य अभ्याक्रमण कर रहे देश की सहायता करने या भारत के विरुद्ध युद्ध करने के आशय से किया जाए तो वह मृत्यु या, आजीवन कारावास से, या कारावास से, जिसकी अवधि दस वर्ष तक की हो सकेगी, दण्डनीय होगा और दोनों में से किसी भी दशा में जुर्माने का भी दायी होगा ।'

■

औषधि और चमत्कारिक उपचार (आक्षेपणीय विज्ञापन) अधिनियम, १९५४

कुछ दशाओं में औषधियों के विज्ञापन का नियन्त्रण करने के लिए, ऐसे उपचारों के, जिनके बारे में यह अभिकथित है कि उनमें चमत्कारिक गुण हैं, कुछ प्रयोजनों के लिए विज्ञापन का प्रतिषेध करने के लिए, और उससे सम्बद्ध विषयों का उपबन्ध करने के लिए अधिनियम

१. (१) इस अधिनियम का संक्षिप्त नाम औषधि और चमत्कारिक उपचार (आक्षेपणीय विज्ञापन) अधिनियम, १९५४ है।

(२) इसका विस्तार, जम्मू-काश्मीर राज्य के सिवाय, सम्पूर्ण भारत पर है और यह ऐसे राज्यक्षेत्रों के, जिन पर इस अधिनियम का विस्तार है, अधिवासी उन व्यक्तियों को भी लागू होता है, जो उक्त राज्यक्षेत्रों के बाहर है।

---

२. इस अधिनियम में, जब तक कि सन्दर्भ से अन्यथा अपेक्षित न हो—

(क) 'विज्ञापन' के अन्तर्गत कोई सूचना, परिपत्र, लेबल, लपेटन, या अन्य दस्तावेज, और मौखिक रूप से या प्रकाश, ध्वनि या धुआँ उत्पन्न या पारेषित करके की गई घोषणा भी है,

(ख) 'औषधि' के अन्तर्गत निम्नलिखित है—

(१) मनुष्यों या पशुओं के आन्तरिक या बाह्य उपयोग के लिए कोई औषध,

(२) ऐसा कोई पदार्थ, जो मनुष्यों या पशुओं में रोग के निदान, रोगमुक्ति, रोग का शमन, रोग की चिकित्सा या निवारण के लिए या उसमें उपयोग के लिए, आशयित है,

Press

(३) खाद्य से भिन्न कोई वस्तु, जो मनुष्यों अथवा पशुओं के शरीर की संरचना या किसी आंगिक क्रिया को किसी भी प्रकार से प्रभावित करने, या उस पर असर डालने के लिए आशयित है,

(४) कोई वस्तु, जो उपखण्ड (१), (२) और (३) में निर्दिष्ट किसी औषध, पदार्थ या वस्तु के घटक के रूप में प्रयोग के लिए आशयित है,

(ग) 'चमत्कारिक उपचार' के अन्तर्गत है—ऐसा तलिस्मा, मंत्र, कवच और किसी भी प्रकार का अन्य जादू-टोना, जिसमें मनुष्यों अथवा पशुओं के रोग के निदान, रोगमुक्ति, रोग में कमी करने या रोग की चिकित्सा या निवारण के लिए, या मनुष्यों अथवा पशुओं के शरीर की संरचना या किसी आंगिक क्रिया को किसी भी प्रकार से प्रभावित करने या उस पर असर डालने के लिए अद्‌भुत शक्तियाँ होना अभिकथित है,

(गग) 'रजिस्ट्रीकृत चिकित्सा व्यवसायी' से ऐसा व्यक्ति अभिप्रेत है—

(१) जिसके पास भारतीय चिकित्सा उपाधि अधिनियम, १९१६ की धारा ३ में विनिर्दिष्ट, या उसके अधीन अधिसूचित, या भारतीय आयुर्विज्ञान परिषद् अधिनियम, १९५६ की अनुसूचियों में विनिर्दिष्ट, किसी प्राधिकारी द्वारा अनुदत्त कोई अहर्ता हो, अथवा

(२) जो किसी राज्य में, जिस पर इस अधिनियम का विस्तार है, चिकित्सा-व्यवसायियों के रजिस्ट्रीकरण के सम्बन्ध में प्रवृत्त किसी विधि के अधीन, चिकित्सा-व्यवसायी के रूप में रजिस्ट्रीकृत होने का हकदार है,

(घ) 'किसी विज्ञान के प्रकाशन में भाग लेना' के अन्तर्गत निम्नलिखित भी है—

(१) विज्ञापन का मुद्रण,

(२) ऐसे राज्यक्षेत्रों के भीतर, जिन पर इस अधिनियम का विस्तार है, निवास करनेवाले किसी व्यक्ति द्वारा या उसकी प्रेरणा से, उन राज्यक्षेत्रों के बाहर किसी विज्ञापन का प्रकाशन ।

३. इस अधिनियम के उपबन्धों के अधीन रहते हुए, कोई व्यक्ति, किसी ऐसे विज्ञापन के प्रकाशन में भाग नहीं लेगा जिसमें किसी ओषधि के प्रति निर्देश ऐसे शब्दों में किया गया है जिनमें यह धारणा बनती है या यह प्रकल्पित है कि वह औषधि निम्नलिखित के लिए प्रयोग में लाई जा सकती है—

(क) स्त्रियों का गर्भपात कराना अथवा स्त्रियों में गर्भधारण का निवारण, अथवा

(ख) लैंगिक आनन्द के लिए मनुष्यों की क्षमता बनाए रखना या उसे बढ़ाना, अथवा

(ग) स्त्रियों में ऋतुस्राव विकारों को ठीक करना, अथवा

(घ) अनुसूची में विनिर्दिष्ट किसी रोग, विकार या दशा का, अथवा किसी ऐसे अन्य रोग, विकार या दशा (उसे चाहे जो कहा जाए) का, जो इस अधिनियम के अधीन बनाए गए नियमों में विनिर्दिष्ट किए जाएँ, निदान, रोगमुक्ति, उसमें कमी करना या उसकी चिकित्सा या निवारण—

परन्तु ऐसा कोई नियम—

(१) किसी ऐसे रोग, विकार या दशा के सम्बन्ध में ही बनाया जाएगा, जिसके लिए, किसी रजिस्ट्रीकृत चिकित्सा–व्यवसायी के परामर्श से, समय पर चिकित्सा अपेक्षित है या जिसके लिए सामान्यतया कोई मान्य उपचार नहीं है,

(२) औषधि और प्रसाधन सामग्री अधिनियम, १९४० के अधीन गठित औषधि तकनीकी सलाहकार बोर्ड से और, यदि केन्द्रीय सरकार आवश्यक समझे तो, आयुर्वेदिक या यूनानी चिकित्सा पद्धतियों का विशेष ज्ञान या व्यावहारिक अनुभव रखनेवाले ऐसे अन्य व्यक्तियों से, जिन्हें सरकार ठीक समझे, परामर्श करने के पश्चात् ही बनाया जाएगा।

४. इस अधिनियम के उपबन्धों के अधीन रहते हुए, कोई व्यक्ति किसी औषधि के सम्बन्ध में किसी विज्ञापन के प्रकाशन में भाग नहीं लेगा यदि उस विज्ञापन में कोई ऐसी बात है—

(क) जिससे उस औषधि की वास्तविक प्रकृति के बारे में कोई मिथ्या धारणा प्रत्यक्षतः या अप्रत्यक्षतः बनती है, अथवा

(ख) जिसमें उस औषधि के लिए कोई मिथ्या दावा किया गया है, अथवा

(ग) जो अन्यथा किसी तात्त्विक विशिष्टि में मिथ्या या भ्रामक है।

५. कोई व्यक्ति जो चमत्कारिक उपचार करने की वृत्ति करता है या जिसका ऐसी वृत्ति करना तात्पर्यित है, किसी ऐसे चमत्कारिक उपचार के, जिसमें प्रत्यक्षतः या अप्रत्यक्षतः यह दावा किया गया है कि वह धारा ३ में विनिर्दिष्ट प्रयोजनों में से किसी के लिए प्रभावकारी है, किसी विज्ञापन के प्रकाशन में भाग नहीं लेगा।

६. कोई व्यक्ति, ऐसे राज्यक्षेत्रों में, जिसमें इस अधिनियम का विस्तार है, किसी ऐसी दस्तावेज का आयात, या उन राज्यक्षेत्रों से निर्यात नहीं करेगा, जिसमें धारा ३, या धारा ४, या धारा ५ में निर्दिष्ट प्रकार का कोई विज्ञापन हो और ऐसे विज्ञापनों वाली दस्तावेज ऐसा माल समझी जाएगी जिसका आयात या निर्यात सी कस्टम्स ऐक्ट, १९७८ की धारा १९ के अधीन प्रतिषिद्ध है और उस अधिनियम

के सभी उपबन्ध तदनुसार प्रभावी होंगे, सिवाय इसके कि उसकी धारा १८३ का प्रभाव इस प्रकार होगा मानो उसके अंग्रेजी पाठ में, 'देगा' शब्द के स्थान पर 'दे सकेगा' शब्द रखे गए हों ।

७. जो कोई इस अधिनियम या तदधीन बनाए गए नियमों के उपबन्धों का उल्लंघन करेगा, वह सिद्धदोष ठहराए जाने पर—

(क) प्रथम दोषसिद्धि की दशा में, कारावास से जिसकी अवधि छह मास तक की हो सकेगी, या जुर्माने से, या दोनों से,

(ख) किसी पश्चात्‌वर्ती दोषसिद्धि की दशा में, कारावास से, जिसकी अवधि एक वर्ष तक हो सकेगी, या जुर्माने से, या दोनों से, दण्डनीय होगा ।

८. (१) इस निमित्त बनाए गए किन्हीं नियमों के उपबन्धों के अधीन रहते हुए, राज्य सरकार द्वारा प्राधिकृत कोई राजपत्रित अधिकारी, उस क्षेत्र की स्थानीय सीमाओं के भीतर, जिसके लिए वह इस प्रकार प्राधिकृत है—

(क) किसी ऐसे स्थान में, जिसमें उसके पास यह विश्वास करने का कारण है कि इस अधिनियम के अधीन वहाँ कोई अपराध किया गया है या किया जा रहा है, ऐसे सहायकों के साथ, यदि कोई हों, जिन्हें वह आवश्यक समझे, किसी भी उचित समय पर, प्रवेश कर सकेगा और उसकी तलाशी ले सकेगा,

(ख) ऐसा कोई विज्ञापन अभिगृहीत कर सकेगा, जिसके बारे में उसके पास यह विश्वास करने का कारण है कि वह इस अधिनियम के किन्हीं उपबन्धों उल्लंघन करता है :

परन्तु इस खण्ड के अधीन अभिग्रहण की शक्ति का प्रयोग, किसी ऐसी दस्तावेज, वस्तु या चीज के लिए, जिसमें ऐसा कोई विज्ञापन अन्तर्विष्ट है, उस दस्तावेज, वस्तु या चीज की अन्तर्वस्तु सहित, यदि कोई हो, किया जा सकेगा, यदि वह विज्ञापन इस कारण कि वह उत्कीर्णित है या अन्यथा, उस दस्तावेज, वस्तु या चीज से, उसकी समग्रता, उपयोगिता या विक्रय मूल्य पर प्रभाव डाले बिना, अलग किया जा सकता है,

(ग) खण्ड (क) में उल्लिखित किसी स्थान में पाए गए किसी अभिलेख, रजिस्टर, दस्तावेज या अन्य किसी भौतिक पदार्थ की परीक्षा कर सकेगा, और, यदि उसके पास यह विश्वास करने का कारण है कि उससे इस अधिनियम के अधीन दण्डनीय किसी अपराध के लिए जाने का साक्ष्य प्राप्त हो सकता है तो, उसे अभिगृहीत कर सकेगा ।

(२) दण्ड प्रक्रिया संहिता, १८९८ के उपबन्ध इस अधिनियम के अधीन किसी तलाशी या अभिग्रहण को यथाशक्य, वैसे ही लागू होंगे जैसे वे उक्त संहिता की

धारा ९८ के अधीन जारी किए गए वारण्ट के प्राधिकार के अधीन ली गई किसी तलाशी या किए गए किसी अभिग्रहण को लागू होते हैं ।

(३) जहाँ कोई व्यक्ति उपधारा (१) के खण्ड (ख) या खण्ड (ग) के अधीन किसी वस्तु का अभिग्रहण करता है वहाँ वह, यथाशक्य शीघ्र, किसी मजिस्ट्रेट को उसकी इत्तिला देगा और उस वस्तुकी अभिरक्षा के सम्बन्ध में उससे आदेश प्राप्त करेगा ।

९. (१) यदि इस अधिनियम के किन्हीं उपबन्धों का उल्लंघन करनेवाला कोई व्यक्ति कम्पनी है तो, प्रत्येक व्यक्ति, जो उस अपराध के किए जाने के समय उस कम्पनी के कारबार के संचालन के लिए उस कम्पनी का भार साधक और उसके प्रति उत्तरदायी था, और साथ ही वह कम्पनी भी, ऐसे उल्लंघन के दोषी समझे जाएँगे और तदनुसार अपने विरुद्ध कार्यवाही किए जाने और दंडित किए जाने के भागी होंगे—

परन्तु इस उपधारा की कोई बात किसी ऐसे व्यक्ति को इस अधिनियम में उपबन्धित किसी दण्ड का भागी नहीं बनाएगी यदि वह यह साबित कर दे कि अपराध उसकी जानकारी के बिना किया गया था अथवा उसने ऐसे अपराध का निवारण करने के लिए सब सम्यक् तत्परता बरती थी ।

(२) उपधारा (१) में किसी बात के होते हुए भी, जहाँ इस अधिनियम के अधीन कोई अपराध किसी कम्पनी द्वारा किया गया है तथा यह साबित होता है कि अपराध कम्पनी के किसी निदेशक, प्रबन्धक, सचिव या अन्य अधिकारी की सहमति या मौनानुकूलता से किया गया है, या उस अपराध का किया जाना उसकी किसी उपेक्षा के कारण माना जा सकता है, वहाँ ऐसा निदेशक, प्रबन्धक, सचिव या अन्य अधिकारी भी उस अपराध का दोषी समझा जाएगा और तदनुसार अपने विरुद्ध कार्यवाही किए जाने और दण्डित किए जाने का भागी होगा ।

स्पष्टीकरण—इस धारा के प्रयोजनों के लिए—

(क) 'कम्पनी' से कोई निगमित निकाय अभिप्रेत है और इसके अन्तर्गत फर्म या व्यष्टियों का अन्य संगम भी है, तथा

(ख) फर्म के सम्बन्ध में 'निदेशक' से उस फर्म का भागीदार अभिप्रेत है ।

९क. दण्ड प्रक्रिया संहिता, १८९८ में किसी बात के होते हुए भी, इस अधिनियम के अधीन दण्डनीय कोई भी अपराध संज्ञेय होगा ।

१०. प्रेसिडेंसी मजिस्ट्रेट या प्रथम वर्ग मजिस्ट्रेट से अवर कोई भी न्यायालय इस अधिनियम के अधीन दण्डनीय किसी भी अपराध का विचारण नहीं करेगा ।

१०क. जहाँ कोई व्यक्ति इस अधिनियम या तदधीन बनाए गए किसी नियम का उल्लंघन करने के लिए किसी न्यायालय द्वारा सिद्धदोष ठहराया गया है वहाँ वह न्यायालय यह निदेश दे सकेगा कि कोई भी दस्तावेज (उसकी समस्त प्रतियों सहित) वस्तु या चीज, जिसकी बाबत उल्लंघन किया गया है, उसकी अन्तर्वस्तु सहित जहाँ

ऐसी अन्तर्वस्तु धारा ८ की उपधारा (१) के खण्ड (ख) के अधीन अभिगृहीत की जाती है वहाँ, सरकार को समपहृत हो जाएगी।

---

१४. इस अधिनियम की कोई भी बात निम्नलिखित को लागू नहीं होगी—

(क) किसी रजिस्ट्रीकृत चिकित्सा व्यवसायी द्वारा अपने परिसरों में प्रदर्शित कोई सूचना–पट या सूचना, जिसमें यह उपदर्शित हो कि धारा ३, अनुसूची या इस अधिनियम के अधीन बनाए गए नियमों में विनिर्दिष्ट कोई रोग, विकार या दशा की चिकित्सा उन परिसरों में की जाती है, अथवा

(ख) धारा ३ में विनिर्दिष्ट किसी विषय पर सद्‌भावनापूर्ण वैज्ञानिक अथवा सामाजिक दृष्टिकोण से लिखी गई कृति या पुस्तक, अथवा

(ग) किसी औषधि के सम्बन्ध में ऐसा कोई विज्ञापन, जो केवल किसी रजिस्ट्रीकृत चिकित्सा व्यवसायी को, धारा १६ के अधीन विहित रीति से, गुप्त रूप से भेजा गया हो, अथवा

(घ) किसी औषधि के सम्बन्ध में सरकार द्वारा मुद्रित या प्रकाशित कोई विज्ञापन, अथवा

(ङ) किसी औषधि के सम्बन्ध में, औषधि और चमत्कारिक उपचार (आक्षेपणीय विज्ञापन) संशोधन अधिनियम, १९६३ के प्रारम्भ से पूर्व, दी गई सरकार की पूर्व मंजूरी से, किसी व्यक्ति द्वारा मुद्रित या प्रकाशित कोई विज्ञापन—

परन्तु सरकार ऐसे कारणों से, जो लेखबद्ध किए जाएँगे, उस मंजूरी को उस व्यक्ति के कारण बताने का अवसर देने के पश्चात् वापस ले सकेगी।

१५. यदि केन्द्रीय सरकार की राय में लोकहित इस बात की अपेक्षा करता है कि किसी विनिर्दिष्ट औषधि या औषधि–वर्ग के विज्ञापन को या औषधि सम्बन्धी विज्ञापनों के किसी विनिर्दिष्ट वर्ग को अनुज्ञात किया जाना चाहिए तो वह, राजपत्र में अधिसूचना द्वारा, यह निर्देश दे सकेगी कि धारा ३, ४, ५ और ६ के उपबन्ध, अथवा इनमें से कोई उपबन्ध, ऐसी किसी औषधि या औषधि–वर्ग के विज्ञापन या औषधि सम्बन्धी विज्ञापनों के ऐसे किसी वर्ग को या उसके सम्बन्ध में, नहीं लागू होंगे या ऐसी शर्तों के अधीन रहते हुए लागू होंगे जो अधिसूचना में विनिर्दिष्ट की जाएँ।

■

अनुसूची

धारा ३ (घ) और धारा १४ देखिए

क्रम	रोग, विकार या दशा का नाम	क्रम	रोग, विकार या दशा का नाम
१.	एपेन्डीसाइटिस	२.	धमनी-काठिन्य
३.	अन्धापन	४.	रक्त विषाक्तता
५.	ब्राइट रोग	६.	कैन्सर
७.	मोतियाबिन्द	८.	बधिरता
९.	मधुमेह	१०.	मस्तिष्क के रोग और विकार
११.	दृष्टि तंत्र के रोग और विकार	१२.	गर्भाशय के रोग और विकार
१३.	ऋतुस्राव के विकार	१४.	तंत्रिका तंत्र के विकार
१५.	पुरस्थ ग्रंथीय विकार	१६.	ड्राप्सी
१७.	अपस्मार	१८.	स्त्री-रोग (सामान्य)
१९.	ज्वर (सामान्य)	२०.	दौरे
२१.	स्त्री-वक्ष का रूप और उसकी संरचना	२२.	पित्ताश्मरी, वृक्क अश्मरी और मूत्राशय अश्मरी
२३.	कोढ़	२४.	सबलबाय
२५.	घेघा	२६.	हृदय-रोग
२७.	ऊँचा या नीचा रक्तचाप	२८.	हाइड्रोसील
२९.	हिस्टीरिया	३०.	शिशु लकवा
३१.	उन्मत्तता	३२.	कुष्ठ
३३.	ल्युकोडर्मा	३४.	हनुस्तम्भ
३५.	चलन अनन्वय (लोकोमोटर अटैक्सिमा)	३६.	ल्यूपस
३७.	तंत्रिकीय दौर्बल्य	३८.	स्थूलता
३९.	लकवा	४०.	प्लेग
४१	प्लूरिसी	४२.	न्युमोनिया
४३.	आमवात	४४.	विदार
४५.	यौन नपुंसकता	४६.	चेचक

४७. व्यक्तियों का कद
४८. स्त्रियों में बाँझपन
४९. रोहे
५०. यक्ष्मा
५१. अर्बुज
५२. टायफाइड ज्वर
५३. गैस्ट्रो इंटेस्टाइनल ट्रैक्ट के व्रण
५४. रतिज रोग, जिसके अन्तर्गत सिफलिस, सूजाक, मृदु शांकर, रतिज काणीकागुल्म और जजीका काणीकागुल्म है ।

■

परिशिष्ट दस

सूचना का अधिकार विधेयक १९९६

१९९६ में भारतीय प्रेस परिषद द्वारा तैयार किया मूल प्रारूप

सूचना का अधिकार प्राप्त करने और इससे सम्बद्ध अथवा इससे (प्रासंगिक) आनुषंगिक मामलों हेतु उपबन्ध बनाने के लिए एक बिल।

यह विधेयक संसद द्वारा भारत के गणतंत्र के सैंतालीसवें वर्ष में निम्नानुसार अधिनियमित किया जायेगा—

१. (क) अधिनियम को सूचना का अधिकार अधिनियम, १९९६ कहा जा सकेगा।

(ख) इसका विस्तार सम्पूर्ण भारत पर है।

(ग) यह उस तारीख से प्रभावी होगा जो कि केन्द्रीय सरकार सरकारी राजपत्र में अधिसूचना द्वारा, नियत करे।

२. इस अधिनियम में, जब तक कि सन्दर्भ से अन्यथा अपेक्षित न हों—

परिभाषाएँ

(क) 'सूचना' से वह सामग्री अथवा सूचना अभिप्रेत है जो कि एक लोक-प्राधिकारी, के कार्यों, प्रशासन अथवा आचरण से सम्बद्ध है जिसके बारे में जनता को जानने का अधिकार है और इसमें लोक-प्राधिकारी के कार्यों से सम्बद्ध कोई दस्तावेज अथवा रिकार्ड शामिल हैं,

(ख) 'विहित' से अधिनियम के अन्तर्गत नियमों द्वारा विहित अभिप्रेत है,

(ग) 'लोक-प्राधिकारी' में शामिल हैं—

(१) संसद और भारत सरकार तथा भारत के क्षेत्राधिकार के भीतर प्रत्येक राज्य सरकार और विधानमंडल तथा स्थानीय अथवा अन्य प्राधिकारी, और

(२) एक कम्पनी, निगम, न्यास, फर्म, सोसाइटी अथवा सहकारी समिति—सरकार की हो अथवा निजी व्यक्तियों और संस्थानों जिनके कार्य जनहित को प्रभावित करते हैं, के नियंत्रण में हों।

कम्पनी, निगम, न्यास, फर्म, सोसाइटी और सहकारी समिति का वही अर्थ होगा जैसा कि उन्हें सम्बद्ध अधिनियमों में दिया गया जिसके अन्तर्गत वे पंजीकृत किये गये हैं।

(घ) 'सूचना का अधिकार' से सूचना तक पहुँच का अधिकार अभिप्रेत है और इसमें, किसी लोक–प्राधिकारी का निरीक्षण और उसके दस्तावेजों अथवा रिकार्डों से टिप्पणियाँ और उद्धरण तथा उनकी प्रमाणित प्रतियाँ प्राप्त करना शामिल है।

(ङ) 'राज्य सरकार' में संविधान के अनुच्छेद २३९ के अन्तर्गत राष्ट्रपति द्वारा नियुक्त किया गया एक संघ राज्य–क्षेत्र का प्रशासक शामिल है।

सूचना का अधिकार

३. (क) प्रत्येक नागरिक को एक लोक–प्राधिकारी से सूचना प्राप्त करने का अधिकार होगा।

(ख) प्रत्येक लोक–प्राधिकारी का यह कर्त्तव्य होगा कि वह इसके पूरे रिकार्ड रखे जो कि समुचित तालिकाबद्ध और सूचीबद्ध हों और धारा ४ के उपबन्धों के अधीन किसी भी व्यक्ति को, इससे सूचना का अनुरोध किये जाने पर माँगी गयी सूचना सहित ऐसी सूचना उपलब्ध करवायी जाये क्योंकि सूचना प्राप्त करने व जुटाने और सूचना देने से इनकार न करने और न ही इसकी उपलब्धता को सीमित करने की बाध्यता है।

(ग) इस धारा के पूर्ववर्ती प्रावधानों में कुछ भी किसी व्यक्ति के ऐसी सूचना प्राप्त करने के अधिकार को नहीं रोकेगा जो कि उनके जीवन तथा दैहिक स्वतंत्रता को प्रभावित करेगा।

(घ) हवालात, जेल, मानसिक–शरणस्थल, प्रतिप्रेषण गृह (सुधारालय), महिलागम, शिक्षा आश्रम आदि जैसी अभिरक्षा सम्बन्धी संस्था के लिए आगंतुक समिति नियुक्त करना अनिवार्य होगा जिसमें स्वतंत्र नागरिक होंगे जिनकी दिन–रात उन तक और उनके रिकार्डों व गृह सदस्यों तक पूरी पहुँच होगी।

सूचना के अधिकार पर प्रतिबन्ध

४. लोक–प्राधिकारी, लिखित रूप में कारण देते हुए प्रकट करने से इनकार कर सकेगा—

(क) ऐसी सूचना, जिसके प्रकटीकरण से भारत की एकता और प्रभुता, राज्य सुरक्षा और दूसरे राज्यों के साथ मित्रतापूर्ण सम्बन्धों पर

प्रतिकूल प्रभाव पड़ेगा, लोक व्यवस्था, किसी अपराध की जाँच–पड़ताल अथवा जिससे अपराध भड़क सकता है,

(ख) व्यक्तिगत अथवा अन्य सूचना, जिसके प्रकटीकरण से किसी सार्वजनिक कार्य का सम्बन्ध नहीं है अथवा जिसमें जनता का कोई हित नहीं है और इससे वैयक्तिक एकान्त में स्पष्ट और अवांछनीय अनधिकार प्रवेश होगा।

(ग) विधि द्वारा सुरक्षित व्यापार और वाणिज्यिक गोपनीयता।

बशर्ते, कि जो सूचना देने से संसद अथवा राज्य विधानमण्डल को इनकार नहीं किया जा सकता, उसे किसी नागरिक को देने से इनकार नहीं किया जायेगा।

सूचना देने की प्रक्रिया

५. (१) इस अधिनियम के अन्तर्गत लोक–प्राधिकरण से सूचना माँगने वाला व्यक्ति उस व्यक्ति के सम्मुख आवेदन करेगा जो कि फिलहाल लोक–प्राधिकरण प्रभारी हैं।

(२) उपधारा (१) के अन्तर्गत माँगी गयी सूचना, आवेदक को उपधारा (१) के अन्तर्गत आवेदन–पत्र देने के तीस दिनों के भीतर लोक–प्राधिकारी द्वारा दी जायेगी, और जहाँ ऐसी सूचना किसी व्यक्ति के जीवन अथवा दैहिक स्वतंत्रता से सम्बद्ध है, सूचना आवेदन करने के अड़तालीस घण्टों के भीतर दी जायेगी।

(३) उपधारा (१) के अन्तर्गत माँगी गयी सूचना लिखित में अंग्रेजी अथवा हिन्दी अथवा राज्य जिसमें लोक–प्राधिकरण स्थित है, की भाषा में दी जायेगी।

(४) प्रत्येक लोक–प्राधिकारी को कोई दस्तावेज देने के लिए शुल्क लेने का अधिकार होगा परन्तु इस शर्त पर कि यह शुल्क दस्तावेज की अथवा दस्तावेज देने की कीमत से अधिक न हो।

इनकार लिखित में दिया जायेगा

६. यदि कोई लोक–प्राधिकारी धारा ४ की उपधारा (१) के अन्तर्गत माँगी गयी सूचना देने से इनकार कर देता है, तब उस प्राधिकारी द्वारा इनकार करने के कारण लिखित में दिये जायेंगे।

अपील

७. इस अधिनियम के अन्तर्गत लोक–प्राधिकारी द्वारा कोई दस्तावेज देने से इनकार करने के विरुद्ध अपील, जहाँ लोक–प्राधिकरण कार्यालय स्थित है, उस क्षेत्र के सामान्य मौलिक नागरिक क्षेत्राधिकार के प्रमुख सिविल न्यायाधीश के सम्मुख की जायेगी और लोक–प्राधिकारी द्वारा सूचना देने से इनकार करने के दिन से पन्द्रह दिनों के भीतर

अपील की जायेगी और ऐसी अपील दर्ज करने के तीस दिनों के भीतर सिविल न्यायाधीश द्वारा इस निर्णय के कारण देते हुए लिखित आदेश द्वारा निपटायी जायेगी।

दण्ड

८. (१) इस अधिनियम के अन्तर्गत कोई सूचना देने के लिए उत्तरदायी व्यक्ति उसमें विनिर्दिष्ट अवधि के भीतर सूचना देने के लिए व्यक्तिगत रूप से जिम्मेदार होगा।

(२) जहाँ इस अधिनियम के अन्तर्गत माँगी गयी सूचना विनिर्दिष्ट समय में नहीं दी जाती है, सूचना देने के लिए जिम्मेदार व्यक्ति पर, उस दिन, जब यह दी जानी चाहिए थी, के पश्चात् विलम्ब के हर दिन के लिए ५० रुपये का जुर्माना लगाया जायेगा।

(३) यदि इस अधिनियम के अन्तर्गत सूचना देने के लिए जिम्मेदार कोई व्यक्ति ऐसी सूचना देने में असफल रहता है अथवा ऐसी सूचना देता है जो कि किसी विशेष मामले में झूठी है और जो कि, वह जानता है अथवा यह मानने के उसे पास समुचति कारण हैं कि वह गलत है अथवा वह उसे सही नहीं मानता, तब उस पर जुर्माना लगाया जायेगा जो कि एक हजार रुपये से कम नहीं होगा और जो कि पाँच हजार रुपये तक बढ़ाया जा सकता है।

परन्तु यह कि न्यायालय द्वारा एक हजार रुपये से कम का जुर्माना लिया जा सकेगा जिसके कारण लिखित रूप में दिये जायेंगे।

कम्पनियों द्वारा अपराध

९. (१) जहाँ इस अधिनियम के अन्तर्गत अपराध एक कम्पनी द्वारा किया गया है, प्रत्येक व्यक्ति, जो कि, जिस समय अपराध किया गया था, कम्पनी के कार्य–संचालन के लिए कम्पनी का इंचार्ज और जिम्मेदार था, अपराध के लिए दोषी माना जायेगा और तदनुसार, कार्यवाही और दण्ड के लिए उत्तरदायी होगा।

परन्तु इस धारा में कुछ न होने पर इस अधिनियम में दिया गया दण्ड ऐसे किसी व्यक्ति को नहीं दिया जायेगा, यदि वह सिद्ध करता है कि अपराध उसकी जानकारी के बिना किया गया था अथवा यह कि ऐसे अपराध को रोकने के लिए उन्होंने समुचित परिश्रम किया था,

(२) उप–धारा (१) में कुछ होने पर भी जहाँ इस अधिनियम के अन्तर्गत अपराध एक कम्पनी द्वारा किया गया है और यह सिद्ध हो जाता है कि यह कम्पनी किसी निदेशक, प्रबन्धक, सचिव अथवा अन्य अधिकारी की सहमति अथवा मिलीभगत अथवा लापरवाही से हुआ है, तब ऐसा निदेशक, प्रबन्धक, सचिव अथवा अधिकारी भी ऐसे

अपराध के लिए दोषी समझा जायेगा और तदनुसार, कार्यवाही किये जाने और दण्ड के लिए उत्तरदायी होगा।

स्पष्टीकरण— इस धारा के प्रयोजन के लिए–

(क) 'कम्पनी' से एक निगमित निकाय अभिप्रेत है और एक फर्म अथवा व्यक्तियों का संघ इसमें शामिल है, और

(ख) एक फर्म से सम्बद्ध 'निदेशक' से फर्म का भागीदार अभिप्रेत है।

अपराध जो कि संज्ञेय होंगे

१०. दण्ड प्रक्रिया संहिता १९७३ में ऐसा कुछ होने पर इस अधिनियम के अन्तर्गत प्रत्येक अपराध संज्ञेय होगा।

११. इस अधिनियम अथवा किसी अन्य विधि जो कि उस समय प्रभावी हो, में कुछ होने पर, प्रत्येक लोक–प्राधिकारी जो कि कोई योजना अथवा कार्य आरम्भ करने का प्रस्ताव करता है, का यह कर्त्तव्य होगा कि वह आम जनता को प्रभावित करने वाले अथवा ऐसे मामले जो कि, जीवन, स्वास्थ्य और जीवनयापन के लिए आवश्यक हैं और उनकी जानकारी में हैं, को आम जनता और प्रभावित होने वाले व्यक्तियों की सूचना के लिए, किसी भी हालत में, योजना अथवा कार्य आरम्भ होने से पूर्व, यथासम्भव, धारा ४ के उपबन्धों के अधीन, अधिसूचित करें।

सद्भावना में की गयी कार्यवाही का संरक्षण

१२. केन्द्रीय सरकार अथवा राज्य सरकार अथवा किसी व्यक्ति के विरुद्ध, ऐसे किसी कार्य के लिए जो कि सद्भावना में किया गया है अथवा इस अधिनियम के उपबन्धों अथवा इसके अन्तर्गत बनाये गये किसी नियम के अन्तर्गत किया गया हो, कोई मुकदमा, अभियोजन अथवा अन्य कोई कानूनी कार्यवाही नहीं की जायेगी।

अधिनियम का अभिभावी प्रभाव

१३. इस अधिनियम के अलावा किसी अन्य विधि जो कि फिलहाल लागू है, से कुछ असंगत होने पर भी, इस अधिनियम के उपबंध प्रभावी होंगे।

केन्द्रीय सरकार को नियम बनाने का अधिकार

१४.(१) केन्द्रीय सरकार, सरकारी राजपत्र में अधिसूचना द्वारा, इस अधिनियम के उपबन्धों को पूरा करने के लिए नियम बना सकेगी।

(२) पूर्ववर्ती अधिकार की व्यापकता पर प्रतिकूल प्रभाव डाले बिना, उन सभी मामलों के लिए ऐसे नियम उपलब्ध हो सकेंगे जिनके लिए केन्द्रीय सरकार द्वारा इस अधिनियम के अन्तर्गत नियम बनाये जाने अपेक्षित हैं।

राज्य सरकार को नियम बनाने का अधिकार

१५. राज्य सरकार, सरकारी राजपत्र में अधिसूचना द्वारा, ऐसे किसी मामले के लिए, जिनके विषय में राज्य सरकार द्वारा इस अधिनियम के अन्तर्गत नियम बनाये जाने अपेक्षित हैं, नियम बना सकेगी।

नियम पेश करना

१६.(१) केन्द्रीय सरकार द्वारा इस अधिनियम के अन्तर्गत बनाया गया प्रत्येक नियम, इसे बनाये जाने के पश्चात्, यथाशीघ्र, संसद के प्रत्येक सदन के सम्मुख उस समय रखा जायेगा जब तीस दिनों की कुल अवधि के लिए सत्र चल रहा होता है जो कि एक सत्र अथवा दो अथवा इससे अधिक निरन्तर सत्रों का हो सकता है, और यदि, सत्र समाप्त होने से पूर्व उपरोक्त सत्र अथवा उत्तरोत्तर सत्रों के पश्चात् शीघ्र ही, दोनों सदन नियम में कोई परिवर्तन करने के लिए सहमत हैं अथवा दोनों सदन सहमत हैं कि नियम नहीं बनाया जाना चाहिए, इसके पश्चात् नियम का केवल ऐसे आशोधित रूप में ही प्रभाव होगा, अथवा कोई प्रभाव नहीं होगा, जैसी स्थिति हो, इस प्रकार फिर भी, यह कि ऐसा संशोधन अथवा निराकरण उस नियम के अन्तर्गत, जो पहले किया गया था, की वैधता पर प्रतिकूल प्रभाव डाले बिना होगा।

(२) राज्य सरकार द्वारा इस अधिनियम के अन्तर्गत बनाया गया प्रत्येक नियम, इसे बनाने के पश्चात्, यथाशीघ्र, राज्य विधानमण्डल के सम्मुख रखा जायेगा।

■

परिशिष्ट ग्यारह

सूचना का अधिकार अधिनियम

भारत में सूचना के अधिकार का कानून बौद्धिक और लोक–स्तर पर चले एक लम्बे तथा बहु–आयामी अभियान का परिणाम है। इसके फलस्वरूप कुछ राज्यों ने अपने स्तर पर कानून बनाए किन्तु उनमें कई कमियाँ रहीं। दूसरे प्रेस आयोग द्वारा केन्द्र से ऐसा कानून बनाने की सिफारिश १९८२ में किए जाने के बावजूद केन्द्र सरकार ने इस दिशा में काफी समय तक न कोई पहल की और न ही ऐसा करने की रुचि प्रदर्शित की।

पर जनता के बीच यह विचार धीरे–धीरे इस तरह मुखर होता गया कि उसने एक आन्दोलन का रूप लेना शुरू कर दिया, विशेषकर कुछ ग्रामीण क्षेत्रों में तथा बौद्धिक वर्गों व उनके संगठनों में। राजस्थान में भारतीय प्रशासनिक सेवा की एक अधिकारी इस्तीफा देकर इस अभियान में कूद पड़ीं और उन्होंने इसे नेतृत्व प्रदान किया। कई वरिष्ठ पत्रकारों, शिक्षाविदों और सामाजिक कार्यकर्ताओं ने अपनी–अपनी तरह से केन्द्रीय कानून बनाए जाने के विचार को आगे बढ़ाया। पत्रकार संगठनों ने भी इस मांग पर बार–बार जोर दिया।

राजस्थान में ''मजदूर किसान शक्ति संगठन'' की स्थापना की गई जिसने ग्रामीण इलाकों में कामों के लिए न्यूनतम मजदूरी ईमानदारी से दिए जाने और उसका पारदर्शी हिसाब–किताब रखने व दिखाए जाने का जन–आंदोलन आरम्भ किया। इसकी आवाज दूर–दूर तक गई और अन्य राज्यों में भी ऐसी मांगे उठने लगीं तथा उन्हें क्रियान्वित करने के अभियान चलाए जाने लगे। इसे अंततः बने सूचनाधिकार अधिनियम का बीजारोपण कहा जा सकता है।

अहमदाबाद स्थित ''उपभोक्ता शिक्षा और अनुसंधान परिषद'' ने १९९३ में सूचना के अधिकार के अधिनियम का एक प्रारूप जारी किया। जैसी कि पहले चर्चा की जा चुकी है कि १९९६ में भारतीय प्रेस परिषद ने सूचनाधिकार का एक नमूना विधेयक प्रस्तुत किया। १९९७ में हैदराबाद स्थित राष्ट्रीय ग्रामीण विकास संस्थान में एक विचारगोष्ठी के बाद परिषद ने सूचना–स्वातंत्र्य विधेयक का मसौदा पेश किया।

उधर, मजदूर किसान शक्ति संगठन की पहल पर 'नेशनल कैम्पेन फॉर पीपल्स राईट टू इन्फर्मेशन' अभियान स्थापित किया गया जिसने वर्तमान कानून को अंतिम रूप देने में महत्त्वपूर्ण भूमिका निभाई।

१९९७ में शौरी समिति द्वारा सुझाए गए सूचना–स्वातंत्र्य विधेयक का प्रारूप प्रकाशित हुआ। इस बीच शहरी विकास मंत्री राम जेठमलानी ने एक प्रशासनिक आदेश जारी करके जनता को अपने मंत्रालय की फाइलों का निरीक्षण करने और

उनकी फोटो प्रतियाँ लेने का अधिकार घोषित कर दिया। परन्तु, मन्त्रिमण्डल सचिव कैबिनेट सेक्रटरी ने इसे रुकवा दिया।

२००२ में पहली बार किसी केन्द्रीय सरकार ने संसद में सूचना के कानूनी अधिकार के सम्बन्ध में विधेयक पेश किया। सूचना–स्वातंत्र्य नामक यह विधेयक शौरी समिति के प्रारूप को आधार बनाकर तैयार किया गया था। संसद ने इसे अपनी गृह मंत्रालय सम्बन्धी स्थायी समिति के विचारार्थ भेजा। समिति ने कुछ नागरिक संगठनों द्वारा दिए सुझावों को विधेयक में शामिल करने का सुझाव दिया किन्तु सरकार ने इस तर्क पर कि कानून को अभी बनने दिया जाए, आवश्यक संशोधन बाद में किए जा सकते हैं, इन सुझावों को उसमें शामिल नहीं किया। संसद के दोनों सदनों ने इसे दिसम्बर २००२ में पारित कर दिया और राष्ट्रपति ने जनवरी २००३ में स्वीकृति भी दे दी। किन्तु अप्रैल, मई २००४ में लोकसभा के चुनाव होने तक नियम बनाए जाने के अभाव में उसे लागू नहीं किया जा सका था।

नई सरकार ने अपने राष्ट्रीय न्यूनतम कार्यक्रम में इस कानून को प्राथमिकता के आधार पर शामिल किया। उसने इस कार्यक्रम के क्रियान्वयन पर गठित राष्ट्रीय सलाहकार समिति के सुझावों पर, जिसमें सूचनाधिकार आन्दोलन के कुछ सदस्य भी शामिल थे, नया विधेयक तैयार किया। इसमें २००२ के अधिनियम के अधिसंख्य प्रावधान न्यूनाधिक पूर्ववत् जारी रखे गए। किन्तु कुछ मूलभूत प्रकृति के नए प्रावधान भी सम्मिलित किए गये जिन्होंने इस कानून को अधिक अर्थपूर्ण बनाया है। यह १२ अक्टूबर, २००५ से पूर्णतः लागू हो गया। लोकसभा ने इसे ११ मई और राज्यसभा ने १२ मई को पारित किया। १५ मई को राष्ट्रपति ने इसे स्वीकृति दे दी।

सूचना का अधिकार अधिनियम, २००५

इस अधिनियम के मुख्य प्रावधान इस प्रकार हैं—

लोक प्राधिकरण

यह कानून देश के नागरिकों को लोक प्राधिकरणों के पास उपलब्ध सूचनाएँ पाने का कानूनी अधिकार प्रदान करता है।

लोक प्राधिकरणों में वे सब संस्थाएँ आती हैं जो संविधान द्वारा स्थापित या गठित हैं; संसद या विधानमंडलों के कानूनों से स्थापित या गठित हैं; केन्द्र या राज्य सरकारों की किसी अधिसूचना या आदेश से स्थापित या गठित हैं; केन्द्र व राज्य सरकारों के स्वामित्व वाली या उनके नियंत्रणाधीन या सरकार से पर्याप्त मात्रा में धनराशियाँ पाने वाली निकायें और ऐसी सभी गैर–सरकारी संगठन या गैर–सरकारी क्षेत्र की निकायें जो प्रत्यक्ष या अप्रत्यक्ष रूप से सरकार से वित्तपोषित हैं।

इनमें सरकारी मंत्रालय, विभाग, कार्यालय, जिला परिषदें, पंचायतें, नगरपालिकाएँ, सार्वजनिक निकायें, सरकारी या सरकार द्वारा वित्तपोषित शिक्षा

संस्थाएँ, अस्पताल, बैंक और अन्य उद्यम आदि भी शामिल हैं। पुलिस के विषय में भी सूचनाएँ प्राप्त की जा सकती हैं।

अपवाद

किन्तु निम्नलिखित आसूचना और सुरक्षा संगठन अपवाद हैं। इनके बारे में सूचना देने से इनकार किया जा सकता है—

१. आसूचना ब्यूरो (इंटेलिजेंस ब्यूरो)
२. मंत्रिमंडल, सचिवालय का अनुसंधान **और** विश्लेषण खण्ड (रॉ)
३. राजस्व आसूचना निदेशालय
४. केन्द्रीय आर्थिक आसूचना ब्यूरो
५. प्रवर्तन निदेशालय (एन्फोर्समेंट डॉयरेक्टरेट)
६. स्वापक (नार्कोटिक्स) नियंत्रण ब्यूरो
७. वैमानिक अनुसंधान केन्द्र
८. विशेष सीमांत बल
९. सीमा सुरक्षा बल
१०. केन्द्रीय आरक्षित पुलिस बल
११. भारत तिब्बत सीमा बल
१२. केन्द्रीय औद्योगिक सुरक्षा बल
१३. राष्ट्रीय सुरक्षा गार्ड
१४. असम राईफल्स
१५. विशेष सेवा ब्यूरो
१६. विशेष शाखा (सी आई डी), अंडमान और निकोबार
१७. अपराध शाखा—सी आई डी–सीबी, दादरा और नागर हवेली
१८. विशेष शाखा, लक्ष्यद्वीप पुलिस

राज्यों के भी ऐसे संगठनों के बारे में भी सूचना नहीं दी जा सकती है।

कोई नागरिक लोक प्राधिकरणों के कार्यों, कार्यक्रमों, योजनाओं, नीतियों, निर्णयों, निर्णय–प्रक्रियाओं और दस्तावेजों आदि के बारे में सूचनाएँ मांग सकता है। ये सूचनाएँ उसे दी जानी होंगी, किन्तु निम्नलिखित विषयों के सम्बन्ध में सूचनाएँ देने से इनकार किया जा सकता है क्योंकि इनके प्रकटीकरण से लोक कल्याण होने के बजाए लोकहित को नुकसान हो सकता है।

– जिनके प्रकट होने से भारत की प्रभुता और अखण्डता, राज्य की सुरक्षा, राज्य के रणनीतिक, वैज्ञानिक और आर्थिक हितों और विदेशों से सम्बन्धों पर प्रतिकूल प्रभाव पड़ता हो या अपराध उद्दीपन होता हो।

– जिनके प्रकटन को किसी न्यायालय या प्राधिकरण ने अभिव्यक्त रूप से निषिद्ध कर रखा हो या उससे न्यायालय की अवमानना होती हो।

– जिनके उजागर होने से संसद या किसी विधान मंडल का कोई विशेषाधिकार भंग होता हो।

– ऐसी सूचना नहीं दी जा सकती जिसमें वाणिज्यिक विश्वास, व्यापारिक गोपनीयता या बौद्धिक संपदा शामिल है, जिसके प्रकटन से किसी व्यक्ति की प्रतियोगी स्थिति पर प्रतिकूल प्रभाव होता हो। किन्तु, यदि सक्षम अधिकारी का समाधान हो जाए कि सूचना प्रकट करने से अधिक लोकहित होगा तो उसे दिया जा सकेगा।

– जो सूचना किसी व्यक्ति को उसकी वैश्वासिक नातेदारी (फिडूशरी रिलेशनशिप) में उपलब्ध हुई हो उसे तब रोका जा सकता है जब सक्षम अधिकारी का यह समाधान हो जाए कि उसके प्रकटन से विस्तृत लोकहित होगा।

– किसी विदेशी सरकार से विश्वास में प्राप्त सूचना प्रकट करने से इन्कार किया जा सकता है।

– ऐसी सूचना प्रकट करने से भी मना किया जा सकता है जिससे किसी व्यक्ति का जीवन या शारीरिक सुरक्षा खतरे में पड़े या कानून लागू करने अथवा सुरक्षा के प्रयोजन के लिए विश्वास में सूचना प्रदान करने वाले स्रोत की पहचान खोल दे।

– जिस सूचना के प्रकटीकरण से अपराधियों के अन्वेषण या उनके पकड़े जाने या मुकदमा चलाने की क्रिया में अड़चन आए, उसे देने से इनकार किया जा सकता है।

– मंत्रिमंडल के ऐसे कागजपत्र, जिनमें मंत्रिपरिषद् में और सचिवों तथा अन्य अधिकारियों के बीच हुए विचार–विमर्श के अभिलेख (रिकार्ड) शामिल हैं, प्रकट नहीं किए जा सकते।

किन्तु, निर्णय हो जाने पर निर्णय, उनके कारण तथा वह सामग्री जिसके आधार पर निर्णय किए गए थे, विषय समाप्त हो जाने के बाद जनता को उपलब्ध कराए जायेंगे। हाँ, इनमें वे बातें शामिल नहीं होंगी जो अपवाद में आती हैं।

– ऐसी व्यक्तिगत सूचना जिसका प्रकटन किसी लोक क्रियाकलाप या हित से सम्बन्ध नहीं रखता या जिससे व्यक्ति की एकान्तता पर अनावश्यक अतिक्रमण होता हो, उसे देने से इनकार किया जा सकता है। हाँ, यदि सक्षम अधिकारी समझे कि इसके प्रकटन से अधिक लोकहित होगा तो उसे प्रकट किया जा सकता है।

– किन्तु ऐसी कोई भी सूचना जिसे देने से संसद या विधानमंडलों को इनकार नहीं किया जा सकता है, उसे किसी व्यक्ति को देने से भी इनकार नहीं किया जा सकता।

– शासकीय गुप्त बात कानून के बावजूद, कोई लोक प्राधिकरण सूचना दे सकता है अगर उससे संरक्षित हितों के नुकसान से ज्यादा लोकहित होता हो।

– किसी ऐसी घटना, वृत्तांत या विषय के बारे में जानकारी उपलब्ध कराई जाएगी जो 20 साल पहले घटी हो। बीस साल पूर्व की तारीख के बारे में कोई विवाद हो तो उसका अंतिम फैसला भारत सरकार का होगा।

'सूचना का अधिकार' का अभिप्राय

इससे इस कानून के अंतर्गत सारी पहुँच योग्य सूचना पाने का अधिकार अभिप्रेत है। इसके अधीन नागरिक लोक प्राधिकारियों के नियत्रंणाधीन कृतियों, दस्तावेजों और अभिलेखों का निरीक्षण कर सकते हैं।

वे दस्तावेजों या अभिलेखों के टिप्पण, उद्धरण या प्रमाणित प्रतिलिपि ले सकते हैं। वे सामग्री के प्रमाणित नमूने ले सकते हैं। सूचनाएँ डिस्केटों, फ्लापियों, टेपों, वीडियो कैसेटों, सीडी, पेन ड्राइव, हार्ड डिस्क या किसी दूसरे इलेक्ट्रॉनिक रूप में या प्रिंट आउट से भी प्राप्त की जा सकती हैं। कम्प्यूटरों में और औद्योगिक यंत्रों के जरिए भंडारित सूचनाएँ भी मांगने पर उपलब्ध कराई जायेंगी।

सूचना के लिए आवेदन

सूचना पाने के लिए नागरिक को एक सादे कागज़ पर आवेदन करना पर्याप्त है। आवेदन व्यक्तिगत रूप से जमा कराकर अथवा डाक से भेज कर तथा फैक्स और ई–मेल से भी प्रेषित करके किया जा सकता है। आवेदन के साथ एक मामूली फीस जमा कराना जरूरी है जो केन्द्र सरकार से सम्बद्ध सूचनाओं के लिए मात्र 10 रुपए हैं। राज्यों में अलग–अलग फीसें निर्धारित की गई हैं। गरीबी की रेखा से नीचे के लोगों को कोई फीस नहीं देनी होती।

सूचना उसी रूप में दी जाएगी जिसमें उसे पाने का आवेदन किया जाए। शर्त यह है कि उससे लोक प्राधिकरण को बहुत बड़ी मात्रा में खर्च न वहन करना पड़े। ऐसी स्थिति में प्राधिकरण किसी अन्य आसान और कम खर्चीले तरीके से सम्बद्ध सूचना उपलब्ध करा सकता है। सूचना उपलब्ध कराने की लागत के रूप में अतिरिक्त धन राशि जमा कराने के लिए कहा सकता है।

नागरिक को यह बताने के लिए नहीं कहा जाएगा कि वह सम्बद्ध सूचना क्यों या किस प्रयोजन के लिए पाना चाहता है। उससे केवल सम्पर्क के लिए जरूरी ब्योरे देने को कहा जा सकता है।

आवेदन किससे किया जाए?

हर लोक प्राधिकरण के लिए जरूरी है कि उसकी प्रत्येक इकाई या कार्यालय के लिए एक केन्द्रीय लोक सूचना अधिकारी नियुक्त किया जाय। राज्यों में राज्य लोक

सूचना अधिकारी होंगे। इनके अलावा उपमंडल या उप जिला स्तर पर सहायक लोक सूचना अधिकारी रहेंगे।

लोक सूचना अधिकारियों का दायित्व होगा कि वे सूचना के आवेदन स्वीकृत करें और उन पर समुचित कारवाई आरम्भ करें। यदि कोई आवेदक लिख न सके तो लोक सूचना अधिकारी की जिम्मेदारी होगी कि वह आवेदन तैयार करने में स्वयं उसकी मदद करें।

सहायक लोक सूचना अधिकारी का यह काम होगा कि वह प्राप्त आवेदनों को पाँच दिन के भीतर लोक सूचना अधिकारी तक पहुँचाए।

यदि सूचना एक से अधिक प्राधिकरणों से एकत्र करनी हो तो यह काम लोक सूचना अधिकारी को करना होगा। आवेदक से अपेक्षा नहीं की जाएगी कि वह उन सब को अलग–अलग आवेदन करे।

आवेदन पर कार्रवाई : समय सीमा

लोक सूचना अधिकारी को आवेदन प्राप्त होने पर यथाशीघ्र सूचना प्रदान करनी चाहिए, किन्तु उत्तर देने में 30 दिनों से अधिक का समय नहीं लगाना चाहिए। यदि उसे आवेदन सहायक लोक सूचना अधिकारी के माध्यम से मिला है तो यह अवधि 35 दिन की हो सकती है।

यदि सूचना जीवन और स्वतंत्रता से सम्बद्ध किसी विषय की हो तो उसे 48 घंटे के अन्दर प्रदान करना होगा।

लोक सूचना अधिकारी को निर्धारित अधिकतम अवधि में आवेदक को या तो सूचना प्रदान करनी होगी अथवा उसे न दिए जाने का कारण कानून में उल्लिखित अपवादों में से किसी के आधार पर लिखित में देना होगा।

यदि समय सीमा के भीतर सूचना नहीं मिलती या कोई उत्तर प्राप्त नहीं होता तो माना जाएगा कि सूचना का अनुरोध अस्वीकार कर दिया गया है।

अगर लोक सूचना अधिकारी सूचना एकत्र करने व उपलब्ध कराने में अधिक खर्च आने और उसको अतिरिक्त फीस के रूप में आवेदक से वसूलने का निश्चय करना है तो उसे 30 दिनों की अवधि के भीतर आवेदक को इसकी जानकारी देनी होगी और उसे उतनी धनराशि जमा कराने को कहना होगा। खर्च का हिसाब कैसे लगाया गया है, यह भी आवेदक को बताना होगा। इस विषय में आवेदक को पत्र भेजने और धनराशि जमा कराने के बीच के समय को 30 दिन की सीमा से अतिरिक्त माना जाएगा। अतिरिक्त फीस की मांग युक्तियुक्त होनी चाहिए अर्थात् जरूरत से ज्यादा नहीं होनी चाहिए।

यदि लोक प्राधिकरण समय सीमा में सूचना देने में विफल रहता है तो उसे सारी सूचना निःशुल्क देनी होगी।

यदि लोक सूचना अधिकारी आवेदन रद्द कर देता है तो उसे आवेदक को लिखित में सूचित करना होगा कि—

(क) आवेदन रद्द किए जाने का क्या कारण है;

(ख) इसके खिलाफ अपील कितने दिनों के अन्दर की जा सकती है; और

(ग) अपील किस प्राधिकरण के समक्ष और किस पते पर की जा सकती है।

यदि सूचना किसी दस्तावेज आदि के किसी हिस्से की ही दी जा सकती है तो आवेदक को यह जानकारी दी जाएगी।

अगर कोई सूचना किसी व्यक्ति ने प्राधिकरण को विश्वास में दी है तो उसका प्रकटीकरण करने से पहले उस व्यक्ति को इसके लिए सूचित करना होगा। इसके लिए उसे दस दिन का समय दिया जाएगा। यदि लोक सूचना अधिकारी उसके प्रकटीकरण का निर्णय करता है तो वह व्यक्ति इस निर्णय के विरुद्ध अपील कर सकता है। विश्वास में दी गई जानकारी का प्रकटीकरण उसी स्थिति में किया जा सकता है जब लोक सूचना अधिकारी का यह निश्चित मत बने कि प्रकटीकरण से सूचना देने वाले को होने वाले नुकसान की तुलना में लोकहित अधिक मात्रा में होगा। लोक सूचना अधिकारी ऐसी जानकारी उपलब्ध कराने का आवेदन किसी नागरिक से मिलने के पाँच दिनों के अन्दर यह तय करके कि जानकारी प्रकट की जाए, इसकी सूचना उसे देगा जिसने गोपनीय जानकारी प्राधिकरण को दी थी ताकि वह इसके विरुद्ध अपनी प्रतिक्रिया ऐसा पत्र मिलने के दस दिनों में दे सके। अधिकारी अपना अंतिम निर्णय कुल 40 दिनों में देगा। इससे असंतुष्ट होने पर वह व्यक्ति निर्दिष्ट उच्च अधिकारी के समक्ष अपील कर सकता है।

अपील

इस अधिनियम में लोक सूचना अधिकारी के निर्णय के खिलाफ दो चरणों में अपील करने की व्यवस्था है। पहली अपील उसी लोक प्राधिकरण के एक निर्दिष्ट वरिष्ठ अधिकारी के समक्ष की जा सकती है। इसे अपील प्राधिकारी का पदनाम दिया गया है। दूसरा चरण केन्द्रीय सूचना आयोग या राज्य सूचना आयोग के समक्ष अपील अथवा शिकायत करना है। इस कानून के अधीन केन्द्रीय सरकार के सम्बन्ध में केन्द्रीय सूचना आयोग और राज्य सरकारों के विषय में हर राज्य में राज्य सूचना आयोग की स्थापना की गई है।

अपील प्राधिकारी से अपील इन आधारों पर लिखित रूप में की जा सकती है—

१. आप लोक सूचना अधिकारी के फैसले से संतुष्ट नहीं हैं।

२. लोक सूचना अधिकारी ने निर्धारित समय–सीमा के भीतर निर्णय नहीं किया, और

३. विश्वास में दी गई गोपनीय जानकारी को प्रकट करने सम्बन्धी लोक सूचना अधिकारी के निर्णय से आप असंतुष्ट हैं।

अपील लोक सूचनाधिकारी के निर्णय की प्राप्ति के 30 दिनों के अन्दर की जानी चाहिए। इसके लिए कोई शुल्क नहीं देना होगा। सहायक लोक सूचना अधिकारी के माध्यम से भी अपील भेजी जा सकती है। यह अधिकारी पाँच दिन के अन्दर इसे अपील प्राधिकारी को भेजेगा।

अपील प्राधिकारी को सामान्यतः 30 दिनों में निर्णय दे देना चाहिए। किन्तु, वह अधिकाधिक 45 दिनों का समय लगा सकता है, पर इस विलम्ब के लिए उसे लिखित रूप में कारण देने होंगे। यदि वह अपील स्वीकार कर लेता है तो इसकी सूचना आपको और लोक प्राधिकरण को देगा तथा मांगी गई सूचना आपको मिल जाएगी।

अगर अपील स्वीकार नहीं की जाती तो आप केन्द्रीय राज्य सूचना आयोग में इसके विरुद्ध अपील कर सकते हैं। अपील प्राधिकारी को लोक सूचना अधिकारी को दण्ड देने का अधिकार नहीं है, यह सूचना आयोगों को है।

सूचना आयोग

अपील का दूसरा चरण केन्द्रीय और राज्य सूचना आयोगों के रूप में है। सूचना आयोगों का प्रावधान २००२ के कानून में नहीं था। २००५ के अधिनियम की विशिष्टताओं में से एक यह है। इस अधिनियम में आयोगों के गठन, शक्तियों और कार्यों के बारे में तीन अध्याय शामिल किए गए हैं। ये आयोग जहाँ अपील प्राधिकारी के फैसले से असंतुष्ट होने पर एक स्वतंत्र और स्वायत्त निकायों का विकल्प सूचना के आवेदकों को प्रदान करते हैं, वहीं ये नागरिकों को सूचना तक पहुँच दिलाने वाले प्रभावी उपकरण हैं।

इन आयोगों का काम है—(क) अपीलों और शिकायतों पर विचार और जाँच करके समुचित कार्रवाई करना; (ख) सूचना के अधिकार के क्रियान्वयन पर निगरानी रखना तथा सुधार के उपाय सुझाना; और मानवाधिकारों से सम्बन्धित सूचनाओं पर विशेष रूप से उपयुक्त निर्देशन करना।

केन्द्रीय और राज्य आयोगों के समक्ष अपील पहली अपील पर निर्णय होने के 90 दिनों के अंदर की जानी चाहिए। आयोग चाहें तो इस अवधि के बाद भी अपील को विचारार्थ स्वीकार कर सकते हैं। केन्द्रीय सरकार के लोक प्राधिकरणों के बारे में अपीलों और शिकायतों की सुनवाई केन्द्रीय सूचना आयोग और राज्य लोक प्राधिकरणों के विषय में सुनवाई राज्य सूचना आयोग करते हैं। आयोगों को लोक सूचना अधिकारियों, अपील प्राधिकारियों और अपीलकर्ताओं को सुनने तथा दस्तावेजों को बुलाने की सिविल न्यायालय जैसी शक्तियाँ प्राप्त हैं।

आयोगों का कर्तव्य है कि वे ऐसे व्यक्ति की शिकायतें प्राप्त करें और उनकी जाँच करें—

१. जो लोक सूचना अधिकारी की नियुक्ति न किए जाने के कारण आवेदन करने में असमर्थ रहा हो;

२. जिसके आवेदन को सहायक लोक सूचना अधिकारी ने ऊपर भेजने से इनकार कर दिया हो;

३. जिसे अनुरोध की गई जानकारी देने से इनकार किया गया हो;

४. जिसे निर्धारित समय–सीमा के अन्दर जानकारी न दी गई हो;

५. जिसे निर्धारित समय–सीमा में उत्तर ही न दिया गया हो;

६. जो समझे कि उसे अपूर्ण, भ्रामक अथवा मिथ्या जानकारी दी गई है;

७. जिससे अनुचित मात्रा में फीस मांगी गई हो;

८. इस अधिनियम के अधीन अभिलेखों का अनुरोध करने या उन तक पहुंचने से जुड़े किसी अन्य विषय के बारे में।

आयोगों के समक्ष अपीलों में यह सिद्ध करने की जिम्मेदारी लोक सूचना अधिकारी की होगी, शिकायतकर्ता की नहीं; कि सूचना देने से इनकार करने का उसका निर्णय न्यायोचित था। आयोगों के निर्णय बाध्यकारी होंगे।

आयोग लोक प्राधिकरणों से कुछ भी ऐसे उपाय करने को कह सकते हैं जो इस कानून के प्रावधानों का पालन कराने के लिए आवश्यक समझे जाएँ।

इस कानून के अंतर्गत अपने कर्त्तव्यों का पालन करने में विफल रहने वाले लोक सूचना अधिकारियों और अधिकारियों को दंड देने की शक्ति भी आयोग में निहित है। सूचना देने या लेने की प्रक्रिया में अदालतों का हस्तक्षेप इस कानून में वर्जित कर दिया गया है। किन्तु, सूचना के अधिकार को एक मौलिक संवैधानिक अधिकार मान लिए जाने के कारण उच्च न्यायालय या सर्वोच्च न्यायालय में जाया जा सकता है। अपील प्राधिकारियों या आयोगों के समक्ष अपनी बात कहने या तर्क पेश करने के लिए वकील करने की जरूरत नहीं है। आप असुविधा महसूस करें तो उन्हें कह कर किसी की भी सहायता ले सकते हैं।

सूचना अधिकार अधिनियम का पालन कराने के लिए सूचना आयोग लोक प्राधिकरणों को कोई भी समुचित आदेश–निर्देश देने की शक्ति रखते हैं, जैसे वे कोई खास कदम उठाने को कह सकते हैं या माँगी गई शुल्क की राशि घटा सकते हैं। सूचना पाने की प्रक्रिया में यदि आवेदक को कोई हानि हुई हो तो आयोग उसका मुआवज़ा दिए जाने का आदेश दे सकते हैं। ये शक्तियाँ अपील प्राधिकारियों को प्राप्त नहीं हैं।

यदि आप लोक सूचना अधिकारी के निर्णय से असंतुष्ट हैं तो अपील प्राधिकारी के पास आवेदन करने के बजाए अधिनियम की धारा १८ (१) के अन्तर्गत सीधे सूचना आयोग में शिकायत लेकर जा सकते हैं। किन्तु अपील प्राधिकारी के निर्णय के लिए निर्धारित समय–सीमा की तरह इसमें ऐसी कोई गारंटी नहीं होगी कि कितने दिनों में फैसला आएगा। सूचना का अधिकार कानून में सूचना आयोगों के निर्णयों के लिए कोई समय–सीमा नहीं रखी गई है।

दण्ड

सूचना आयोगों को सूचना के सम्बन्ध में दोषी सिद्ध हुए अधिकारियों पर प्रति २५० रुपए और कुल २५,०००.०० रुपए तक का जुर्माना करने की शक्ति दी गई है। इसके अलावा वे ऐसे अधिकारियों के खिलाफ अनुशासन की कार्रवाई करने की सिफारिश भी कर सकते हैं।

दण्ड इन कृत्यों के लिए दिया जा सकता है—

(क) सूचना प्रदान किये जाने के किसी आवेदन को प्राप्त करने से इनकार करना;

(ख) निर्धारित समय–सीमा में सूचना प्रदान न करना;

(ग) सूचना के निवेदन को दुर्भावना के कारण स्वीकार नहीं करना;

(घ) जानबूझकर ऐसी सूचना देना जो गलत, अधूरी या भ्रामक हो;

(ट) माँगी गई किसी सूचना को नष्ट करना; और

(ठ) सूचना दिए जाने में किसी भी प्रकार की बाधा डालना।

स्वेच्छा से सूचनाएँ प्रदान किया जाना

इस अधिनियम का एक महत्त्वपूर्ण प्रावधान यह है कि इसके अंतर्गत सभी लोक प्राधिकरणों के लिए यह अनिवार्य है कि वे अपने संगठन, कार्यों, अधिकारियों के कर्त्तव्यों, इनकी शक्तियों, कार्य संचालन की प्रक्रियाओं, वित्तीय विवरणों और योजनाओं तथा सूचनाओं तक पहुँच सम्बन्धी विवरणों का व्यापक प्रकाशन और प्रचार–प्रसार करें। इसके लिए जन–संचार के सभी माध्यमों का प्रयोग किया जाए। इन सूचनाओं को निरन्तर संशोधित करते हुए इन्हें अद्यतन बनाते रहा जाए। इस प्रकार की सूचनाओं को १७ श्रेणियों में उल्लिखित किया गया है। यह प्रावधान इसलिए किया गया है ताकि प्रशासन में पारदर्शिता रहे और सूचना पाना नागरिकों के लिए सुकर बनाया जा सके। एक खुली लोकतान्त्रिक व्यवस्था में जन–समुदाय के लिए उपयोगी सार्वजनिक सूचनाएँ उसे बिना माँगे भी दी ही जानी चाहिए। इस प्रकार उसे अपने लिए उपयोगी जानकारी तक प्रामाणिक रूप में पहुँच प्राप्त होगी।

यह भी प्रावधान किया गया है कि सभी लोक प्राधिकरण नीतियाँ, योजनाएँ और परियोजनाएँ बनाते समय तथा निर्णयों की घोषणाएँ करते हुए समस्त प्रासंगिक तथ्यों को प्रकाशित करें। इससे लोग निर्णय प्रक्रिया में अधिक सक्रियता से भागीदारी निभा सकेंगे।

अधिनियम में इसके अधीन कार्यों और गतिविधियों की आयोगों द्वारा मानिटरिंग और वार्षिक प्रतिवेदन प्रस्तुत किए जाने की भी व्यवस्था की गई है। मंत्रालयों/विभागों के लिए यह जरूरी होगा कि वे अपने–अपने अधीन लोक प्राधिकरणों के सम्बन्ध में ऐसी सूचनाएँ एकत्रित करके उन्हें इस रिपोर्ट के लिए आयोगों को उपलब्ध कराएँ।

■

शब्दावली

हिन्दी-अंग्रेजी

अन्तरवर्ती	Interlocutory
अतिलंघन	Infringement
अधिनियम	Act
अधिप्रमाणित	Authenticated
अधिभोगी	Occupant
अधिसूचित	Notified
अधीनस्थ विधायन	Subordinate legislation
अनुकूलन	Adaptation
अनुच्छेद	Article
अनुज्ञप्ति	Licence
अपवाद	Exception
अपवर्जन	Exclusion
अपराध उद्दीपन	Incitement to crime
अपेक्षण	Requisition
अप्रीति	Disaffection
अभक्ति	Disloyalty
अभिकर्ता	Agent
अभिलेख	Record
अभिरक्षा	Custody
अभिग्रहण	Seize, to
अभित्रास	Intimidation
अवमान	Contempt
अध्यधीन	Subject to
अभिव्यक्ति-स्वातंत्र्य	Freedom of expression

आक्षेपणीय	Objectionable
अश्लीलता	Obscenity
अशोभनीयता	Indecency
अर्हता	Qualification
आसन्न	Imminent
आकस्मिक छुट्टी	Casual Leave
आपराधिक विधि	Criminal law
उन्मुक्ति	Immunity
उन्मोचन	Discharge
उपजीविका	Occupation
उपदान	Gratuity
उपचार	Remedy
उपबन्ध	Provision
उपार्जित छुट्टी	Earned Leave
एकाधिकारी नियंत्रण	Monopolistic control
कर्मकार	Workman
कृति	Work
कारबार	Business
कार्यपालिका	Executive
गुप्त बात	Secret
घोषणापत्र	Declaration
चमत्कारिक उपचार	Magic remedy
टिप्पण	Note
तालाबन्दी	Lock-out
दंड संहिता	Penal code
दंड प्रक्रिया संहिता	Criminal Procedure code
दोष सिद्धि	Conviction

दृश्यरूपण	Visible rpresen-tation	प्राण और दैहिक स्वाधीनता	Life and personal liberty
दोषमुक्त	Acquitted	प्राधिकरण	Authority
दुर्भावना	Malice	प्राधिकृत	Authorized
न्यायालय अवमान	Contempt of court	बन्धपत्र	Bond
		बन्दी प्रत्यक्षीकरण	Habeas Corpus
न्यायपालिका	Judiciary	मूलअधिकार	Fundamental right
न्यायाधिकरण	Tribuanl		
निर्बन्धन	Restriction	मानहानि	Defamation
नियतकालिकता	Periodicity	युक्तियुक्त	Reasonable
निष्पादन	Execution	रचयिता	Author
निरनुमोदन	Disapproval	राजद्रोह	Sedition
नियोजक	Employer	रेखाचित्र	Sketch
निवारक नजरबन्दी	Preventive detention	रेखांक	Plan
		रिष्टि	Mischief
प्रकटीकरण	Disclosure	रोक	Injunction
प्रक्रिया	Procedure	लोकनीति	Public policy
पंजीयक	Registrar	लोकरुचि	Public taste
प्रत्याभूति	Guarantee	विधि	Law
प्रतिवादी	Defendent	विशेषाधिकार	Privilege
प्रतिवेदन	Report	वाक् अधिकार	Right of speech
प्रतिमान	Model	विनियमन	Regulation
परिदान	Delivery	वृत्ति	Profession
परिनिन्दा	Censure	व्यापार	Trade
प्रवर समिति	Select committee	(मिथ्या) व्यपदेशन	(Mis) representation
प्रतिवाद	Defence	विवेकाधिकार	Discretion
प्रथमदृष्टया	Prima Facie	विधायिका	Legislature
प्रभारी	Incharge	विचारण	Trial
पुनरीक्षा	Review	विनिर्दिष्ट	Specified
प्रशान्ति	Tranquillity	वृत्तिक स्तर	Professional Standard
प्रवहन	Convey, to		
परन्तुक	Proviso	शासकीय	Official
प्रत्यायोजित	Delegated	श्रमजीवी पत्रकार	Working journalist
प्रतिलिप्यधिकार	Copyright		
प्राकृतिक न्याय	Natural justice	स्वामित्व	Ownership

स्थगनादेश	Stay order
संकेतिकी	Code
सद्भावपूर्वक	Bona fide
समादेश	Writ
सापेक्ष	Qualified
संप्रवर्तन	Promotion
सन्निविष्ट	Embodied
समपहरण	Forfeiture
सत्रावसान	Prorogation
संहिताकरण	Codification
क्षेत्राधिकार	Jurisdiction

अंग्रेजी-हिन्दी

Acquitted	दोषमुक्त
Adaptation	अनुकूलन
Agent	अभिकर्ता
Article	अनुच्छेद
Authenticated	अधिप्रमाणित
Author	रचयिता
Authorised	प्राधिकृत
Bona fide	सद्भावपूर्वक
Bond	बन्धपत्र
Business	कारबार
Casual leave	आकस्मिक छुट्टी
Censure	परिनिन्दा
Code	संकेतिकी
Codification	संहिताकरण
Cognizable	संज्ञेय
Convey, to	प्रवहन
Conviction	दोषसिद्धि
Contempt	अवमान
Copyright	प्रतिलिप्यधिकार
Criminal Law	आपराधिक विधि
Criminal Procedure Code	दंड प्रक्रिया संहिता
Custody	अभिरक्षा
Declaration	घोषणापत्र
Defamation	मानहानि
Defence	प्रतिवाद
Defendent	प्रतिवादी
Delegated	प्रत्यायाजित
Delivery	परिदान
Disaffection	अप्रीति
Disapproval	निरनुमोदन
Discharge	उन्मोचन
Discretion	विवेकाधिकार
Disclosure	प्रकटीकरण
Disloyalty	अभक्ति
Earned leave	उपार्जित छुट्टी
Embodied	सन्निविष्ट
Employer	नियोजक
Exception	अपवाद
Exclusion	अपवर्जन
Execution	निष्पादन
Executive	कार्यपालिका
Expression, freedom of	अभिव्यक्ति स्वातन्त्र्य
Fair	ऋजु
Forfeiture	समपहरण
Fundamental right	मूलअधिकार
Gratuity	उपदान
Guarantee	प्रत्याभूति
Habeas Corpus	बन्दी प्रत्यक्षीकरण
Incharge	प्रभारी
Incitement to	अपराध उद्दीपन
Indecency	अशोभनीयता
Infringement	अतिलंघन
Injunction	रोक
Imminent	आसन्न
Immunity	उन्मुक्ति
Interlocutory	अन्तरवर्ती
Intimidation	अभित्रास
Judiciary	न्यायपालिका
Jurisdiction	क्षेत्राधिकार
legislation	विधायिका

Licence	अनुज्ञप्ति
Life and personal liberty	प्राण और दैहिक स्वाधीनता
Lock-out	ताला बन्दी
Magic remedy	चमत्कारिक उपचार
Malice	दुर्भावना
Mischief	रिष्टि
Model	प्रतिमान
Monopolistic control	एकाधिकारी नियंत्रण
Natural justice	प्राकृतिक न्याय
Note	टिप्पण
Notified	अधिसूचित
Objectionable	आक्षेपणीय
Obscenity	अश्लीलता
Occupant	अधिभोगी
Occupation	उपजीविका
Official	शासकीय
Ownership	स्वामित्व
Penal Code	दंड संहिता
Periodicity	नियतकालिक
Plan	रेखांकन
Preventive detention	निरोधक नजरबन्दी
Profession standard	वृत्तिक स्तर
Prorogation	सत्रावसान
Provision	उपबन्ध, प्रावधान
Public taste	लोक रुचि
Prima facie	प्रथमदृष्टया
Privilege	विशेषाधिकार
Procedure	प्रक्रिया
Profession	वृत्ति
Promotion	सप्रवर्तन
Proviso	परन्तुक
Public policy	लोकनीति
Public taste	लोकरुचि
Qualification	अहर्ता
Qualified	सापेक्ष
Reasonable	युक्तियुक्त
Record	अभिलेख
Registrar	पंजीयक
Registration	पंजीकरण
Regulation	विनियमन
Remedy	उपचार
Report	प्रतिवेदन
(Mis) Representation	(मिथ्या) व्यपदेशन
Requisition	अपेक्षण
Restriction	निर्बन्धन
Review	पुनरीक्षण
Right of speech	वाक् अधिकार
Secret	गुप्तबात
Sediton	राजद्रोह
Seize	अभिग्रहण करना
Select Committee	प्रवर समिति
Sketch	रेखाचित्र
Specified	विनिर्दिष्ट
Stay Order	स्थनादेश
Subject to	अध्यधीन
Subordinate legislation	अधीनस्थ विधायन
Trade	व्यापार
Tranquillity	प्रशान्ति
Trial	विचारण
Tribunal	न्यायाधिकरण
Unlawful	विधिविरुद्ध
Visible representation	दृष्यरुपण
Work	कृति
Working journalist	श्रमजीवी पत्राकार
Workman	कर्मकार
Writ	समादेश

■